DIAT 스프레드시트

엑셀 2016

수험서개발팀 지음

[문제 5] "차트" 시트를 참조하여 다음 《처리조건》에 맞도록 작업하시오.(30점)

《출력형태》

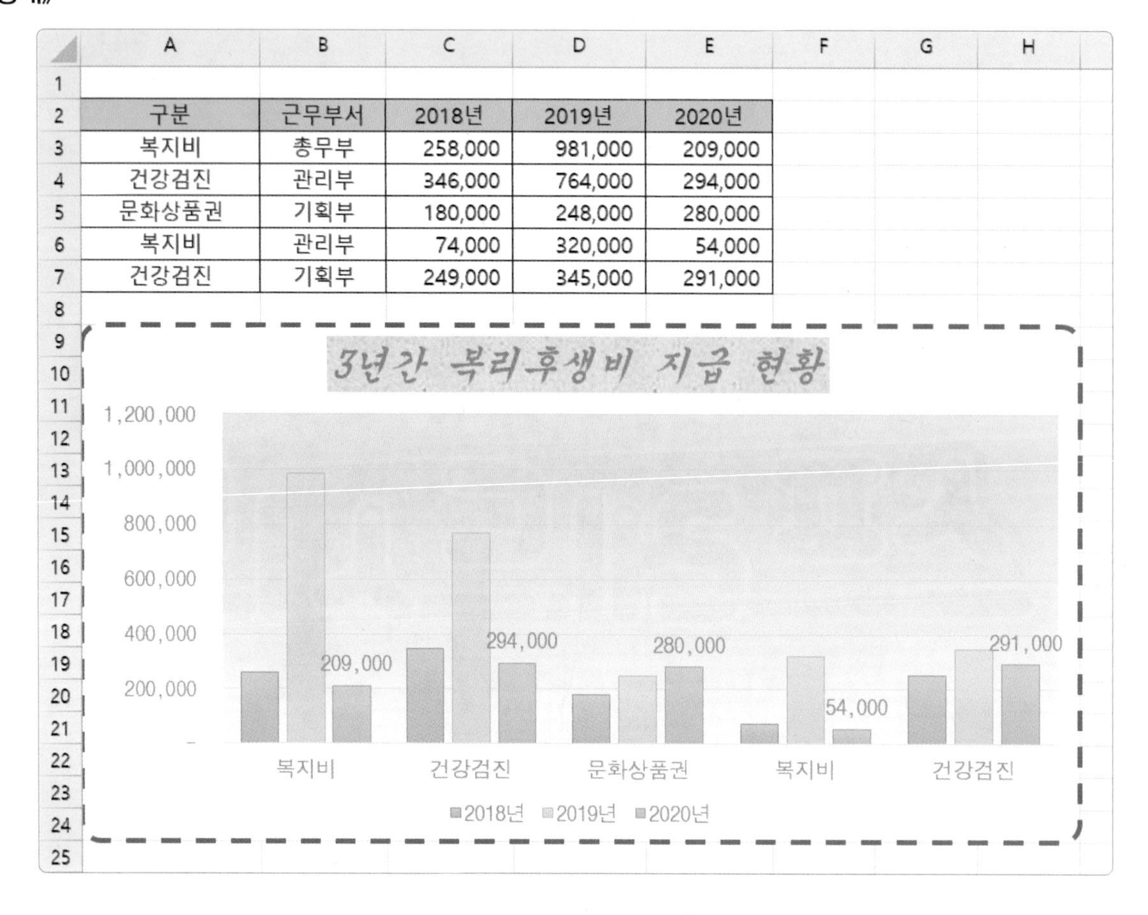

구분	근무부서	2018년	2019년	2020년
복지비	총무부	258,000	981,000	209,000
건강검진	관리부	346,000	764,000	294,000
문화상품권	기획부	180,000	248,000	280,000
복지비	관리부	74,000	320,000	54,000
건강검진	기획부	249,000	345,000	291,000

《처리조건》

▶ "차트" 시트에 주어진 표를 이용하여 '묶은 세로 막대형' 차트를 작성하시오.

- 데이터 범위 : 현재 시트 [A2:A7], [C2:E7]의 데이터를 이용하여 작성하고, 행/열 전환은 '열'로 지정
- 차트 제목("3년간 복리후생비 지급 현황")
- 범례 위치 : 아래쪽
- 차트 스타일 : 색 변경(색상형 – 색 3, 스타일 5)
- 차트 위치 : 현재 시트에 [A9:H24] 크기에 정확하게 맞추시오.
- 차트 영역 서식 : 글꼴(돋움체, 10pt), 테두리 색(실선, 색 : 자주), 테두리 스타일(너비 : 2.5pt, 겹선 종류 : 단순형, 대시 종류 : 파선, 둥근 모서리)
- 차트 제목 서식 : 글꼴(궁서체, 20pt, 기울임꼴), 채우기(그림 또는 질감 채우기, 질감 : 재생지)
- 그림 영역 서식 : 채우기(그라데이션 채우기, 그라데이션 미리 설정 : 밝은 그라데이션 – 강조 4, 종류 : 선형, 방향 : 선형 위쪽)
- 데이터 레이블 추가 : '2020년' 계열에 "값" 표시

▶ 지시사항이 없는 경우는 《출력형태》와 동일하게 작성하시오.

차례

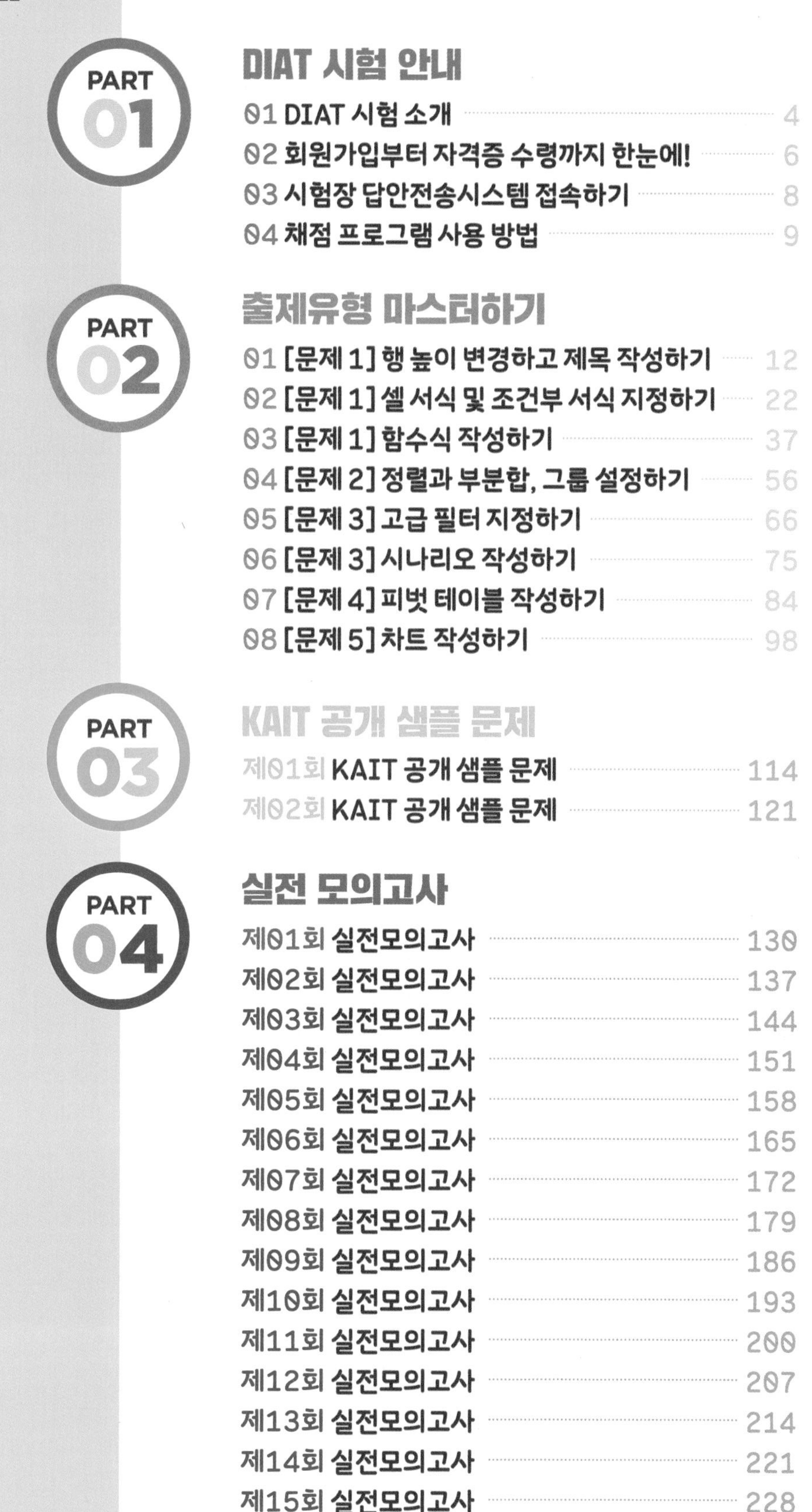

【문제 4】 "피벗테이블" 시트를 참조하여 다음 《처리조건》에 맞도록 작업하시오.(30점)

《출력형태》

	A	B	C	D	E
1					
2					
3			근무부서		
4	구분	값	관리부	기획부	총무부
5	건강검진	평균 : 2020년	294,000	291,000	762,000
6		평균 : 합계	1,404,000	885,000	1,034,000
7	문화상품권	평균 : 2020년	846,000	280,000	746,000
8		평균 : 합계	1,326,000	708,000	1,204,000
9	복지비	평균 : 2020년	54,000	64,000	209,000
10		평균 : 합계	448,000	910,000	1,448,000
11	전체 평균 : 2020년		398,000	211,667	572,333
12	전체 평균 : 합계		1,059,333	834,333	1,228,667
13					

《처리조건》

▶ "피벗테이블" 시트의 [A2:G12]를 이용하여 새로운 시트에 《출력형태》와 같이 피벗 테이블을 작성 후 시트명을 "피벗테이블 정답"으로 수정하시오.

▶ 구분(행)과 근무부서(열)을 기준으로 하여 출력형태와 같이 구하시오.

- '2020년', '합계'의 평균을 구하시오.
- 피벗 테이블 옵션을 이용하여 레이블이 있는 셀 병합 및 가운데 맞춤하고 빈 셀을 "**"로 표시한 후, 행의 총합계를 감추기 하시오.
- 피벗 테이블 디자인에서 보고서 레이아웃은 '테이블 형식으로 표시', 피벗 테이블 스타일은 '피벗 스타일 보통 12'로 표시하시오.
- 근무부서(열)은 "관리부", "기획부", "총무부"만 출력되도록 표시하시오.
- [C5:E12] 데이터는 셀 서식의 표시 형식-숫자를 이용하여 1000 단위 구분 기호 표시하고, 가운데 맞춤하시오.

▶ 구분과 근무부서의 순서는 《출력형태》와 다를 수 있음

▶ 지시사항이 없는 경우는 《출력형태》와 동일하게 작성하시오.

• PART •

01

DIAT 시험 안내

(2) 시나리오

《출력형태 – 시나리오》

	A	B	C	D	E	F	G
1							
2		시나리오 요약					
3				현재 값:	2020년 62700 증가	2020년 35900 감소	
5		변경 셀:					
6			$F$3	209,000	271,700	173,100	
7			$F$8	746,000	808,700	710,100	
8			$F$10	762,000	824,700	726,100	
9		결과 셀:					
10			$G$3	1,448,000	1,510,700	1,412,100	
11			$G$8	1,204,000	1,266,700	1,168,100	
12			$G$10	1,034,000	1,096,700	998,100	
13		참고: 현재 값 열은 시나리오 요약 보고서가 작성될 때의					
14		변경 셀 값을 나타냅니다. 각 시나리오의 변경 셀들은					
15		회색으로 표시됩니다.					
16							

《처리조건》

▶ "시나리오" 시트의 [A2:G12]를 이용하여 '근무부서'가 "총무부"인 경우, '2020년'이 변동할 때 '합계'가 변동하는 가상분석(시나리오)을 작성하시오.

- 시나리오1 : 시나리오 이름은 "2020년 62700 증가", '2020년'에 62700을 증가시킨 값 설정.
- 시나리오2 : 시나리오 이름은 "2020년 35900 감소", '2020년'에 35900을 감소시킨 값 설정.
- "시나리오 요약" 시트를 작성하시오.

▶ 지시사항이 없는 경우는 《출력형태 – 시나리오》와 동일하게 작성하시오.

DIAT 시험 소개

시험 과목

검정 과목	사용 프로그램	검정 방법	문항수	시험 시간	배점	합격 기준
프리젠테이션	- MS 파워포인트 - 한컴오피스 한쇼	작업식	4문항	40분	200점	- 초급 : 80~119점 - 중급 : 120~159점 - 고급 : 160~200점
스프레드시트	- MS 엑셀 - 한컴오피스 한셀		5문항			
워드프로세서	- 한컴오피스 한글		2문항			
멀티미디어제작	- 포토샵/곰믹스프로 - 이지포토/곰믹스프로		3문항			
인터넷정보검색	- 인터넷		8문항		100점	- 초급 : 40~59점 - 중급 : 60~79점 - 고급 : 80~100점
정보통신상식	- CBT 프로그램	객관식	40문항			

※ 스프레드시트(한셀), 프리젠테이션(한쇼), 멀티미디어제작(이지포토)는 서울, 경기, 인천 지역에 한하여 접수 가능

출제 내용(스프레드시트)

문항	출제 내용	
문제 1	행 높이	1행 및 나머지 행 높이 조절
	제목 작성	WordArt 또는 도형 이용
	셀 서식	테두리, 셀 병합, 채우기 색, 표시 형식
	조건부 서식	레코드 전체에 글꼴 서식 지정
	수식 작성	함수 총 5개 출제
문제 2	정렬	오름차순 또는 내림차순 정렬
	부분합	중복 부분합(부분합 1, 2) 작성
	그룹	열 그룹 지정
	기타 작성	특정 셀 서식 지정
문제 3	필터	- 특정 셀에 조건 작성(AND, OR 함수 이용) - 특정 데이터만 필터링
	시나리오	시나리오 1, 2 작업 후 요약 시트 작성
문제 4	피벗 테이블	- 새 시트에 피벗 테이블 작성 - 피벗 테이블 옵션 지정 - 피벗 테이블 디자인 지정 - 특정 값만 출력되도록 지정 - 특정 셀 서식 지정
문제 5	차트	- 기존 시트에 차트 작성 - 차트 제목 작성 - 범례 위치 지정 - 차트 스타일 지정 - 차트 위치 지정(특정 셀에 크기 지정) - 각종 서식 지정(차트 영역 서식, 차트 제목 서식 등) - 데이터 레이블 추가

【문제 3】 "필터"와 "시나리오" 시트를 참조하여 다음 《처리조건》에 맞도록 작업하시오.(60점)

(1) 필터

《출력형태 – 필터》

	A	B	C	D	E	F	G
1							
2	구분	근무부서	인원	2018년	2019년	2020년	합계
3	복지비	총무부	29	258,000	981,000	209,000	1,448,000
4	건강검진	관리부	33	346,000	764,000	294,000	1,404,000
5	문화상품권	기획부	58	180,000	248,000	280,000	708,000
6	복지비	관리부	24	74,000	320,000	54,000	448,000
7	건강검진	기획부	39	249,000	345,000	291,000	885,000
8	문화상품권	총무부	22	260,000	198,000	746,000	1,204,000
9	복지비	기획부	42	559,000	287,000	64,000	910,000
10	건강검진	총무부	52	74,000	198,000	762,000	1,034,000
11	문화상품권	관리부	21	426,000	54,000	846,000	1,326,000
12	복지비	인사부	28	127,000	128,000	287,000	542,000
13							
14	조건						
15	TRUE						
16							
17							
18	근무부서	2018년	2019년	2020년	합계		
19	총무부	258,000	981,000	209,000	1,448,000		
20	기획부	180,000	248,000	280,000	708,000		
21	관리부	74,000	320,000	54,000	448,000		
22	기획부	559,000	287,000	64,000	910,000		
23	총무부	74,000	198,000	762,000	1,034,000		
24	인사부	127,000	128,000	287,000	542,000		
25							

《처리조건》

▶ "필터" 시트의 [A2:G12]를 아래 조건에 맞게 고급 필터를 사용하여 작성하시오.

- '구분'이 "복지비"이거나 '인원'이 50 이상인 데이터를 '근무부서', '2018년', '2019년', '2020년', '합계'의 데이터만 필터링하시오.
- 조건 위치 : 조건 함수는 [A15] 한 셀에 작성(OR 함수 이용)
- 결과 위치 : [A18]부터 출력

▶ 지시사항이 없는 경우는 《출력형태 – 필터》와 동일하게 작성하시오.

MS Office 2016 버전용 샘플문제

디지털정보활용능력
[DIAT: Digital Information Ability Test]

- 시험과목 : 스프레드시트(엑셀)
- 시험일자 : 2021. 00. 00.(토)
- 응시자 기재사항 및 감독위원 확인

A

수 검 번 호	DIS - 2100 -	감독위원 확인
성 명		

응시자 유의사항

1. 응시자는 신분증을 지참하여야 시험에 응시할 수 있으며, 시험이 종료될 때까지 신분증을 제시하지 못 할 경우 해당 시험은 0점 처리됩니다.
2. 시스템(PC작동여부, 네트워크 상태 등)의 이상여부를 반드시 확인하여야 하며, 시스템 이상이 있을시 감독위원에게 조치를 받으셔야 합니다.
3. 시험 중 부주의 또는 고의로 시스템을 파손한 경우는 응시자 부담으로 합니다.
4. 답안 전송 프로그램을 통해 다운로드 받은 파일을 이용하여 답안파일을 작성하시기 바랍니다.
5. 작성한 답안 파일은 답안 전송 프로그램을 통하여 전송됩니다. 감독위원의 지시에 따라 주시기 바랍니다.
6. 다음사항의 경우 실격(0점) 혹은 부정행위 처리됩니다.
   1) 답안파일을 저장하지 않았거나, 저장한 파일이 손상되었을 경우
   2) 답안파일을 지정된 폴더(바탕화면 - "KAIT" 폴더)에 저장하지 않았을 경우
      ※ 답안 전송 프로그램 로그인 시 바탕화면에 자동 생성됨
   3) 답안파일을 다른 보조 기억장치(USB) 혹은 네트워크(메신저, 게시판 등)로 전송할 경우
   4) 휴대용 전화기 등 통신기기를 사용할 경우
7. 시험지에 제시된 글꼴이 응시 프로그램에 없는 경우, 반드시 감독위원에게 해당 내용을 통보한 뒤 조치를 받아야 합니다.
8. 시험의 완료는 작성이 완료된 답안을 저장하고, 답안 전송이 완료된 상태를 확인한 것으로 합니다. 답안 전송 확인 후 문제지는 감독위원에게 제출한 후 퇴실하여야 합니다.
9. 답안전송이 완료된 경우에는 수정 또는 정정이 불가능합니다.
10. 시험시행 후 결과는 홈페이지(www.ihd.or.kr)에서 확인하시기 바랍니다.
    1) 문제 및 모범답안 공개 : 2021. 00. 00.(화)
    2) 합격자 발표 : 2021. 00. 00.(금)

한국정보통신진흥협회 KAIT

디지털정보활용능력 - 스프레드시트(엑셀) [시험시간 : 40분] 1/6

【문제 1】 "수입현황" 시트를 참조하여 다음 《 처리조건 》에 맞도록 작업하시오.(50점)

《 출력형태 》

《 처리조건 》

▶ 1행의 행 높이를 '80'으로 설정하고, 2행~15행의 행 높이를 '18'로 설정하시오.

▶ 제목("열대어 수입현황") : 기본 도형의 '원통'을 이용하여 입력하시오.
- 도형 : 위치([B1:H1]), 도형 스타일(테마 스타일 - 미세 효과 - '주황, 강조 2')
- 글꼴 : 궁서체, 24pt, 기울임꼴
- 도형 서식 : 도형 옵션 - 크기 및 속성(텍스트 상자(세로 맞춤 : 정가운데, 텍스트 방향 : 가로))

▶ 셀 서식을 아래 조건에 맞게 작성하시오.
- [A2:I15] : 테두리(안쪽, 윤곽선 모두 실선, '검정, 텍스트 1'), 전체 가운데 맞춤
- [A13:D13], [A14:D14], [A15:D15] : 각각 병합하고 가운데 맞춤
- [A2:I2], [A13:D15] : 채우기 색('파랑, 강조 1, 40% 더 밝게'), 글꼴(굵게)
- [E3:G13] : 셀 서식의 표시 형식-숫자를 이용하여 1000단위 구분 기호 표시
- [H3:H12] : 셀 서식의 표시 형식-사용자 지정을 이용하여 #"위"자를 추가
- [D3:D12], [E14:G15] : 셀 서식의 표시 형식-사용자 지정을 이용하여 #,##0"원"자를 추가
- 조건부 서식[A3:I12] : '종류'가 "시클리드"인 경우 레코드 전체에 글꼴(빨강, 굵은 기울임꼴) 적용
- 지시사항이 없는 경우는 주어진 문제파일의 서식을 그대로 사용하시오.

▶ ① 순위[H3:H12] : '2014년'을 기준으로 큰 순으로 순위를 구하시오. (RANK 함수)
▶ ② 비고[I3:I12] : '단가'가 4000 이상이면 "고가", 그렇지 않으면 공백으로 구하시오. (IF 함수)
▶ ③ 순위[E13:G13] : '2013년' 중 두 번째로 큰 값을 구하시오. (LARGE 함수)
▶ ④ 평균[E14:G14] : '원산지'가 "남아메리카"인 '단가'의 평균을 구하시오. (DAVERAGE 함수)
▶ ⑤ 최대값-최소값[E15:G15] : '단가'의 최대값과 최소값의 차이를 구하시오. (MAX, MIN 함수)

디지털정보활용능력 - 스프레드시트(엑셀) [시험시간 : 40분] 2/6

【문제 2】 "부분합" 시트를 참조하여 다음 《 처리조건 》에 맞도록 작업하시오.(30점)

《 출력형태 》

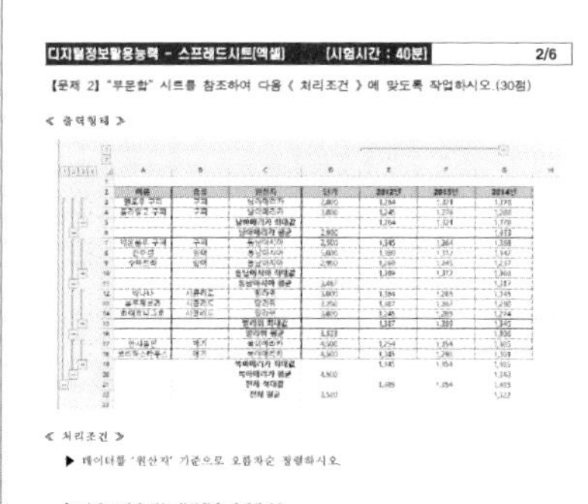

《 처리조건 》

▶ 데이터를 '원산지' 기준으로 오름차순 정렬하시오.

▶ 아래 조건에 맞는 부분합을 작성하시오.
- '원산지'로 그룹화 하여 '단가', '2014년'의 평균을 구하는 부분합을 만드시오.
- '원산지'로 그룹화 하여 '2012년', '2013년', '2014년'의 최대값을 구하는 부분합을 만드시오.
(새로운 값으로 대치하지 말 것)
- [D3:G22] 영역에 셀 서식의 표시 형식-숫자를 이용하여 1000단위 구분 기호를 표시하시오.

▶ E~F열을 선택하여 그룹을 설정하시오.

▶ 평균과 최대값의 부분합 순서는 《 출력형태 》와 다를 수 있음

▶ 지시사항이 없는 경우는 기본 값을 적용하시오.

디지털정보활용능력 - 스프레드시트(엑셀) [시험시간 : 40분] 3/6

【문제 3】 "필터"와 "시나리오" 시트를 참조하여 다음 《 처리조건 》에 맞도록 작업하시오.(60점)

(1) 필터

《 출력형태 - 필터 》

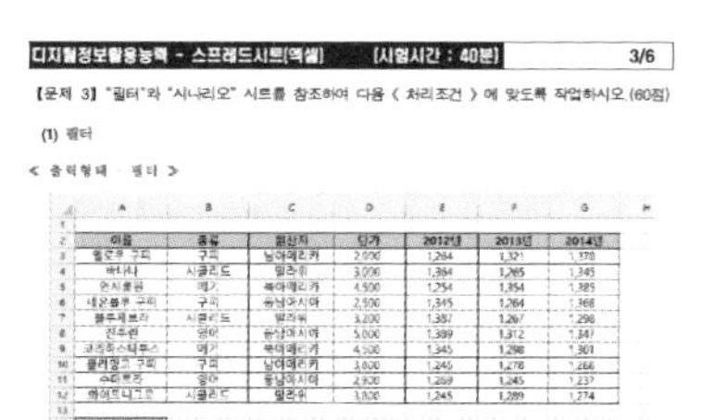

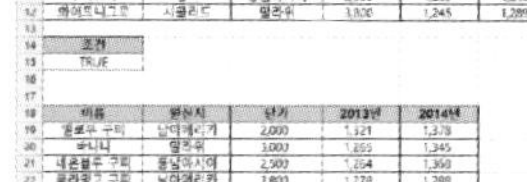

《 처리조건 》

▶ "필터" 시트의 [A2:G12]를 아래 조건에 맞게 고급필터를 사용하여 작성하시오.
- '종류'가 "구피"이거나 '단가'가 3000 이하인 데이터를 '이름', '원산지', '단가', '2013년', '2014년'의 데이터만 필터링 하시오.
- 조건 위치 : 조건 함수는 [A15] 한 셀에 작성(OR 함수 이용)
- 결과 위치 : [A18]부터 출력

▶ 지시사항이 없는 경우는 《 출력형태 - 필터 》와 동일하게 작성하시오.

디지털정보활용능력 - 스프레드시트(엑셀) [시험시간 : 40분] 4/6

(2) 시나리오

《 출력형태 - 시나리오 》

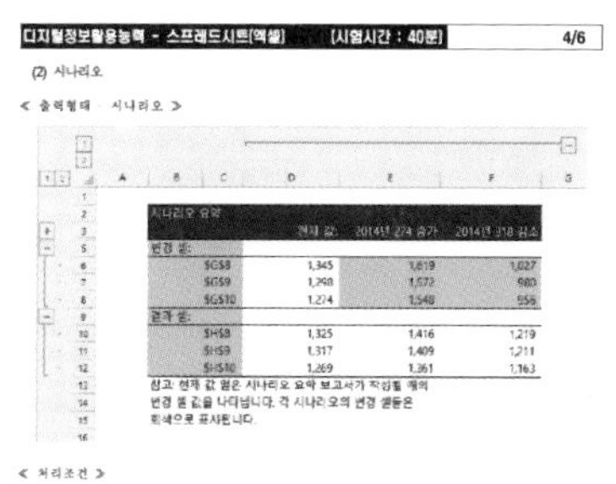

《 처리조건 》

▶ "시나리오" 시트의 [A2:H12]를 이용하여 '종류'가 "시클리드"인 경우, '2014년'이 변동할 때 '수입량평균'이 변동하는 가상분석(시나리오)을 작성하시오.
- 시나리오1 : 시나리오 이름은 "2014년 274 증가", '2014년'에 274를 증가시킨 값 설정.
- 시나리오2 : 시나리오 이름은 "2014년 318 감소", '2014년'에 318을 감소시킨 값 설정.
- "시나리오 요약" 시트를 작성하시오.

▶ 지시사항이 없는 경우는 《 출력형태 - 시나리오 》와 동일하게 작성하시오.

디지털정보활용능력 - 스프레드시트(엑셀) [시험시간 : 40분] 5/6

【문제 4】 "피벗테이블" 시트를 참조하여 다음 《 처리조건 》에 맞도록 작업하시오.(30점)

《 출력형태 》

《 처리조건 》

▶ "피벗테이블" 시트의 [A2:G12]를 이용하여 새로운 시트에 《출력형태》와 같이 피벗테이블을 작성 후 시트명을 "피벗테이블 정답"으로 수정하시오.

▶ 종류(행)와 원산지(열)를 기준으로 하여 출력형태와 같이 구하시오.
- '2012년', '2013년', '2014년'의 최대값을 구하시오.
- 피벗 테이블 옵션을 이용하여 레이블이 있는 셀 병합 및 가운데 맞춤하고 빈 셀을 "**"로 표시한 후, 행의 총 합계를 감추기 하시오.
- 피벗 테이블 디자인에서 보고서 레이아웃은 '테이블 형식으로 표시', 피벗 테이블 스타일은 '피벗 스타일 보통 6'으로 표시하시오.
- 원산지(열)는 "남아메리카", "동남아시아", "말라위"만 출력되도록 표시하시오.
- [C5:E16] 데이터는 셀 서식의 표시 형식-숫자를 이용하여 1000단위 구분 기호를 표시하고, 가운데 맞춤하시오.

▶ 종류의 순서는 《 출력형태 》와 다를 수 있음

▶ 지시사항이 없는 경우는 《 출력형태 》와 동일하게 작성하시오.

디지털정보활용능력 - 스프레드시트(엑셀) [시험시간 : 40분] 6/6

【문제 5】 "차트" 시트를 참조하여 다음 《 처리조건 》에 맞도록 작업하시오.(30점)

《 출력형태 》

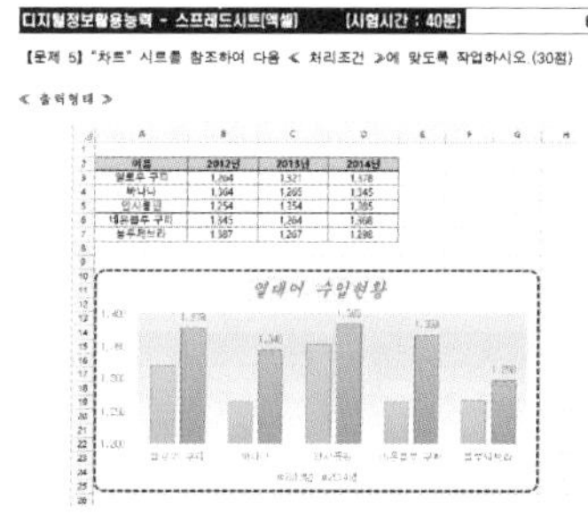

《 처리조건 》

▶ "차트" 시트에 주어진 표를 이용하여 '묶은 세로 막대형' 차트를 작성하시오.
- 데이터 범위 : 현재 시트 [A2:A7], [C2:D7]의 데이터를 이용하여 작성하고, 행/열 전환은 '열'로 지정
- 차트 제목("열대어 수입현황")
- 범례 위치 : 아래쪽
- 차트 스타일 : 색 변경(색상형 - 색 4, 스타일 5)
- 차트 위치 : 현재 시트에 [A10:G25] 크기에 정확하게 맞추시오.
- 차트 영역 서식 : 글꼴(돋움체, 11pt), 테두리 색(실선, 색 : 진한 파랑), 테두리 스타일(너비 : 2.5pt, 겹선 종류 : 단순형, 대시 종류 : 사각 점선, 둥근 모서리)
- 차트 제목 서식 : 글꼴(궁서체, 20pt, 기울임꼴), 채우기(그림 또는 질감 채우기, 질감 : 신문 용지)
- 그림 영역 서식 : 채우기(그라데이션 채우기, 그라데이션 미리 설정 : 밝은 그라데이션 - 강조 4, 종류 : 선형, 방향 : 선형 위쪽)
- 데이터 레이블 추가 : '2014년' 계열에 "값" 표시

▶ 지시사항이 없는 경우는 《 출력형태 》와 동일하게 작성하시오.

【문제 2】 **"부분합" 시트를 참조하여 다음 《처리조건》에 맞도록 작업하시오.(30점)**

《출력형태》

	A	B	C	D	E	F	G
2	구분	근무부서	인원	2018년	2019년	2020년	합계
3	건강검진	관리부	33	346,000	764,000	294,000	1,404,000
4	복지비	관리부	24	74,000	320,000	54,000	448,000
5	문화상품권	관리부	21	426,000	54,000	846,000	1,326,000
6		**관리부 최대값**	33				1,404,000
7		**관리부 요약**			1,138,000	1,194,000	
8	문화상품권	기획부	58	180,000	248,000	280,000	708,000
9	건강검진	기획부	39	249,000	345,000	291,000	885,000
10	복지비	기획부	42	559,000	287,000	64,000	910,000
11		**기획부 최대값**	58				910,000
12		**기획부 요약**			880,000	635,000	
13	복지비	인사부	28	127,000	128,000	287,000	542,000
14		**인사부 최대값**	28				542,000
15		**인사부 요약**			128,000	287,000	
16	복지비	총무부	29	258,000	981,000	209,000	1,448,000
17	문화상품권	총무부	22	260,000	198,000	746,000	1,204,000
18	건강검진	총무부	52	74,000	198,000	762,000	1,034,000
19		**총무부 최대값**	52				1,448,000
20		**총무부 요약**			1,377,000	1,717,000	
21		**전체 최대값**	58				1,448,000
22		**총합계**			3,523,000	3,833,000	
23							

《처리조건》

- ▶ 데이터를 '근무부서' 기준으로 오름차순 정렬하시오.
- ▶ 아래 조건에 맞는 부분합을 작성하시오.
  - '근무부서'로 그룹화하여 '2019년', '2020년'의 합계(요약)를 구하는 부분합을 만드시오.
  - '근무부서'로 그룹화하여 '인원', '합계'의 최대값을 구하는 부분합을 만드시오.
  (새로운 값으로 대치하지 말 것)
  - [D3:G22] 영역에 셀 서식의 표시 형식–숫자를 이용하여 1000 단위 구분 기호를 표시하시오.
- ▶ D~F열을 선택하여 그룹을 설정하시오.
- ▶ 합계와 최대값의 부분합 순서는 《출력형태》와 다를 수 있음
- ▶ 지시사항이 없는 경우는 기본 값을 적용하시오.

회원가입부터 자격증 수령까지 한눈에!

【문제 1】 "지급현황" 시트를 참조하여 다음 《처리조건》에 맞도록 작업하시오.(50점)

《출력형태》

	A	B	C	D	E	F	G	H	I
1		3년간 부서별 복리후생비 지급 현황							
2	구분	근무부서	인원	2018년	2019년	2020년	합계	순위	비고
3	복지비	총무부	29명	258,000원	981,000원	209,000원	1,448,000원	1위	
4	건강검진	관리부	33명	346,000원	764,000원	294,000원	1,404,000원	2위	
5	문화상품권	기획부	58명	180,000원	248,000원	280,000원	708,000원	8위	
6	복지비	관리부	24명	74,000원	320,000원	54,000원	448,000원	10위	상품권 지급
7	건강검진	기획부	39명	249,000원	345,000원	291,000원	885,000원	7위	
8	문화상품권	총무부	22명	260,000원	198,000원	746,000원	1,204,000원	4위	
9	복지비	기획부	42명	559,000원	287,000원	64,000원	910,000원	6위	
10	건강검진	총무부	52명	74,000원	198,000원	762,000원	1,034,000원	5위	
11	문화상품권	관리부	21명	426,000원	54,000원	846,000원	1,326,000원	3위	
12	복지비	인사부	28명	127,000원	128,000원	287,000원	542,000원	9위	상품권 지급
13	'2020년'의 최대값-최소값 차이				792,000원				
14	'구분'이 "복지비"인 '합계'의 평균				837,000원				
15	'합계' 중 세 번째로 작은 값				708,000원				
16									

《처리조건》

▶ 1행의 행 높이를 '80'으로 설정하고, 2행~15행의 행 높이를 '18'로 설정하시오.

▶ 제목("3년간 부서별 복리후생비 지급 현황") : 기본 도형의 '액자'를 이용하여 입력하시오.
- 도형 : 위치([B1:H1]), 도형 스타일(테마 스타일 – 미세 효과 – '파랑, 강조 1')
- 글꼴 : 궁서체, 25pt, 기울임꼴
- 도형 서식 : 도형 옵션 – 크기 및 속성(텍스트 상자(세로 맞춤 : 정가운데, 텍스트 방향 : 가로))

▶ 셀 서식을 아래 조건에 맞게 작성하시오.
- [A2:I15] : 테두리(안쪽, 윤곽선 모두 실선, '검정, 텍스트 1'), 전체 가운데 맞춤
- [A13:D13], [A14:D14], [A15:D15] : 각각 병합하고 가운데 맞춤
- [A2:I2], [A13:D15] : 채우기 색('녹색, 강조 6, 40% 더 밝게'), 글꼴(굵게)
- [C3:C12] : 셀 서식의 표시 형식–사용자 지정을 이용하여 #"명"자 추가
- [D3:G12], [E13:G15] : 셀 서식의 표시 형식–사용자 지정을 이용하여 #,##0"원"자 추가
- [H3:H12] : 셀 서식의 표시 형식–사용자 지정을 이용하여 #"위"자 추가
- 조건부 서식[A3:I12] : '인원'이 40 이상인 경우 레코드 전체에 글꼴(빨강, 굵게) 적용
- 지시사항이 없는 경우는 주어진 문제파일의 서식을 그대로 사용하시오.

▶ ① 순위[H3:H12] : '합계'를 기준으로 큰 순으로 순위를 구하시오. (RANK.EQ 함수)

▶ ② 비고[I3:I12] : '합계'가 600000 이하이면 "상품권 지급", 그렇지 않으면 공백으로 구하시오. (IF 함수)

▶ ③ 최대값–최소값[E13:G13] : '2020년'의 최대값과 최소값의 차이를 구하시오. (MAX, MIN 함수)

▶ ④ 평균[E14:G14] : '구분'이 "복지비"인 '합계'의 평균을 구하시오. (DAVERAGE 함수)

▶ ⑤ 순위[E15:G15] : '합계' 중 세 번째로 작은 값을 구하시오. (SMALL 함수)

3
열공!!
열 공!
확팅!
4
시험장 도착
입실완료
시험보고싶어요ㅠㅠ
5
시험!!!
시 험
시 험
필기도구
신분증 수험표
6
☆합격자 발표☆
합격 고급
불합격

제17회 실전모의고사

- 시험과목 : 스프레드시트(엑셀)
- 시험일자 : 20XX. XX. XX.(X)
- 응시자 기재사항 및 감독위원 확인

수 검 번 호	DIS – XXXX –	감독위원 확인
성 명		

응시자 유의사항

1. 응시자는 신분증을 지참하여야 시험에 응시할 수 있으며, 시험이 종료될 때까지 신분증을 제시하지 못할 경우 해당 시험은 0점 처리됩니다.
2. 시스템(PC 작동 여부, 네트워크 상태 등)의 이상 여부를 반드시 확인하여야 하며, 시스템 이상이 있을시 감독위원에게 조치를 받으셔야 합니다.
3. 시험 중 부주의 또는 고의로 시스템을 파손한 경우는 응시자 부담으로 합니다.
4. 답안 전송 프로그램을 통해 다운로드 받은 파일을 이용하여 답안 파일을 작성하시기 바랍니다.
5. 작성한 답안 파일은 답안 전송 프로그램을 통하여 전송됩니다. 감독위원의 지시에 따라 주시기 바랍니다.
6. 다음 사항의 경우 실격(0점) 혹은 부정행위 처리됩니다.
   ❶ 답안 파일을 저장하지 않았거나, 저장한 파일이 손상되었을 경우
   ❷ 답안 파일을 지정된 폴더(바탕화면 "KAIT" 폴더)에 저장하지 않았을 경우
   ※ 답안 전송 프로그램 로그인 시 바탕화면에 자동 생성됨
   ❸ 답안 파일을 다른 보조기억장치(USB) 혹은 네트워크(메신저, 게시판 등)로 전송할 경우
   ❹ 휴대용 전화기 등 통신기기를 사용할 경우
7. 시험지에 제시된 글꼴이 응시 프로그램에 없는 경우, 반드시 감독위원에게 해당 내용을 통보한 뒤 조치를 받아야 합니다.
8. 시험의 완료는 작성이 완료된 답안을 저장하고, 답안 전송이 완료된 상태를 확인한 것으로 합니다. 답안 전송 확인 후 문제지는 감독위원에게 제출한 후 퇴실하여야 합니다.
9. 답안 전송이 완료된 경우에는 수정 또는 정정이 불가능합니다.
10. 시험시행 후 결과는 홈페이지(www.ihd.or.kr)에서 확인하시기 바랍니다.
    ❶ 문제 및 모범답안 공개 : 20XX. XX. XX.(X)
    ❷ 합격자 발표 : 20XX. XX. XX.(X)

시험장 답안전송시스템 접속하기

❶ 감독위원의 안내에 따라 바탕화면의 [KAIT-수검자] 아이콘( )을 더블클릭하여 '답안전송 시스템' 프로그램을 실행시킵니다.

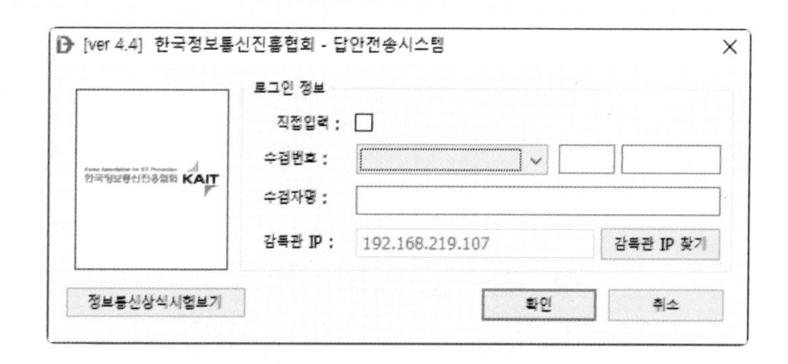

❷ 수검번호 첫 번째 부분의 화살표( )를 클릭하여 과목을 선택한 후 수검번호 가운데 4자리와 뒷 6자리를 입력합니다.

❸ 수검자명 입력란에 본인의 이름을 입력합니다.

❹ 본인 PC와 감독관 PC를 연결하기 위하여 [감독관 IP 찾기]를 클릭한 후에 [확인] 버튼을 클릭합니다.

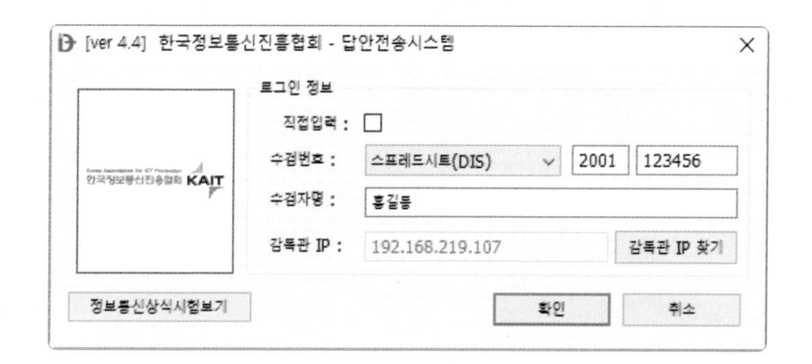

❺ [확인] 버튼을 클릭하면 컴퓨터가 잠금 상태가 됩니다.

❻ 시험 시작 시간이 되면 잠금 상태가 풀리면서 답안 파일이 자동으로 열립니다.

【문제 5】 **"차트" 시트를 참조하여 다음 《처리조건》에 맞도록 작업하시오.(30점)**

《출력형태》

성명	참가지역	ARS 투표	현장 투표	최종 합계
조서연	서울	232,402	125,023	357,425
김동근	인천	532,690	98,392	631,082
조수홍	인천	171,217	1,033,823	1,205,040
정한호	부산	359,023	207,832	566,855
박준연	진주	68,203	86,219	154,422

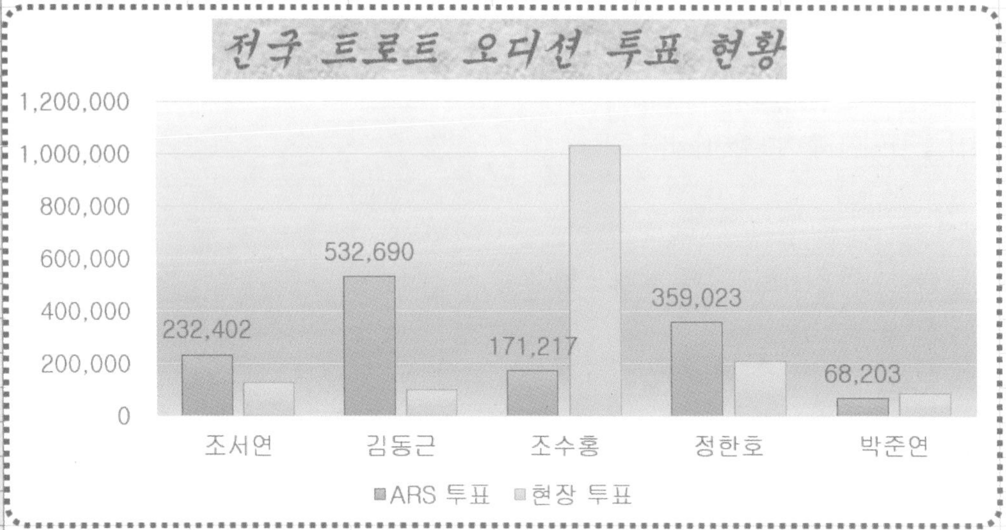

《처리조건》

▶ "차트" 시트에 주어진 표를 이용하여 '묶은 세로 막대형' 차트를 작성하시오.
- 데이터 범위 : 현재 시트 [A2:A7], [C2:D7]의 데이터를 이용하여 작성하고, 행/열 전환은 '열'로 지정
- 차트 제목("전국 트로트 오디션 투표 현황")
- 범례 위치 : 아래쪽
- 차트 스타일 : 색 변경(색상형 – 색 3, 스타일 5)
- 차트 위치 : 현재 시트에 [A10:G24] 크기에 정확하게 맞추시오.
- 차트 영역 서식 : 글꼴(굴림, 12pt), 테두리 색(실선, 색 : 파랑), 테두리 스타일(너비 : 2.75pt, 겹선 종류 : 단순형, 대시 종류 : 둥근 점선, 둥근 모서리)
- 차트 제목 서식 : 글꼴(궁서체, 20pt, 기울임꼴), 채우기(그림 또는 질감 채우기, 질감 : 편지지)
- 그림 영역 서식 : 채우기(그라데이션 채우기, 그라데이션 미리 설정 : 밝은 그라데이션 – 강조 5, 종류 : 선형, 방향 : 선형 아래쪽)
- 데이터 레이블 추가 : 'ARS 투표' 계열에 "값" 표시

▶ 지시사항이 없는 경우는 《출력형태》와 동일하게 작성하시오.

1. 학생용

❶ 마린북스 홈페이지(www.mrbooks.kr)의 [자료실]에서 "마린북스 채점 프로그램(학생용)"을 다운로드합니다.

❷ 압축 파일을 풀고 프로그램을 설치합니다.

❸ 필요한 정보를 입력하고, 답안파일을 지정한 후 [답안 제출하기] 버튼을 클릭합니다.

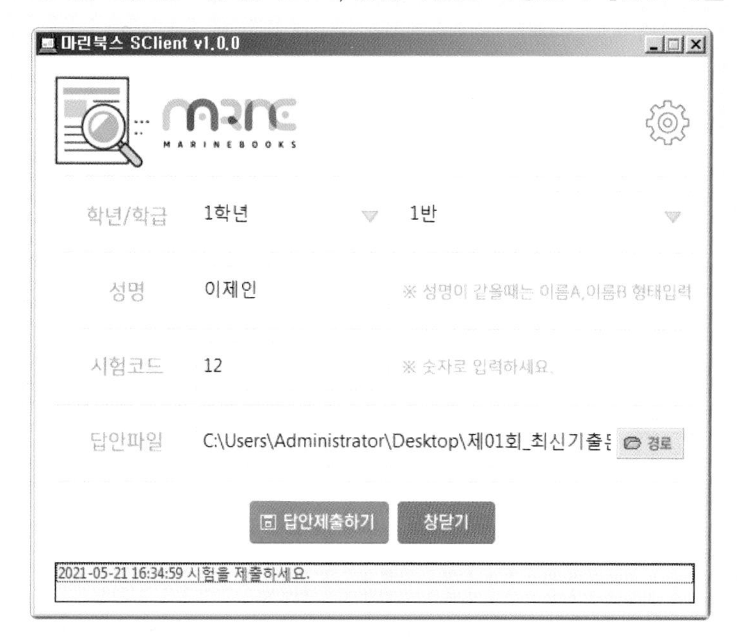

※ 시험코드는 선생님께서 알려주시는 숫자를 입력합니다.

❹ 선생님께서 보내주신 채점 결과를 확인합니다.

채점결과

문제	항목	세부 항목	내용	배점	득점	감점
1. 스타일 (50점)	스타일 이름(5)	스타일 이름		5	5	
	문단 모양(6)	첫 줄 들여쓰기(왼쪽여백)		3	3	
		문단 아래 간격		3	3	
	글자 모양(18)	문단 1 글꼴	글자 모양, 크기	3	3	
		문단 1 장평		3	3	
		문단 1 자간		3	3	
		문단 2 글꼴	글자 모양, 크기	3	3	
		문단 2 장평		3	3	
		문단 2 자간		3	3	
	입력(21)	오자, 탈자, 띄어쓰기	개당 3점 감점, 최대 21점 감점	21	21	
2-1. 표 (50점)	표 전체(6점)	글자 모양		3	3	
		크기		3	3	
	정렬(6점)	문자(가운데정렬)	하나라도 틀리면 0점 처리	3	3	
		숫자(오른쪽정렬)	하나라도 틀리면 0점 처리	3	3	
	셀 배경색(6점)	위치		3	3	
		배경색	RGB 값 비교	3	3	
	블록 계산(5점)	합계 평균(소수점자리)	블록 계산식을 사용하지 않은 경우 또는 결과값 다르면 감점	5	5	
	캡션(9점)	글자 모양		3	3	
		크기		3	3	
		위치		3	3	
	선 모양(10점)	위치 및 선 모양	기본 선모양	2	2	
			1행 아래	2	2	
			1열 오른쪽	2	2	
			바깥 테두리	2	2	
			5행 5열, 6행 6열' 형태로 셀 위치 표시?	2	2	
	입력(8점)	오자, 탈자, 띄어쓰기		8	8	

※ 프로그램이 실행되면 업데이트 확인 및 설치가 먼저 진행되며, 프로그램의 기능 및 사용 방법은 수시로 변경될 수 있습니다.

【문제 4】 "피벗테이블" 시트를 참조하여 다음 《처리조건》에 맞도록 작업하시오.(30점)

《출력형태》

	A	B	C	D	E
1					
2					
3			참가지역		
4	구분	값	부산	서울	진주
5	대학생	평균 : ARS 투표	294,998	283,912	**
6		평균 : 현장 투표	402,598	103,763	**
7	일반	평균 : ARS 투표	89,504	264,202	68,203
8		평균 : 현장 투표	306,732	164,893	86,219
9	청소년	평균 : ARS 투표	**	**	624,500
10		평균 : 현장 투표	**	**	96,574
11	전체 평균 : ARS 투표		226,500	270,772	346,352
12	전체 평균 : 현장 투표		370,642	144,516	91,397
13					

《처리조건》

▶ "피벗테이블" 시트의 [A2:G12]를 이용하여 새로운 시트에 《출력형태》와 같이 피벗 테이블을 작성 후 시트명을 "피벗테이블 정답"으로 수정하시오.

▶ 구분(행)과 참가지역(열)을 기준으로 하여 출력형태와 같이 구하시오.

- 'ARS 투표', '현장 투표'의 평균을 구하시오.
- 피벗 테이블 옵션을 이용하여 레이블이 있는 셀 병합 및 가운데 맞춤하고 빈 셀을 "**"로 표시한 후, 행의 총합계를 감추기 하시오.
- 피벗 테이블 디자인에서 보고서 레이아웃은 '테이블 형식으로 표시', 피벗 테이블 스타일은 '피벗 스타일 보통 12'로 표시하시오.
- 참가지역(열)은 "부산", "서울", "진주"만 출력되도록 표시하시오.
- [C5:E12] 데이터는 셀 서식의 표시 형식-숫자를 이용하여 1000 단위 구분 기호를 표시하고, 가운데 맞춤하시오.

▶ 구분의 순서는 《출력형태》와 다를 수 있음

▶ 지시사항이 없는 경우는 《출력형태》와 동일하게 작성하시오.

2. 일반 사용자용

❶ 마린북스 홈페이지(www.mrbooks.kr)의 [자료실]에서 “마린북스 채점 프로그램(교사/일반사용자용)”을 다운로드합니다.

❷ 압축 파일을 풀고 프로그램을 설치합니다.

❸ 프로그램을 실행하여 [일반 사용자용]을 클릭합니다.

※ 선생님께서는 ‘방과후학교 선생님들의 모임(cafe.naver.com/marinebooks)’에서 “교사용 매뉴얼”을 다운로드하여 사용하시기 바랍니다.

❹ 교재 종류와 시험을 선택한 후 답안파일을 지정하고 [채점 시작하기] 버튼을 클릭한 후 채점 결과를 확인합니다.

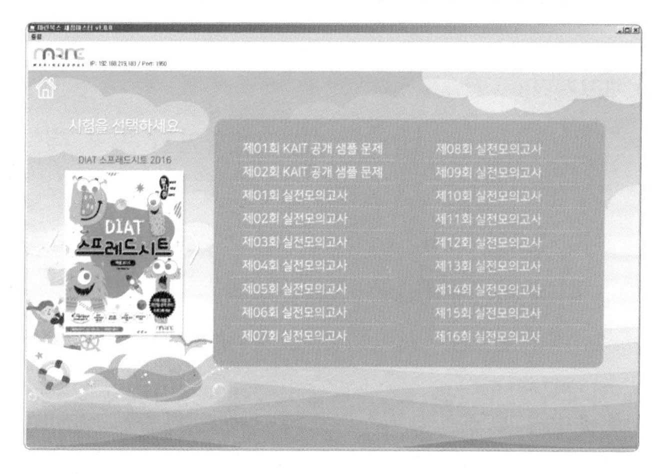

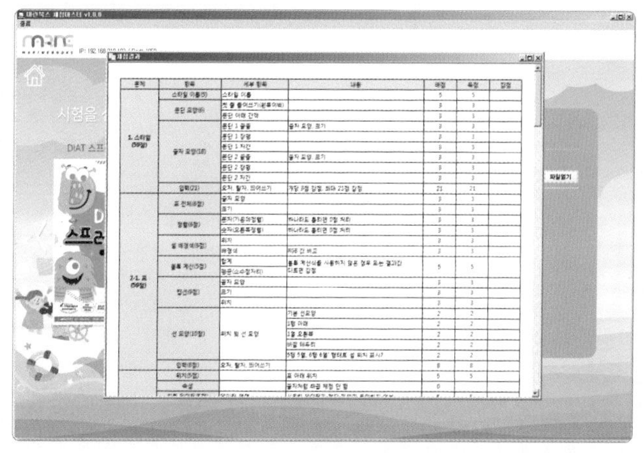

※ 프로그램이 실행되면 업데이트 확인 및 설치가 먼저 진행되며, 프로그램의 기능 및 사용 방법은 수시로 변경될 수 있습니다.

(2) 시나리오

《출력형태 – 시나리오》

			D	E	F
2	시나리오 요약				
3			현재 값:	현장 투표 1486 증가	현장 투표 1257 감소
5	변경 셀:				
6		$F$6	207,832	209,318	206,575
7		$F$10	103,763	105,249	102,506
8		$F$12	597,363	598,849	596,106
9	결과 셀:				
10		$G$6	566,855	568,341	565,598
11		$G$10	387,675	389,161	386,418
12		$G$12	828,335	829,821	827,078

참고: 현재 값 열은 시나리오 요약 보고서가 작성될 때의
변경 셀 값을 나타냅니다. 각 시나리오의 변경 셀들은
회색으로 표시됩니다.

《처리조건》

▶ "시나리오" 시트의 [A2:G12]를 이용하여 '구분'이 "대학생"인 경우, '현장 투표'가 변동할 때 '최종 합계'가 변동하는 가상분석(시나리오)을 작성하시오.

- 시나리오1 : 시나리오 이름은 "현장 투표 1486 증가", '현장 투표'에 1486을 증가시킨 값 설정.
- 시나리오2 : 시나리오 이름은 "현장 투표 1257 감소", '현장 투표'에 1257을 감소시킨 값 설정.
- "시나리오 요약" 시트를 작성하시오.

▶ 지시사항이 없는 경우는 《출력형태 – 시나리오》와 동일하게 작성하시오.

02

출제유형 마스터 하기

【문제 3】 "필터"와 "시나리오" 시트를 참조하여 다음 《처리조건》에 맞도록 작업하시오.(60점)

(1) 필터

《출력형태 – 필터》

	A	B	C	D	E	F	G
1							
2	참가번호	성명	구분	참가지역	ARS 투표	현장 투표	최종 합계
3	24931-D	조서연	일반	서울	232,402	125,023	357,425
4	12452-S	김동근	청소년	인천	532,690	98,392	631,082
5	18462-S	조수홍	청소년	인천	171,217	1,033,823	1,205,040
6	28113-T	정한호	대학생	부산	359,023	207,832	566,855
7	11234-D	박준연	일반	진주	68,203	86,219	154,422
8	24210-T	박춘열	일반	서울	296,002	204,762	500,764
9	14339-S	정일호	청소년	진주	624,500	96,574	721,074
10	13972-D	김감호	대학생	서울	283,912	103,763	387,675
11	22597-T	이민지	일반	부산	89,504	306,732	396,236
12	13201-S	김민서	대학생	부산	230,972	597,363	828,335
13							
14	조건						
15	FALSE						
16							
17							
18	성명	ARS 투표	현장 투표	최종 합계			
19	조수홍	171,217	1,033,823	1,205,040			
20	정한호	359,023	207,832	566,855			
21	정일호	624,500	96,574	721,074			
22	김감호	283,912	103,763	387,675			
23	김민서	230,972	597,363	828,335			
24							

《처리조건》

- ▶ "필터" 시트의 [A2:G12]를 아래 조건에 맞게 고급 필터를 사용하여 작성하시오.
  - '구분'이 "대학생"이거나 '최종 합계'가 700000 이상인 데이터를 '성명', 'ARS 투표', '현장 투표', '최종 합계'의 데이터만 필터링하시오.
  - 조건 위치 : 조건 함수는 [A15] 한 셀에 작성(OR 함수 이용)
  - 결과 위치 : [A18]부터 출력
- ▶ 지시사항이 없는 경우는 《출력형태 – 필터》와 동일하게 작성하시오.

출제유형 마스터하기

[문제 1] 행 높이 변경하고 제목 작성하기

데이터가 입력되는 사각형인 셀의 세로 길이를 '행 높이'라고 하는데, 1행과 나머지 행(2~15행)의 행 높이를 설정하는 문제가 고정적으로 출제됩니다. 또, 1행에는 도형을 삽입하고 도형 스타일과 서식을 지정한 후 제목을 입력하고 글꼴을 지정하는 문제도 고정으로 출제되고 있으니 다양한 도형으로 충분히 연습하는 것이 좋습니다.

소스파일: 01차시(문제).xlsx　　완성파일: 01차시(완성).xlsx

문제 미리보기 【문제 1】 "이용현황"시트를 참조하여 다음 《처리조건》에 맞도록 작업하시오.(50점)

《출력형태》

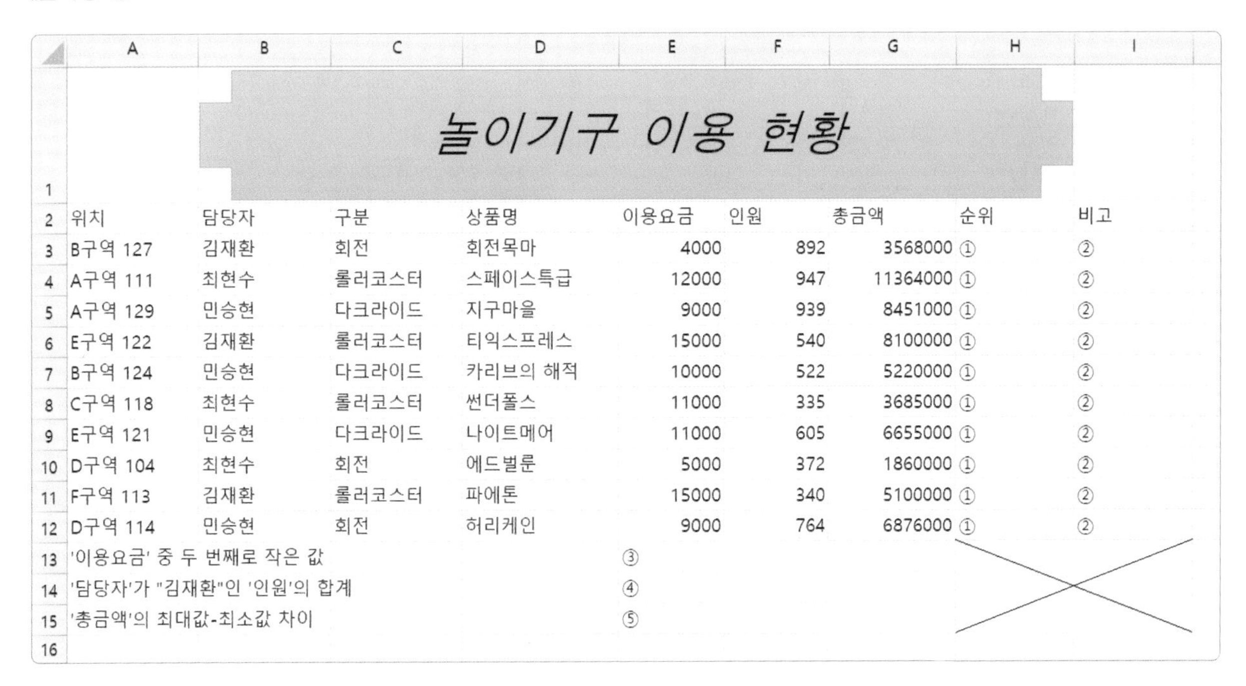

	A	B	C	D	E	F	G	H	I
1		놀이기구 이용 현황							
2	위치	담당자	구분	상품명	이용요금	인원	총금액	순위	비고
3	B구역 127	김재환	회전	회전목마	4000	892	3568000	①	②
4	A구역 111	최현수	롤러코스터	스페이스특급	12000	947	11364000	①	②
5	A구역 129	민승현	다크라이드	지구마을	9000	939	8451000	①	②
6	E구역 122	김재환	롤러코스터	티익스프레스	15000	540	8100000	①	②
7	B구역 124	민승현	다크라이드	카리브의 해적	10000	522	5220000	①	②
8	C구역 118	최현수	롤러코스터	썬더폴스	11000	335	3685000	①	②
9	E구역 121	민승현	다크라이드	나이트메어	11000	605	6655000	①	②
10	D구역 104	최현수	회전	에드벌룬	5000	372	1860000	①	②
11	F구역 113	김재환	롤러코스터	파에톤	15000	340	5100000	①	②
12	D구역 114	민승현	회전	허리케인	9000	764	6876000	①	②
13	'이용요금' 중 두 번째로 작은 값				③				
14	'담당자'가 "김재환"인 '인원'의 합계				④				
15	'총금액'의 최대값-최소값 차이				⑤				
16									

《처리조건》

- 1행의 행 높이를 '80'으로 설정하고, 2행~15행의 행 높이를 '18'로 설정하시오.
- 제목("놀이기구 이용 현황") : 기본 도형의 '십자형'을 이용하여 입력하시오.
  - 도형 : 위치([B1:H1]), 도형 스타일(테마 스타일 – 미세 효과 – '파랑, 강조 1')
  - 글꼴 : 돋움체, 28pt, 기울임꼴
  - 도형 서식 : 도형 옵션 – 크기 및 속성(텍스트 상자(세로 맞춤 : 정가운데, 텍스트 방향 : 가로))

과정 미리보기 행 높이 설정 ➔ 도형 삽입 ➔ 도형 스타일 지정 ➔ 제목 입력 ➔ 글꼴 및 서식 지정

【문제 2】 "부분합" 시트를 참조하여 다음 《처리조건》에 맞도록 작업하시오.(30점)

《출력형태》

	A	B	C	D	E	F	G	H
1								
2	참가번호	성명	구분	참가지역	ARS 투표	현장 투표	최종 합계	
3	12452-S	김동근	청소년	인천	532,690	98,392	631,082	
4	18462-S	조수홍	청소년	인천	171,217	1,033,823	1,205,040	
5	14339-S	정일호	청소년	진주	624,500	96,574	721,074	
6			청소년 최대값			1,033,823	1,205,040	
7			청소년 평균		442,802	409,596		
8	24931-D	조서연	일반	서울	232,402	125,023	357,425	
9	11234-D	박준연	일반	진주	68,203	86,219	154,422	
10	24210-T	박춘열	일반	서울	296,002	204,762	500,764	
11	22597-T	이민지	일반	부산	89,504	306,732	396,236	
12			일반 최대값			306,732	500,764	
13			일반 평균		171,528	180,684		
14	28113-T	정한호	대학생	부산	359,023	207,832	566,855	
15	13972-D	김감호	대학생	서울	283,912	103,763	387,675	
16	13201-S	김민서	대학생	부산	230,972	597,363	828,335	
17			대학생 최대값			597,363	828,335	
18			대학생 평균		291,302	302,986		
19			전체 최대값			1,033,823	1,205,040	
20			전체 평균		288,843	286,048		
21								

《처리조건》

▶ 데이터를 '구분' 기준으로 내림차순 정렬하시오.

▶ 아래 조건에 맞는 부분합을 작성하시오.

- '구분'으로 그룹화하여 'ARS 투표', '현장 투표'의 평균을 구하는 부분합을 만드시오.
- '구분'으로 그룹화하여 '현장 투표', '최종 합계'의 최대값을 구하는 부분합을 만드시오.
  (새로운 값으로 대치하지 말 것)
- [E3:G20] 영역에 셀 서식의 표시 형식-숫자를 이용하여 1000 단위 구분 기호를 표시하시오.

▶ E~G열을 선택하여 그룹을 설정하시오.

▶ 평균과 최대값의 부분합 순서는 《출력형태》와 다를 수 있음

▶ 지시사항이 없는 경우는 기본 값을 적용하시오.

01 행 높이 설정하기

1행의 행 높이를 '80'으로 설정하고, 2행~15행의 행 높이를 '18'로 설정하시오.

❶ [01차시] 폴더에서 **'01차시(문제).xlsx'** 파일을 더블 클릭하여 실행합니다. 파일이 열리면 작업창 아래쪽 **[이용현황]** 시트를 클릭합니다.

DIAT 스프레드시트 시험은 시트마다 데이터가 미리 입력되어 있습니다. 문제에 제시된 시트를 클릭하여 작업하면 됩니다.

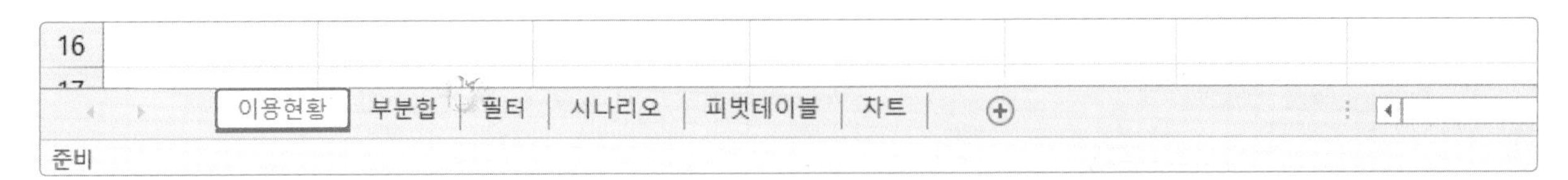

시험꿀팁

• 시험장에서는 시험이 시작되면 'dis_수험번호_본인이름'의 엑셀 파일이 자동으로 실행됩니다. 제목 표시줄에 수험번호와 이름이 제대로 표시되는지 확인한 후 《처리조건》의 지시사항을 설정하면 됩니다.

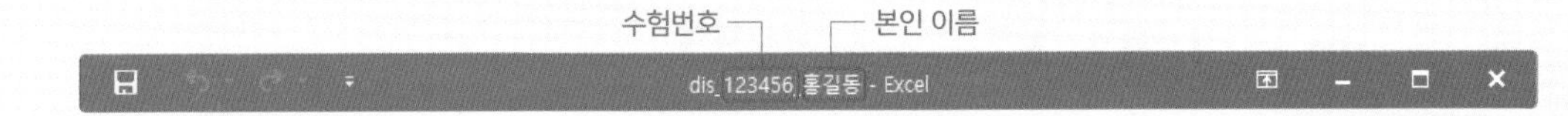

• 혹시 있을지 모르는 돌발 상황에 대비하여 수시로 [저장(💾)]을 클릭하거나 Ctrl+S를 눌러 작성 중인 파일을 저장해야 합니다.

❷ 1행의 높이를 설정하기 위해 **1행**의 머리글 위에서 마우스 오른쪽 버튼을 눌러 나타나는 바로 가기 메뉴에서 **[행 높이]**를 선택합니다.

[홈] 탭-[셀] 그룹-[서식]-[행 높이]에서도 행 높이를 설정할 수 있습니다.

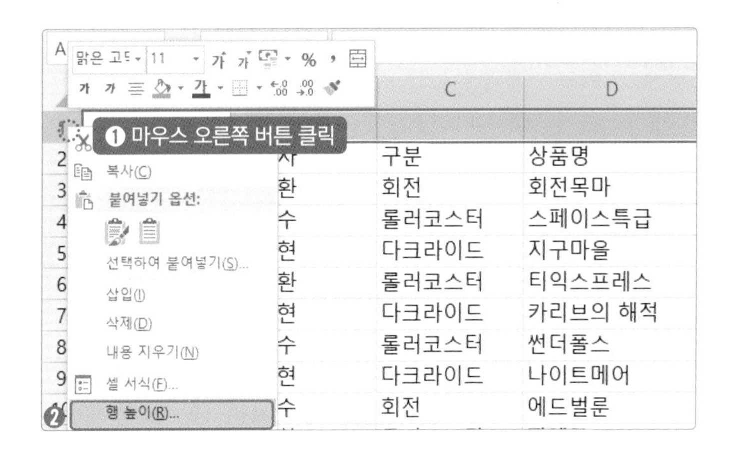

❸ [행 높이] 대화상자가 나타나면 행 높이에 **"80"**을 입력하고 [확인]을 클릭한 후 1행의 행 높이가 변경된 것을 확인합니다.

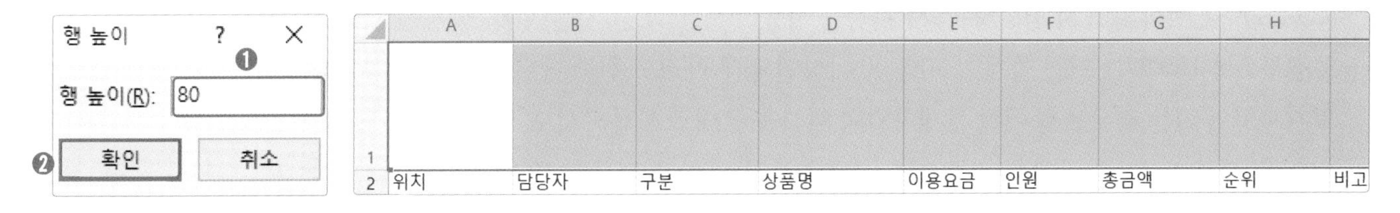

시험꿀팁

1행의 행 높이는 대부분 '80'으로 설정하는 문제가 출제되지만 가끔 '78'로 설정하는 문제가 출제되기도 합니다.

【문제 1】 **"투표 현황" 시트를 참조하여 다음 《처리조건》에 맞도록 작업하시오.(50점)**

《출력형태》

전국 트로트 오디션 투표 현황

참가번호	성명	구분	참가지역	ARS 투표	현장 투표	최종 합계	순위	비고
24931-D	조서연	일반부문	서울	232,402	125,023	357,425	9위	
12452-S	김동근	청소년부문	인천	532,690	98,392	631,082	4위	온라인 우세
18462-S	조수홍	청소년부문	인천	171,217	1,033,823	1,205,040	1위	
28113-T	정한호	대학생부문	부산	359,023	207,832	566,855	5위	온라인 우세
11234-D	박준연	일반부문	진주	68,203	86,219	154,422	10위	
24210-T	박춘열	일반부문	서울	296,002	204,762	500,764	6위	
14339-S	정일호	청소년부문	진주	624,500	96,574	721,074	3위	온라인 우세
13972-D	김감호	대학생부문	서울	283,912	103,763	387,675	8위	
22597-T	이민지	일반부문	부산	89,504	306,732	396,236	7위	
13201-S	김민서	대학생부문	부산	230,972	597,363	828,335	2위	
'참가지역'의 "서울"인 'ARS 투표'의 평균				270,772				
'현장 투표'의 최대값-최소값의 차이				947,604				
'ARS 투표' 중 두 번째로 작은 값				89,504				

《처리조건》

▶ 1행의 행 높이를 '80'으로 설정하고, 2행~15행의 행 높이를 '18'로 설정하시오.

▶ 제목("전국 트로트 오디션 투표 현황") : 사각형의 '양쪽 모서리가 둥근 사각형'을 이용하여 입력하시오.

- 도형 : 위치([B1:H1]), 도형 채우기(테마 스타일 – 보통 효과 – '파랑, 강조 5')
- 글꼴 : 굴림, 28pt, 밑줄
- 도형 서식 : 도형 옵션 – 크기 및 속성(텍스트 상자(세로 맞춤 : 정가운데, 텍스트 방향 : 가로))

▶ 셀 서식을 아래 조건에 맞게 작성하시오.

- [A2:I15] : 테두리(안쪽, 윤곽선 모두 실선, '검정, 텍스트 1'), 전체 가운데 맞춤
- [A13:D13], [A14:D14], [A15:D15] : 각각 병합하고 가운데 맞춤
- [A2:I2], [A13:D15] : 채우기 색('녹색, 강조 6, 40% 더 밝게'), 글꼴(굵게)
- [H3:H12] : 셀 서식의 표시 형식–사용자 지정을 이용하여 #"위"자를 추가
- [E3:G15] : 셀 서식의 표시 형식–숫자를 이용하여 1000 단위 구분 기호 표시
- [C3:C12] : 셀 서식의 표시 형식–사용자 지정을 이용하여 @"부문"자를 추가
- 조건부 서식[A3:I12] : '최종 합계'가 700000 이상인 경우 레코드 전체에 글꼴(진한 빨강, 굵게) 적용
- 지시사항이 없는 경우는 주어진 문제파일의 서식을 그대로 사용하시오.

▶ ① 순위[H3:H12] : '최종 합계'를 기준으로 큰 순으로 '순위'를 구하시오. (RANK.EQ 함수)

▶ ② 비고[I3:I12] : 'ARS 투표'가 300000 이상이면 "온라인 우세", 그렇지 않으면 공백으로 구하시오. (IF 함수)

▶ ③ 평균[E13:G13] : '참가지역'이 "서울"인 'ARS 투표'의 평균을 구하시오. (DAVERAGE 함수)

▶ ④ 최대값–최소값[E14:G14] : '현장 투표'의 최대값–최소값의 차이를 구하시오. (MAX, MIN함수)

▶ ⑤ 순위[E15:G15] : 'ARS 투표' 중 두 번째로 작은 값을 구하시오. (SMALL 함수)

❹ 이번엔 2행~15행의 행 높이를 설정하기 위해 **2행** 머리글에서 **15행** 머리글까지 드래그하여 선택합니다. 마우스 오른쪽 버튼을 클릭하여 나타나는 바로 가기 메뉴에서 **[행 높이]**를 클릭합니다.

❺ [행 높이] 대화상자가 나타나면 행 높이에 **"18"**을 입력하고 [확인]을 클릭합니다.

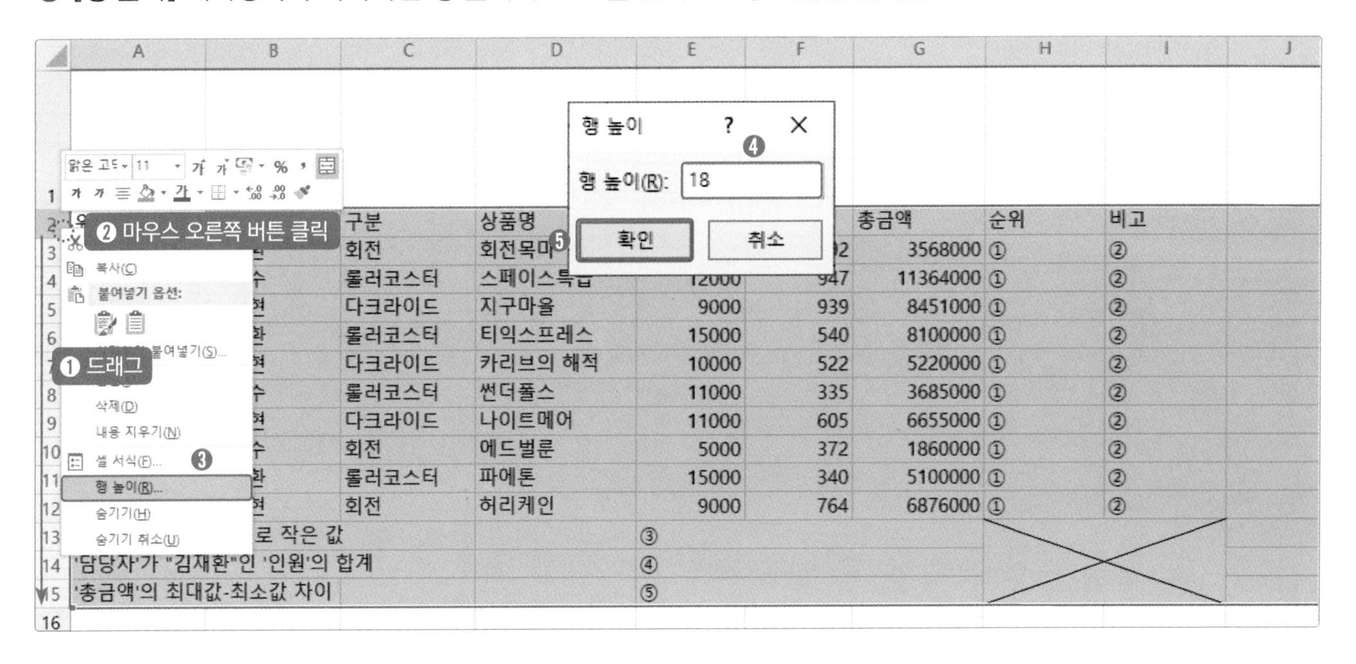

❻ 2행~15행의 행 높이가 변경된 것을 확인합니다.

임의의 셀을 클릭하면 범위 지정을 해제할 수 있습니다.

	A	B	C	D	E	F
1						
2	위치	담당자	구분	상품명	이용요금	인원
3	B구역 127	김재환	회전	회전목마	4000	892
4	A구역 111	최현수	롤러코스터	스페이스특급	12000	947
5	A구역 129	민승현	다크라이드	지구마을	9000	939
6	E구역 122	김재환	롤러코스터	티익스프레스	15000	540
7	B구역 124	민승현	다크라이드	카리브의 해적	10000	522
8	C구역 118	최현수	롤러코스터	썬더폴스	11000	335
9	E구역 121	민승현	다크라이드	나이트메어	11000	605
10	D구역 104	최현수	회전	에드벌룬	5000	372
11	F구역 113	김재환	롤러코스터	파에톤	15000	340
12	D구역 114	민승현	회전	허리케인	9000	764
13	'이용요금' 중 두 번째로 작은 값				③	
14	'담당자'가 "김재환"인 '인원'의 합계				④	
15	'총금액'의 최대값-최소값 차이				⑤	

시험꿀팁

2행~15행의 높이를 '18'로 설정하는 문제가 고정으로 출제됩니다.

셀 주소

엑셀의 셀 주소는 열과 행의 조합으로 이루어집니다.

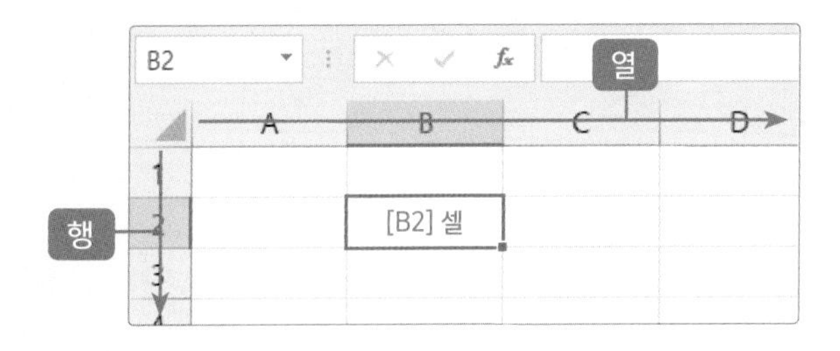

제16회 실전모의고사

▹ 시험과목 : 스프레드시트(엑셀)
▹ 시험일자 : 20XX. XX. XX.(X)
▹ 응시자 기재사항 및 감독위원 확인

수 검 번 호	DIS – XXXX –	감독위원 확인
성 명		

응시자 유의사항

1. 응시자는 신분증을 지참하여야 시험에 응시할 수 있으며, 시험이 종료될 때까지 신분증을 제시하지 못할 경우 해당 시험은 0점 처리됩니다.
2. 시스템(PC 작동 여부, 네트워크 상태 등)의 이상 여부를 반드시 확인하여야 하며, 시스템 이상이 있을시 감독위원에게 조치를 받으셔야 합니다.
3. 시험 중 부주의 또는 고의로 시스템을 파손한 경우는 응시자 부담으로 합니다.
4. 답안 전송 프로그램을 통해 다운로드 받은 파일을 이용하여 답안 파일을 작성하시기 바랍니다.
5. 작성한 답안 파일은 답안 전송 프로그램을 통하여 전송됩니다. 감독위원의 지시에 따라 주시기 바랍니다.
6. 다음 사항의 경우 실격(0점) 혹은 부정행위 처리됩니다.
   ❶ 답안 파일을 저장하지 않았거나, 저장한 파일이 손상되었을 경우
   ❷ 답안 파일을 지정된 폴더(바탕화면 "KAIT" 폴더)에 저장하지 않았을 경우
   ※ 답안 전송 프로그램 로그인 시 바탕화면에 자동 생성됨
   ❸ 답안 파일을 다른 보조기억장치(USB) 혹은 네트워크(메신저, 게시판 등)로 전송할 경우
   ❹ 휴대용 전화기 등 통신기기를 사용할 경우
7. 시험지에 제시된 글꼴이 응시 프로그램에 없는 경우, 반드시 감독위원에게 해당 내용을 통보한 뒤 조치를 받아야 합니다.
8. 시험의 완료는 작성이 완료된 답안을 저장하고, 답안 전송이 완료된 상태를 확인한 것으로 합니다. 답안 전송 확인 후 문제지는 감독위원에게 제출한 후 퇴실하여야 합니다.
9. 답안 전송이 완료된 경우에는 수정 또는 정정이 불가능합니다.
10. 시험시행 후 결과는 홈페이지(www.ihd.or.kr)에서 확인하시기 바랍니다.
    ❶ 문제 및 모범답안 공개 : 20XX. XX. XX.(X)
    ❷ 합격자 발표 : 20XX. XX. XX.(X)

02 제목 도형 작성하고 제목 입력하기

▶ 제목("놀이기구 이용 현황") : 기본 도형의 '십자형'을 이용하여 입력하시오.
- 도형 : 위치([B1:H1]), 도형 스타일(테마 스타일 – 미세 효과 – '파랑, 강조 1')
- 글꼴 : 돋움체, 28pt, 기울임꼴
- 도형 서식 : 도형 옵션 – 크기 및 속성(텍스트 상자(세로 맞춤 : 정가운데, 텍스트 방향 : 가로))

❶ 도형을 삽입하기 위해 **[삽입] 탭–[일러스트레이션] 그룹–[도형( )]**을 클릭하고 **[기본 도형]–[십자형( )]**을 클릭합니다.

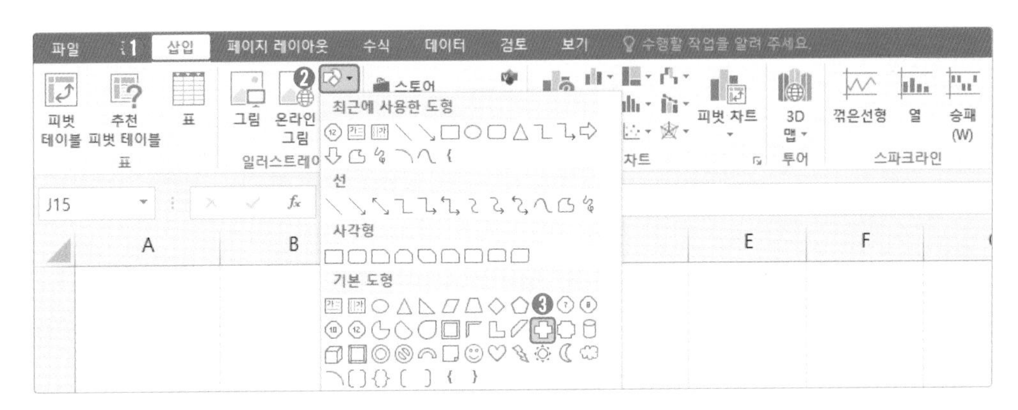

도형 아이콘에 마우스 포인터를 가져가면 도형의 이름이 표시됩니다.

❷ 마우스 포인터가 '+'로 바뀌면 [B1] 셀 왼쪽 위에서 [H1] 셀 오른쪽 아래까지 드래그하여 도형을 삽입합니다.

- 도형의 위치가 처리조건에 있으므로 [B1:H1] 영역 안에 맞춰 그립니다.
- 도형이 셀 안에 위치하도록 테두리 조절점( )을 이용하여 크기와 위치를 변경합니다.

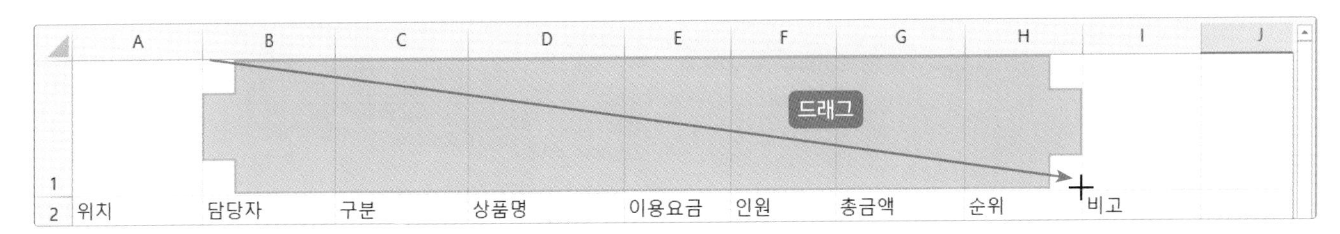

❸ 도형의 스타일을 변경하기 위해 도형이 선택된 상태에서 **[그리기 도구–서식] 탭–[도형 스타일] 그룹**에서 **자세히( )**를 클릭합니다. 도형 스타일 목록이 나타나면 **'테마 스타일 – 미세 효과 – 파랑, 강조 1'**을 클릭합니다.

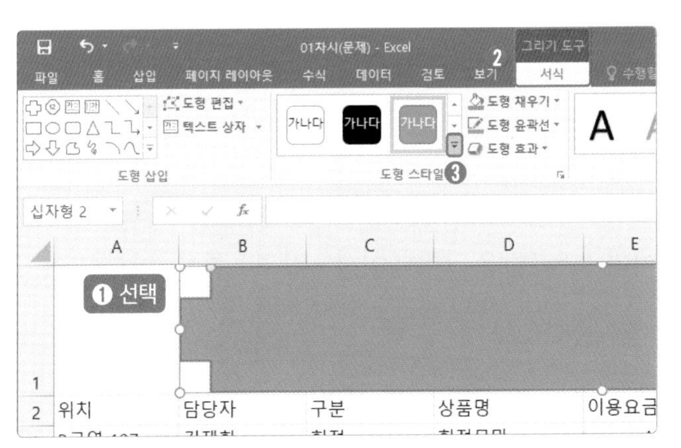

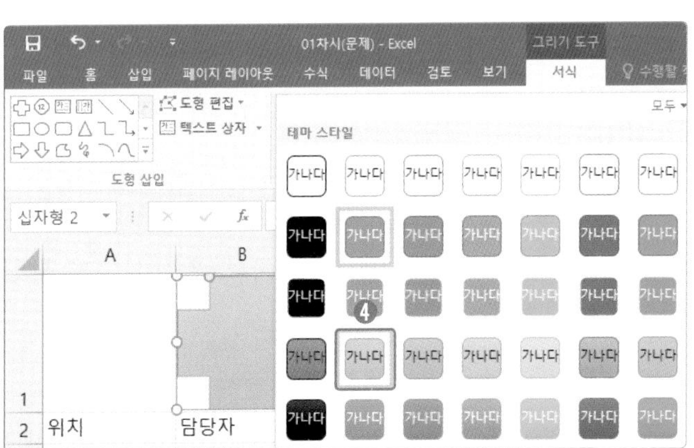

【문제 5】 "차트" 시트를 참조하여 다음 《처리조건》에 맞도록 작업하시오.(30점)

《출력형태》

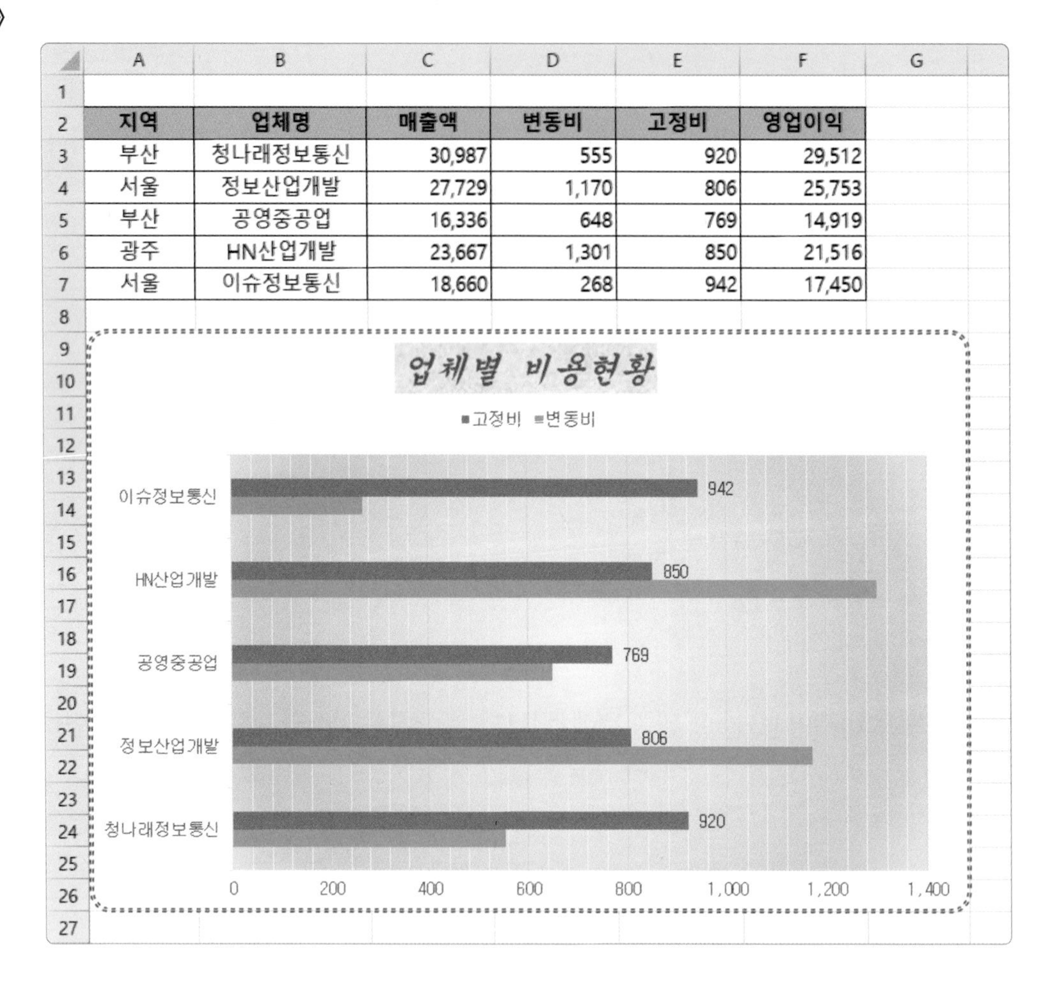

지역	업체명	매출액	변동비	고정비	영업이익
부산	청나래정보통신	30,987	555	920	29,512
서울	정보산업개발	27,729	1,170	806	25,753
부산	공영중공업	16,336	648	769	14,919
광주	HN산업개발	23,667	1,301	850	21,516
서울	이슈정보통신	18,660	268	942	17,450

《처리조건》

▶ "차트" 시트에 주어진 표를 이용하여 '묶은 가로 막대형' 차트를 작성하시오.

- 데이터 범위 : 현재 시트 [B2:B7], [D2:E7]의 데이터를 이용하여 작성하고, 행/열 전환은 '열'로 지정
- 차트 제목("업체별 비용현황")
- 범례 위치 : 위쪽
- 차트 스타일 : 색 변경(색상형 – 색 4, 스타일 10)
- 차트 위치 : 현재 시트에 [A9:G26] 크기에 정확하게 맞추시오.
- 차트 영역 서식 : 글꼴(굴림체, 9pt), 테두리 색(실선, 색 : 진한 파랑), 테두리 스타일(너비 : 2.25pt, 겹선 종류 : 이중, 대시 종류 : 둥근 점선, 둥근 모서리)
- 차트 제목 서식 : 글꼴(궁서체, 18pt, 기울임꼴), 채우기(그림 또는 질감 채우기, 질감 : 파랑 박엽지)
- 그림 영역 서식 : 채우기(그라데이션 채우기, 그라데이션 미리 설정 : 밝은 그라데이션 – 강조 1, 종류 : 방사형, 방향 : 가운데에서)
- 데이터 레이블 추가 : '고정비' 계열에 "값" 표시

▶ 지시사항이 없는 경우는 《출력형태》와 동일하게 작성하시오.

❹ 도형 스타일이 변경된 것을 확인하고 도형이 선택된 상태에서 문제지와 동일한 제목(**놀이기구 이용 현황**)을 입력한 후 [Esc]를 누릅니다.

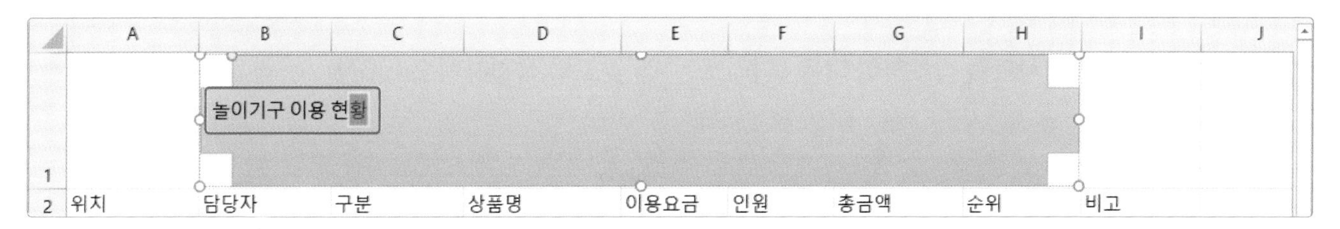

❺ 도형이 선택된 상태에서 **[홈] 탭-[글꼴] 그룹**에서 **글꼴(돋움체)**, **글꼴 크기(28pt)**, **기울임꼴**(가)을 지정합니다.

- 도형이 선택된 상태여야만 글꼴, 글자 크기 등을 변경할 수 있습니다.
- 글꼴이나 글꼴 크기를 지정할 때 선택 상자 옆의 '▾'를 눌러 목록에서 선택해도 되고, 글꼴이나 글꼴 크기를 직접 입력한 후 [Enter]를 눌러도 됩니다.

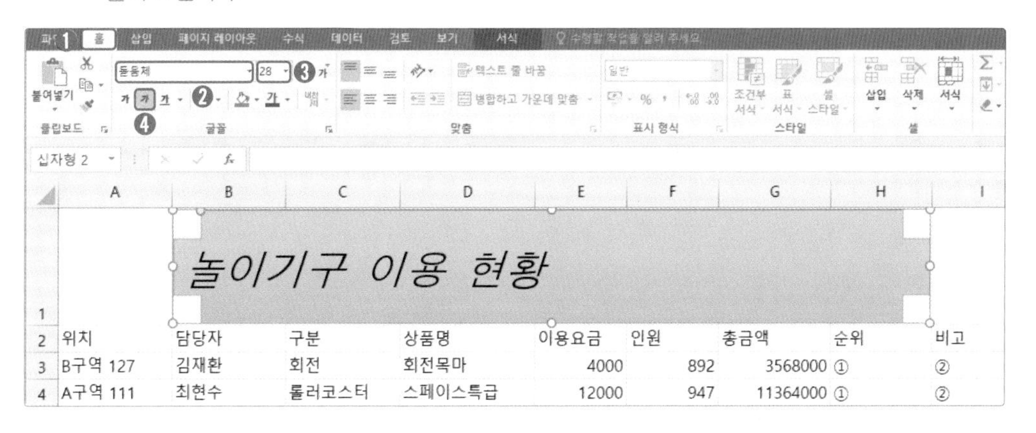

시험꿀팁

- 제목 글꼴은 '궁서체, 돋움체, 굴림체'가 주로 출제되고 '굴림, 돋움, 궁서, 바탕' 등도 가끔 출제됩니다.
- '기울임꼴'이 주로 출제되고 가끔 '굵게', '밑줄'도 출제됩니다.

❻ 도형 서식을 지정하기 위해 도형 위에서 마우스 오른쪽 버튼을 클릭한 후 바로 가기 메뉴에서 **[도형 서식]**을 클릭합니다.

[도형 서식] 작업창 실행 단축키 : [Ctrl]+[1]

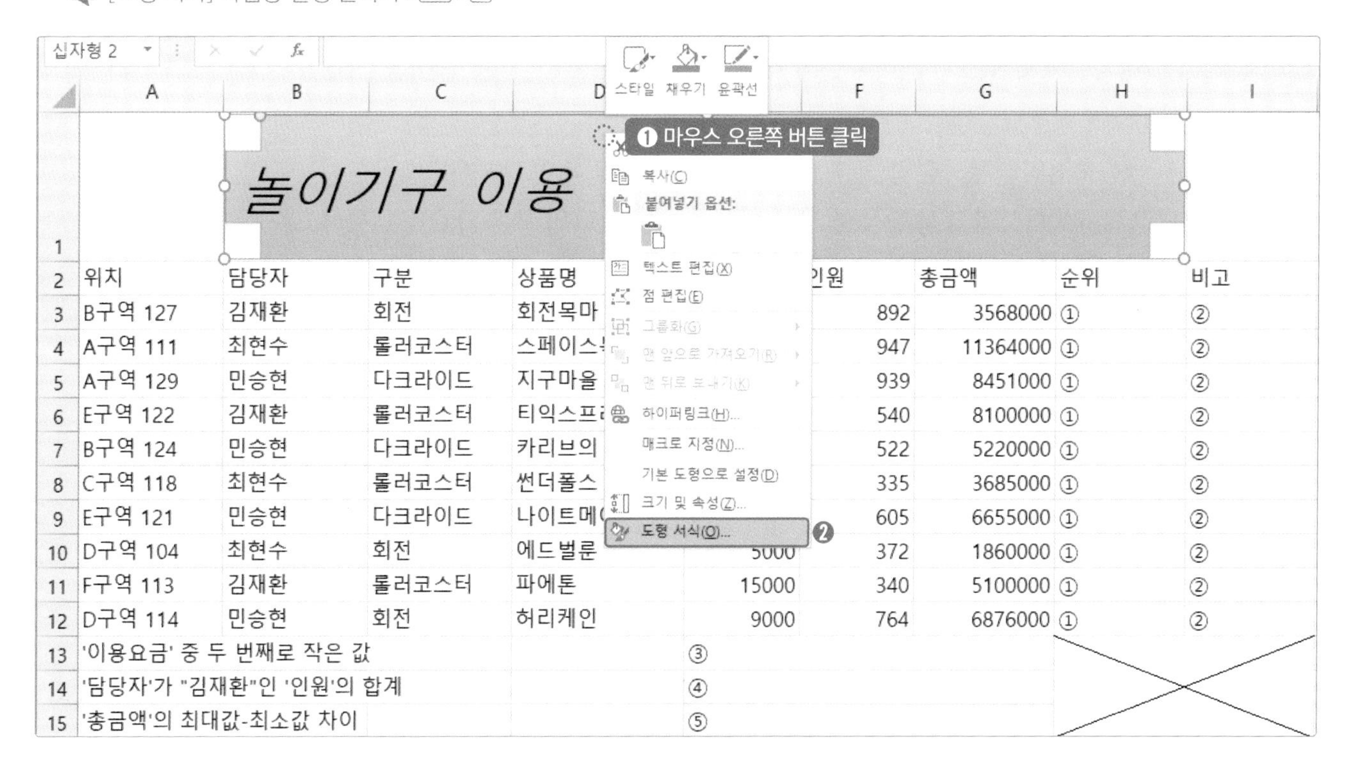

【문제 4】 "피벗테이블" 시트를 참조하여 다음 《처리조건》에 맞도록 작업하시오.(30점)

《출력형태》

	A	B	C	D	E
1					
2					
3			업종		
4	지역	값	금융보험업	부동산업	정보통신업
5	광주	평균 : 매출액	****	23,667	37,415
6		평균 : 영업이익	****	21,516	35,939
7	부산	평균 : 매출액	****	26,336	30,987
8		평균 : 영업이익	****	24,463	29,512
9	서울	평균 : 매출액	14,420	27,729	18,660
10		평균 : 영업이익	13,105	25,753	17,450
11	전체 평균 : 매출액		14,420	25,911	29,021
12	전체 평균 : 영업이익		13,105	23,911	27,634
13					

《처리조건》

▶ "피벗테이블" 시트의 [A2:G12]를 이용하여 새로운 시트에 《출력형태》와 같이 피벗 테이블을 작성 후 시트명을 "피벗테이블 정답"으로 수정하시오.

▶ 지역(행)과 업종(열)을 기준으로 하여 출력형태와 같이 구하시오.

- '매출액', '영업이익'의 평균을 구하시오.
- 피벗 테이블 옵션을 이용하여 레이블이 있는 셀 병합 및 가운데 맞춤하고 빈 셀을 "****"로 표시한 후, 행의 총합계를 감추기 하시오.
- 피벗 테이블 디자인에서 보고서 레이아웃은 '테이블 형식으로 표시', 피벗 테이블 스타일은 '피벗 스타일 어둡게 2'로 표시하시오.
- 업종(열)은 "금융보험업", "부동산업", "정보통신업"만 출력되도록 표시하시오.
- [C5:E12] 데이터는 셀 서식의 표시 형식-숫자를 이용하여 1000 단위 구분 기호를 표시하고, 가운데 맞춤하시오.

▶ 지역의 순서는 《출력형태》와 다를 수 있음

▶ 지시사항이 없는 경우는 《출력형태》와 동일하게 작성하시오.

❼ 작업창 오른쪽에 [도형 서식] 창이 나타나면 **[도형 옵션]-[크기 및 속성]-[텍스트 상자]**를 클릭합니다. 세로 맞춤을 **'정가운데'**로, 텍스트 방향을 **'가로'**로 지정한 후 [닫기(✕)]를 클릭해 창을 닫습니다.

- 텍스트를 도형의 가로, 세로 가운데에 위치시키는 과정입니다.
- '텍스트 방향'은 '가로'가 기본 값이므로 눈으로만 확인합니다.

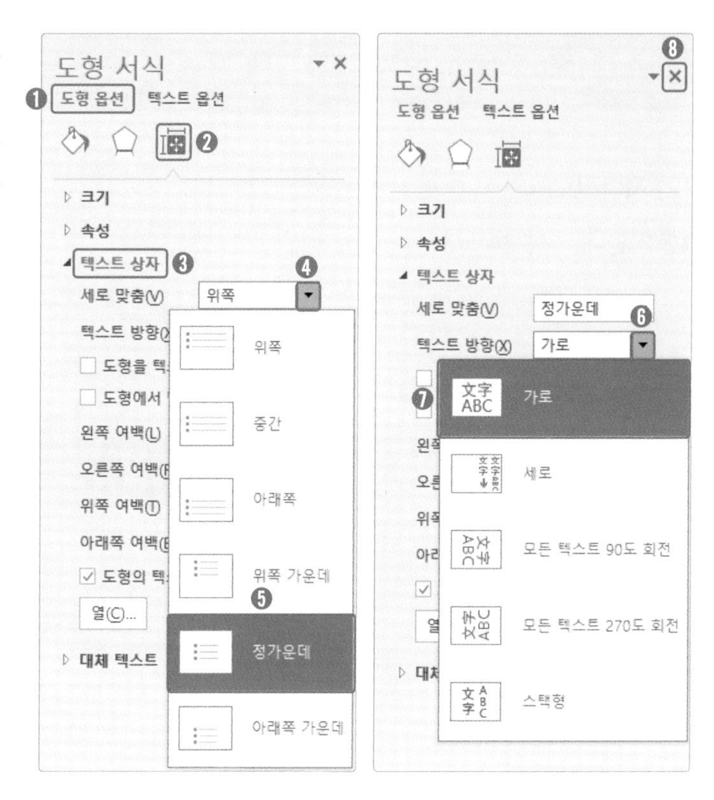

❽ 제목 서식이 지정된 것을 확인한 후 [빠른 실행 도구 모음]에서 **[저장(💾)]**을 클릭하거나 Ctrl+S를 눌러 파일을 저장합니다.

- 실제 시험 중에는 수시로 저장하는 것이 좋습니다.
- 선택된 도형은 임의의 셀을 클릭하면 선택을 해제할 수 있습니다.

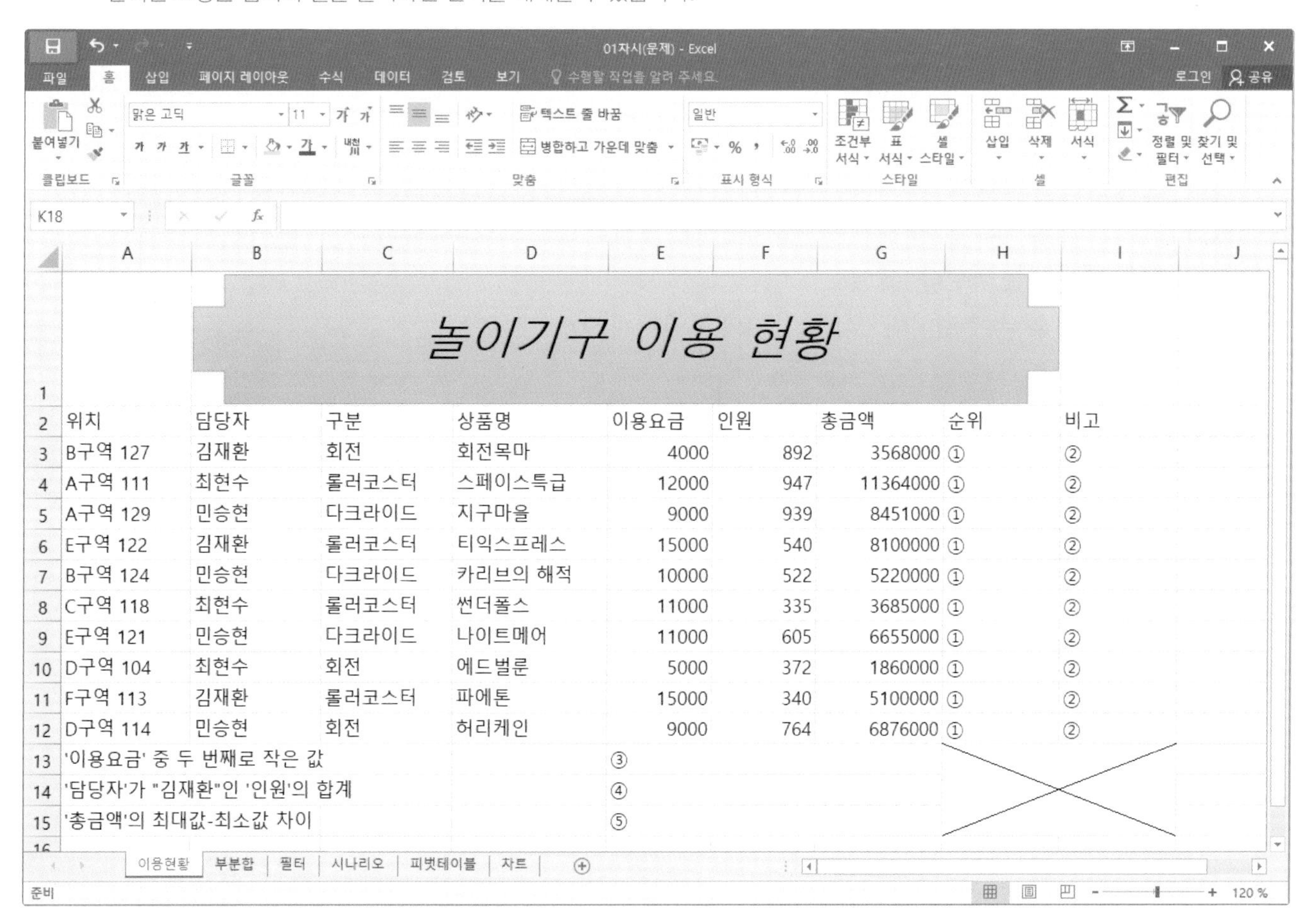

	A	B	C	D	E	F	G	H	I
2	위치	담당자	구분	상품명	이용요금	인원	총금액	순위	비고
3	B구역 127	김재환	회전	회전목마	4000	892	3568000	①	②
4	A구역 111	최현수	롤러코스터	스페이스특급	12000	947	11364000	①	②
5	A구역 129	민승현	다크라이드	지구마을	9000	939	8451000	①	②
6	E구역 122	김재환	롤러코스터	티익스프레스	15000	540	8100000	①	②
7	B구역 124	민승현	다크라이드	카리브의 해적	10000	522	5220000	①	②
8	C구역 118	최현수	롤러코스터	썬더폴스	11000	335	3685000	①	②
9	E구역 121	민승현	다크라이드	나이트메어	11000	605	6655000	①	②
10	D구역 104	최현수	회전	에드벌룬	5000	372	1860000	①	②
11	F구역 113	김재환	롤러코스터	파에톤	15000	340	5100000	①	②
12	D구역 114	민승현	회전	허리케인	9000	764	6876000	①	②
13	'이용요금' 중 두 번째로 작은 값				③				
14	'담당자'가 "김재환"인 '인원'의 합계				④				
15	'총금액'의 최대값-최소값 차이				⑤				

(2) 시나리오

《출력형태 – 시나리오》

			D	E	F
시나리오 요약					
			현재 값:	매출액 1950 증가	매출액 1470 감소
변경 셀:					
		$D$4	30,987	32,937	29,517
		$D$8	16,336	18,286	14,866
		$D$11	26,336	28,286	24,866
결과 셀:					
		$G$4	29,512	31,462	28,042
		$G$8	14,919	16,869	13,449
		$G$11	24,463	26,413	22,993

참고: 현재 값 열은 시나리오 요약 보고서가 작성될 때의
변경 셀 값을 나타냅니다. 각 시나리오의 변경 셀들은
회색으로 표시됩니다.

《처리조건》

▶ "시나리오" 시트의 [A2:G12]를 이용하여 '지역'이 "부산"인 경우, '매출액'이 변동할 때 '영업이익'이 변동하는 가상 분석(시나리오)을 작성하시오.

- 시나리오1 : 시나리오 이름은 "매출액 1950 증가", '매출액'에 1950을 증가시킨 값 설정.
- 시나리오2 : 시나리오 이름은 "매출액 1470 감소", '매출액'에 1470을 감소시킨 값 설정.
- "시나리오 요약" 시트를 작성하시오.

▶ 지시사항이 없는 경우는 《출력형태 – 시나리오》와 동일하게 작성하시오.

01 "재고현황" 시트를 참조하여 《처리조건》에 맞도록 작업하시오.

소스파일: 01-01(문제).xlsx
완성파일: 01-01(완성).xlsx

《출력형태》

	A	B	C	D	E	F	G	H	I
1		반려동물용품 재고 현황							
2	주문번호	제조사	상품분류	상품명	단가	수량	재고금액	순위	비고
3	P19-04023	리틀달링	장난감	공	4800	27	129600	①	②
4	P19-06025	바우와우	미용용품	이발기(소)	37800	32	1209600	①	②
5	P19-04027	핑크펫	미용용품	이발기(중)	19800	15	297000	①	②
6	P19-06029	블루블루	간식	츄르	20800	89	1851200	①	②
7	P19-04031	퍼니펫샵	장난감	일자터널	28500	17	484500	①	②
8	P19-04033	핑크펫	간식	치즈통조림	10900	121	1318900	①	②
9	P19-06035	핑크펫	장난감	T자터널	16000	21	336000	①	②
10	P19-04037	핑크펫	미용용품	털제거장갑	3500	30	105000	①	②
11	P19-06039	퍼니펫샵	장난감	놀이인형	3000	16	48000	①	②
12	P19-04041	블루블루	간식	애견소시지	3500	58	203000	①	②
13	'상품분류'가 "장난감"인 '수량'의 합계				③				
14	'재고금액'의 최대값-최소값 차이				④				
15	'단가' 중 세 번째로 큰 값				⑤				
16									

《처리조건》

- ▶ 1행의 행 높이를 '80'으로 설정하고, 2행~15행의 행 높이를 '18'로 설정하시오.
- ▶ 제목("반려동물용품 재고 현황") : 기본 도형의 '빗면'을 이용하여 입력하시오.
  - 도형 : 위치([B1:H1]), 도형 스타일(테마 스타일 – 미세 효과 – '황금색, 강조 4')
  - 글꼴 : 돋움체, 28pt, 기울임꼴
  - 도형 서식 : 도형 옵션 – 크기 및 속성(텍스트 상자(세로 맞춤 : 정가운데, 텍스트 방향 : 가로))

【문제 3】 "필터"와 "시나리오" 시트를 참조하여 다음 《처리조건》에 맞도록 작업하시오.(60점)

(1) 필터

《출력형태 – 필터》

	A	B	C	D	E	F	G
1							
2	지역	업종	업체명	매출액	변동비	고정비	영업이익
3	서울	건설업	프렌즈건설	16,203	796	1,092	14,315
4	부산	정보통신업	청나래정보통신	30,987	555	920	29,512
5	광주	건설업	용도건설	17,867	809	833	16,225
6	서울	부동산업	정보산업개발	27,729	1,170	806	25,753
7	광주	정보통신업	신기술정보통신	37,415	594	882	35,939
8	부산	건설업	공영중공업	16,336	648	769	14,919
9	광주	부동산업	HN산업개발	23,667	1,301	850	21,516
10	서울	정보통신업	이슈정보통신	18,660	268	942	17,450
11	부산	부동산업	LDC산업개발	26,336	514	1,359	24,463
12	서울	금융보험업	푸른화재	14,420	602	713	13,105
13							
14	조건						
15	FALSE						
16							
17							
18	지역	업체명	매출액	영업이익			
19	서울	정보산업개발	27,729	25,753			
20	광주	신기술정보통신	37,415	35,939			
21	광주	HN산업개발	23,667	21,516			
22	부산	LDC산업개발	26,336	24,463			
23							

《처리조건》

▶ "필터" 시트의 [A2:G12]를 아래 조건에 맞게 고급 필터를 사용하여 작성하시오.

- '업종'이 "부동산업"이거나 '영업이익'이 30000 이상인 데이터를 '지역', '업체명', '매출액', '영업이익'의 데이터만 필터링 하시오..
- 조건 위치 : 조건 함수는 [A15] 한 셀에 작성(OR 함수 이용)
- 결과 위치 : [A18]부터 출력

▶ 지시사항이 없는 경우는 《출력형태 – 필터》와 동일하게 작성하시오.

02 "판매현황" 시트를 참조하여 《처리조건》에 맞도록 작업하시오.

소스파일: 01-02(문제).xlsx
완성파일: 01-02(완성).xlsx

《출력형태》

	A	B	C	D	E	F	G	H	I
1		스니커즈 판매 현황							
2	제품번호	색상	상품분류	상품명	단가	수량	판매금액	순위	비고
3	BS3323-S	실버	아쿠아슈즈	루니아쿠아슈즈	24900	43	1070700	①	②
4	KS3599-R	레드	런닝화	컬러라인 런닝화	46000	38	1748000	①	②
5	CS3353-B	블랙	운동화	레이시스 런닝화	39800	21	835800	①	②
6	HS3428-S	실버	런닝화	컬러라인 런닝화	64000	15	960000	①	②
7	AS4292-B	블랙	운동화	레이시스 런닝화	48000	38	1824000	①	②
8	DS3967-R	레드	아쿠아슈즈	워터슈즈	39000	23	897000	①	②
9	JS3887-B	블랙	운동화	콜라보 스니커즈	29800	16	476800	①	②
10	AS4093-R	레드	런닝화	레드 러너스	49800	46	2290800	①	②
11	CS3342-S	실버	런닝화	컬러라인 런닝화	45700	40	1828000	①	②
12	IS3437-B	블랙	아쿠아슈즈	워터슈즈	19900	17	338300	①	②
13	'판매금액'의 최대값-최소값 차이				③				
14	'상품분류'가 "아쿠아슈즈"인 '판매금액'의 평균				④				
15	'수량' 중 세 번째로 작은 값				⑤				
16									

《처리조건》

- 1행의 행 높이를 '80'으로 설정하고, 2행~15행의 행 높이를 '18'로 설정하시오.
- 제목("스니커즈 판매 현황") : 기본 도형의 '팔각형'을 이용하여 입력하시오.
  - 도형 : 위치([B1:H1]), 도형 스타일(테마 스타일 - 미세 효과 - '파랑, 강조 1')
  - 글꼴 : 궁서체, 28pt, 기울임꼴
  - 도형 서식 : 도형 옵션 - 크기 및 속성(텍스트 상자(세로 맞춤 : 정가운데, 텍스트 방향 : 가로))

【문제 2】 "부분합" 시트를 참조하여 다음 《처리조건》에 맞도록 작업하시오.(30점)

《출력형태》

	A	B	C	D	E	F	G
1							
2	지역	업종	업체명	매출액	변동비	고정비	영업이익
3	서울	건설업	프렌즈건설	16,203	796	1,092	14,315
4	서울	부동산업	정보산업개발	27,729	1,170	806	25,753
5	서울	정보통신업	이슈정보통신	18,660	268	942	17,450
6	서울	금융보험업	푸른화재	14,420	602	713	13,105
7	**서울 평균**					888	17,656
8	**서울 최대값**			27,729	1,170		
9	부산	정보통신업	청나래정보통신	30,987	555	920	29,512
10	부산	건설업	공영중공업	16,336	648	769	14,919
11	부산	부동산업	LDC산업개발	26,336	514	1,359	24,463
12	**부산 평균**					1,016	22,965
13	**부산 최대값**			30,987	648		
14	광주	건설업	용도건설	17,867	809	833	16,225
15	광주	정보통신업	신기술정보통신	37,415	594	882	35,939
16	광주	부동산업	HN산업개발	23,667	1,301	850	21,516
17	**광주 평균**					855	24,560
18	**광주 최대값**			37,415	1,301		
19	**전체 평균**					917	21,320
20	**전체 최대값**			37,415	1,301		
21							

《처리조건》

▶ 데이터를 '지역' 기준으로 내림차순 정렬하시오.

▶ 아래 조건에 맞는 부분합을 작성하시오.

- '지역'으로 그룹화하여 '매출액', '변동비'의 최대값을 구하는 부분합을 만드시오.
- '지역'으로 그룹화하여 '고정비', '영업이익'의 평균을 구하는 부분합을 만드시오.
  (새로운 값으로 대치하지 말 것)
- [D3:G20] 영역에 셀 서식의 표시 형식-숫자를 이용하여 1000 단위 구분 기호 표시하시오.

▶ D~F열을 선택하여 그룹을 설정하시오.

▶ 최대값과 평균의 부분합 순서는 《출력형태》와 다를 수 있음

▶ 지시사항이 없는 경우는 기본 값을 적용하시오.

03 "납품현황" 시트를 참조하여 《처리조건》에 맞도록 작업하시오.

소스파일: 01-03(문제).xlsx
완성파일: 01-03(완성).xlsx

《출력형태》

	A	B	C	D	E	F	G	H	I
1		음료제품 납품 현황							
2	주문번호	주문처	상품분류	상품명	판매단가	판매수량	총판매액	순위	비고
3	FR-008966	할인점	생수	시원수	800	519	415200	①	②
4	FR-008969	편의점	탄산음료	톡톡소다	1200	463	555600	①	②
5	FR-009012	통신판매	커피음료	커피아시아	1500	219	328500	①	②
6	FR-009008	할인점	탄산음료	라임메이드	1800	369	664200	①	②
7	FR-000053	통신판매	커피음료	카페타임	1400	486	680400	①	②
8	FR-000504	편의점	생수	지리산수	900	341	306900	①	②
9	FR-000759	통신판매	커피음료	커피매니아	2300	401	922300	①	②
10	FR-200202	편의점	탄산음료	레몬타임	1700	236	401200	①	②
11	FR-200101	할인점	탄산음료	허리케인	2100	104	218400	①	②
12	FR-200063	통신판매	생수	심해청수	1300	216	280800	①	②
13	'판매단가' 중 두 번째로 작은 값				③				
14	'상품분류'가 "생수"인 '총판매액'의 합계				④				
15	'판매수량'의 최대값-최소값 차이				⑤				
16									

《처리조건》

- 1행의 행 높이를 '80'으로 설정하고, 2행~15행의 행 높이를 '18'로 설정하시오.
- 제목("음료제품 납품 현황") : 기본 도형의 '원통'을 이용하여 입력하시오.
  - 도형 : 위치([B1:H1]), 도형 스타일(테마 스타일 - 미세 효과 - '녹색, 강조 6')
  - 글꼴 : 궁서체, 24pt, 기울임꼴
  - 도형 서식 : 도형 옵션 - 크기 및 속성(텍스트 상자(세로 맞춤 : 정가운데, 텍스트 방향 : 가로))

【문제 1】 "영업이익" 시트를 참조하여 다음 《처리조건》에 맞도록 작업하시오.(50점)

《출력형태》

업체별 영업이익 현황

지역	업종	업체명	매출액	변동비	고정비	영업이익	순위	비고
서울	건설업	프렌즈건설	16,203	796	1,092	14,315	9등	고정비초과
부산	정보통신업	청나래정보통신	30,987	555	920	29,512	2등	고정비초과
광주	건설업	용도건설	17,867	809	833	16,225	7등	
서울	부동산업	정보산업개발	27,729	1,170	806	25,753	3등	
광주	정보통신업	신기술정보통신	37,415	594	882	35,939	1등	
부산	건설업	공영중공업	16,336	648	769	14,919	8등	
광주	부동산업	HN산업개발	23,667	1,301	850	21,516	5등	
서울	정보통신업	이슈정보통신	18,660	268	942	17,450	6등	고정비초과
부산	부동산업	LDC산업개발	26,336	514	1,359	24,463	4등	고정비초과
서울	금융보험업	푸른화재	14,420	602	713	13,105	10등	
'업종'이 "건설업"인 '매출액'의 합계				50,406				
'변동비'의 최대값-최소값 차이				1,033				
'영업이익' 중 세 번째로 큰 값				25,753				

《처리조건》

▶ 1행의 행 높이를 '80'으로 설정하고, 2행~15행의 행 높이를 '18'로 설정하시오.

▶ 제목("업체별 영업이익 현황") : 기본 도형의 '사다리꼴'을 이용하여 입력하시오.

- 도형 : 위치([B1:H1]), 도형 스타일(테마 스타일 – 보통 효과 – '파랑, 강조 1')
- 글꼴 : 돋움체, 24pt, 기울임꼴
- 도형 서식 : 도형 옵션 – 크기 및 속성(텍스트 상자(세로 맞춤 : 정가운데, 텍스트 방향 : 가로))

▶ 셀 서식을 아래 조건에 맞게 작성하시오.

- [A2:I15] : 테두리(안쪽, 윤곽선 모두 실선, '검정, 텍스트 1'), 전체 가운데 맞춤
- [A13:D13], [A14:D14], [A15:D15] : 각각 병합하고 가운데 맞춤
- [A2:I2], [A13:D15] : 채우기 색('청회색, 텍스트 2, 60% 더 밝게'), 글꼴(굵게)
- [D3:G12], [E13:G15] : 셀 서식의 표시 형식-숫자를 이용하여 1000 단위 구분 기호 표시
- [B3:B12] : 셀 서식의 표시 형식-사용자 지정을 이용하여 @"업"자 추가
- [H3:H12] : 셀 서식의 표시 형식-사용자 지정을 이용하여 #"등"자 추가
- 조건부 서식[A3:I12] : '매출액'이 30000 이상인 경우 레코드 전체에 글꼴(파랑, 굵게) 적용
- 지시사항이 없는 경우는 주어진 문제파일의 서식을 그대로 사용하시오.

▶ ① 순위[H3:H12] : '영업이익'을 기준으로 큰 순으로 순위를 구하시오. (RANK.EQ 함수)

▶ ② 비고[I3:I12] : '고정비'가 900 이상이면 "고정비초과", 그렇지 않으면 공백으로 구하시오. (IF 함수)

▶ ③ 합계[E13:G13] : '업종'이 "건설업"인 '매출액'의 합계를 구하시오. (DSUM 함수)

▶ ④ 최대값-최소값[E14:G14] : '변동비'의 최대값과 최소값의 차이를 구하시오. (MAX, MIN 함수)

▶ ⑤ 순위[E15:G15] : '영업이익' 중 세 번째로 큰 값을 구하시오. (LARGE 함수)

04 "모집현황" 시트를 참조하여 《처리조건》에 맞도록 작업하시오.

소스파일: 01-04(문제).xlsx
완성파일: 01-04(완성).xlsx

《출력형태》

	A	B	C	D	E	F	G	H	I
1		방과후 수업 모집현황							
2	강좌명	분류	대상	모집인원	기간	수강료	합계	순위	비고
3	드론	취미	6학년	20	1	30000	600000	①	②
4	엑셀	컴퓨터	6학년	30	2	18000	1080000	①	②
5	영어회화	어학	4학년	20	3	16000	960000	①	②
6	포토샵	컴퓨터	5학년	20	2	17000	680000	①	②
7	일본어회화	어학	5학년	25	3	20000	1500000	①	②
8	바이올린	취미	4학년	25	3	30000	2250000	①	②
9	파워포인트	컴퓨터	6학년	25	2	15000	750000	①	②
10	축구	취미	4학년	30	1	24000	720000	①	②
11	중국어회화	어학	5학년	20	2	16000	640000	①	②
12	한글	컴퓨터	4학년	30	1	15000	450000	①	②
13	'분류'가 "취미"인 '모집인원'의 평균				③				
14	'합계'의 최대값-최소값 차이				④				
15	'수강료' 중 두 번째로 작은 값				⑤				
16									

《처리조건》

- 1행의 행 높이를 '75'로 설정하고, 2행~15행의 행 높이를 '18'로 설정하시오.
- 제목("방과후 수업 모집현황") : 기본 도형의 '배지'를 이용하여 입력하시오.
  - 도형 : 위치([B1:H1]), 도형 스타일(테마 스타일 – 미세 효과 – '파랑, 강조 5')
  - 글꼴 : 돋움체, 24pt, 굵게
  - 도형 서식 : 도형 옵션 – 크기 및 속성(텍스트 상자(세로 맞춤 : 정가운데, 텍스트 방향 : 가로))

제15회 실전모의고사

▸ 시험과목 : 스프레드시트(엑셀)
▸ 시험일자 : 20XX. XX. XX.(X)
▸ 응시자 기재사항 및 감독위원 확인

수 검 번 호	DIS – XXXX –	감독위원 확인
성 명		

응시자 유의사항

1. 응시자는 신분증을 지참하여야 시험에 응시할 수 있으며, 시험이 종료될 때까지 신분증을 제시하지 못할 경우 해당 시험은 0점 처리됩니다.
2. 시스템(PC 작동 여부, 네트워크 상태 등)의 이상 여부를 반드시 확인하여야 하며, 시스템 이상이 있을시 감독위원에게 조치를 받으셔야 합니다.
3. 시험 중 부주의 또는 고의로 시스템을 파손한 경우는 응시자 부담으로 합니다.
4. 답안 전송 프로그램을 통해 다운로드 받은 파일을 이용하여 답안 파일을 작성하시기 바랍니다.
5. 작성한 답안 파일은 답안 전송 프로그램을 통하여 전송됩니다. 감독위원의 지시에 따라 주시기 바랍니다.
6. 다음 사항의 경우 실격(0점) 혹은 부정행위 처리됩니다.
   ❶ 답안 파일을 저장하지 않았거나, 저장한 파일이 손상되었을 경우
   ❷ 답안 파일을 지정된 폴더(바탕화면 "KAIT" 폴더)에 저장하지 않았을 경우
   ※ 답안 전송 프로그램 로그인 시 바탕화면에 자동 생성됨
   ❸ 답안 파일을 다른 보조기억장치(USB) 혹은 네트워크(메신저, 게시판 등)로 전송할 경우
   ❹ 휴대용 전화기 등 통신기기를 사용할 경우
7. 시험지에 제시된 글꼴이 응시 프로그램에 없는 경우, 반드시 감독위원에게 해당 내용을 통보한 뒤 조치를 받아야 합니다.
8. 시험의 완료는 작성이 완료된 답안을 저장하고, 답안 전송이 완료된 상태를 확인한 것으로 합니다. 답안 전송 확인 후 문제지는 감독위원에게 제출한 후 퇴실하여야 합니다.
9. 답안 전송이 완료된 경우에는 수정 또는 정정이 불가능합니다.
10. 시험시행 후 결과는 홈페이지(www.ihd.or.kr)에서 확인하시기 바랍니다.
   ❶ 문제 및 모범답안 공개 : 20XX. XX. XX.(X)
   ❷ 합격자 발표 : 20XX. XX. XX.(X)

[문제 1] 셀 서식 및 조건부 서식 지정하기

셀 서식은 셀 값의 표시 형식이나 텍스트 맞춤, 글꼴, 테두리, 채우기 등을 지정하는 기능으로, 문제 1,2,4번에서 모두 출제될 정도로 중요한 기능입니다. 조건부 서식은 어떤 조건을 만족하는 수치 데이터나 결괏값에 셀 서식을 지정하는 기능으로 고정적으로 출제되고 있으니 꼭 알아두어야 합니다.

소스파일: 02차시(문제).xlsx 완성파일: 02차시(완성).xlsx

문제 미리보기 【문제 1】 "이용현황"시트를 참조하여 다음 《처리조건》에 맞도록 작업하시오.(50점)

《출력형태》

	A	B	C	D	E	F	G	H	I
1		놀이기구 이용 현황							
2	위치	담당자	구분	상품명	이용요금	인원	총금액	순위	비고
3	B구역 127	김재환	회전형	회전목마	4,000	892	3,568,000	①	②
4	A구역 111	최현수	롤러코스터형	스페이스특급	12,000	947	11,364,000	①	②
5	A구역 129	민승현	다크라이드형	지구마을	9,000	939	8,451,000	①	②
6	E구역 122	김재환	롤러코스터형	티익스프레스	15,000	540	8,100,000	①	②
7	B구역 124	민승현	다크라이드형	카리브의 해적	10,000	522	5,220,000	①	②
8	C구역 118	최현수	롤러코스터형	썬더폴스	11,000	335	3,685,000	①	②
9	E구역 121	민승현	다크라이드형	나이트메어	11,000	605	6,655,000	①	②
10	D구역 104	최현수	회전형	에드벌룬	5,000	372	1,860,000	①	②
11	F구역 113	김재환	롤러코스터형	파에톤	15,000	340	5,100,000	①	②
12	D구역 114	민승현	회전형	허리케인	9,000	764	6,876,000	①	②
13	'이용요금' 중 두 번째로 작은 값				③				
14	'담당자'가 "김재환"인 '인원'의 합계				④				
15	'총금액'의 최대값-최소값 차이				⑤				
16									

《처리조건》

▸ 셀 서식을 아래 조건에 맞게 작성하시오.
- [A2:I15] : 테두리(안쪽, 윤곽선 모두 실선, '검정, 텍스트 1'), 전체 가운데 맞춤
- [A13:D13], [A14:D14], [A15:D15] : 각각 병합하고 가운데 맞춤
- [A2:I2], [A13:D15] : 채우기 색('주황, 강조 2, 40% 더 밝게'), 글꼴(굵게)
- [C3:C12] : 셀 서식의 표시 형식-사용자 지정을 이용하여 @"형"자를 추가
- [E3:E12], [G3:G12], [E13:G15] : 셀 서식의 표시 형식-숫자를 이용하여 1000 단위 구분 기호 표시
- [H3:H12] : 셀 서식의 표시 형식-사용자 지정을 이용하여 #"위"를 추가
- 조건부 서식[A3:I12] : '인원'이 500 이하인 경우 레코드 전체에 글꼴(자주, 굵게) 적용
- 지시사항이 없는 경우는 주어진 문제파일의 서식을 그대로 사용하시오.

과정 미리보기 테두리 적용 ➔ 셀 병합 및 정렬 ➔ 셀 채우기 ➔ 글꼴 지정 ➔ 표시 형식 지정 ➔ 조건부 서식 지정

【문제 5】 "차트" 시트를 참조하여 다음 《처리조건》에 맞도록 작업하시오.(30점)

《출력형태》

거래처	제품명	전년도 총액	공급가액	부가세	총액
최고 고등학교	미세먼지키트	828,000	920,000	92,000	1,012,000
명문 중학교	R3스타터키트	1,400,000	1,225,000	122,500	1,347,500
최고 고등학교	드론키트	1,890,000	1,470,000	147,000	1,617,000
으뜸 고등학교	R3중급키트	1,485,000	1,210,000	121,000	1,331,000
명문 중학교	R3고급키트	1,140,000	1,064,000	106,400	1,170,400

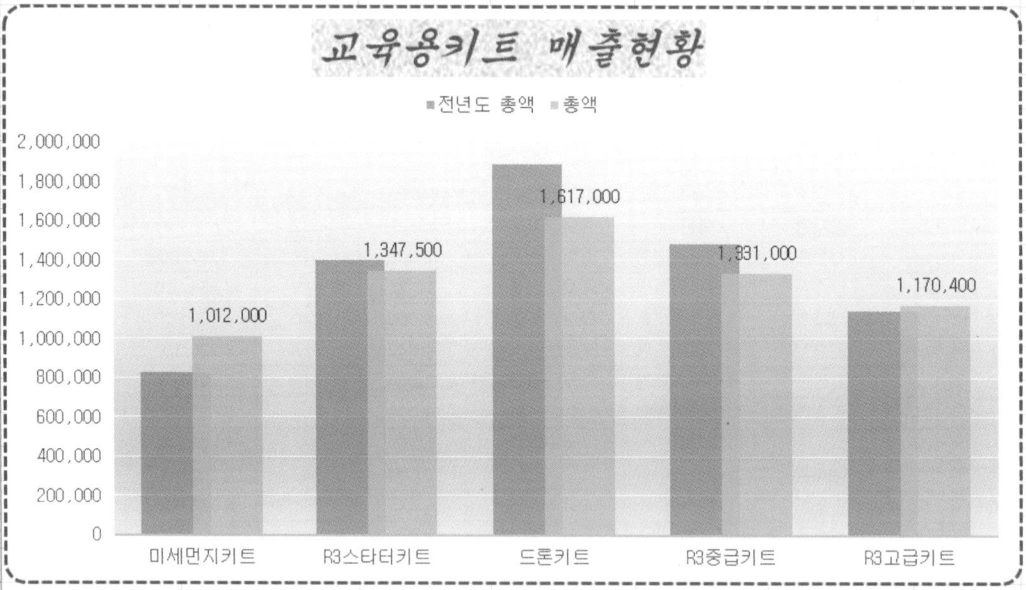

《처리조건》

▶ "차트" 시트에 주어진 표를 이용하여 '묶은 세로 막대형' 차트를 작성하시오.

- 데이터 범위 : 현재 시트 [B2:C7], [F2:F7]의 데이터를 이용하여 작성하고, 행/열 전환은 '열'로 지정
- 차트 제목("교육용키트 매출현황")
- 범례 위치 : 위쪽
- 차트 스타일 : 색 변경(색상형 – 색 3, 스타일 13)
- 차트 위치 : 현재 시트에 [A10:G26] 크기에 정확하게 맞추시오.
- 차트 영역 서식 : 글꼴(굴림체, 9pt), 테두리 색(실선, 색 : 빨강), 테두리 스타일(너비 : 1.75pt, 겹선 종류 : 단순형, 대시 종류 : 사각 점선, 둥근 모서리)
- 차트 제목 서식 : 글꼴(궁서체, 20pt, 기울임꼴), 채우기(그림 또는 질감 채우기, 질감 : 신문 용지)
- 그림 영역 서식 : 채우기(그라데이션 채우기, 그라데이션 미리 설정 : 밝은 그라데이션 – 강조 1, 종류 : 선형, 방향 : 선형 아래쪽)
- 데이터 레이블 추가 : '총액' 계열에 "값" 표시

▶ 지시사항이 없는 경우는 《출력형태》와 동일하게 작성하시오.

01 테두리 적용하기

- [A2:I15] : 테두리(안쪽, 윤곽선 모두 실선, '검정, 텍스트 1'), 전체 가운데 맞춤

❶ **[02차시]** 폴더에서 **'02차시(문제).xlsx'** 파일을 실행하고 **[이용현황]** 시트를 선택합니다. 테두리를 적용할 셀 범위를 선택하기 위해 **[A2:I15]**를 드래그합니다.

엑셀을 실행하고 [파일]-[열기]를 클릭해 불러와도 됩니다.

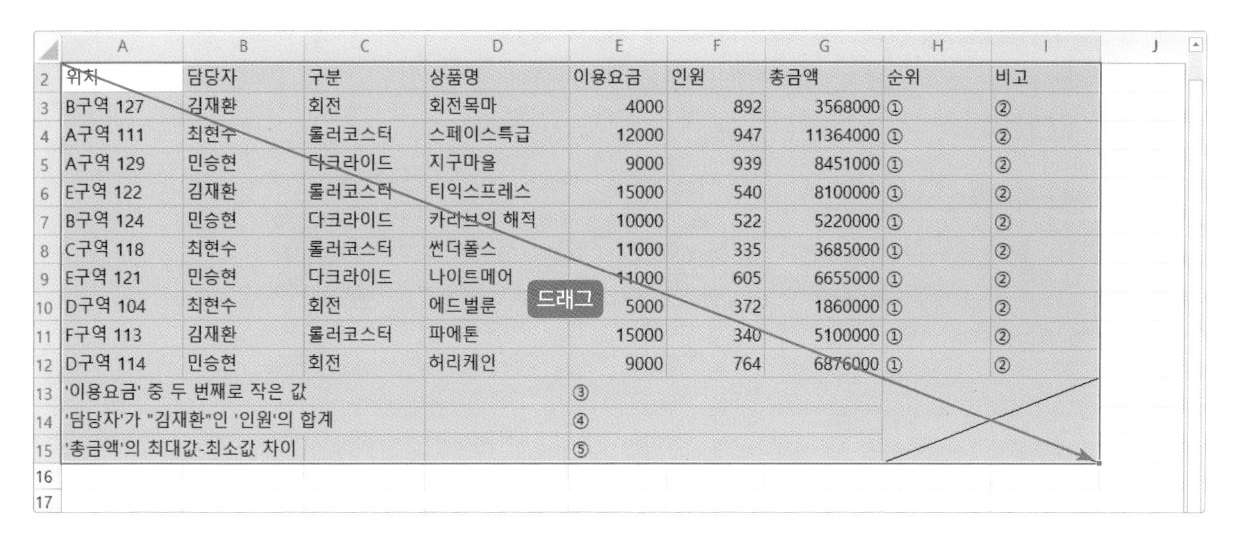

	A	B	C	D	E	F	G	H	I
2	위치	담당자	구분	상품명	이용요금	인원	총금액	순위	비고
3	B구역 127	김재환	회전	회전목마	4000	892	3568000	①	②
4	A구역 111	최현수	롤러코스터	스페이스특급	12000	947	11364000	①	②
5	A구역 129	민승현	다크라이드	지구마을	9000	939	8451000	①	②
6	E구역 122	김재환	롤러코스터	티익스프레스	15000	540	8100000	①	②
7	B구역 124	민승현	다크라이드	카리브의 해적	10000	522	5220000	①	②
8	C구역 118	최현수	롤러코스터	썬더폴스	11000	335	3685000	①	②
9	E구역 121	민승현	다크라이드	나이트메어	11000	605	6655000	①	②
10	D구역 104	최현수	회전	에드벌룬	5000	372	1860000	①	②
11	F구역 113	김재환	롤러코스터	파에톤	15000	340	5100000	①	②
12	D구역 114	민승현	회전	허리케인	9000	764	6876000	①	②
13	'이용요금' 중 두 번째로 작은 값				③				
14	'담당자'가 "김재환"인 '인원'의 합계				④				
15	'총금액'의 최대값-최소값 차이				⑤				

❷ 영역이 지정된 셀 범위 위에서 마우스 오른쪽 버튼을 클릭하여 바로 가기 메뉴가 나타나면 **[셀 서식]**을 클릭합니다.

❸ [셀 서식] 대화상자가 나타나면 **[테두리]** 탭을 클릭하고 선 스타일은 **'실선(──)'**, 선 색은 **'검정, 텍스트 1'**을 지정합니다. 이어서, 미리 설정에서 **윤곽선(□), 안쪽(⊞)**을 한 번씩 클릭한 후 [확인]을 클릭합니다.

[셀 서식] 대화상자 실행 단축키 : Ctrl+1

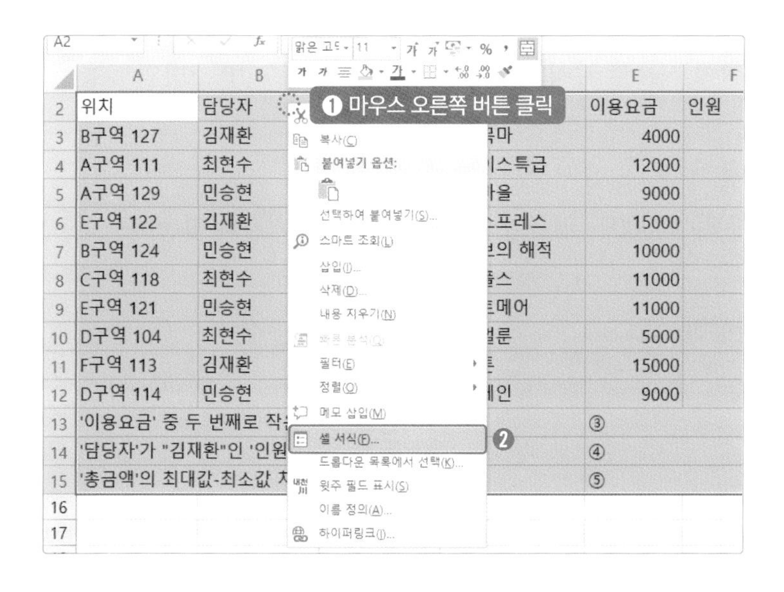

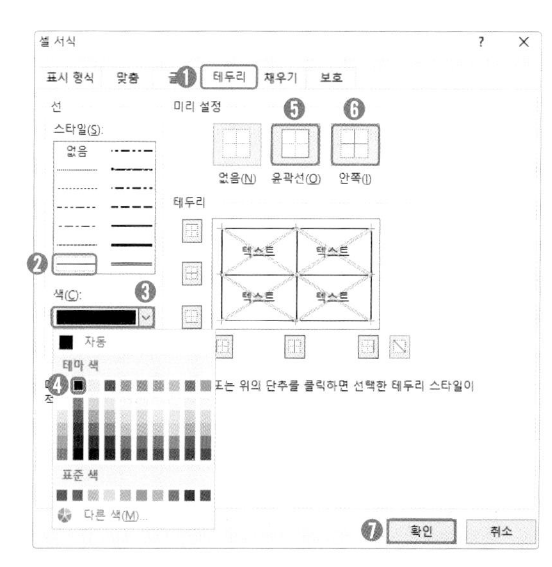

시험꿀팁

데이터가 입력된 모든 셀에 실선을 적용하는 문제가 고정적으로 출제됩니다.

【문제 4】 "피벗테이블" 시트를 참조하여 다음 《처리조건》에 맞도록 작업하시오.(30점)

《출력형태》

	A	B	C	D	E
1					
2					
3			거래처		
4	제품명	값	으뜸 고등학교	최고 고등학교	총합계
5	R3고급키트	합계 : 단가	**	35,000	35,000
6		합계 : 총액	**	1,155,000	1,155,000
7	R3스타터키트	합계 : 단가	35,000	**	35,000
8		합계 : 총액	1,078,000	**	1,078,000
9	드론키트	합계 : 단가	105,000	105,000	210,000
10		합계 : 총액	1,039,500	1,617,000	2,656,500
11	미세먼지키트	합계 : 단가	46,000	92,000	138,000
12		합계 : 총액	910,800	2,277,000	3,187,800
13					

《처리조건》

▶ "피벗테이블" 시트의 [A2:F12]를 이용하여 새로운 시트에 《출력형태》와 같이 피벗 테이블을 작성 후 시트명을 "피벗테이블 정답"으로 수정하시오.

▶ 제품명(행)과 거래처(열)를 기준으로 하여 출력형태와 같이 구하시오.
- '단가', '총액'의 합계를 구하시오.
- 피벗 테이블 옵션을 이용하여 레이블이 있는 셀 병합 및 가운데 맞춤하고 빈 셀을 "**"로 표시한 후, 열의 총합계를 감추기 하시오.
- 피벗 테이블 디자인에서 보고서 레이아웃은 '테이블 형식으로 표시', 피벗 테이블 스타일은 '피벗 스타일 보통 14'로 표시하시오.
- 거래처(열)는 "으뜸 고등학교", "최고 고등학교"만 출력되도록 표시하시오.
- [C5:E12] 데이터는 셀 서식의 표시 형식-숫자를 이용하여 1000 단위 구분 기호를 표시하고, 가운데 맞춤하시오.

▶ 제품명의 순서는 《출력형태》와 다를 수 있음

▶ 지시사항이 없는 경우는 《출력형태》와 동일하게 작성하시오.

❹ 테두리가 지정된 것을 확인하고 계속해서 가운데 맞춤을 지정하기 위해 **[홈] 탭-[맞춤] 그룹-[가운데 맞춤(≡)]**을 클릭합니다. 영역 지정된 셀 범위의 글자가 모두 가운데 정렬된 것을 확인합니다.

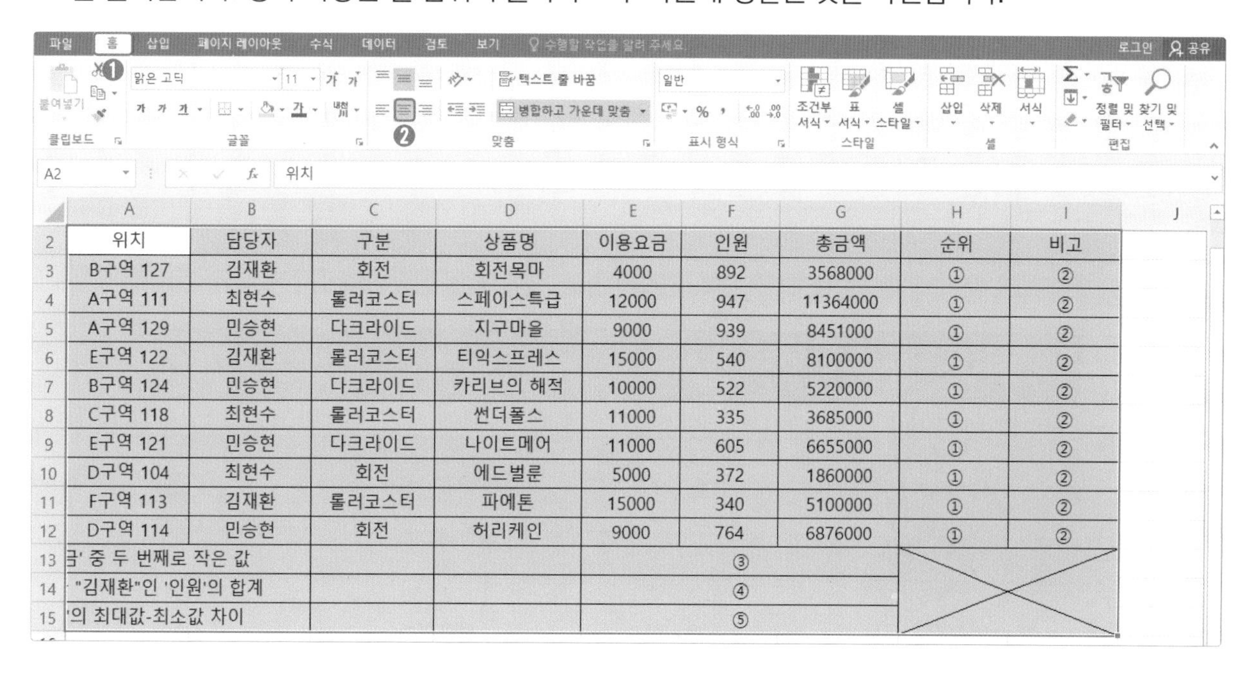

02 셀 병합하고 가운데 맞춤 지정하기

- [A13:D13], [A14:D14], [A15:D15] : 각각 병합하고 가운데 맞춤

❶ 셀 병합을 하기 위해 **[A13:D13]** 영역을 드래그하고 Ctrl을 누른 상태에서 **[A14:D14], [A15:D15]** 영역을 각각 드래그합니다.

❷ **[홈] 탭-[맞춤] 그룹-[병합하고 가운데 맞춤(⊟)]**을 클릭하여 셀이 병합된 것을 확인합니다.

셀이 병합되면 자동으로 텍스트가 셀의 가운데로 정렬됩니다.

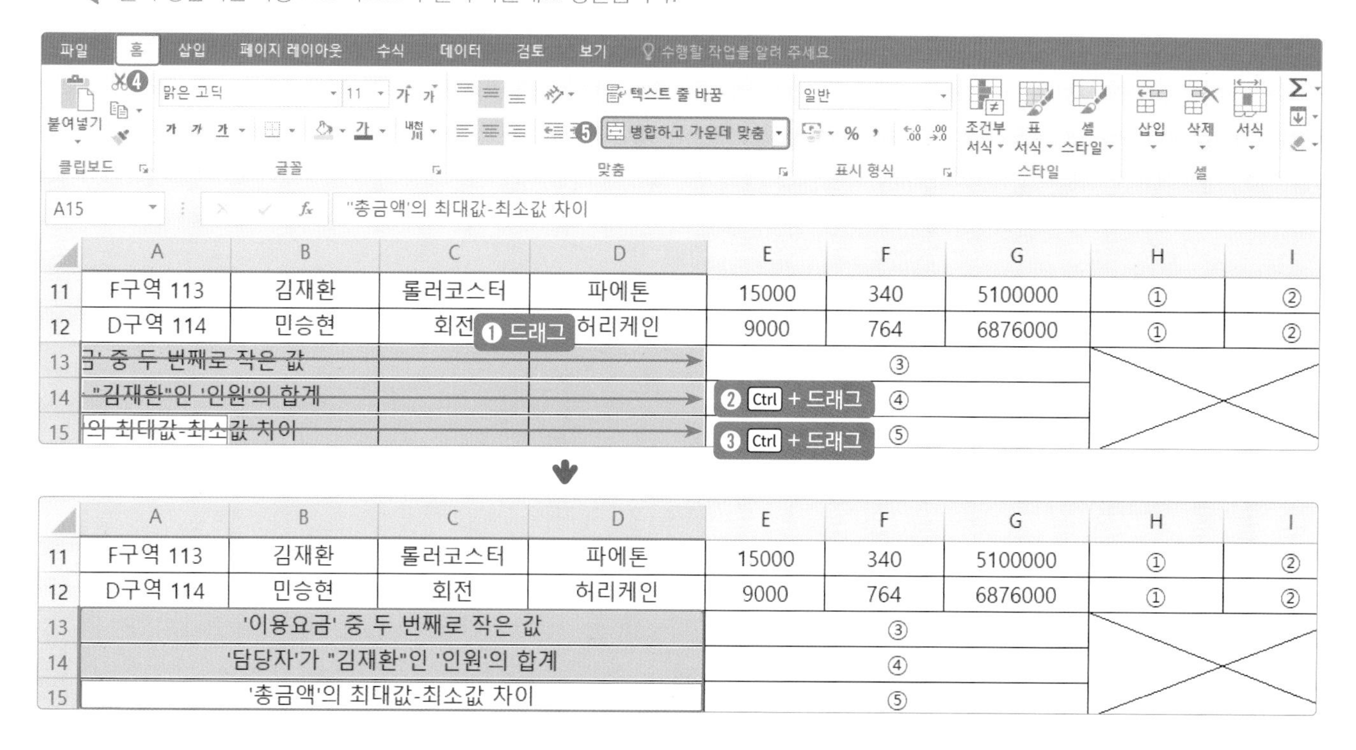

(2) 시나리오

《출력형태 – 시나리오》

시나리오 요약			
	현재 값:	공급가액 45000 증가	공급가액 47000 감소
변경 셀:			
$D$4	1,225,000	1,279,000	1,178,000
$D$7	736,000	790,000	689,000
$D$10	1,260,000	1,314,000	1,213,000
결과 셀:			
$F$4	1,347,500	1,406,900	1,295,800
$F$7	809,600	869,000	757,900
$F$10	1,386,000	1,445,400	1,334,300

참고: 현재 값 열은 시나리오 요약 보고서가 작성될 때의
변경 셀 값을 나타냅니다. 각 시나리오의 변경 셀들은
회색으로 표시됩니다.

《처리조건》

▶ "시나리오" 시트의 [A2:F12]를 이용하여 '거래처'가 "명문 중학교"인 경우, '공급가액'이 변동할 때 '총액'이 변동하는 가상분석(시나리오)을 작성하시오.

- 시나리오1 : 시나리오 이름은 "공급가액 45000 증가", '공급가액'에 45000을 증가시킨 값 설정.
- 시나리오2 : 시나리오 이름은 "공급가액 47000 감소", '공급가액'에 47000을 감소시킨 값 설정.
- "시나리오 요약" 시트를 작성하시오.

▶ 지시사항이 없는 경우는 《출력형태 – 시나리오》와 동일하게 작성하시오.

03 셀 채우기 및 글꼴 지정하기

- [A2:I2], [A13:D15] : 채우기 색('주황, 강조 2, 40% 더 밝게'), 글꼴(굵게)

❶ 채우기 색을 적용하기 위해 [A2:I2] 영역을 드래그하고 Ctrl을 누른 상태에서 [A13:D15] 영역을 드래그하여 선택합니다.

Ctrl을 이용하면 떨어져 있는 셀을 연속으로 영역을 지정할 수 있습니다.

❶ 드래그

	A	B	C	D	E	F	G	H	I	J
2	위치	담당자	구분	상품명	이용요금	인원	총금액	순위	비고	
3	B구역 127	김재환	회전	회전목마	4000	892	3568000	①	②	
4	A구역 111	최현수	롤러코스터	스페이스특급	12000	947	11364000	①	②	
11	F구역 113	김재환	롤러코스터	파에톤	15000	340	5100000	①	②	
12	D구역 114	민승현	회전	허리케인	9000	764	6876000	①	②	
13	'이용요금' 중 두 번째로 작은 값				③					
14	'담당자'가 "김재환"인 '인원'의 합계				④					
15	'총금액'의 최대값-최소값 차이				⑤					
16										

❷ Ctrl + 드래그

💡 시험꿀팁

- [A2:I2], [A13:D15] 영역에 '색 채우기'와 '굵게'를 지정하는 문제가 고정적으로 출제됩니다.
- 채우기 색은 다양하게 출제되고 있으니 아래의 레벨 업에서 색상 위치를 기억해 두는 것이 좋습니다.

❷ [홈] 탭-[글꼴] 그룹-[채우기 색( )]의 '▾'를 눌러 '**주황, 강조 2, 40% 더 밝게**'를 클릭합니다. 이어서 [홈] 탭-[글꼴] 그룹에서 '굵게(가)'를 클릭합니다.

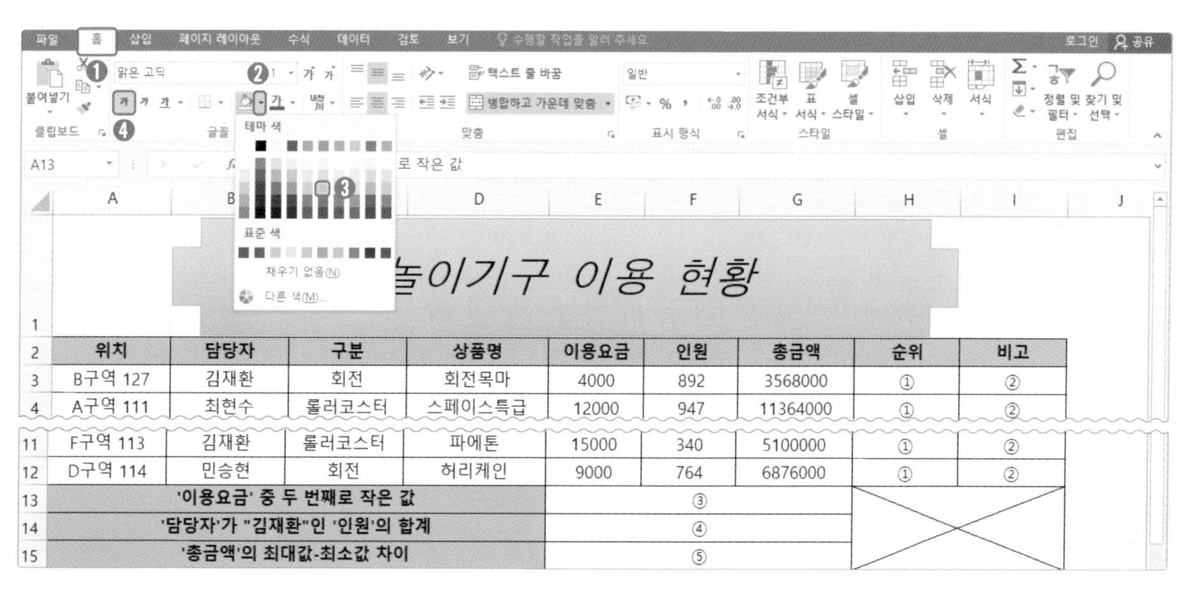

	A	B	C	D	E	F	G	H	I
1	놀이기구 이용 현황								
2	**위치**	**담당자**	**구분**	**상품명**	**이용요금**	**인원**	**총금액**	**순위**	**비고**
3	B구역 127	김재환	회전	회전목마	4000	892	3568000	①	②
4	A구역 111	최현수	롤러코스터	스페이스특급	12000	947	11364000	①	②
11	F구역 113	김재환	롤러코스터	파에톤	15000	340	5100000	①	②
12	D구역 114	민승현	회전	허리케인	9000	764	6876000	①	②
13	**'이용요금' 중 두 번째로 작은 값**				③				
14	**'담당자'가 "김재환"인 '인원'의 합계**				④				
15	**'총금액'의 최대값-최소값 차이**				⑤				

채우기 색

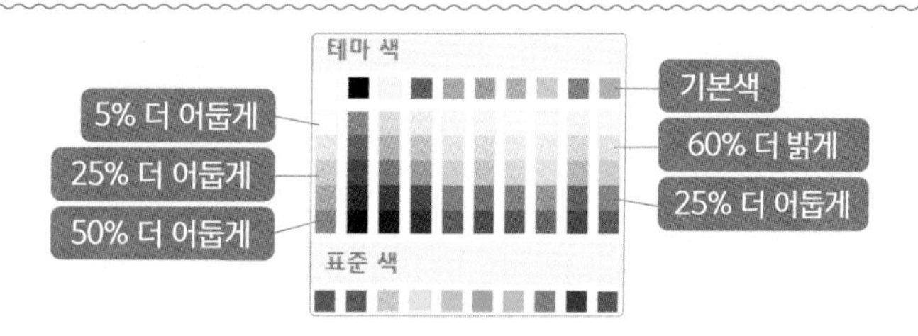

【문제 3】 "필터"와 "시나리오" 시트를 참조하여 다음 《처리조건》에 맞도록 작업하시오.(60점)

(1) 필터

《출력형태 – 필터》

	A	B	C	D	E	F
1						
2	거래처	제품명	단가	공급가액	부가세	총액
3	최고 고등학교	미세먼지키트	46,000	920,000	92,000	1,012,000
4	명문 중학교	R3스타터키트	35,000	1,225,000	122,500	1,347,500
5	최고 고등학교	드론키트	105,000	1,470,000	147,000	1,617,000
6	으뜸 고등학교	R3스타터키트	35,000	980,000	98,000	1,078,000
7	명문 중학교	미세먼지키트	46,000	736,000	73,600	809,600
8	으뜸 고등학교	드론키트	105,000	945,000	94,500	1,039,500
9	최고 고등학교	미세먼지키트	46,000	1,150,000	115,000	1,265,000
10	명문 중학교	드론키트	105,000	1,260,000	126,000	1,386,000
11	으뜸 고등학교	미세먼지키트	46,000	828,000	82,800	910,800
12	최고 고등학교	R3스타터키트	35,000	1,050,000	105,000	1,155,000
13						
14	조건					
15	TRUE					
16						
17						
18	거래처	공급가액	부가세	총액		
19	최고 고등학교	920,000	92,000	1,012,000		
20	최고 고등학교	1,150,000	115,000	1,265,000		
21	으뜸 고등학교	828,000	82,800	910,800		
22						

《처리조건》

▶ "필터" 시트의 [A2:F12]를 아래 조건에 맞게 고급 필터를 사용하여 작성하시오.

- '제품명'이 "미세먼지키트"이고 '총액'이 900000 이상인 데이터를 '거래처', '공급가액', '부가세', '총액'의 데이터만 필터링하시오.
- 조건 위치 : 조건 함수는 [A15] 한 셀에 작성(AND 함수 이용)
- 결과 위치 : [A18]부터 출력

▶ 지시사항이 없는 경우는 《출력형태 – 필터》와 동일하게 작성하시오.

표시 형식 지정하기

- [C3:C12] : 셀 서식의 표시 형식-사용자 지정을 이용하여 @"형"자를 추가
- [E3:E12], [G3:G12], [E13:G15] : 셀 서식의 표시 형식-숫자를 이용하여 1000 단위 구분 기호 표시
- [H3:H12] : 셀 서식의 표시 형식-사용자 지정을 이용하여 #"위"를 추가

❶ 글자 뒤에 **"형"**을 표시하기 위해 [C3:C12] 영역을 드래그하고 마우스 오른쪽 버튼을 눌러 **[셀 서식]**을 클릭합니다.

[셀 서식] 대화상자 실행 단축키 : Ctrl+1

❷ [셀 서식] 대화상자가 나타나면 **[표시 형식]** 탭의 범주에서 **'사용자 지정'**을 클릭하고 형식에 **@"형"**을 입력한 후 [확인]을 클릭합니다. [C3:C12] 영역에 입력된 텍스트 뒤에 "형" 글자가 표시되는 것을 확인합니다.

형식에 입력되어 있는 'G/표준'을 삭제한 후 입력합니다.

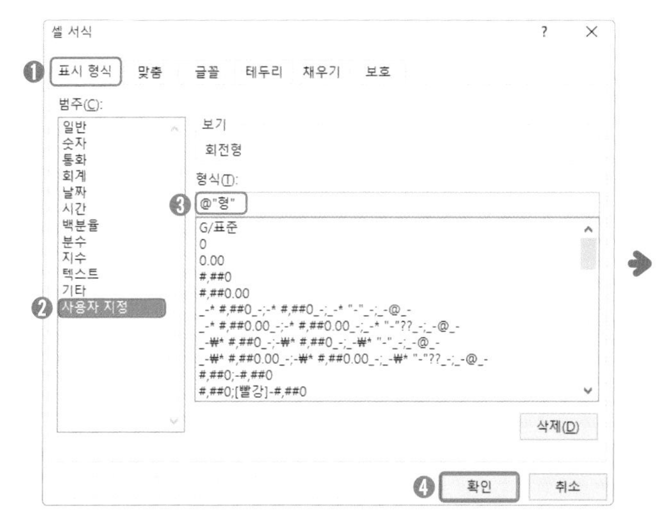

	A	B	C	D	E
2	위치	담당자	구분	상품명	이용요
3	B구역 127	김재환	회전형	회전목마	4000
4	A구역 111	최현수	롤러코스터형	스페이스특급	1200
5	A구역 129	민승현	다크라이드형	지구마을	9000
6	E구역 122	김재환	롤러코스터형	티익스프레스	1500
7	B구역 124	민승현	다크라이드형	카리브의 해적	1000
8	C구역 118	최현수	롤러코스터형	썬더폴스	1100
9	E구역 121	민승현	다크라이드형	나이트메어	1100
10	D구역 104	최현수	회전형	에드벌룬	5000
11	F구역 113	김재환	롤러코스터형	파에톤	1500
12	D구역 114	민승현	회전형	허리케인	9000
13	'이용요금' 중 두 번째로 작은 값				
14	'담당자'가 "김재환"인 '인원'의 합계				
15	'총금액'의 최대값-최소값 차이				

【문제 2】 "부분합" 시트를 참조하여 다음 《처리조건》에 맞도록 작업하시오.(30점)

《출력형태》

	A	B	C	D	E	F
1						
2	거래처	제품명	단가	공급가액	부가세	총액
3	명문 중학교	R3스타터키트	35,000	1,225,000	122,500	1,347,500
4	명문 중학교	미세먼지키트	46,000	736,000	73,600	809,600
5	명문 중학교	드론키트	105,000	1,260,000	126,000	1,386,000
6	**명문 중학교 최대값**		105,000		126,000	
7	**명문 중학교 평균**			1,073,667		1,181,033
8	으뜸 고등학교	R3스타터키트	35,000	980,000	98,000	1,078,000
9	으뜸 고등학교	드론키트	105,000	945,000	94,500	1,039,500
10	으뜸 고등학교	미세먼지키트	46,000	828,000	82,800	910,800
11	**으뜸 고등학교 최대값**		105,000		98,000	
12	**으뜸 고등학교 평균**			917,667		1,009,433
13	최고 고등학교	미세먼지키트	46,000	920,000	92,000	1,012,000
14	최고 고등학교	드론키트	105,000	1,470,000	147,000	1,617,000
15	최고 고등학교	미세먼지키트	46,000	1,150,000	115,000	1,265,000
16	최고 고등학교	R3스타터키트	35,000	1,050,000	105,000	1,155,000
17	**최고 고등학교 최대값**		105,000		147,000	
18	**최고 고등학교 평균**			1,147,500		1,262,250
19	**전체 최대값**		105,000		147,000	
20	**전체 평균**			1,056,400		1,162,040
21						

《처리조건》

▶ 데이터를 '거래처' 기준으로 오름차순 정렬하시오.

▶ 아래 조건에 맞는 부분합을 작성하시오.

- '거래처'로 그룹화하여 '공급가액', '총액'의 평균을 구하는 부분합을 만드시오.
- '거래처'로 그룹화하여 '단가', '부가세'의 최대값을 구하는 부분합을 만드시오.
  (새로운 값으로 대치하지 말 것)
- [C3:F20] 영역에 셀 서식의 표시 형식-숫자를 이용하여 1000 단위 구분 기호를 표시하시오.

▶ C~E열을 선택하여 그룹을 설정하시오.

▶ 평균과 최대값의 부분합 순서는 《출력형태》와 다를 수 있음

▶ 지시사항이 없는 경우는 기본 값을 적용하시오.

❸ 천 단위 구분 기호를 추가하기 위해 [E3:E12] 영역을 드래그하고 Ctrl을 이용하여 [G3:G12], [E13:G15] 영역을 한꺼번에 드래그한 후 마우스 오른쪽 버튼을 눌러 나타나는 바로 가기 메뉴에서 **[셀 서식]**을 클릭합니다.

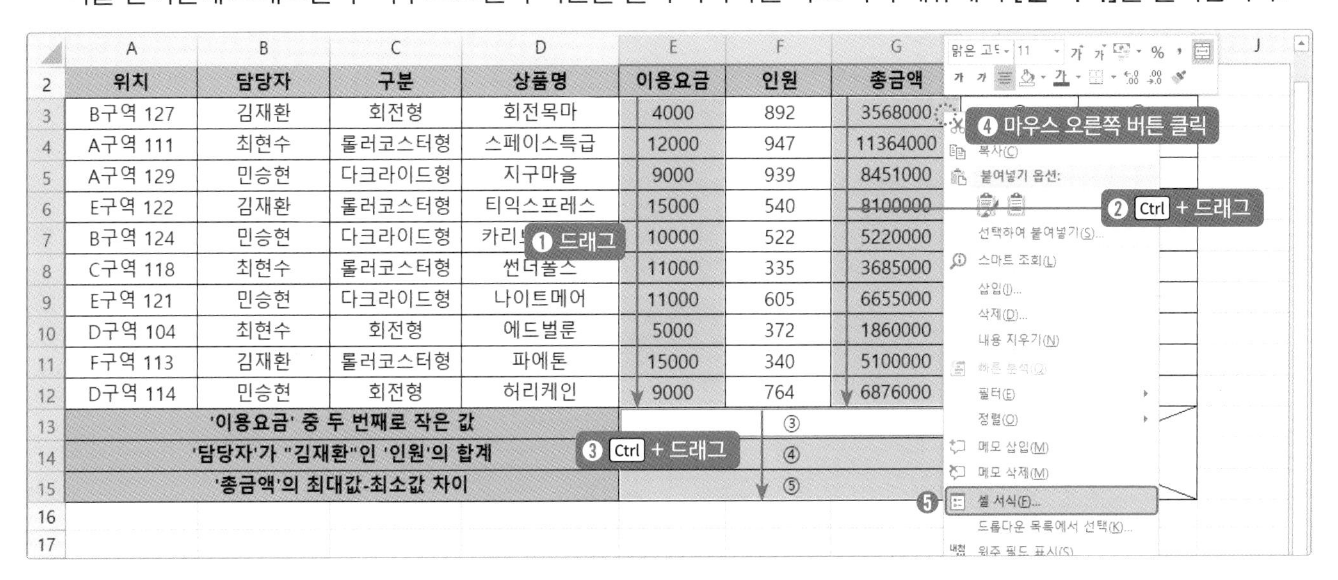

❹ [셀 서식] 대화상자가 나타나면 **[표시 형식]** 탭의 범주에서 **'숫자'**를 클릭하고 **'1000 단위 구분 기호(,) 사용'**에 **체크**한 후 [확인]을 클릭합니다. 금액에 천 단위 구분 기호가 표시된 것을 확인합니다.

[E13:G15] 영역은 현재 문자가 입력되어 있어 변화가 없어보이지만 나중에 함수식으로 값이 구해지면 천 단위 구분 기호가 표시됩니다.

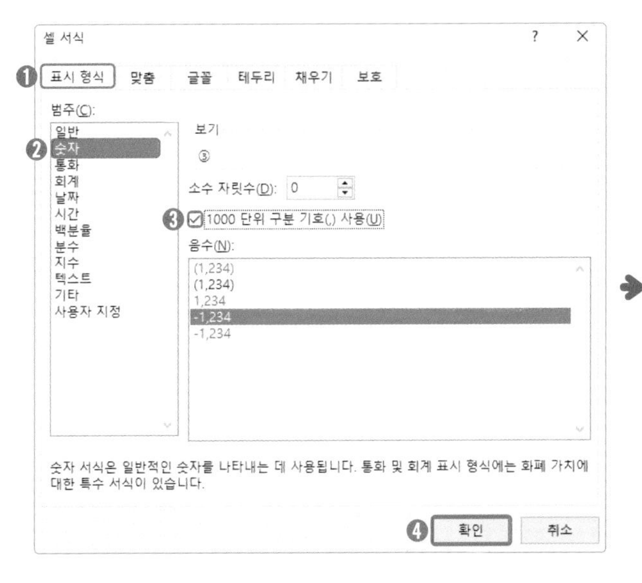

상품명	이용요금	인원	총금액	순위
회전목마	4,000	892	3,568,000	①
스페이스특급	12,000	947	11,364,000	①
지구마을	9,000	939	8,451,000	①
티익스프레스	15,000	540	8,100,000	①
카리브의 해적	10,000	522	5,220,000	①
썬더폴스	11,000	335	3,685,000	①
나이트메어	11,000	605	6,655,000	①
에드벌룬	5,000	372	1,860,000	①
파에톤	15,000	340	5,100,000	①
허리케인	9,000	764	6,876,000	①
값	③			
합계	④			
	⑤			

【문제 1】 **"매출내역" 시트를 참조하여 다음 《처리조건》에 맞도록 작업하시오.(50점)**

《출력형태》

교육용키트 매출현황

주문번호	거래처	제품명	단가	공급가액	부가세	총액	순위	비고
200102-0007	최고 고등학교	미세먼지키트	46,000	920,000	92,000	1,012,000원	8	
200103-1708	*명문 중학교*	*R3스타터키트*	*35,000*	*1,225,000*	*122,500*	*1,347,500원*	*3*	*인기*
200108-2563	최고 고등학교	드론키트	105,000	1,470,000	147,000	1,617,000원	1	인기
200112-1035	*으뜸 고등학교*	*R3스타터키트*	*35,000*	*980,000*	*98,000*	*1,078,000원*	*6*	
200115-3230	명문 중학교	미세먼지키트	46,000	736,000	73,600	809,600원	10	
200120-0224	으뜸 고등학교	드론키트	105,000	945,000	94,500	1,039,500원	7	
200120-0411	최고 고등학교	미세먼지키트	46,000	1,150,000	115,000	1,265,000원	4	인기
200123-3031	명문 중학교	드론키트	105,000	1,260,000	126,000	1,386,000원	2	인기
200124-3010	으뜸 고등학교	미세먼지키트	46,000	828,000	82,800	910,800원	9	
200125-2308	*최고 고등학교*	*R3스타터키트*	*35,000*	*1,050,000*	*105,000*	*1,155,000원*	*5*	*인기*
'거래처'가 "최고 고등학교"인 '총액'의 합계				5,049,000원				
'단가'의 최대값-최소값 차이				70,000원				
'공급가액' 중 두 번째로 작은 값				828,000원				

《처리조건》

▶ 1행의 행 높이를 '78'로 설정하고, 2행~15행의 행 높이를 '18'로 설정하시오.

▶ 제목("교육용키트 매출현황") : 순서도의 '순서도: 문서'를 이용하여 입력하시오.

- 도형 : 위치([B1:H1]), 도형 스타일(테마 스타일 – 미세 효과 – '파랑, 강조 5')
- 글꼴 : 돋움체, 28pt, 기울임꼴
- 도형 서식 : 도형 옵션 – 크기 및 속성(텍스트 상자(세로 맞춤 : 정가운데, 텍스트 방향 : 가로))

▶ 셀 서식을 아래 조건에 맞게 작성하시오.

- [A2:I15] : 테두리(안쪽, 윤곽선 모두 실선, '검정, 텍스트 1'), 전체 가운데 맞춤
- [A13:D13], [A14:D14], [A15:D15] : 각각 병합하고 가운데 맞춤
- [A2:I2], [A13:D15] : 채우기 색('녹색, 강조 6, 40% 더 밝게'), 글꼴(굵게)
- [D3:F12] : 셀 서식의 표시 형식–숫자를 이용하여 1000 단위 구분 기호 표시
- [G3:G12], [E13:G15] : 셀 서식의 표시 형식–사용자 지정을 이용하여 #,##0"원"자 추가
- [C3:C12] : 셀 서식의 표시 형식–사용자 지정을 이용하여 @"키트"자 추가
- 조건부 서식[A3:I12] : '단가'가 40000 이하인 경우 레코드 전체에 글꼴(주황, 굵은 기울임꼴) 적용
- 지시사항이 없는 경우는 주어진 문제파일의 서식을 그대로 사용하시오.

▶ ① 순위[H3:H12] : '총액'을 기준으로 큰 순으로 순위를 구하시오. (RANK.EQ 함수)

▶ ② 비고[I3:I12] : '총액'이 1100000 이상이면 "인기", 그렇지 않으면 공백으로 구하시오. (IF 함수)

▶ ③ 합계[E13:G13] : '거래처'가 "최고 고등학교"인 '총액'의 합계를 구하시오. (DSUM 함수)

▶ ④ 최대값–최소값[E14:G14] : '단가'의 최대값과 최소값의 차이를 구하시오. (MAX, MIN 함수)

▶ ⑤ 순위[E15:G15] : '공급가액' 중 두 번째로 작은 값을 구하시오. (SMALL 함수)

❺ 숫자 뒤에 **"위"**를 추가하기 위해 **[H3:H12]** 영역을 드래그하고 마우스 오른쪽 버튼을 눌러 나타나는 바로 가기 메뉴에서 **[셀 서식]**을 클릭합니다.

	A	B	C	D	E	F	G	H
2	위치	담당자	구분	상품명	이용요금	인원	총금액	순위
3	B구역 127	김재환	회전형	회전목마	4,000	892	3,568,000	①
4	A구역 111	최현수	롤러코스터형	스페이스특급	12,000	947	11,364,000	①
5	A구역 129	민승현	다크라이드형	지구마을	9,000	939	8,451,000	①
6	E구역 122	김재환	롤러코스터형	티익스프레스	15,000	540	8,100,000	①
7	B구역 124	민승현	다크라이드형	카리브의 해적	10,000	522	5,2[illegible]	①
8	C구역 118	최현수	롤러코스터형	썬더폴스	11,000	335	3,6[illegible]	①
9	E구역 121	민승현	다크라이드형	나이트메어	11,000	605	6,655,000	①
10	D구역 104	최현수	회전형	에드벌룬	5,000	372	1,860,000	①
11	F구역 113	김재환	롤러코스터형	파에톤	15,000	340	5,100,000	①
12	D구역 114	민승현	회전형	허리케인	9,000	764	6,876,000	①
13	'이용요금' 중 두 번째로 작은 값				③			
14	'담당자'가 "김재환"인 '인원'의 합계				④			
15	'총금액'의 최대값-최소값 차이				⑤			

❶ 드래그
❷ 마우스 오른쪽 버튼 클릭
❸ 셀 서식(F)...

❻ [셀 서식] 대화상자가 나타나면 **[표시 형식]** 탭의 범주에서 **'사용자 지정'**을 클릭하고 형식에 **#"위"**를 입력한 후 [확인]을 클릭합니다.

[H3:H12] 영역은 현재 문자가 입력되어 있어 변화가 없어 보이지만 순위가 계산되어 숫자로 바뀌면 숫자 뒤에 "위"가 표시됩니다.

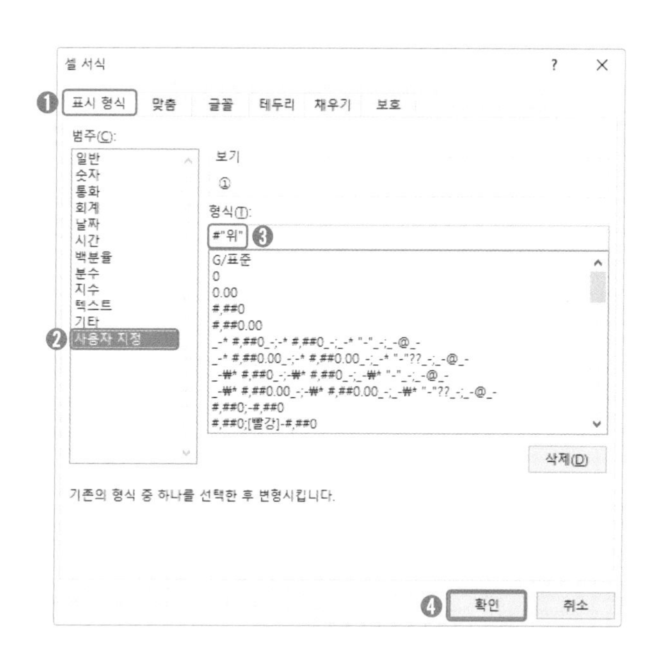

시험꿀팁

- 표시 형식을 지정하는 문제는 매번 고정적으로 출제됩니다. 범주의 [숫자], [사용자 지정] 탭에서 표시 형식을 지정하는 문제가 주로 출제되고, [통화], [회계], [백분율]에서 기호를 지정하는 문제도 가끔 출제됩니다.
- 문제지에 제시된 표시 형식의 경로를 확인하고 그대로 입력하면 어렵지 않게 완성할 수 있습니다.

레벨 업 [표시 형식]의 서식 종류

서식	설명
#	숫자를 표시하는 기호로 유효 자릿수만 나타내고 숫자가 없는 빈자리는 공백으로 처리합니다.
0	숫자를 표시하는 기호로 숫자가 없는 빈자리를 0으로 채웁니다.
@	특정 문자를 붙여 표시할 때 사용합니다.
"텍스트"	문자열을 추가하고자 할 때에는 큰 따옴표로 묶어 주면 됩니다.
,	천 단위 구분 기호를 표시할 때 사용합니다.

제14회 실전모의고사

▸ 시험과목 : 스프레드시트(엑셀)
▸ 시험일자 : 20XX. XX. XX.(X)
▸ 응시자 기재사항 및 감독위원 확인

수 검 번 호	DIS – XXXX –	감독위원 확인
성 명		

응시자 유의사항

1. 응시자는 신분증을 지참하여야 시험에 응시할 수 있으며, 시험이 종료될 때까지 신분증을 제시하지 못할 경우 해당 시험은 0점 처리됩니다.
2. 시스템(PC 작동 여부, 네트워크 상태 등)의 이상 여부를 반드시 확인하여야 하며, 시스템 이상이 있을시 감독위원에게 조치를 받으셔야 합니다.
3. 시험 중 부주의 또는 고의로 시스템을 파손한 경우는 응시자 부담으로 합니다.
4. 답안 전송 프로그램을 통해 다운로드 받은 파일을 이용하여 답안 파일을 작성하시기 바랍니다.
5. 작성한 답안 파일은 답안 전송 프로그램을 통하여 전송됩니다. 감독위원의 지시에 따라 주시기 바랍니다.
6. 다음 사항의 경우 실격(0점) 혹은 부정행위 처리됩니다.
   ❶ 답안 파일을 저장하지 않았거나, 저장한 파일이 손상되었을 경우
   ❷ 답안 파일을 지정된 폴더(바탕화면 "KAIT" 폴더)에 저장하지 않았을 경우
   ※ 답안 전송 프로그램 로그인 시 바탕화면에 자동 생성됨
   ❸ 답안 파일을 다른 보조기억장치(USB) 혹은 네트워크(메신저, 게시판 등)로 전송할 경우
   ❹ 휴대용 전화기 등 통신기기를 사용할 경우
7. 시험지에 제시된 글꼴이 응시 프로그램에 없는 경우, 반드시 감독위원에게 해당 내용을 통보한 뒤 조치를 받아야 합니다.
8. 시험의 완료는 작성이 완료된 답안을 저장하고, 답안 전송이 완료된 상태를 확인한 것으로 합니다. 답안 전송 확인 후 문제지는 감독위원에게 제출한 후 퇴실하여야 합니다.
9. 답안 전송이 완료된 경우에는 수정 또는 정정이 불가능합니다.
10. 시험시행 후 결과는 홈페이지(www.ihd.or.kr)에서 확인하시기 바랍니다.
   ❶ 문제 및 모범답안 공개 : 20XX. XX. XX.(X)
   ❷ 합격자 발표 : 20XX. XX. XX.(X)

- 조건부 서식[A3:I12] : '인원'이 500 이하인 경우 레코드 전체에 글꼴(자주, 굵게) 적용

❶ 조건부 서식을 지정하기 위해 **[A3:I12]** 영역을 드래그하고, **[홈] 탭-[스타일] 그룹-[조건부 서식]-[새 규칙]**을 클릭합니다.

셀 범위는 문제에 제시되므로 확인한 후 영역을 지정합니다.

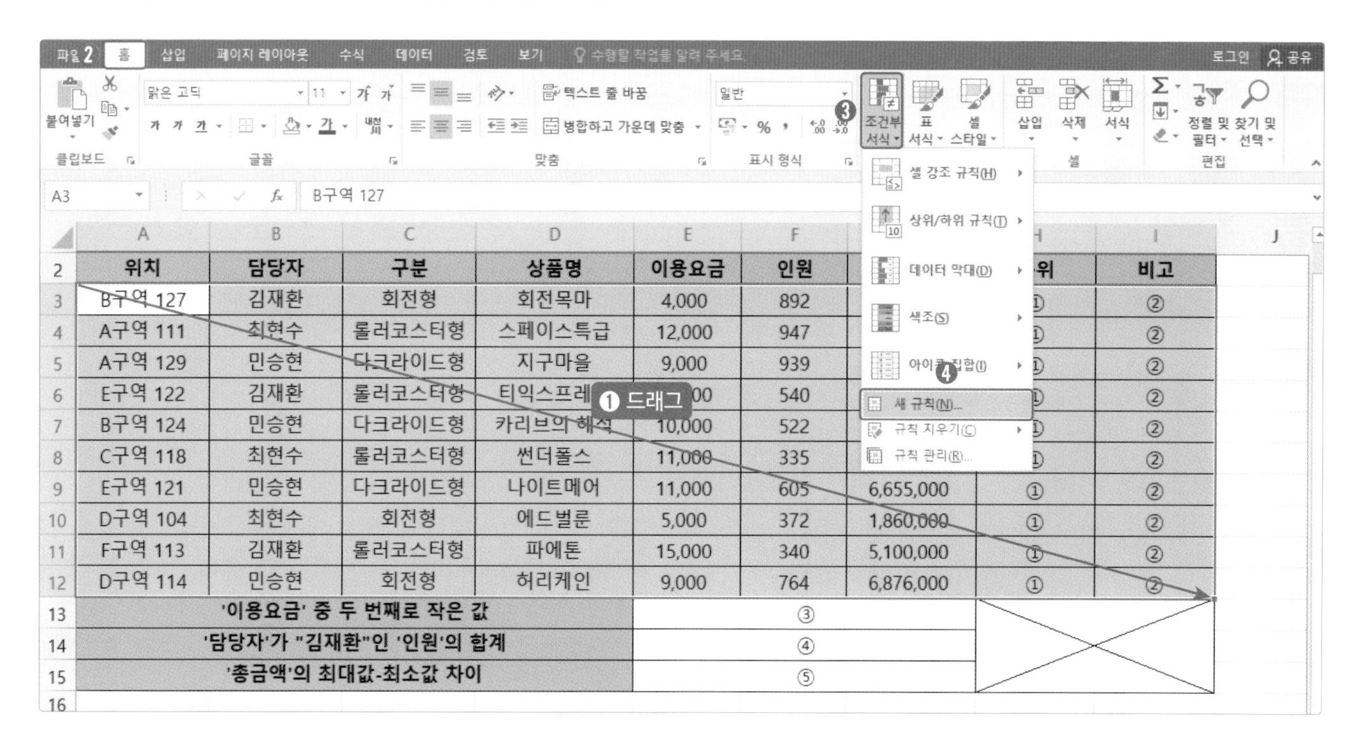

❷ [새 서식 규칙] 대화상자가 나타나면 규칙 유형 선택에서 '**수식을 사용하여 서식을 지정할 셀 결정**'을 클릭하고, 다음 수식이 참인 값의 서식 지정에 **=$F3<=500**을 입력한 후 **[서식]**을 클릭합니다.

• '=F3'을 입력한 후 F4를 3번 눌러 열고정 혼합 참조($F3)로 지정합니다.
• '인원'이 입력된 셀(F3)에서 열(F열)은 고정된 상태로 행(3~12행)만 변경되면서 조건(500 이하)에 맞는 값을 찾습니다.

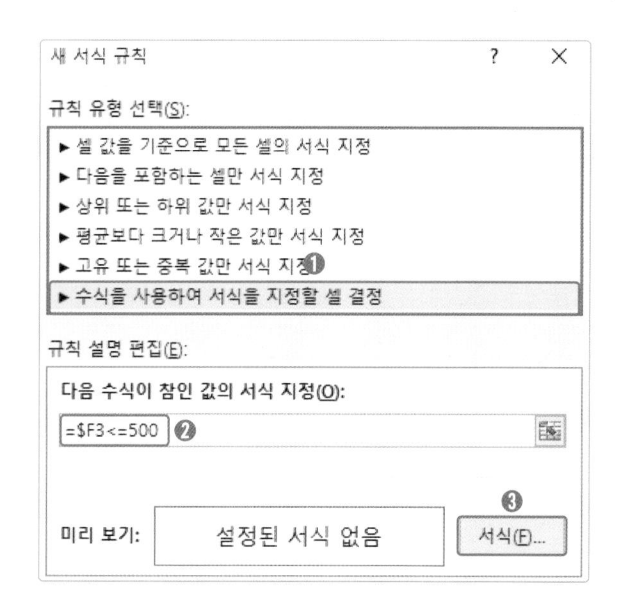

비교 연산자

두 값을 비교하여 결과가 참이면 "True", 거짓이면 "False"로 값을 표기합니다. 엑셀에서 자주 사용하는 비교 연산자에 대해 미리 익혀두세요.

연산자	기능	설명
=	같음	왼쪽, 오른쪽의 값이 같은지 비교
>	초과	왼쪽 값이 오른쪽 값보다 큰지 비교
<	미만	왼쪽 값이 오른쪽 값보다 작은지 비교
>=	이상	왼쪽 값이 오른쪽 값보다 크거나 같은지 비교
<=	이하	왼쪽 값이 오른쪽 값보다 작거나 같은지 비교
<>	다름	왼쪽 값과 오른쪽 값이 서로 다른지 비교

【문제 5】 "차트" 시트를 참조하여 다음 《처리조건》에 맞도록 작업하시오.(30점)

《출력형태》

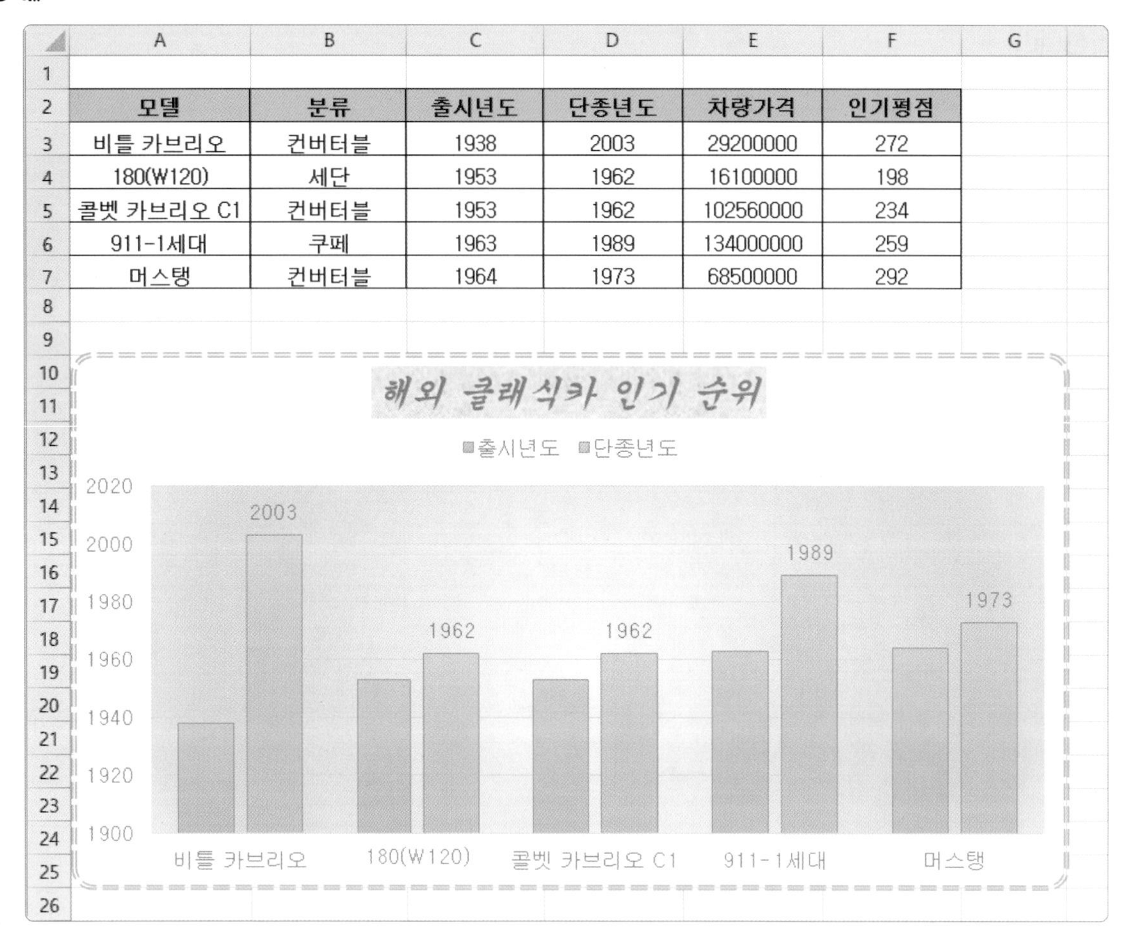

모델	분류	출시년도	단종년도	차량가격	인기평점
비틀 카브리오	컨버터블	1938	2003	29200000	272
180(₩120)	세단	1953	1962	16100000	198
콜벳 카브리오 C1	컨버터블	1953	1962	102560000	234
911-1세대	쿠페	1963	1989	134000000	259
머스탱	컨버터블	1964	1973	68500000	292

《처리조건》

▶ "차트" 시트에 주어진 표를 이용하여 '묶은 세로 막대형' 차트를 작성하시오.
- 데이터 범위 : 현재 시트 [A2:A7], [C2:D7]의 데이터를 이용하여 작성하고, 행/열 전환은 '열'로 지정
- 차트 제목("해외 클래식카 인기 순위")
- 범례 위치 : 위쪽
- 차트 스타일 : 색 변경(색상형 – 색 2, 스타일 5)
- 차트 위치 : 현재 시트에 [A10:G25] 크기에 정확하게 맞추시오.
- 차트 영역 서식 : 글꼴(굴림, 11pt), 테두리 색(실선, 색 : 연한 녹색), 테두리 스타일(너비 : 3pt, 겹선 종류 : 이중, 대시 종류 : 사각 점선, 둥근 모서리)
- 차트 제목 서식 : 글꼴(궁서, 18pt, 기울임꼴), 채우기(그림 또는 질감 채우기, 질감 : 파랑 박엽지)
- 그림 영역 서식 : 채우기(그라데이션 채우기, 그라데이션 미리 설정 : 밝은 그라데이션 – 강조 3, 종류 : 방사형, 방향 : 가운데에서)
- 데이터 레이블 추가 : '단종년도' 계열에 "값" 표시

▶ 지시사항이 없는 경우는 《출력형태》와 동일하게 작성하시오.

상대 참조, 절대 참조, 혼합 참조

1. 상대 참조

- 수식에서 셀 주소를 사용할 때 셀 주소의 상대적인 위치를 참조합니다.
- 예를 들어 [D2] 셀에서 [B2] 셀을 참조할 경우 왼쪽으로 두 번째, 같은 행에 있는 셀을 참조합니다.
- 수식을 다른 셀로 복사하면 셀 주소도 함께 변경됩니다.
- 예 [D2] 셀의 '=B2*C2' 수식을 [D3] 셀로 복사하면 '=B3*C3'으로 변경됩니다.

D3 | =B3*C3

	A	B	C	D
1	굿즈명	단가	수량	금액
2	응원봉	10,000	2	20,000
3	모자	8,000	1	8,000
4	후드티	12,000	3	36,000

2. 절대 참조

- 수식에서 셀 주소를 사용할 때 셀 주소의 절대적인 위치를 참조합니다.
- 수식을 다른 셀로 복사해도 셀 주소가 변경되지 않습니다.
- 예 [D2] 셀의 '=B2*C2-B6' 수식을 [D3] 셀로 복사하면 '=B3*C3-B7'로 변경되어 제대로 계산되지 않습니다. 이때 위치가 고정되어야 하는 'B6'을 F4를 눌러 '$B$6'으로 변경해 [D3] 셀로 복사하면 '=B3*C3-$B$6'으로 변경되어 제대로 계산됩니다.

D3 | =B3*C3-B7

	A	B	C	D
1	굿즈명	단가	수량	금액
2	응원봉	10,000	2	15,000
3	모자	8,000	1	8,000
4	후드티	12,000	3	36,000
5				
6	팬클럽할인	5,000		

▲ 상대 참조 시

D3 | =B3*C3-$B$6

	A	B	C	D
1	굿즈명	단가	수량	금액
2	응원봉	10,000	2	15,000
3	모자	8,000	1	3,000
4	후드티	12,000	3	31,000
5				
6	팬클럽할인	5,000		

▲ 절대 참조 시

3. 혼합 참조

- 상대 참조와 절대 참조를 혼합한 방식입니다.
- 열과 행 중에서 하나만 절대 참조하는 방식입니다.
- 예 '정가'는 열이 A로 고정되고 행이 3~5행으로 변하므로 '$A3'으로 지정하고, '할인 금액'은 열이 B~D로 변하고 행은 2로 고정되므로 'B$2'로 지정합니다.

B3 | =$A3-B$2

	A	B	C	D
1	정가	할인 금액		
2		1,000	2,000	3,000
3	8,000	7,000	6,000	5,000
4	9,000	8,000	7,000	6,000
5	10,000	9,000	8,000	7,000

【문제 4】 "피벗테이블" 시트를 참조하여 다음 《처리조건》에 맞도록 작업하시오.(30점)

《출력형태》

	A	B	C	D	E
1					
2					
3			브랜드		
4	분류	값	포드	포르쉐	폭스바겐
5	밴	최대값 : 차량가격	*	*	34,440,000
6		최대값 : 인기평점	*	*	365
7	세단	최대값 : 차량가격	54,090,000	*	*
8		최대값 : 인기평점	413	*	*
9	컨버터블	최대값 : 차량가격	68,500,000	*	29,200,000
10		최대값 : 인기평점	292	*	272
11	쿠페	최대값 : 차량가격	*	134,000,000	*
12		최대값 : 인기평점	*	259	*
13	전체 최대값 : 차량가격		68,500,000	134,000,000	34,440,000
14	전체 최대값 : 인기평점		413	259	365
15					

《처리조건》

▶ "피벗테이블" 시트의 [A2:G12]를 이용하여 새로운 시트에 《출력형태》와 같이 피벗 테이블을 작성 후 시트명을 "피벗테이블 정답"으로 수정하시오.

▶ 분류(행)와 브랜드(열)를 기준으로 하여 출력형태와 같이 구하시오.

- '차량가격', '인기평점'의 최대값을 구하시오.
- 피벗 테이블 옵션을 이용하여 레이블이 있는 셀 병합 및 가운데 맞춤하고 빈 셀을 "*"로 표시한 후, 행의 총합계를 감추기 하시오.
- 피벗 테이블 디자인에서 보고서 레이아웃은 '테이블 형식으로 표시', 피벗 테이블 스타일은 '피벗 스타일 보통 12'로 표시하시오.
- 브랜드(열)는 "포드", "포르쉐", "폭스바겐"만 출력되도록 표시하시오.
- [C5:E14] 데이터는 셀 서식의 표시 형식-숫자를 이용하여 1000 단위 구분 기호를 표시하고, 가운데 맞춤하시오.

▶ 분류의 순서는 《출력형태》와 다를 수 있음

▶ 지시사항이 없는 경우는 《출력형태》와 동일하게 작성하시오.

❸ [셀 서식] 대화상자가 나타나면 **[글꼴]** 탭에서 글꼴 스타일은 **'굵게'**, 색은 **'자주'**를 지정한 후 [확인]을 클릭합니다.

❹ 다시 [새 서식 규칙] 대화상자로 돌아오면 입력한 수식과 글꼴 서식을 확인한 후 [확인]을 클릭합니다.

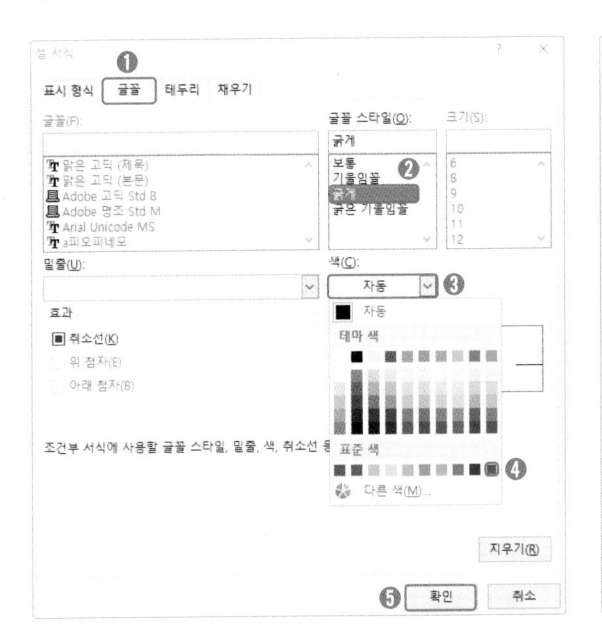

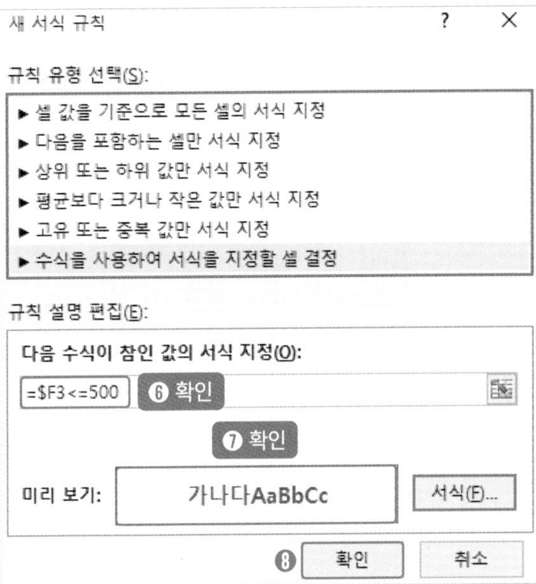

시험꿀팁

- 글꼴 스타일은 '굵게', '굵은 기울임꼴'이 주로 출제됩니다.
- 글자 색은 다양하게 출제되니 지시사항을 보고 지정합니다.

❺ 임의의 셀을 클릭하여 범위 지정을 해제하고 '인원'이 '500 이하'인 레코드 전체에 글꼴(굵게, 자주)이 적용된 것을 확인한 후 [빠른 실행 도구 모음]에서 **[저장( )]**을 클릭하거나 Ctrl+S를 눌러 파일을 저장합니다.

실제 시험에서는 작업하면서 수시로 저장하는 것이 좋습니다.

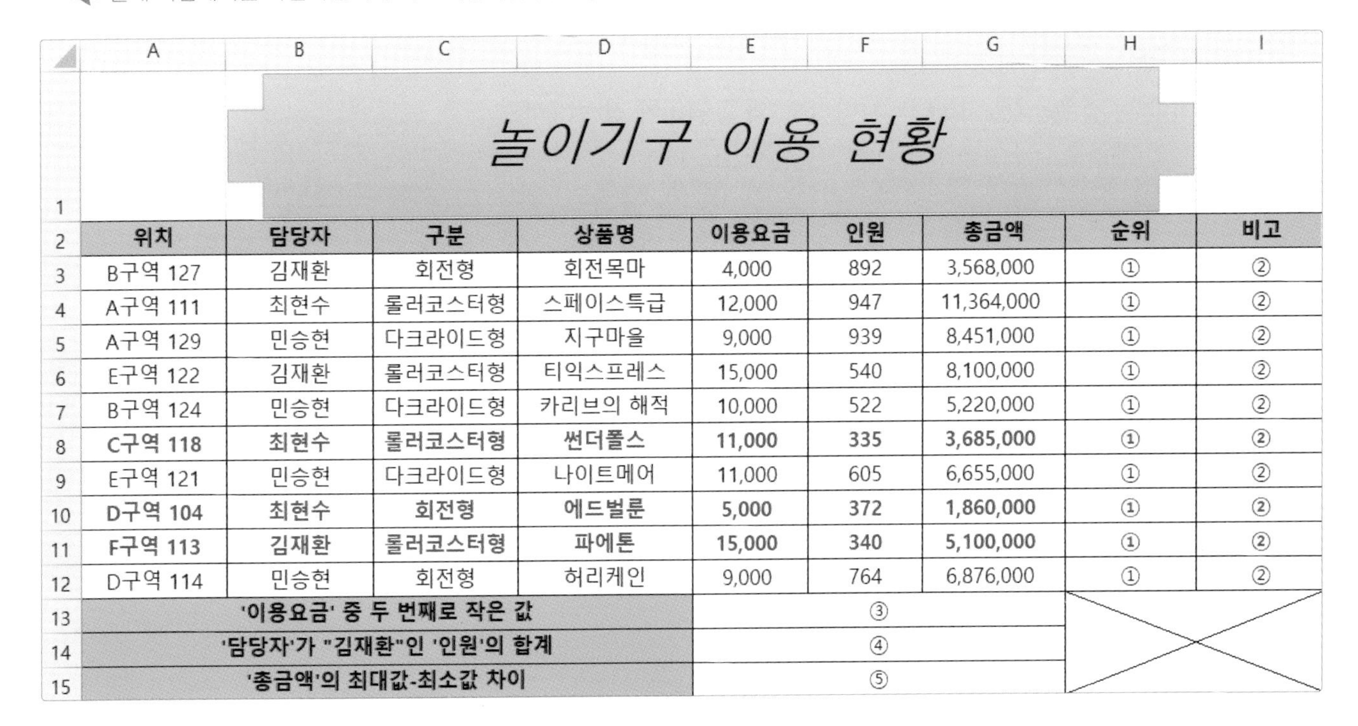

놀이기구 이용 현황

위치	담당자	구분	상품명	이용요금	인원	총금액	순위	비고
B구역 127	김재환	회전형	회전목마	4,000	892	3,568,000	①	②
A구역 111	최현수	롤러코스터형	스페이스특급	12,000	947	11,364,000	①	②
A구역 129	민승현	다크라이드형	지구마을	9,000	939	8,451,000	①	②
E구역 122	김재환	롤러코스터형	티익스프레스	15,000	540	8,100,000	①	②
B구역 124	민승현	다크라이드형	카리브의 해적	10,000	522	5,220,000	①	②
C구역 118	**최현수**	**롤러코스터형**	**썬더폴스**	**11,000**	**335**	**3,685,000**	①	②
E구역 121	민승현	다크라이드형	나이트메어	11,000	605	6,655,000	①	②
D구역 104	**최현수**	**회전형**	**에드벌룬**	**5,000**	**372**	**1,860,000**	①	②
F구역 113	**김재환**	**롤러코스터형**	**파에톤**	**15,000**	**340**	**5,100,000**	①	②
D구역 114	민승현	회전형	허리케인	9,000	764	6,876,000	①	②
'이용요금' 중 두 번째로 작은 값				③				
'담당자'가 "김재환"인 '인원'의 합계				④				
'총금액'의 최대값-최소값 차이				⑤				

(2) 시나리오

《출력형태 – 시나리오》

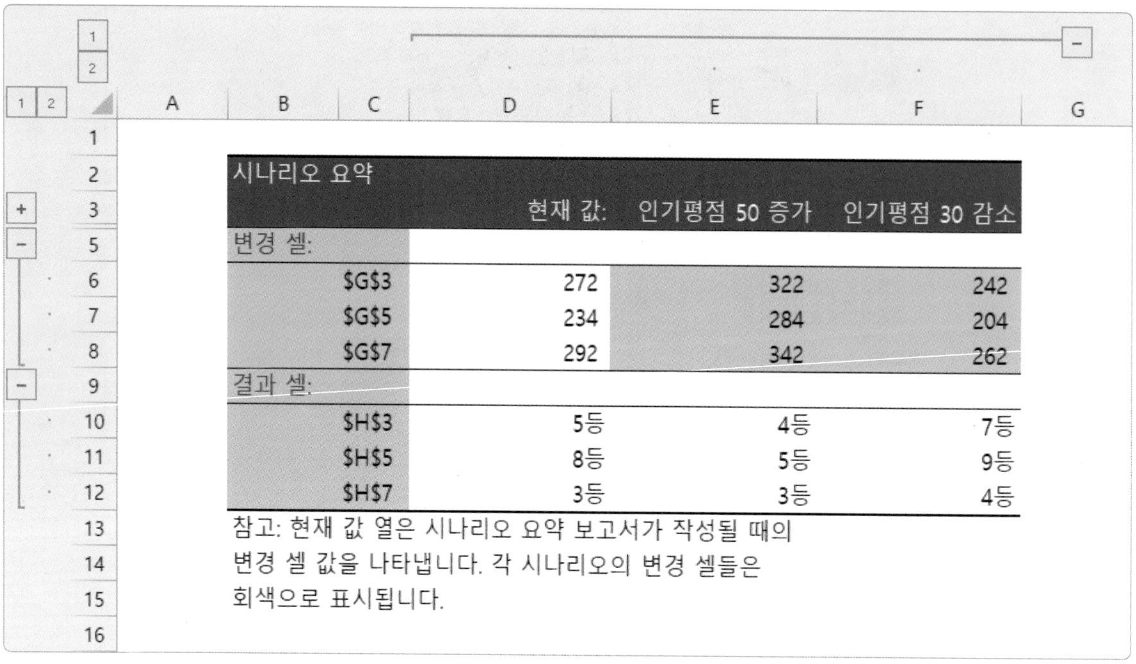

A	B	C	D	E	F	G
	시나리오 요약					
			현재 값:	인기평점 50 증가	인기평점 30 감소	
	변경 셀:					
		$G$3	272	322	242	
		$G$5	234	284	204	
		$G$7	292	342	262	
	결과 셀:					
		$H$3	5등	4등	7등	
		$H$5	8등	5등	9등	
		$H$7	3등	3등	4등	
	참고: 현재 값 열은 시나리오 요약 보고서가 작성될 때의					
	변경 셀 값을 나타냅니다. 각 시나리오의 변경 셀들은					
	회색으로 표시됩니다.					

《처리조건》

▶ "시나리오" 시트의 [A2:H12]를 이용하여 '분류'가 "컨버터블"인 경우, '인기평점'이 변동할 때 '순위'가 변동하는 가상분석(시나리오)을 작성하시오.

- 시나리오1 : 시나리오 이름은 "인기평점 50 증가", '인기평점'에 50을 증가시킨 값 설정.
- 시나리오2 : 시나리오 이름은 "인기평점 30 감소", '인기평점'에 30을 감소시킨 값 설정.
- "시나리오 요약" 시트를 작성하시오.

▶ 지시사항이 없는 경우는《출력형태 – 시나리오》와 동일하게 작성하시오.

1. 조건부 서식 수정

❶ 조건부 서식이 지정된 범위를 영역 지정하고 [홈] 탭-[스타일] 그룹-[조건부 서식]-[규칙 관리]를 클릭합니다.

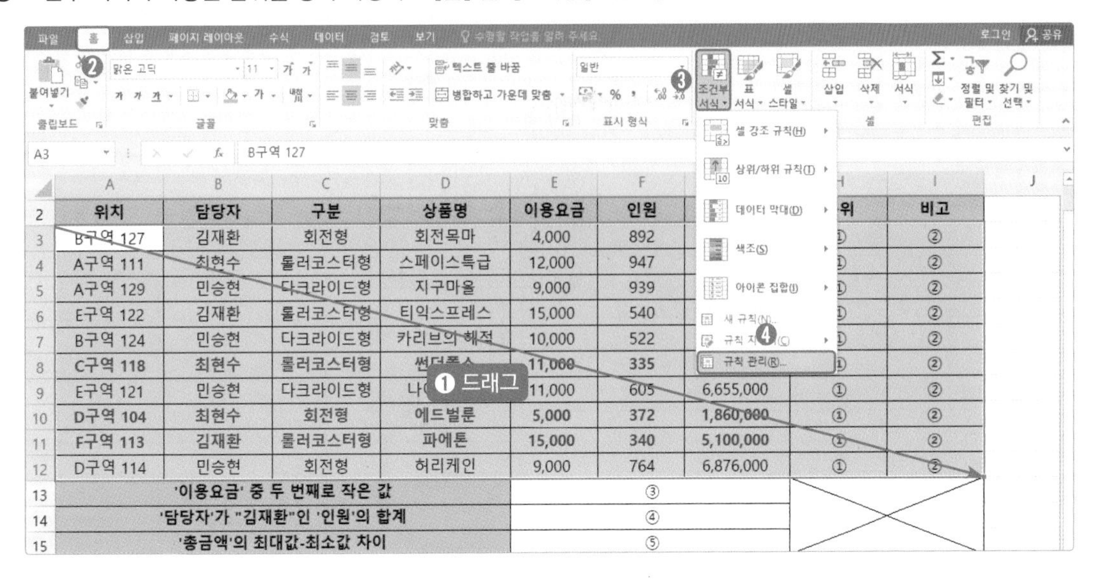

❷ [조건부 서식 규칙 관리자] 대화상자가 나타나면 [규칙 편집]을 클릭하여 조건부 서식을 수정하고 [확인]을 클릭합니다.

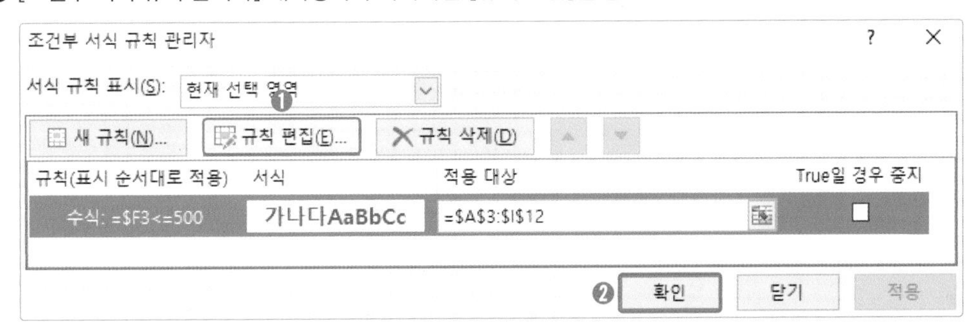

2. 조건부 서식 삭제

❶ 조건부 서식이 지정된 범위를 영역 지정하고 [홈] 탭-[스타일] 그룹-[조건부 서식]-[규칙 지우기]-[선택한 셀의 규칙 지우기]를 클릭하면 영역으로 지정된 범위의 조건부 서식이 삭제됩니다.

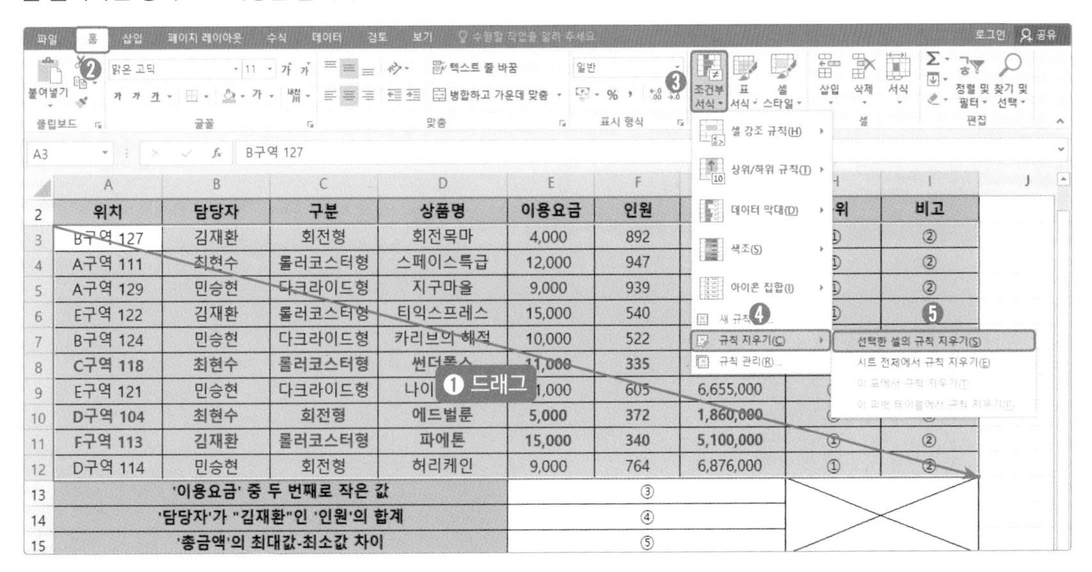

【문제 3】 "필터"와 "시나리오" 시트를 참조하여 다음 《처리조건》에 맞도록 작업하시오.(60점)

(1) 필터

《출력형태 – 필터》

	A	B	C	D	E	F	G
1							
2	브랜드	모델	분류	출시년도	단종년도	차량가격	인기평점
3	폭스바겐	비틀 카브리오	컨버터블	1938	2003	29200000	272
4	메르세데스 벤츠	180(W120)	세단	1953	1962	16100000	198
5	지엠	콜벳 카브리오 C1	컨버터블	1953	1962	102560000	234
6	포르쉐	911-1세대	쿠페	1963	1989	134000000	259
7	포드	머스탱	컨버터블	1964	1973	68500000	292
8	포드	머스탱 쿠페	세단	1964	1973	54090000	413
9	메르세데스 벤츠	200(W114/115)	세단	1967	1976	14790000	281
10	폭스바겐	마이크로버스T2	밴	1967	1979	34440000	365
11	메르세데스 벤츠	S클래스 280	세단	1972	1980	20030000	246
12	포르쉐	911-2세대	쿠페	1973	1989	36031650	227
13							
14	조건						
15	FALSE						
16							
17							
18	브랜드	모델	분류	출시년도	단종년도		
19	폭스바겐	마이크로버스T2	밴	1967	1979		
20	메르세데스 벤츠	S클래스 280	세단	1972	1980		
21	포르쉐	911-2세대	쿠페	1973	1989		
22							

《처리조건》

▶ "필터" 시트의 [A2:G12]를 아래 조건에 맞게 고급 필터를 사용하여 작성하시오.

- '분류'가 "밴"이거나 '출시년도'가 1970 이상인 데이터를 '브랜드', '모델', '분류', '출시년도', '단종년도'의 데이터만 필터링하시오.
- 조건 위치 : 조건 함수는 [A15] 한 셀에 작성(OR 함수 이용)
- 결과 위치 : [A18]부터 출력

▶ 지시사항이 없는 경우는 《출력형태 – 필터》와 동일하게 작성하시오.

소스파일: 02-01(문제).xlsx
완성파일: 02-01(완성).xlsx

01 "재고현황" 시트를 참조하여 《처리조건》에 맞도록 작업하시오.

《출력형태》

	A	B	C	D	E	F	G	H	I
1		반려동물용품 재고 현황							
2	주문번호	제조사	상품분류	상품명	단가	수량	재고금액	순위	비고
3	P19-04023	리틀달링	장난감	공	4,800	27개	129,600원	①	②
4	P19-06025	바우와우	미용용품	이발기(소)	37,800	32개	1,209,600원	①	②
5	P19-04027	핑크펫	미용용품	이발기(중)	19,800	15개	297,000원	①	②
6	**P19-06029**	**블루블루**	**간식**	**츄르**	**20,800**	**89개**	**1,851,200원**	①	②
7	P19-04031	퍼니펫샵	장난감	일자터널	28,500	17개	484,500원	①	②
8	**P19-04033**	**핑크펫**	**간식**	**치즈통조림**	**10,900**	**121개**	**1,318,900원**	①	②
9	P19-06035	핑크펫	장난감	T자터널	16,000	21개	336,000원	①	②
10	P19-04037	핑크펫	미용용품	털제거장갑	3,500	30개	105,000원	①	②
11	P19-06039	퍼니펫샵	장난감	놀이인형	3,000	16개	48,000원	①	②
12	**P19-04041**	**블루블루**	**간식**	**애견소시지**	**3,500**	**58개**	**203,000원**	①	②
13	'상품분류'가 "장난감"인 '수량'의 합계				③				
14	'재고금액'의 최대값-최소값 차이				④				
15	'단가' 중 세 번째로 큰 값				⑤				
16									

《처리조건》

▶ 셀 서식을 아래 조건에 맞게 작성하시오.

- [A2:I15] : 테두리(안쪽, 윤곽선 모두 실선, '검정, 텍스트 1'), 전체 가운데 맞춤
- [A13:D13], [A14:D14], [A15:D15] : 각각 병합하고 가운데 맞춤
- [A2:I2], [A13:D15] : 채우기 색('파랑, 강조 5, 40% 더 밝게'), 글꼴(굵게)
- [E3:E12] : 셀 서식의 표시 형식-숫자를 이용하여 1000 단위 구분 기호 표시
- [F3:F12], [E13:G13] : 셀 서식의 표시 형식-사용자 지정을 이용하여 #"개"자를 추가
- [G3:G12], [E14:G15] : 셀 서식의 표시 형식-사용자 지정을 이용하여 #,##0"원"자를 추가
- 조건부 서식[A3:I12] : '수량'이 50 이상인 경우 레코드 전체에 글꼴(자주, 굵게) 적용
- 지시사항이 없는 경우는 주어진 문제파일의 서식을 그대로 사용하시오.

【문제 2】 **"부분합" 시트를 참조하여 다음 《처리조건》에 맞도록 작업하시오.(30점)**

《출력형태》

	A	B	C	D	E	F	G
1							
2	브랜드	모델	분류	출시년도	단종년도	차량가격	인기평점
3	포르쉐	911-1세대	쿠페	1963	1989	134,000,000	259
4	포르쉐	911-2세대	쿠페	1973	1989	36,031,650	227
5			쿠페 평균			85,015,825	243
6			쿠페 최대값	1973	1989		
7	폭스바겐	비틀 카브리오	컨버터블	1938	2003	29,200,000	272
8	지엠	콜벳 카브리오 C1	컨버터블	1953	1962	102,560,000	234
9	포드	머스탱	컨버터블	1964	1973	68,500,000	292
10			컨버터블 평균			66,753,333	266
11			컨버터블 최대값	1964	2003		
12	메르세데스 벤츠	180(W120)	세단	1953	1962	16,100,000	198
13	포드	머스탱 쿠페	세단	1964	1973	54,090,000	413
14	메르세데스 벤츠	200(W114/115)	세단	1967	1976	14,790,000	281
15	메르세데스 벤츠	S클래스 280	세단	1972	1980	20,030,000	246
16			세단 평균			26,252,500	285
17			세단 최대값	1972	1980		
18	폭스바겐	마이크로버스T2	밴	1967	1979	34,440,000	365
19			밴 평균			34,440,000	365
20			밴 최대값	1967	1979		
21			전체 평균			50,974,165	279
22			전체 최대값	1973	2003		
23							

《처리조건》

- ▶ 데이터를 '분류' 기준으로 내림차순 정렬하시오.
- ▶ 아래 조건에 맞는 부분합을 작성하시오.
  - '분류'로 그룹화하여 '출시년도', '단종년도'의 최대값을 구하는 부분합을 만드시오.
  - '분류'로 그룹화하여 '차량가격', '인기평점'의 평균을 구하는 부분합을 만드시오. (새로운 값으로 대치하지 말 것)
  - [F3:G22] 영역에 셀 서식의 표시 형식-숫자를 이용하여 1000 단위 구분 기호를 표시하시오.
- ▶ D~F열을 선택하여 그룹을 설정하시오.
- ▶ 최대값과 평균의 부분합 순서는 《출력형태》와 다를 수 있음
- ▶ 지시사항이 없는 경우는 기본 값을 적용하시오.

02 "판매현황" 시트를 참조하여 《처리조건》에 맞도록 작업하시오.

소스파일: 02-02(문제).xlsx
완성파일: 02-02(완성).xlsx

《출력형태》

	A	B	C	D	E	F	G	H	I
1	스니커즈 판매 현황								
2	제품번호	색상	상품분류	상품명	단가	수량	판매금액	순위	비고
3	BS3323-S	실버계열	아쿠아슈즈	루니아쿠아슈즈	24,900	43	1,070,700	①	②
4	KS3599-R	레드계열	런닝화	컬러라인 런닝화	46,000	38	1,748,000	①	②
5	CS3353-B	블랙계열	운동화	레이시스 런닝화	39,800	21	835,800	①	②
6	*HS3428-S*	*실버계열*	*런닝화*	*컬러라인 런닝화*	*64,000*	*15*	*960,000*	*①*	*②*
7	*AS4292-B*	*블랙계열*	*운동화*	*레이시스 런닝화*	*48,000*	*38*	*1,824,000*	*①*	*②*
8	DS3967-R	레드계열	아쿠아슈즈	워터슈즈	39,000	23	897,000	①	②
9	JS3887-B	블랙계열	운동화	콜라보 스니커즈	29,800	16	476,800	①	②
10	*AS4093-R*	*레드계열*	*런닝화*	*레드 러너스*	*49,800*	*46*	*2,290,800*	*①*	*②*
11	CS3342-S	실버계열	런닝화	컬러라인 런닝화	45,700	40	1,828,000	①	②
12	IS3437-B	블랙계열	아쿠아슈즈	워터슈즈	19,900	17	338,300	①	②
13	'판매금액'의 최대값-최소값 차이				③				
14	'상품분류'가 "아쿠아슈즈"인 '판매금액'의 평균				④				
15	'수량' 중 세 번째로 작은 값				⑤				
16									

《처리조건》

▸ 셀 서식을 아래 조건에 맞게 작성하시오.
- [A2:I15] : 테두리(안쪽, 윤곽선 모두 실선, '검정, 텍스트 1'), 전체 가운데 맞춤
- [A13:D13], [A14:D14], [A15:D15] : 각각 병합하고 가운데 맞춤
- [A2:I2], [A13:D15] : 채우기 색('황금색, 강조 4, 40% 더 밝게'), 글꼴(굵게)
- [B3:B12] : 셀 서식의 표시 형식-사용자 지정을 이용하여 @"계열"자를 추가
- [E3:E12], [G3:G12], [E13:G14] : 서식의 표시 형식-숫자를 이용하여 1000 단위 구분 기호 표시
- [H3:H12] : 셀 서식의 표시 형식-사용자 지정을 이용하여 #"위"자를 추가
- 조건부 서식[A3:I12] : '단가'가 48000 이상인 경우 레코드 전체에 글꼴(빨강, 굵은 기울임꼴) 적용
- 지시사항이 없는 경우는 주어진 문제파일의 서식을 그대로 사용하시오.

【문제 1】 "인기순위" 시트를 참조하여 다음 《처리조건》에 맞도록 작업하시오.(50점)

《출력형태》

해외 클래식카 인기 순위

브랜드	모델	분류	출시년도	단종년도	차량가격	인기평점	순위	비고
폭스바겐	비틀 카브리오	컨버터블	1938년	2003년	29,200,000	272	5위	
메르세데스 벤츠	180(W120)	세단	1953년	1962년	16,100,000	198	10위	올드카
지엠	콜벳 카브리오 C1	컨버터블	1953년	1962년	102,560,000	234	8위	올드카
포르쉐	911-1세대	쿠페	1963년	1989년	134,000,000	259	6위	
포드	머스탱	컨버터블	1964년	1973년	68,500,000	292	3위	
포드	머스탱 쿠페	세단	1964년	1973년	54,090,000	413	1위	
메르세데스 벤츠	200(W114/115)	세단	1967년	1976년	14,790,000	281	4위	
폭스바겐	마이크로버스T2	밴	1967년	1979년	34,440,000	365	2위	
메르세데스 벤츠	S클래스 280	세단	1972년	1980년	20,030,000	246	7위	
포르쉐	911-2세대	쿠페	1973년	1989년	36,031,650	227	9위	
'분류'가 "컨버터블"인 '차량가격'의 평균				66,753,333				
'차량가격'의 최대값-최소값 차이				119,210,000				
'인기평점' 중 세 번째로 작은 값				234				

《처리조건》

▶ 1행의 행 높이를 '80'으로 설정하고, 2행~15행의 행 높이를 '18'로 설정하시오.

▶ 제목("해외 클래식카 인기 순위") : 기본 도형의 '정오각형'을 이용하여 입력하시오.

- 도형 : 위치([B1:H1]), 도형 스타일(테마 스타일 - 미세 효과 - '주황, 강조 2')
- 글꼴 : 궁서, 28pt, 밑줄
- 도형 서식 : 도형 옵션 - 크기 및 속성(텍스트 상자(세로 맞춤 : 정가운데, 텍스트 방향 : 가로))

▶ 셀 서식을 아래 조건에 맞게 작성하시오.

- [A2:I15] : 테두리(안쪽, 윤곽선 모두 실선, '검정, 텍스트 1'), 전체 가운데 맞춤
- [A13:D13], [A14:D14], [A15:D15] : 각각 병합하고 가운데 맞춤
- [A2:I2], [A13:D15] : 채우기 색('황금색, 강조 4'), 글꼴(굵게)
- [F3:F12], [E13:G14] : 셀 서식의 표시 형식-숫자를 이용하여 1000 단위 구분 기호 표시
- [H3:H12] : 셀 서식의 표시 형식-사용자 지정을 이용하여 #"위"자를 추가
- [D3:E12] : 셀 서식의 표시 형식-사용자 지정을 이용하여 #"년"자를 추가
- 조건부 서식[A3:I12] : '차량가격'이 100000000 이상인 경우 레코드 전체에 글꼴(자주, 굵게) 적용
- 지시사항이 없는 경우는 주어진 문제파일의 서식을 그대로 사용하시오.

▶ ① 순위[H3:H12] : '인기평점'을 기준으로 큰 순으로 순위를 구하시오. (RANK.EQ 함수)

▶ ② 비고[I3:I12] : '단종년도'가 1970 이하이면 "올드카", 그렇지 않으면 공백으로 구하시오. (IF 함수)

▶ ③ 평균[E13:G13] : '분류'가 "컨버터블"인 '차량가격'의 평균을 구하시오. (DAVERAGE 함수)

▶ ④ 최대값-최소값[E14:G14] : '차량가격'의 최대값과 최소값의 차이를 구하시오. (MAX, MIN 함수)

▶ ⑤ 순위[E15:G15] : '인기평점' 중 세 번째로 작은 값을 구하시오. (SMALL 함수)

03 "납품현황" 시트를 참조하여 《처리조건》에 맞도록 작업하시오.

소스파일: 02-03(문제).xlsx
완성파일: 02-03(완성).xlsx

《출력형태》

	A	B	C	D	E	F	G	H	I
1	음료제품 납품 현황								
2	주문번호	주문처	상품분류	상품명	판매단가	판매수량	총판매액	순위	비고
3	FR-008966	할인점	생수	시원수	800	519개	415,200	①	②
4	FR-008969	편의점	탄산음료	톡톡소다	1,200	463개	555,600	①	②
5	FR-009012	통신판매	커피음료	커피아시아	1,500	219개	328,500	①	②
6	FR-009008	할인점	탄산음료	라임메이드	1,800	369개	664,200	①	②
7	FR-000053	통신판매	커피음료	카페타임	1,400	486개	680,400	①	②
8	FR-000504	편의점	생수	지리산수	900	341개	306,900	①	②
9	FR-000759	통신판매	커피음료	커피매니아	2,300	401개	922,300	①	②
10	FR-200202	편의점	탄산음료	레몬타임	1,700	236개	401,200	①	②
11	FR-200101	할인점	탄산음료	허리케인	2,100	104개	218,400	①	②
12	FR-200063	통신판매	생수	심해청수	1,300	216개	280,800	①	②
13	'판매단가' 중 두 번째로 작은 값				③				
14	'상품분류'가 "생수"인 '총판매액'의 합계				④				
15	'판매수량'의 최대값-최소값 차이				⑤				
16									

《처리조건》

▶ 셀 서식을 아래 조건에 맞게 작성하시오.
- [A2:I15] : 테두리(안쪽, 윤곽선 모두 실선, '검정, 텍스트 1'), 전체 가운데 맞춤
- [A13:D13], [A14:D14], [A15:D15] : 각각 병합하고 가운데 맞춤
- [A2:I2], [A13:D15] : 채우기 색('파랑, 강조 1, 40% 더 밝게'), 글꼴(굵게)
- [E3:E12], [G3:G12] : 셀 서식의 표시 형식-숫자를 이용하여 1000 단위 구분 기호 표시
- [F3:F12], [E15:G15] : 셀 서식의 표시 형식-사용자 지정을 이용하여 #"개"자를 추가
- [E13:G14] : 셀 서식의 표시 형식-사용자 지정을 이용하여 #,##0"원"자를 추가
- 조건부 서식[A3:I12] : '총판매액'이 600000 이상인 경우 레코드 전체에 글꼴(주황, 굵게) 적용
- 지시사항이 없는 경우는 주어진 문제파일의 서식을 그대로 사용하시오.

제13회 실전모의고사

▹ 시험과목 : 스프레드시트(엑셀)
▹ 시험일자 : 20XX. XX. XX.(X)
▹ 응시자 기재사항 및 감독위원 확인

수 검 번 호	DIS – XXXX –	감독위원 확인
성 명		

응시자 유의사항

1. 응시자는 신분증을 지참하여야 시험에 응시할 수 있으며, 시험이 종료될 때까지 신분증을 제시하지 못할 경우 해당 시험은 0점 처리됩니다.
2. 시스템(PC 작동 여부, 네트워크 상태 등)의 이상 여부를 반드시 확인하여야 하며, 시스템 이상이 있을시 감독위원에게 조치를 받으셔야 합니다.
3. 시험 중 부주의 또는 고의로 시스템을 파손한 경우는 응시자 부담으로 합니다.
4. 답안 전송 프로그램을 통해 다운로드 받은 파일을 이용하여 답안 파일을 작성하시기 바랍니다.
5. 작성한 답안 파일은 답안 전송 프로그램을 통하여 전송됩니다. 감독위원의 지시에 따라 주시기 바랍니다.
6. 다음 사항의 경우 실격(0점) 혹은 부정행위 처리됩니다.
   ❶ 답안 파일을 저장하지 않았거나, 저장한 파일이 손상되었을 경우
   ❷ 답안 파일을 지정된 폴더(바탕화면 "KAIT" 폴더)에 저장하지 않았을 경우
   ※ 답안 전송 프로그램 로그인 시 바탕화면에 자동 생성됨
   ❸ 답안 파일을 다른 보조기억장치(USB) 혹은 네트워크(메신저, 게시판 등)로 전송할 경우
   ❹ 휴대용 전화기 등 통신기기를 사용할 경우
7. 시험지에 제시된 글꼴이 응시 프로그램에 없는 경우, 반드시 감독위원에게 해당 내용을 통보한 뒤 조치를 받아야 합니다.
8. 시험의 완료는 작성이 완료된 답안을 저장하고, 답안 전송이 완료된 상태를 확인한 것으로 합니다. 답안 전송 확인 후 문제지는 감독위원에게 제출한 후 퇴실하여야 합니다.
9. 답안 전송이 완료된 경우에는 수정 또는 정정이 불가능합니다.
10. 시험시행 후 결과는 홈페이지(www.ihd.or.kr)에서 확인하시기 바랍니다.
    ❶ 문제 및 모범답안 공개 : 20XX. XX. XX.(X)
    ❷ 합격자 발표 : 20XX. XX. XX.(X)

04 "모집현황" 시트를 참조하여 《처리조건》에 맞도록 작업하시오.

소스파일: 02-04(문제).xlsx
완성파일: 02-04(완성).xlsx

《출력형태》

	A	B	C	D	E	F	G	H	I
1		방과후 수업 모집현황							
2	강좌명	분류	대상	모집인원	기간	수강료	합계	순위	비고
3	드론	취미	6학년	20	1개월	30,000	600,000	①	②
4	엑셀	컴퓨터	6학년	30	2개월	18,000	1,080,000	①	②
5	*영어회화*	*어학*	*4학년*	*20*	*3개월*	*16,000*	*960,000*	*①*	*②*
6	*포토샵*	*컴퓨터*	*5학년*	*20*	*2개월*	*17,000*	*680,000*	*①*	*②*
7	일본어회화	어학	5학년	25	3개월	20,000	1,500,000	①	②
8	바이올린	취미	4학년	25	3개월	30,000	2,250,000	①	②
9	*파워포인트*	*컴퓨터*	*6학년*	*25*	*2개월*	*15,000*	*750,000*	*①*	*②*
10	축구	취미	4학년	30	1개월	24,000	720,000	①	②
11	*중국어회화*	*어학*	*5학년*	*20*	*2개월*	*16,000*	*640,000*	*①*	*②*
12	*한글*	*컴퓨터*	*4학년*	*30*	*1개월*	*15,000*	*450,000*	*①*	*②*
13	'분류'가 "취미"인 '모집인원'의 평균				③				
14	'합계'의 최대값-최소값 차이				④				
15	'수강료' 중 두 번째로 작은 값				⑤				
16									

《처리조건》

▶ 셀 서식을 아래 조건에 맞게 작성하시오.
- [A2:I15] : 테두리(안쪽, 윤곽선 모두 실선, '검정, 텍스트 1'), 전체 가운데 맞춤
- [A13:D13], [A14:D14], [A15:D15] : 각각 병합하고 가운데 맞춤
- [A2:I2], [A13:D15] : 채우기 색('연한 녹색'), 글꼴(굵게)
- [H3:H12] : 셀 서식의 표시 형식-사용자 지정을 이용하여 #"위"자를 추가
- [F3:G12], [E14:G15] : 셀 서식의 표시 형식-숫자를 이용하여 1000 단위 구분 기호 표시
- [E3:E12] : 셀 서식의 표시 형식-사용자 지정을 이용하여 #"개월"자를 추가
- 조건부 서식[A3:I12] : '수강료'가 17000 이하인 경우 레코드 전체에 글꼴(파랑, 기울임꼴) 적용
- 지시사항이 없는 경우는 주어진 문제파일의 서식을 그대로 사용하시오.

【문제 5】 **"차트" 시트를 참조하여 다음 《처리조건》에 맞도록 작업하시오.(30점)**

《출력형태》

제품명	종류	20대	30대	40대
해커K590	적축	1,108	408	491
케이83	적축	713	1,138	403
케이70	적축	1,188	272	364
케이660	광축	996	1,332	411
씨케이800	광축	1,061	461	470
리줌Z35	광축	1,438	1,052	491

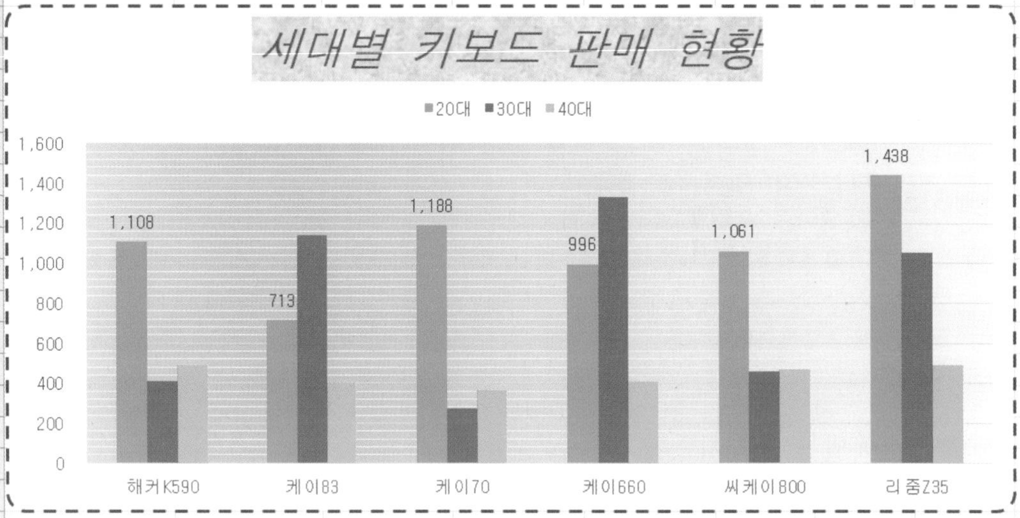

《처리조건》

▶ "차트" 시트에 주어진 표를 이용하여 '묶은 세로 막대형' 차트를 작성하시오.

- 데이터 범위 : 현재 시트 [A2:A8], [C2:E8]의 데이터를 이용하여 작성하고, 행/열 전환은 '열'로 지정
- 차트 제목("세대별 키보드 판매 현황")
- 범례 위치 : 위쪽
- 차트 스타일 : 색 변경(색상형 – 색 4, 스타일 11)
- 차트 위치 : 현재 시트에 [A11:H26] 크기에 정확하게 맞추시오.
- 차트 영역 서식 : 글꼴(굴림체, 10pt), 테두리 색(실선, 색 : 자주), 테두리 스타일(너비 : 2pt, 겹선 종류 : 단순형, 대시 종류 : 파선, 둥근 모서리)
- 차트 제목 서식 : 글꼴(돋움체, 24pt, 기울임꼴), 채우기(그림 또는 질감 채우기, 질감 : 꽃다발)
- 그림 영역 서식 : 채우기(그라데이션 채우기, 그라데이션 미리 설정 : 밝은 그라데이션 – 강조 5, 종류 : 선형, 방향 : 선형 왼쪽)
- 데이터 레이블 추가 : '20대' 계열에 "값" 표시

▶ 지시사항이 없는 경우는 《출력형태》와 동일하게 작성하시오.

[문제 1] 함수식 작성하기

[문제 1]에서는 함수가 총 6개 출제됩니다. 6개 중에 4개는 RANK.EQ, IF, MAX, MIN이 출제되고, DSUM, DAVERAGE 중에서 1개, 그리고 LARGE, SMALL 중에서 1개가 고정적으로 출제됩니다. 출제되는 함수가 고정적이므로 출제되는 함수 위주로 학습하는 것이 좋습니다.

소스파일: 03차시(문제).xlsx　　완성파일: 03차시(완성).xlsx

문제 미리보기 【문제 1】 "이용현황"시트를 참조하여 다음 《처리조건》에 맞도록 작업하시오.(50점)

《출력형태》

	A	B	C	D	E	F	G	H	I
1				놀이기구 이용 현황					
2	위치	담당자	구분	상품명	이용요금	인원	총금액	순위	비고
3	B구역 127	김재환	회전형	회전목마	4,000	892	3,568,000	9위	인상예정
4	A구역 111	최현수	롤러코스터형	스페이스특급	12,000	947	11,364,000	1위	
5	A구역 129	민승현	다크라이드형	지구마을	9,000	939	8,451,000	2위	인상예정
6	E구역 122	김재환	롤러코스터형	티익스프레스	15,000	540	8,100,000	3위	
7	B구역 124	민승현	다크라이드형	카리브의 해적	10,000	522	5,220,000	6위	
8	C구역 118	최현수	롤러코스터형	썬더폴스	11,000	335	3,685,000	8위	
9	E구역 121	민승현	다크라이드형	나이트메어	11,000	605	6,655,000	5위	
10	D구역 104	최현수	회전형	에드벌룬	5,000	372	1,860,000	10위	인상예정
11	F구역 113	김재환	롤러코스터형	파에톤	15,000	340	5,100,000	7위	
12	D구역 114	민승현	회전형	허리케인	9,000	764	6,876,000	4위	인상예정
13	'이용요금' 중 두 번째로 작은 값				③	5,000		①	②
14	'담당자'가 "김재환"인 '인원'의 합계				④	1,772			
15	'총금액'의 최대값-최소값 차이				⑤	9,504,000			
16									

《처리조건》

- ▸ ① 순위[H3:H12] : '총금액'을 기준으로 큰 순으로 순위를 구하시오. (RANK.EQ 함수)
- ▸ ② 비고[I3:I12] : '이용요금'이 10000 미만이면 "인상예정", 그렇지 않으면 공백으로 구하시오. (IF 함수)
- ▸ ③ 순위[E13:G13] : '이용요금' 중 두 번째로 작은 값을 구하시오. (SMALL 함수)
- ▸ ④ 합계[E14:G14] : '담당자'가 "김재환"인 '인원'의 합계를 구하시오. (DSUM 함수)
- ▸ ⑤ 최대값-최소값[E15:G15] : '총금액'의 최대값과 최소값의 차이를 구하시오. (MAX, MIN 함수)

과정 미리보기 RANK.EQ 함수 ➔ IF 함수 ➔ SMALL 함수 ➔ DSUM 함수 ➔ MAX, MIN 함수

【문제 4】 **"피벗테이블" 시트를 참조하여 다음 《처리조건》에 맞도록 작업하시오.(30점)**

《출력형태》

	A	B	C	D
1				
2				
3			구분	
4	종류	값	무선	유선
5	광축	평균 : 20대	**	1,029
6		평균 : 30대	**	897
7	멤브레인	평균 : 20대	462	**
8		평균 : 30대	467	**
9	적축	평균 : 20대	713	1,148
10		평균 : 30대	1,138	340
11	전체 평균 : 20대		546	1,088
12	전체 평균 : 30대		690	618
13				

《처리조건》

▶ "피벗테이블" 시트의 [A2:G12]를 이용하여 새로운 시트에 《출력형태》와 같이 피벗 테이블을 작성 후 시트명을 "피벗테이블 정답"으로 수정하시오.

▶ 종류(행)와 구분(열)을 기준으로 하여 출력형태와 같이 구하시오.

- '20대', '30대'의 평균을 구하시오.
- 피벗 테이블 옵션을 이용하여 레이블이 있는 셀 병합 및 가운데 맞춤하고, 빈 셀을 "**"로 표시한 후, 행의 총합계를 감추기 하시오.
- 피벗 테이블 디자인에서 보고서 레이아웃은 '테이블 형식으로 표시', 피벗 테이블 스타일은 '피벗 스타일 보통 9'로 표시하시오.
- 구분(열)은 "무선", "유선"만 출력되도록 표시하시오.
- [C5:D12] 데이터는 셀 서식의 표시 형식-숫자를 이용하여 1000 단위 구분 기호를 표시하고, 오른쪽 맞춤하시오.

▶ 종류의 순서는 《출력형태》와 다를 수 있음

▶ 지시사항이 없는 경우는 《출력형태》와 동일하게 작성하시오.

시험꿀팁

시험에 자주 출제되는 함수 익히기

최근 4년 동안 출제된 DIAT 스프레드시트 시험 문제를 분석한 결과 고정적으로 출제되는 함수의 종류는 다음과 같습니다. 함수는 모든 함수를 익히려고 하기보다는 시험에 출제되는 함수 위주로 학습을 하고, 그 후에 나머지 함수들을 익히는 것이 좋습니다.

❶ RANK.EQ

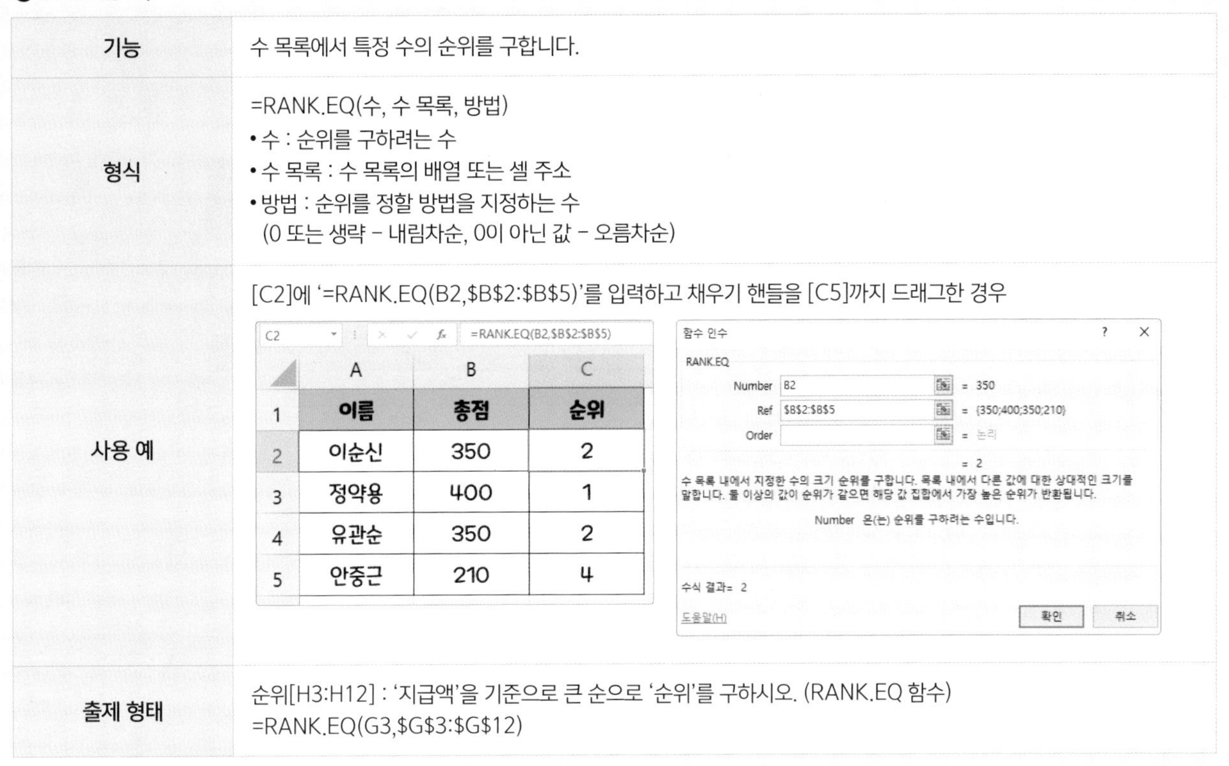

기능	수 목록에서 특정 수의 순위를 구합니다.
형식	=RANK.EQ(수, 수 목록, 방법) • 수 : 순위를 구하려는 수 • 수 목록 : 수 목록의 배열 또는 셀 주소 • 방법 : 순위를 정할 방법을 지정하는 수 (0 또는 생략 – 내림차순, 0이 아닌 값 – 오름차순)
사용 예	[C2]에 '=RANK.EQ(B2,$B$2:$B$5)'를 입력하고 채우기 핸들을 [C5]까지 드래그한 경우
출제 형태	순위[H3:H12] : '지급액'을 기준으로 큰 순으로 '순위'를 구하시오. (RANK.EQ 함수) =RANK.EQ(G3,$G$3:$G$12)

	A	B	C
1	이름	총점	순위
2	이순신	350	2
3	정약용	400	1
4	유관순	350	2
5	안중근	210	4

❷ IF

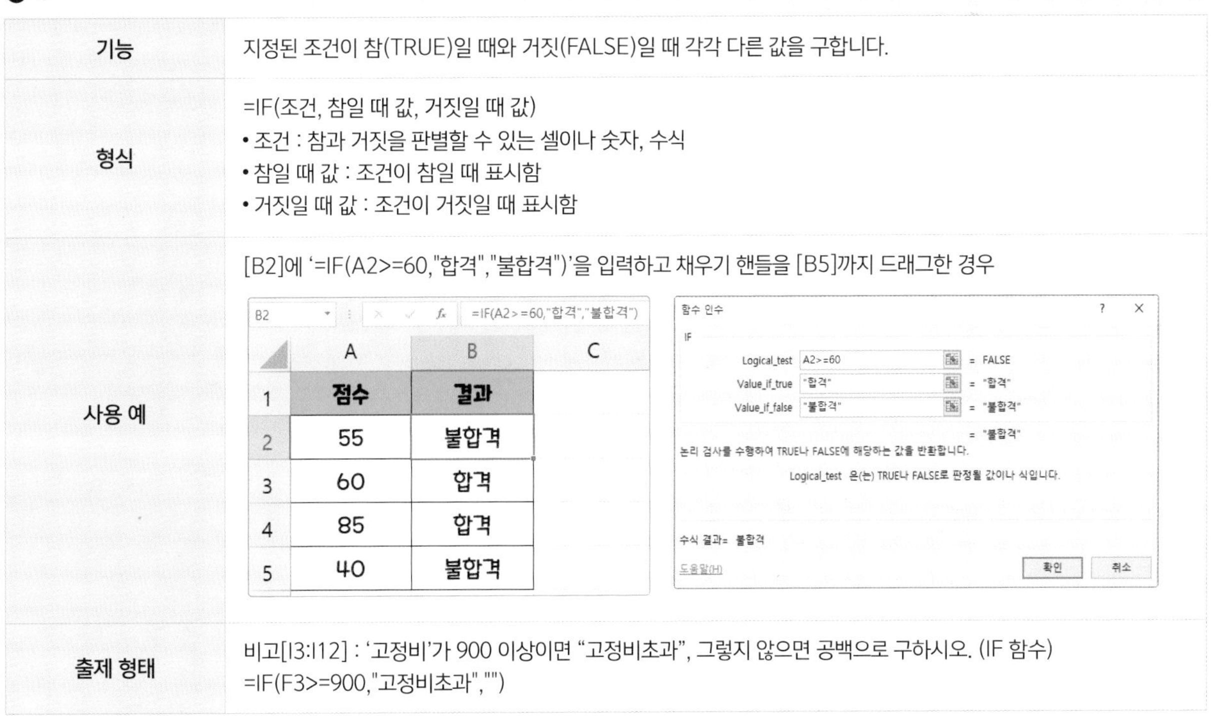

기능	지정된 조건이 참(TRUE)일 때와 거짓(FALSE)일 때 각각 다른 값을 구합니다.
형식	=IF(조건, 참일 때 값, 거짓일 때 값) • 조건 : 참과 거짓을 판별할 수 있는 셀이나 숫자, 수식 • 참일 때 값 : 조건이 참일 때 표시함 • 거짓일 때 값 : 조건이 거짓일 때 표시함
사용 예	[B2]에 '=IF(A2>=60,"합격","불합격")'을 입력하고 채우기 핸들을 [B5]까지 드래그한 경우
출제 형태	비고[I3:I12] : '고정비'가 900 이상이면 "고정비초과", 그렇지 않으면 공백으로 구하시오. (IF 함수) =IF(F3>=900,"고정비초과","")

	A	B	C
1	점수	결과	
2	55	불합격	
3	60	합격	
4	85	합격	
5	40	불합격	

(2) 시나리오

《출력형태 – 시나리오》

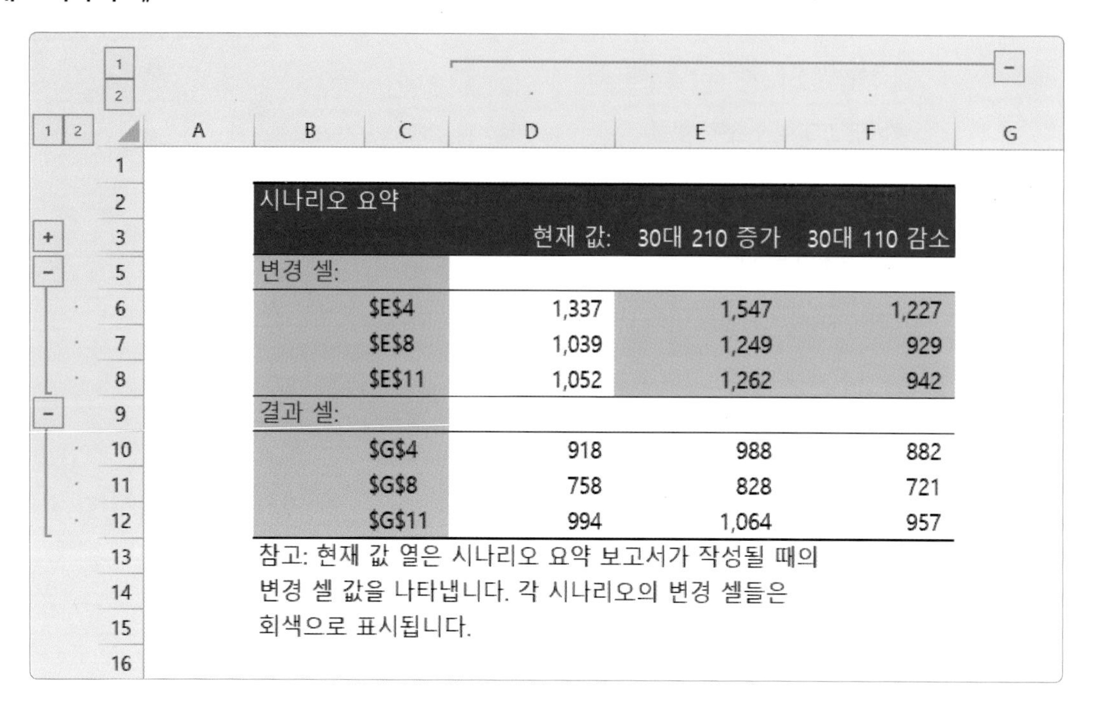

시나리오 요약				
		현재 값:	30대 210 증가	30대 110 감소
변경 셀:				
	$E$4	1,337	1,547	1,227
	$E$8	1,039	1,249	929
	$E$11	1,052	1,262	942
결과 셀:				
	$G$4	918	988	882
	$G$8	758	828	721
	$G$11	994	1,064	957

참고: 현재 값 열은 시나리오 요약 보고서가 작성될 때의
변경 셀 값을 나타냅니다. 각 시나리오의 변경 셀들은
회색으로 표시됩니다.

《처리조건》

▶ "시나리오" 시트의 [A2:G12]를 이용하여 '구분'이 "블루투스"인 경우, '30대'가 변동할 때 '평균'이 변동하는 가상분석(시나리오)을 작성하시오.

- 시나리오1 : 시나리오 이름은 "30대 210 증가", '30대'에 210을 증가시킨 값 설정.
- 시나리오2 : 시나리오 이름은 "30대 110 감소", '30대'에 110을 감소시킨 값 설정.
- "시나리오 요약" 시트를 작성하시오.

▶ 지시사항이 없는 경우는 《출력형태 – 시나리오》와 동일하게 작성하시오.

❸ MAX

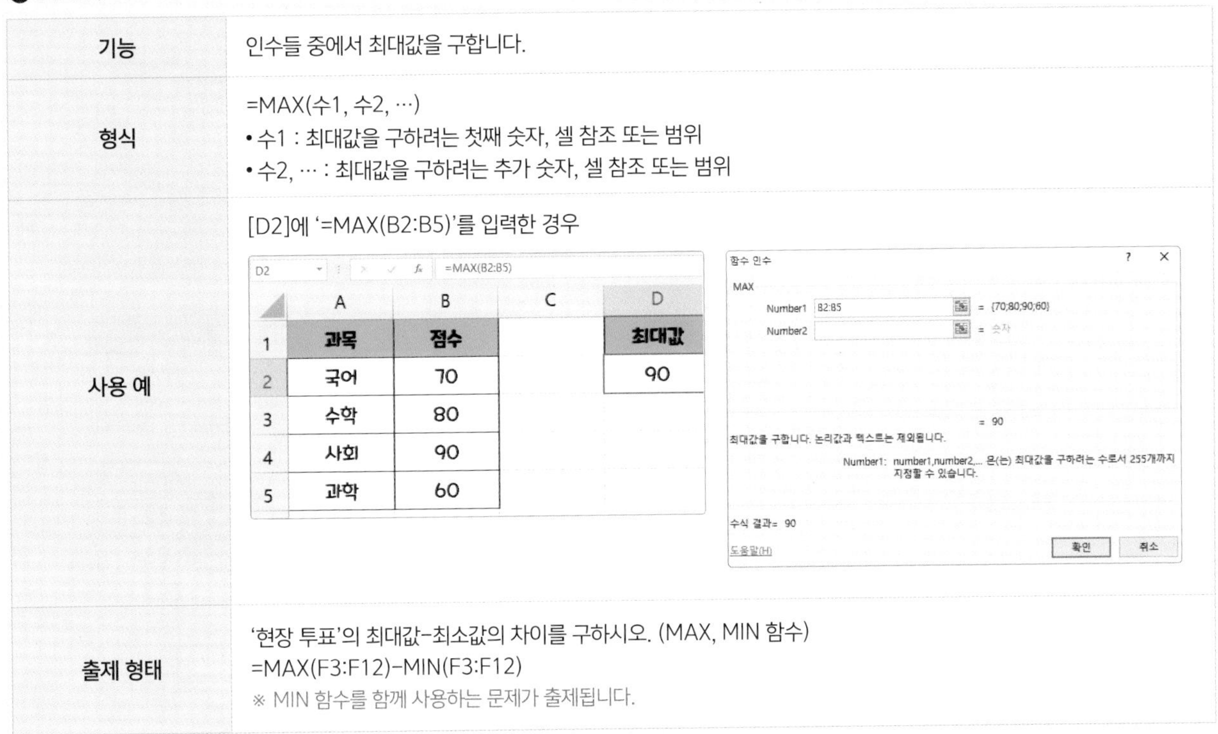

기능	인수들 중에서 최대값을 구합니다.
형식	=MAX(수1, 수2, …) • 수1 : 최대값을 구하려는 첫째 숫자, 셀 참조 또는 범위 • 수2, … : 최대값을 구하려는 추가 숫자, 셀 참조 또는 범위
사용 예	[D2]에 '=MAX(B2:B5)'를 입력한 경우
출제 형태	'현장 투표'의 최대값-최소값의 차이를 구하시오. (MAX, MIN 함수) =MAX(F3:F12)-MIN(F3:F12) ※ MIN 함수를 함께 사용하는 문제가 출제됩니다.

❹ MIN

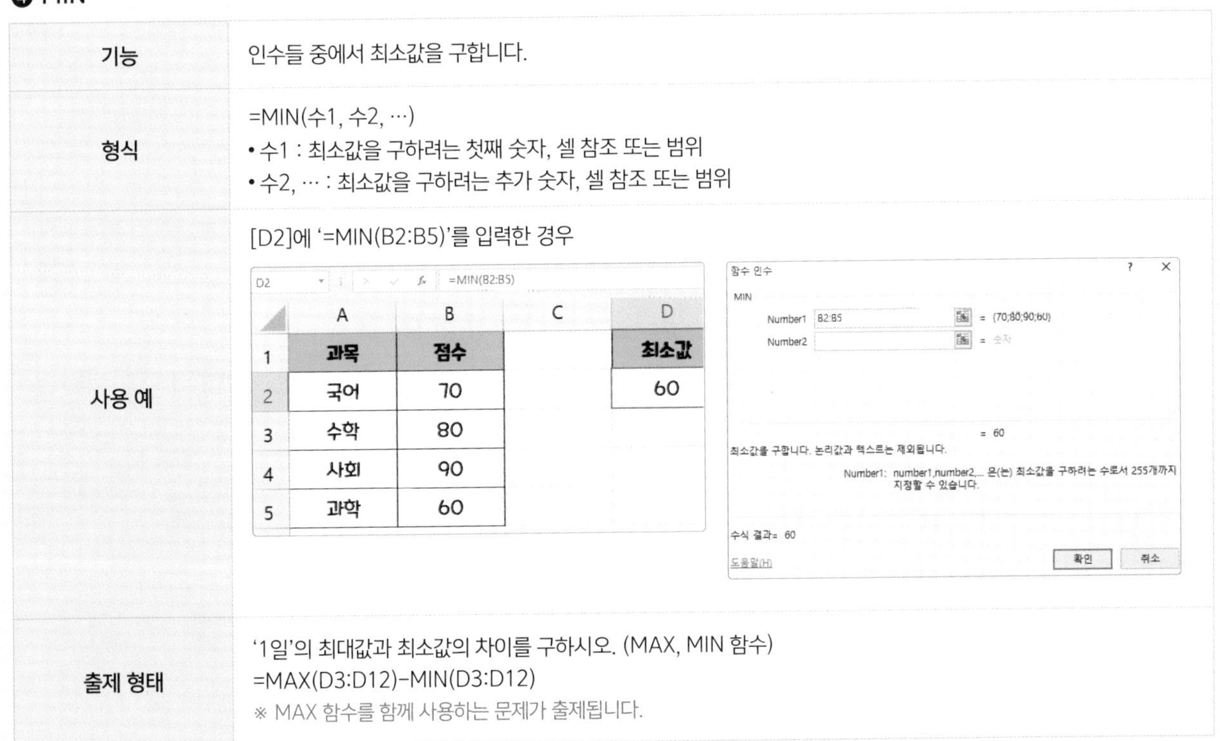

기능	인수들 중에서 최소값을 구합니다.
형식	=MIN(수1, 수2, …) • 수1 : 최소값을 구하려는 첫째 숫자, 셀 참조 또는 범위 • 수2, … : 최소값을 구하려는 추가 숫자, 셀 참조 또는 범위
사용 예	[D2]에 '=MIN(B2:B5)'를 입력한 경우
출제 형태	'1일'의 최대값과 최소값의 차이를 구하시오. (MAX, MIN 함수) =MAX(D3:D12)-MIN(D3:D12) ※ MAX 함수를 함께 사용하는 문제가 출제됩니다.

【문제 3】 "필터"와 "시나리오" 시트를 참조하여 다음 《처리조건》에 맞도록 작업하시오.(60점)

(1) 필터

《출력형태 - 필터》

	A	B	C	D	E	F	G
1							
2	제품명	구분	종류	20대	30대	40대	평균
3	해커K590	유선	적축	1,108	408	491	669
4	크래프트	블루투스	멤브레인	355	1,337	1,063	918
5	케이83	무선	적축	713	1,138	403	751
6	케이70	유선	적축	1,188	272	364	608
7	케이660	유선	광축	996	1,332	411	913
8	케이380	블루투스	멤브레인	499	1,039	735	593
9	올인원미디어	무선	멤브레인	469	494	816	593
10	씨케이800	유선	광축	1,061	461	470	664
11	리줌Z35	블루투스	광축	1,438	1,052	491	994
12	레트로48	무선	멤브레인	455	439	1,405	766
13							
14	조건						
15	FALSE						
16							
17							
18	제품명	구분	20대	30대	40대		
19	크래프트	블루투스	355	1,337	1,063		
20	레트로48	무선	455	439	1,405		
21							

《처리조건》

▶ "필터" 시트의 [A2:G12]를 아래 조건에 맞게 고급 필터를 사용하여 작성하시오.

- '종류'가 "멤브레인"이고 '40대'가 1000 이상인 데이터를 '제품명', '구분', '20대', '30대', '40대'의 데이터만 필터링 하시오.
- 조건 위치 : 조건 함수는 [A15] 한 셀에 작성(AND 함수 이용)
- 결과 위치 : [A18]부터 출력

▶ 지시사항이 없는 경우는 《출력형태 - 필터》와 동일하게 작성하시오.

❺ LARGE

기능	데이터 집합에서 k번째로 큰 값을 구합니다.
형식	=LARGE(배열, k) • 배열 : k번째로 큰 값을 확인할 데이터 배열 또는 범위 • k: 데이터 배열이나 범위에서 몇 번째로 큰 값을 구할지 지정함
사용 예	[D2]에 '=LARGE(B2:B5,2)'를 입력한 경우
출제 형태	순위[E15:G15] : '2일' 중 세 번째로 큰 값을 구하시오. (LARGE 함수) =LARGE(E3:E12,3) ※ SMALL 함수와 번갈아 출제됩니다.

❻ SMALL

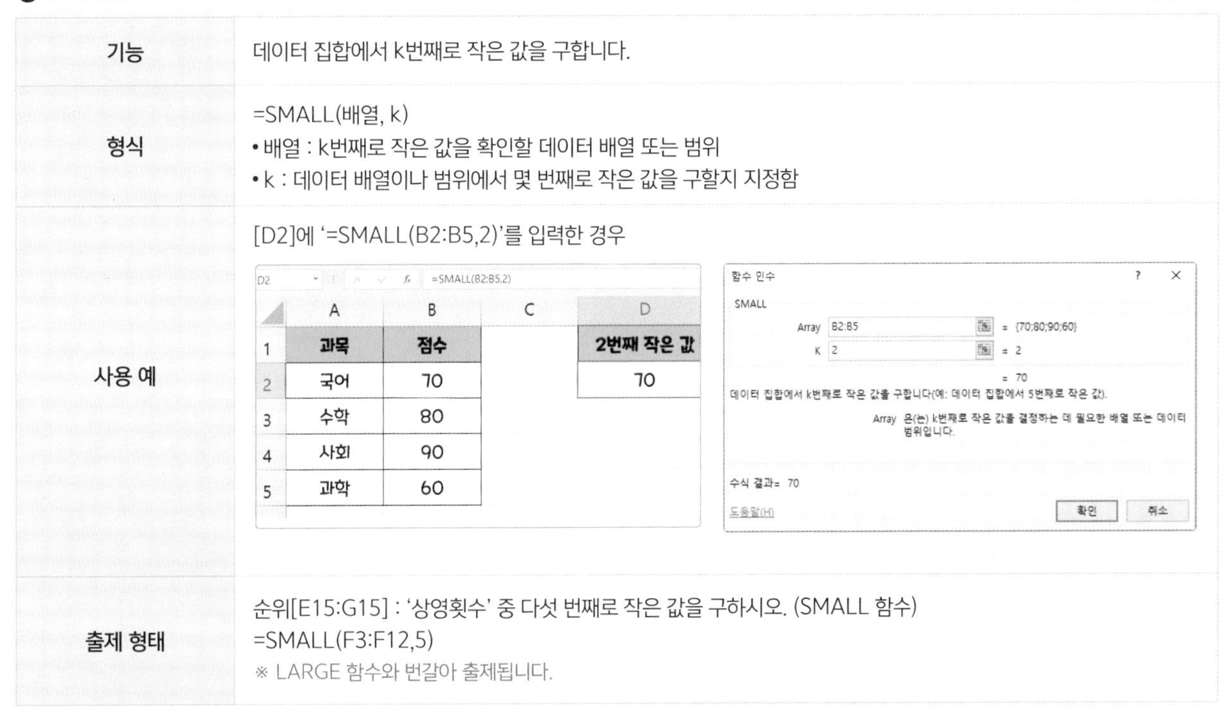

기능	데이터 집합에서 k번째로 작은 값을 구합니다.
형식	=SMALL(배열, k) • 배열 : k번째로 작은 값을 확인할 데이터 배열 또는 범위 • k : 데이터 배열이나 범위에서 몇 번째로 작은 값을 구할지 지정함
사용 예	[D2]에 '=SMALL(B2:B5,2)'를 입력한 경우
출제 형태	순위[E15:G15] : '상영횟수' 중 다섯 번째로 작은 값을 구하시오. (SMALL 함수) =SMALL(F3:F12,5) ※ LARGE 함수와 번갈아 출제됩니다.

【문제 2】 "부분합" 시트를 참조하여 다음 《처리조건》에 맞도록 작업하시오.(30점)

《출력형태》

	A	B	C	D	E	F	G
1							
2	제품명	구분	종류	20대	30대	40대	평균
3	해커K590	유선	적축	1,108	408	491	669
4	케이83	무선	적축	713	1,138	403	751
5	케이70	유선	적축	1,188	272	364	608
6			적축 최대값				751
7			적축 평균	1,003	606	419	
8	크래프트	블루투스	멤브레인	355	1,337	1,063	918
9	케이380	블루투스	멤브레인	499	1,039	735	593
10	올인원미디어	무선	멤브레인	469	494	816	593
11	레트로48	무선	멤브레인	455	439	1,405	766
12			멤브레인 최대값				918
13			멤브레인 평균	445	827	1,005	
14	케이660	유선	광축	996	1,332	411	913
15	씨케이800	유선	광축	1,061	461	470	664
16	리줌Z35	블루투스	광축	1,438	1,052	491	994
17			광축 최대값				994
18			광축 평균	1,165	948	457	
19			전체 최대값				994
20			전체 평균	828	797	665	
21							

《처리조건》

▶ 데이터를 '종류' 기준으로 내림차순 정렬하시오.

▶ 아래 조건에 맞는 부분합을 작성하시오.

- '종류'로 그룹화하여 '20대', '30대', '40대'의 평균을 구하는 부분합을 만드시오.
- '종류'로 그룹화하여 '평균'의 최대값을 구하는 부분합을 만드시오.
  (새로운 값으로 대치하지 말 것)
- [D3:G20] 영역에 셀 서식의 표시 형식-숫자를 이용하여 1000 단위 구분 기호를 표시하시오.

▶ D~F열을 선택하여 그룹을 설정하시오.

▶ 평균과 최대값의 부분합 순서는 《출력형태》와 다를 수 있음

▶ 지시사항이 없는 경우는 기본 값을 적용하시오.

❼ DSUM

기능	지정한 조건에 맞는 데이터베이스에서 필드 값들의 합을 구합니다.
형식	=DSUM(데이터베이스, 합을 구할 열, 조건 범위) • 데이터베이스 : 데이터가 들어있는 전체 범위 • 합을 구할 열 : 데이터베이스에서 합을 구할 열의 위치를 지정함 • 조건 범위 : 어떤 조건을 만족할 때 합을 구할 것인지를 지정함
사용 예	[E2]에 '=DSUM(A1:C4,C1,B1:B2)'를 입력할 경우
출제 형태	합계[E14:G14] : '구분'이 "드라마"인 '관객수'의 합계를 구하시오. (DSUM 함수) =DSUM(A2:I12,E2,A2:A3) ※ DAVERAGE 함수와 번갈아 출제됩니다.

	A	B	C	D	E
1	이름	학년	점수		2학년 점수 합계
2	김정민	2학년	72		163
3	오윤희	3학년	85		
4	박정아	2학년	91		

함수 인수
DSUM
Database A1:C4 = {"이름","학년","점수";"김정민","2학...
Field C1 = "점수"
Criteria B1:B2 = "2학년"
= 163
지정한 조건에 맞는 데이터베이스에서 필드 값들의 합을 구합니다.
Database 은(는) 데이터베이스나 목록으로 지정할 셀 범위입니다. 데이터베이스는 관련 데이터 목록입니다.
수식 결과= 163
도움말(H) 확인 취소

❽ DAVERAGE

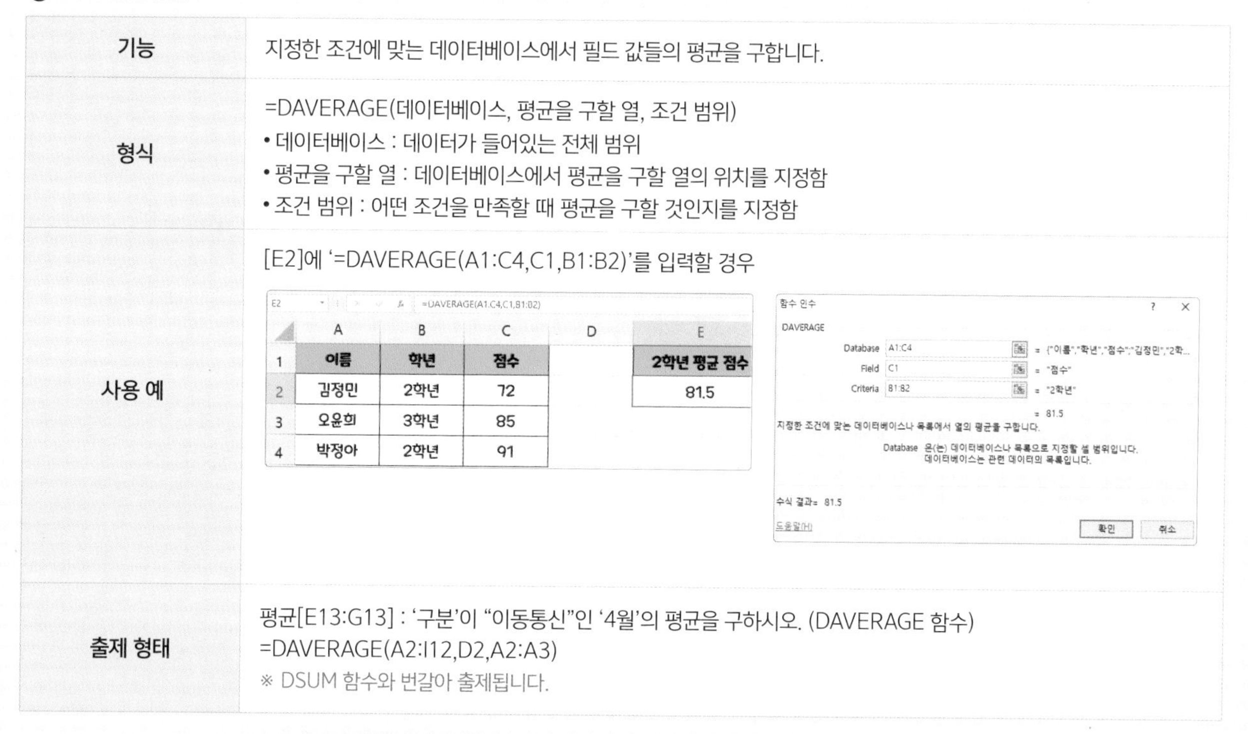

기능	지정한 조건에 맞는 데이터베이스에서 필드 값들의 평균을 구합니다.
형식	=DAVERAGE(데이터베이스, 평균을 구할 열, 조건 범위) • 데이터베이스 : 데이터가 들어있는 전체 범위 • 평균을 구할 열 : 데이터베이스에서 평균을 구할 열의 위치를 지정함 • 조건 범위 : 어떤 조건을 만족할 때 평균을 구할 것인지를 지정함
사용 예	[E2]에 '=DAVERAGE(A1:C4,C1,B1:B2)'를 입력할 경우
출제 형태	평균[E13:G13] : '구분'이 "이동통신"인 '4월'의 평균을 구하시오. (DAVERAGE 함수) =DAVERAGE(A2:I12,D2,A2:A3) ※ DSUM 함수와 번갈아 출제됩니다.

	A	B	C	D	E
1	이름	학년	점수		2학년 평균 점수
2	김정민	2학년	72		81.5
3	오윤희	3학년	85		
4	박정아	2학년	91		

함수 인수
DAVERAGE
Database A1:C4 = {"이름","학년","점수";"김정민","2학...
Field C1 = "점수"
Criteria B1:B2 = "2학년"
= 81.5
지정한 조건에 맞는 데이터베이스나 목록에서 열의 평균을 구합니다.
Database 은(는) 데이터베이스나 목록으로 지정할 셀 범위입니다. 데이터베이스는 관련 데이터의 목록입니다.
수식 결과= 81.5
도움말(H) 확인 취소

【문제 1】 **"판매현황" 시트를 참조하여 다음 《처리조건》에 맞도록 작업하시오.(50점)**

《출력형태》

세대별 키보드 판매 현황

제품명	구분	종류	20대	30대	40대	평균	순위	비고
해커K590	유선	적축	1,108	408	491	669대	6위	
크래프트	블루투스	멤브레인	355	1,337	1,063	918대	2위	인기상품
케이83	무선	적축	713	1,138	403	751대	5위	
케이70	유선	적축	1,188	272	364	608대	8위	
케이660	유선	광축	996	1,332	411	913대	3위	인기상품
케이380	블루투스	멤브레인	499	1,039	735	593대	9위	
올인원미디어	무선	멤브레인	469	494	816	593대	9위	
씨케이800	유선	광축	1,061	461	470	664대	7위	
리줌Z35	블루투스	광축	1,438	1,052	491	994대	1위	인기상품
레트로48	무선	멤브레인	455	439	1,405	766대	4위	
'종류'가 "적축"인 '30대'의 평균				606				
'20대'의 최대값-최소값 차이				1,083				
'40대' 중 세 번째로 작은 값				411				

《처리조건》

▶ 1행의 행 높이를 '80'으로 설정하고, 2행~15행의 행 높이를 '18'로 설정하시오.

▶ 제목("세대별 키보드 판매 현황") : 기본 도형의 '십자형'을 이용하여 입력하시오.

- 도형 : 위치([B1:H1]), 도형 스타일(테마 스타일 - 미세 효과 - '황금색, 강조 4')
- 글꼴 : 돋움체, 24pt, 기울임꼴
- 도형 서식 : 도형 옵션 - 크기 및 속성(텍스트 상자(세로 맞춤 : 정가운데, 텍스트 방향 : 가로))

▶ 셀 서식을 아래 조건에 맞게 작성하시오.

- [A2:I15] : 테두리(안쪽, 윤곽선 모두 실선, '검정, 텍스트 1'), 전체 가운데 맞춤
- [A13:D13], [A14:D14], [A15:D15] : 각각 병합하고 가운데 맞춤
- [A2:I2], [A13:D15] : 채우기 색('노랑'), 글꼴(굵게)
- [D3:F12], [E13:G15] : 셀 서식의 표시 형식-숫자를 이용하여 1000 단위 구분 기호 표시
- [G3:G12] : 셀 서식의 표시 형식-사용자 지정을 이용하여 #,##0"대"자를 추가
- [H3:H12] : 셀 서식의 표시 형식-사용자 지정을 이용하여 #"위"자를 추가
- 조건부 서식[A3:I12] : '종류'가 "광축"인 경우 레코드 전체에 글꼴(파랑, 굵게) 적용
- 지시사항이 없는 경우는 주어진 문제파일의 서식을 그대로 사용하시오.

▶ ① 순위[H3:H12] : '평균'을 기준으로 큰 순으로 순위를 구하시오. (RANK.EQ 함수)

▶ ② 비고[I3:I12] : '평균'이 900 이상이면 "인기상품", 그렇지 않으면 공백으로 구하시오. (IF 함수)

▶ ③ 평균[E13:G13] : '종류'가 "적축"인 '30대'의 평균을 구하시오. (DAVERAGE 함수)

▶ ④ 최대값-최소값[E14:G14] : '20대'의 최대값과 최소값의 차이를 구하시오. (MAX, MIN 함수)

▶ ⑤ 순위[E15:G15] : '40대' 중 세 번째로 작은 값을 구하시오. (SMALL 함수)

01 RANK.EQ 함수를 이용하여 큰 순으로 순위 구하기

▶ ① 순위[H3:H12] : '총금액'을 기준으로 큰 순으로 순위를 구하시오. (RANK.EQ 함수)

❶ [03차시] 폴더에서 '03차시(문제).xlsx' 파일을 실행하고 [이용현황] 시트를 선택합니다. 함수를 입력할 [H3] 셀을 선택하고 [수식] 탭-[함수 라이브러리] 그룹-[함수 더 보기]-[통계]-[RANK.EQ]를 클릭합니다.

RANK 함수는 'RANK.EQ' 함수와 'RANK.AVG' 함수로 나뉩니다. 두 함수는 동점자 처리 방식만 다른 함수이며, 시험에서는 RANK.EQ 함수가 출제됩니다.

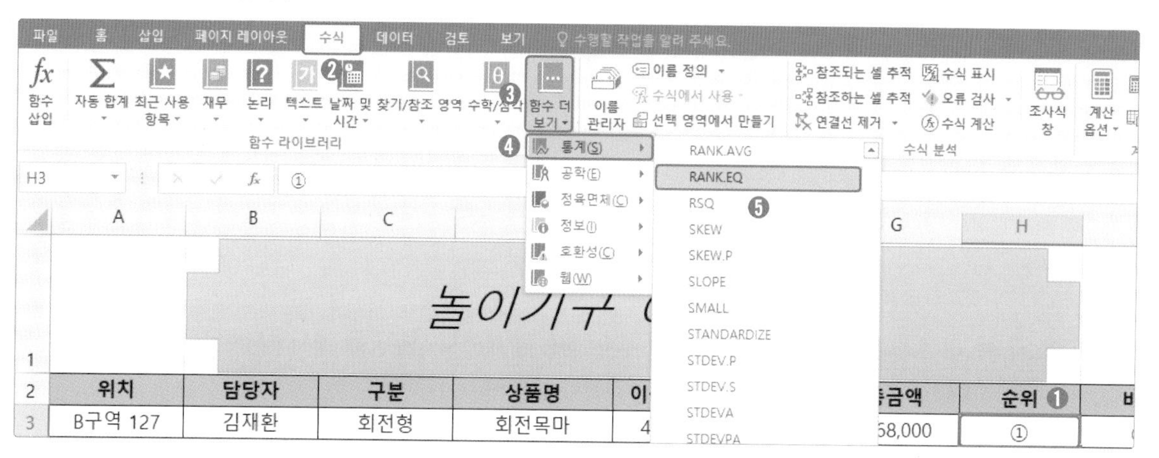

❷ [함수 인수] 대화상자가 나타나면 Number 입력 상자를 클릭하고 순위를 구할 '총금액'이 입력되어 있는 [G3] 셀을 선택합니다.

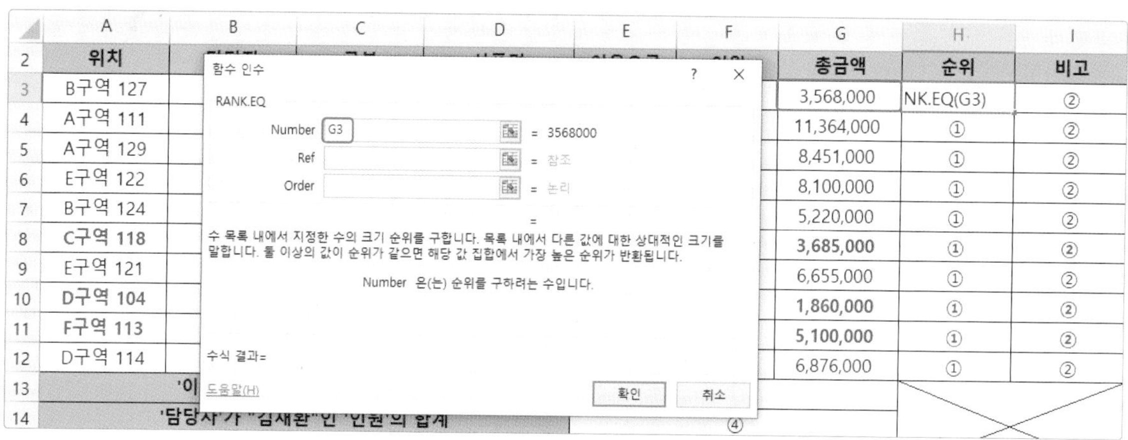

❸ Ref 입력 상자를 클릭하고 순위를 비교할 대상을 지정하기 위해 [G3:G12] 영역을 드래그합니다.

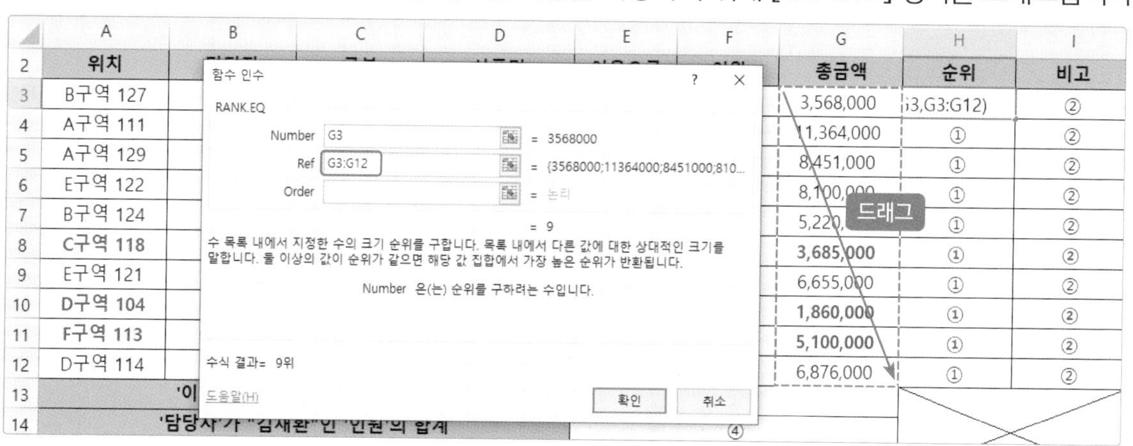

제12회 실전모의고사

- 시험과목 : 스프레드시트(엑셀)
- 시험일자 : 20XX. XX. XX.(X)
- 응시자 기재사항 및 감독위원 확인

수 검 번 호	DIS – XXXX –	감독위원 확인
성 명		

응시자 유의사항

1. 응시자는 신분증을 지참하여야 시험에 응시할 수 있으며, 시험이 종료될 때까지 신분증을 제시하지 못할 경우 해당 시험은 0점 처리됩니다.
2. 시스템(PC 작동 여부, 네트워크 상태 등)의 이상 여부를 반드시 확인하여야 하며, 시스템 이상이 있을시 감독위원에게 조치를 받으셔야 합니다.
3. 시험 중 부주의 또는 고의로 시스템을 파손한 경우는 응시자 부담으로 합니다.
4. 답안 전송 프로그램을 통해 다운로드 받은 파일을 이용하여 답안 파일을 작성하시기 바랍니다.
5. 작성한 답안 파일은 답안 전송 프로그램을 통하여 전송됩니다. 감독위원의 지시에 따라 주시기 바랍니다.
6. 다음 사항의 경우 실격(0점) 혹은 부정행위 처리됩니다.
   ❶ 답안 파일을 저장하지 않았거나, 저장한 파일이 손상되었을 경우
   ❷ 답안 파일을 지정된 폴더(바탕화면 "KAIT" 폴더)에 저장하지 않았을 경우
   ※ 답안 전송 프로그램 로그인 시 바탕화면에 자동 생성됨
   ❸ 답안 파일을 다른 보조기억장치(USB) 혹은 네트워크(메신저, 게시판 등)로 전송할 경우
   ❹ 휴대용 전화기 등 통신기기를 사용할 경우
7. 시험지에 제시된 글꼴이 응시 프로그램에 없는 경우, 반드시 감독위원에게 해당 내용을 통보한 뒤 조치를 받아야 합니다.
8. 시험의 완료는 작성이 완료된 답안을 저장하고, 답안 전송이 완료된 상태를 확인한 것으로 합니다. 답안 전송 확인 후 문제지는 감독위원에게 제출한 후 퇴실하여야 합니다.
9. 답안 전송이 완료된 경우에는 수정 또는 정정이 불가능합니다.
10. 시험시행 후 결과는 홈페이지(www.ihd.or.kr)에서 확인하시기 바랍니다.
    ❶ 문제 및 모범답안 공개 : 20XX. XX. XX.(X)
    ❷ 합격자 발표 : 20XX. XX. XX.(X)

❹ 수식을 복사하더라도 순위 비교 대상은 변경되지 않도록 절대 참조로 지정하기 위해 입력 상자에 입력된 'G3:G12' 텍스트를 드래그하여 블록 지정하고 F4를 한 번 누릅니다. 절대 참조(**$G$3:$G$12**)로 지정된 것을 확인하고 [확인]을 클릭합니다.

내림차순(총금액이 큰 순서대로 순위가 표시)으로 표시되어야 하므로 Order는 숫자 '0'을 입력하거나 빈칸으로 둡니다.

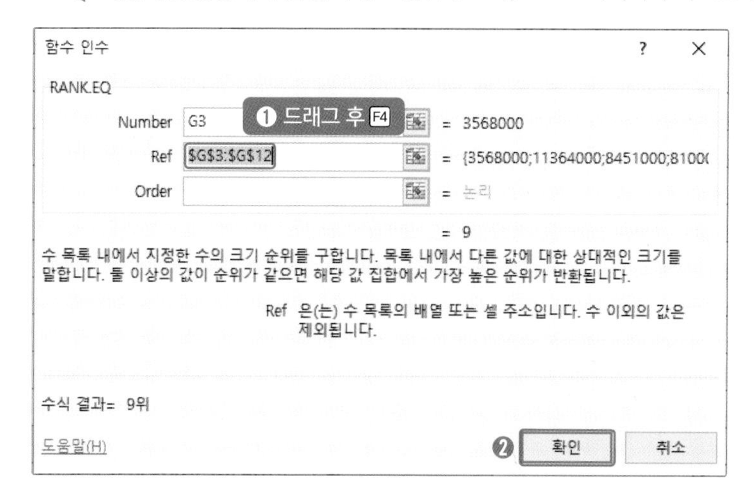

레벨 업 F4로 셀 참조 변환 빠르게 하기

참조할 셀 주소를 입력하고 F4를 누를 때마다 '상대 참조-절대 참조-행 고정 혼합 참조-열 고정 혼합 참조' 순서로 변경되며 한 번 더 F4를 누르면 처음 입력했던 '상대 참조'로 바뀝니다.

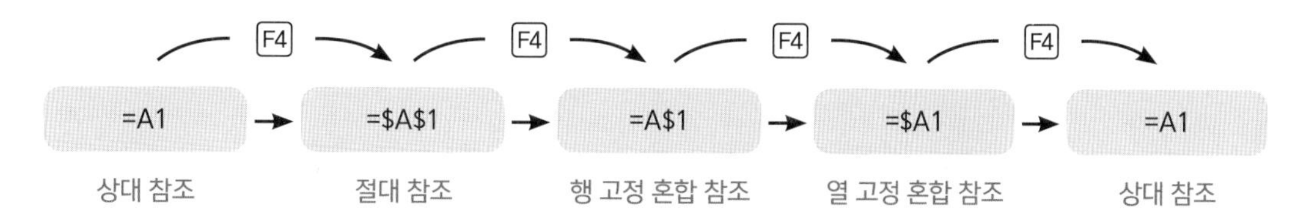

❺ [H3] 셀의 순위가 구해진 것을 확인하고 수식을 복사하기 위해 **[H3]** 셀의 채우기 핸들(+)을 **[H12]** 셀까지 드래그합니다.

표시 형식에서 숫자 뒤에 "위"자가 표시되도록 지정하였으므로 '1위', '2위' 형태로 표시됩니다.

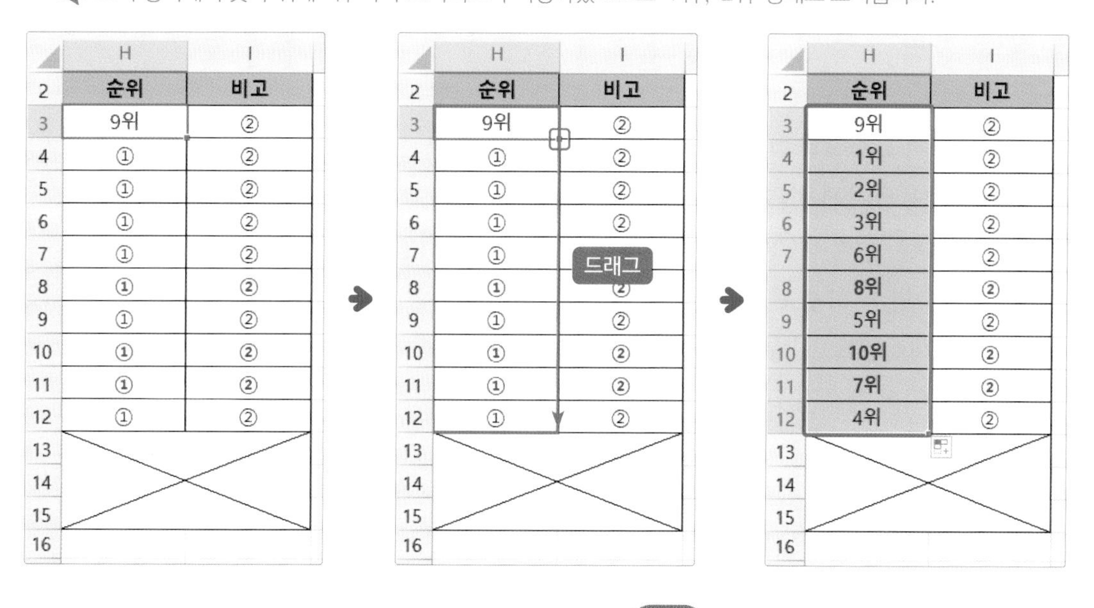

【문제 5】 "차트" 시트를 참조하여 다음 《처리조건》에 맞도록 작업하시오.(30점)

《출력형태》

분류	강좌명	강사명	수강인원	수강료	강사료
공예	도자기	배종기	30	100,000	3,000,000
플라워	화원	이하나	26	250,000	6,500,000
플라워	캔들	한명희	17	130,000	2,210,000
바느질	펠트	정준호	19	200,000	3,800,000
바느질	홈패션	김상경	35	170,000	5,950,000

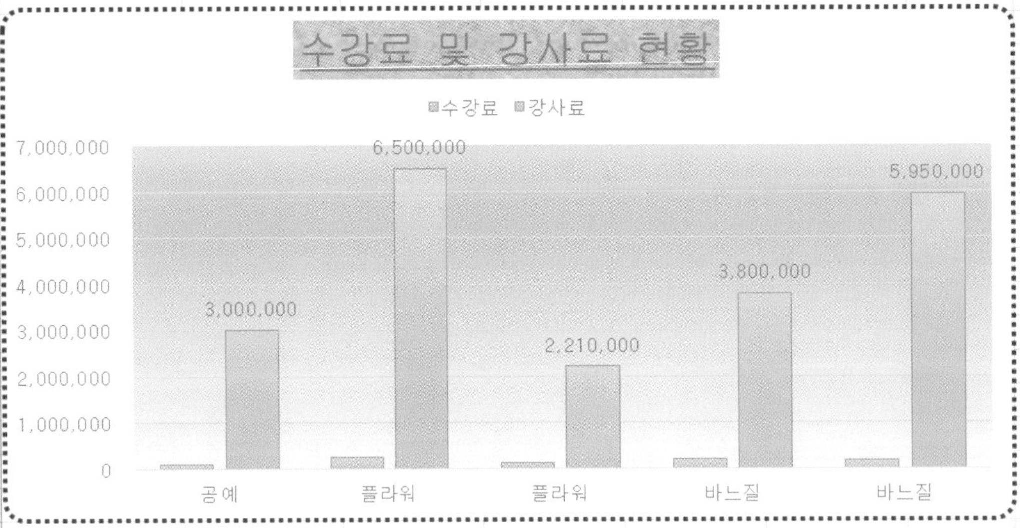

《처리조건》

▶ "차트" 시트에 주어진 표를 이용하여 '묶은 세로 막대형' 차트를 작성하시오.
- 데이터 범위 : 현재 시트 [A2:A7], [E2:F7]의 데이터를 이용하여 작성하고, 행/열 전환은 '열'로 지정
- 차트 제목("수강료 및 강사료 현황")
- 범례 위치 : 위쪽
- 차트 스타일 : 색 변경(색상형 - 색 2, 스타일 5)
- 차트 위치 : 현재 시트에 [A10:G24] 크기에 정확하게 맞추시오.
- 차트 영역 서식 : 글꼴(돋움, 10pt), 테두리 색(실선, 색 : 진한 파랑), 테두리 스타일(너비 : 2.25pt, 겹선 종류 : 단순형, 대시 종류 : 둥근 점선, 둥근 모서리)
- 차트 제목 서식 : 글꼴(굴림체, 20pt, 밑줄), 채우기(그림 또는 질감 채우기, 질감 : 분홍 박엽지)
- 그림 영역 서식 : 채우기(그라데이션 채우기, 그라데이션 미리 설정 : 밝은 그라데이션 - 강조 5, 종류 : 선형, 방향 : 선형 위쪽)
- 데이터 레이블 추가 : '강사료' 계열에 "값" 표시

▶ 지시사항이 없는 경우는 《출력형태》와 동일하게 작성하시오.

함수식 직접 입력하기

함수 마법사를 이용하지 않고 [H3] 셀에 다음과 같이 수식을 입력하면 더 빠르게 값을 구할 수 있습니다.

=RANK.EQ(G3,$G$3:$G$12)
❶ ❷ ❸ ❹

❶ : 수식을 입력하기 위해서는 등호(=)를 가장 먼저 입력합니다.
❷ : 함수 이름을 입력합니다.
❸ : 순위를 구할 셀을 입력합니다.
❹ : 순위 비교 대상 셀을 입력합니다.(절대 참조)

※ 절대 참조는 F4를 이용하지 않고 키보드에서 직접 입력해도 됩니다.

02 IF 함수를 이용하여 조건에 맞는 결괏값 구하기

▸ ② 비고[I3:I12] : '이용요금'이 10000 미만이면 "인상예정", 그렇지 않으면 공백으로 구하시오. (IF 함수)

❶ 함수를 입력할 [I3] 셀을 선택하고 [수식] 탭-[함수 라이브러리] 그룹-[논리]-[IF]를 클릭합니다.

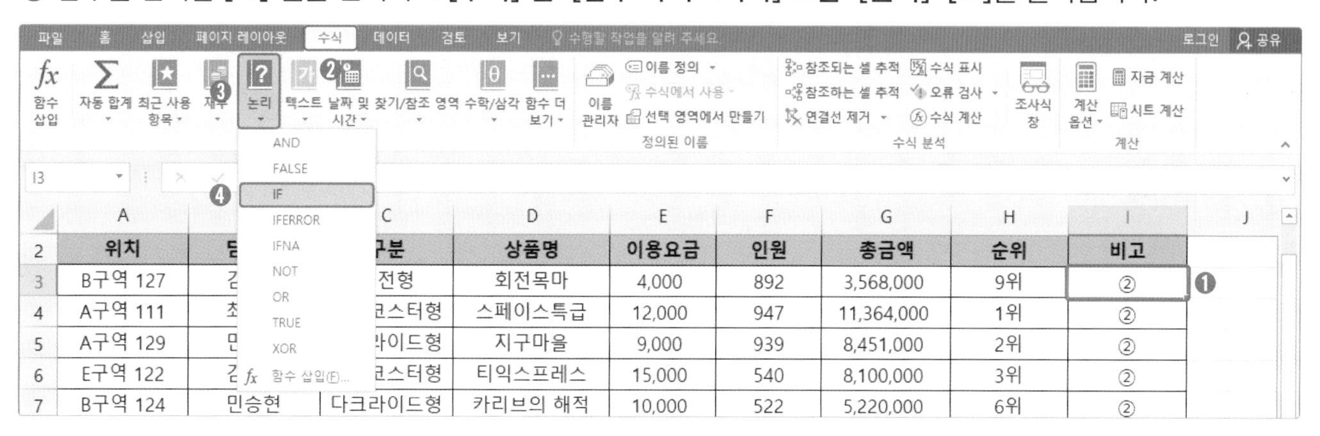

❷ [함수 인수] 대화상자가 나타나면 Logical_test 입력 상자를 클릭하고 이용요금이 10000 미만인 조건 E3<10000을 입력합니다.

'미만'은 '~보다 작음'을 의미하며, 기호는 '<' 로 표시합니다.

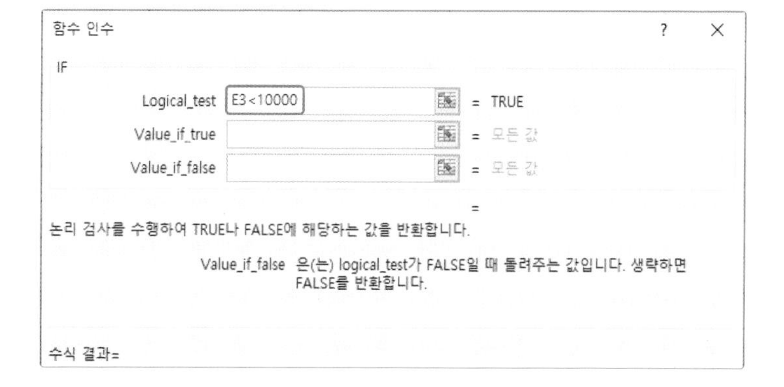

❸ Value_if_true 입력 상자를 클릭하고 조건을 만족할 때 표시할 **"인상예정"**을 입력합니다.

표시하고자 하는 텍스트는 큰따옴표(" ") 안에 입력합니다.

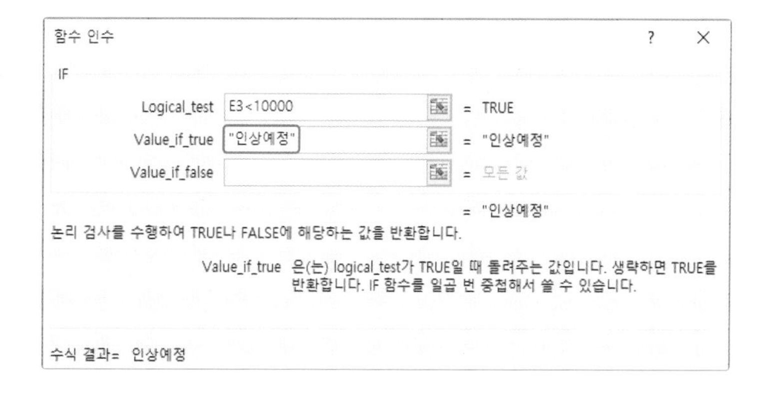

【문제 4】 "피벗테이블" 시트를 참조하여 다음 《처리조건》에 맞도록 작업하시오.(30점)

《출력형태》

	A	B	C	D
1				
2				
3			분류	
4	강좌명	값	서예	플라워
5	기본학습	평균 : 수강료	25,000	*
6		평균 : 강사료	1,500,000	*
7	자이언트	평균 : 수강료	*	230,000
8		평균 : 강사료	*	5,750,000
9	캔들	평균 : 수강료	*	130,000
10		평균 : 강사료	*	2,210,000
11	전체 평균 : 수강료		25,000	180,000
12	전체 평균 : 강사료		1,500,000	3,980,000
13				

《처리조건》

▶ "피벗테이블" 시트의 [A2:G12]를 이용하여 새로운 시트에 《출력형태》와 같이 피벗 테이블을 작성 후 시트명을 "피벗테이블 정답"으로 수정하시오.

▶ 강좌명(행)과 분류(열)를 기준으로 하여 출력형태와 같이 구하시오.

- '수강료', '강사료'의 평균을 구하시오.
- 피벗 테이블 옵션을 이용하여 레이블이 있는 셀 병합 및 가운데 맞춤하고 빈 셀을 "*"로 표시한 후, 행의 총합계를 감추기 하시오.
- 피벗 테이블 디자인에서 보고서 레이아웃은 '테이블 형식으로 표시', 피벗 테이블 스타일은 '피벗 스타일 보통 10'으로 표시하시오.
- 강좌명(행)은 "기본학습", "자이언트", "캔들"만 출력되도록 표시하시오.
- [C5:D12] 데이터는 셀 서식의 표시 형식-숫자를 이용하여 1000 단위 구분 기호를 표시하고, 가운데 맞춤하시오.

▶ 강좌명의 순서는 《출력형태》와 다를 수 있음

▶ 지시사항이 없는 경우는 《출력형태》와 동일하게 작성하시오.

❹ Value_if_false 입력 상자를 클릭하고 조건을 만족하지 않을 때 공백을 표시하기 위해 공백을 의미하는 “”를 입력하고 [확인]을 클릭합니다.

공백을 표시하고자 할 때에는 큰따옴표(“ ”)만 입력합니다.

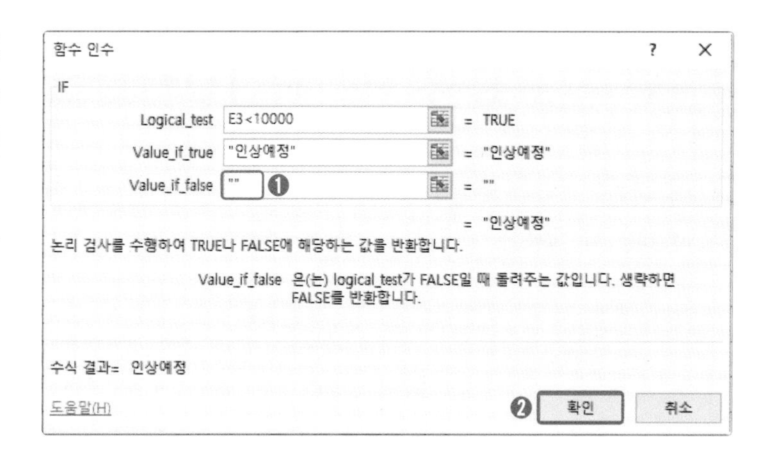

❺ [I3] 셀에 결과가 구해진 것을 확인하고 수식을 복사하기 위해 [I3] 셀의 채우기 핸들(+)을 [I12] 셀까지 드래그합니다.

[I3] 셀은 [E3] 셀에 입력된 값이 10000원 미만이므로 “인상예정”이 표시됩니다.

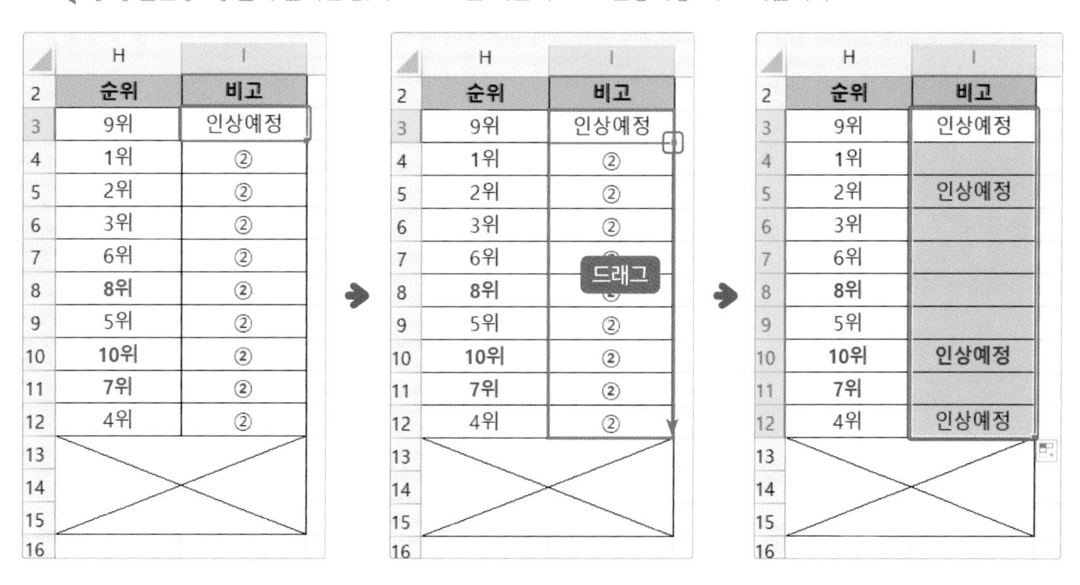

함수식 직접 입력하기

함수 마법사를 이용하지 않고 [I3] 셀에 다음과 같이 수식을 직접 입력하면 더 빠르게 값을 구할 수 있습니다.

=IF(E3<10000,"인상예정","")

❶❷ ❸ ❹ ❺

❶ : 수식은 등호(=)로 시작합니다.
❷ : 함수 이름을 입력합니다.
❸ : 참, 거짓을 판단할 조건을 입력합니다.
❹ : 조건이 참인 경우 나타낼 값을 입력합니다.
❺ : 조건이 거짓인 경우 나타낼 값을 입력합니다.

(2) 시나리오

《출력형태-시나리오》

	A	B	C	D	E	F	G
1							
2		시나리오 요약					
3				현재 값:	수강료 15000 증가	수강료 12500 감소	
5		변경 셀:					
6			$F$4	250,000	265,000	237,500	
7			$F$5	130,000	145,000	117,500	
8			$F$9	75,000	90,000	62,500	
9			$F$12	230,000	245,000	217,500	
10		결과 셀:					
11			$G$4	6,500,000	6,890,000	6,175,000	
12			$G$5	2,210,000	2,465,000	1,997,500	
13			$G$9	2,550,000	3,060,000	2,125,000	
14			$G$12	5,750,000	6,125,000	5,437,500	
15		참고: 현재 값 열은 시나리오 요약 보고서가 작성될 때의					
16		변경 셀 값을 나타냅니다. 각 시나리오의 변경 셀들은					
17		회색으로 표시됩니다.					
18							

《처리조건》

▶ "시나리오" 시트의 [A2:G12]를 이용하여 '분류'가 "플라워"인 경우, '수강료'가 변동할 때 '강사료'가 변동하는 가상 분석(시나리오)을 작성하시오.

- 시나리오1 : 시나리오 이름은 "수강료 15000 증가", '수강료'에 15000을 증가시킨 값 설정.
- 시나리오2 : 시나리오 이름은 "수강료 12500 감소", '수강료'에 12500을 감소시킨 값 설정.
- "시나리오 요약" 시트를 작성하시오.

▶ 지시사항이 없는 경우는 《출력형태 - 시나리오》와 동일하게 작성하시오.

03 SMALL 함수를 이용하여 두 번째로 작은 값 구하기

▶ ③ 순위[E13:G13] : '이용요금' 중 두 번째로 작은 값을 구하시오. (SMALL 함수)

❶ '이용요금' 중 두 번째로 작은 값을 표시할 [E13:G13] 셀을 선택하고 **[수식]** 탭-**[함수 라이브러리]** 그룹-**[함수 더 보기]**-**[통계]**-[SMALL]를 클릭합니다.

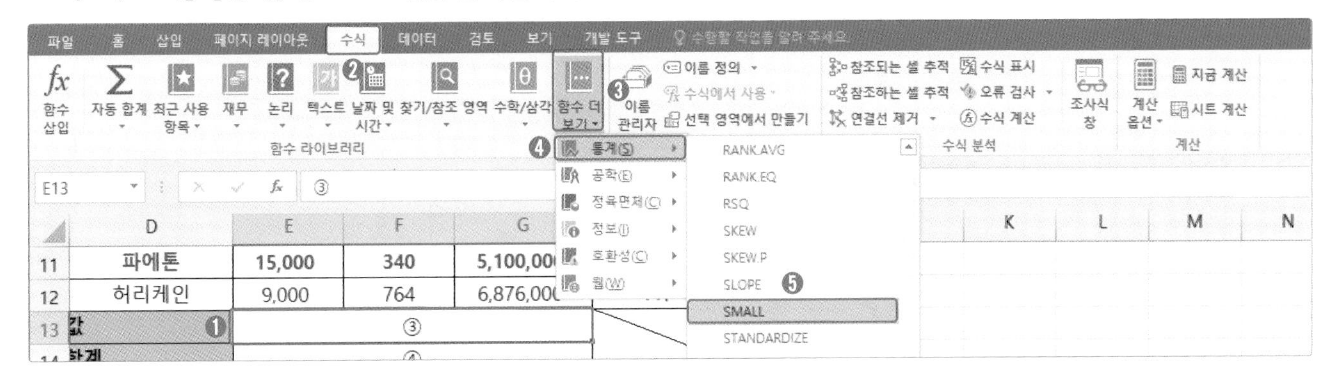

❷ [함수 인수] 대화상자가 나타나면 Array 입력 상자를 클릭하고 이용요금 범위인 [E3:E12]를 드래그합니다.

셀 범위를 드래그하지 않고 직접 입력해도 됩니다.

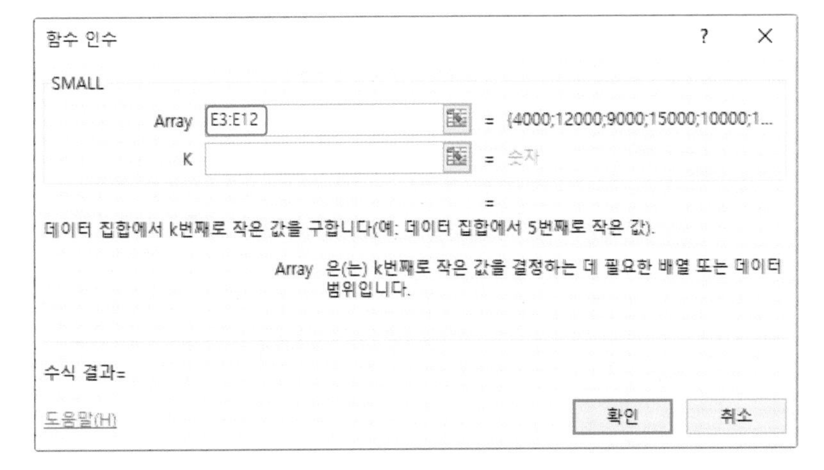

❸ 두 번째로 작은 값을 구하므로 K 입력 상자에는 2를 입력한 후 [확인]을 클릭합니다.

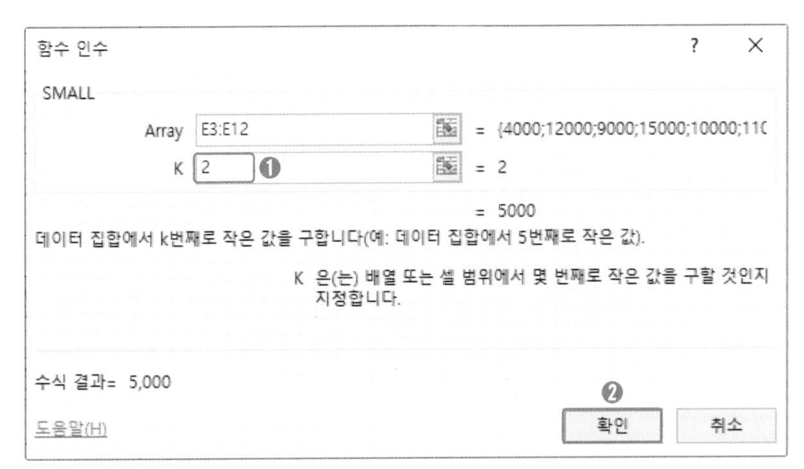

❹ 이용요금 중 두 번째로 작은 값이 구해진 것을 확인합니다.

	A	B	C	D	E	F	G	H	I
11	F구역 113	김재환	롤러코스터형	파에톤	15,000	340	5,100,000	7위	
12	D구역 114	민승현	회전형	허리케인	9,000	764	6,876,000	4위	인상예정
13	'이용요금' 중 두 번째로 작은 값				5,000				
14	'담당자'가 "김재환"인 '인원'의 합계				④				

【문제 3】 "필터"와 "시나리오" 시트를 참조하여 다음 《처리조건》에 맞도록 작업하시오.(60점)

(1) 필터

《출력형태 – 필터》

	A	B	C	D	E	F	G
1							
2	분류	강좌명	강사명	개설시간	수강인원	수강료	강사료
3	공예	도자기	배종기	주간	30	100,000	3,000,000
4	플라워	화원	이하나	야간	26	250,000	6,500,000
5	플라워	캔들	한명희	야간	17	130,000	2,210,000
6	바느질	펠트	정준호	주간	19	200,000	3,800,000
7	바느질	홈패션	김상경	주간	35	170,000	5,950,000
8	공예	라탄	정수경	주간	28	80,000	2,240,000
9	플라워	생화 트리	이다희	야간	34	75,000	2,550,000
10	서예	명언 쓰기	임선옥	야간	10	50,000	500,000
11	서예	기본학습	함소원	주간	60	25,000	1,500,000
12	플라워	자이언트	정예린	야간	25	230,000	5,750,000
13							
14	조건						
15	FALSE						
16							
17							
18	강좌명	강사명	수강료	강사료			
19	화원	이하나	250,000	6,500,000			
20	생화 트리	이다희	75,000	2,550,000			
21	자이언트	정예린	230,000	5,750,000			
22							

《처리조건》

▶ "필터" 시트의 [A2:G12]를 아래 조건에 맞게 고급 필터를 사용하여 작성하시오.

– '분류'가 "플라워"이면서 '수강인원'이 20 이상인 데이터를 '강좌명', '강사명', '수강료', '강사료'의 데이터만 필터링하시오.

– 조건 위치 : 조건 함수는 [A15] 한 셀에 작성(AND 함수 이용)

– 결과 위치 : [A18]부터 출력

▶ 지시사항이 없는 경우는 《출력형태 – 필터》와 동일하게 작성하시오.

LARGE 함수

특정 범위에서 몇 번째로 큰 값을 구하는 LARGE 함수도 자주 출제됩니다. SMALL 함수와 LARGE 함수는 번갈아 출제되므로 LARGE 함수의 사용 방법도 함께 알아두는 것이 좋습니다.

- 출제 유형 : '이용요금' 중 세 번째로 큰 값을 구하시오. (LARGE 함수)
- [수식] 탭-[함수 라이브러리] 그룹-[함수 더 보기]-[통계]-[LARGE]

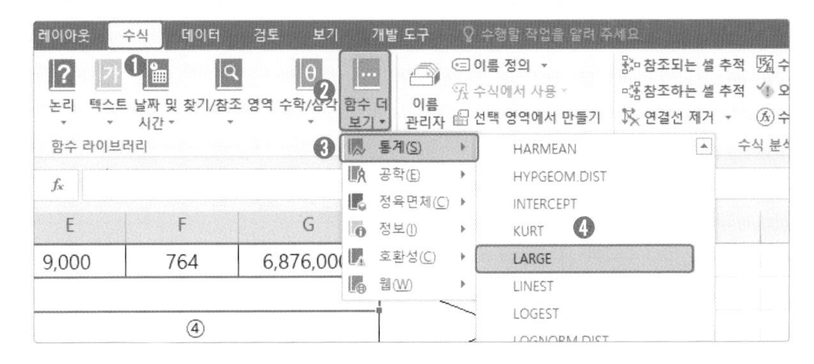

- [함수 인수] 대화상자

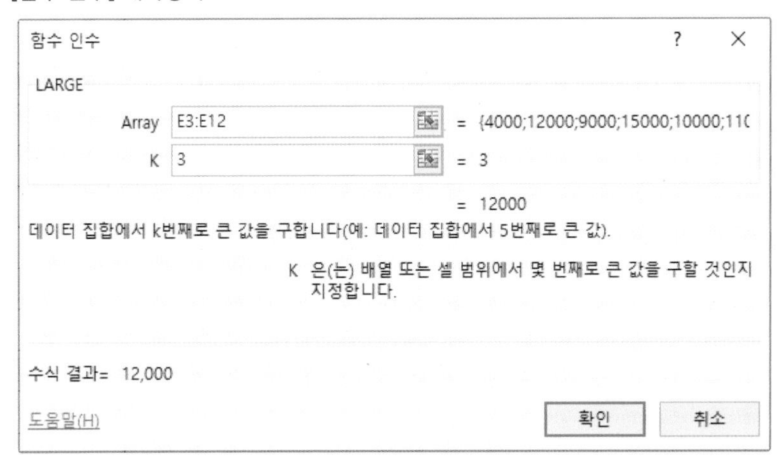

04 DSUM 함수를 이용하여 조건에 맞는 필드의 합계 구하기

▶ ④ 합계[E14:G14] : '담당자'가 "김재환"인 '인원'의 합계를 구하시오. (DSUM 함수)

❶ '담당자'가 "김재환"인 '인원'의 합계를 구하기 위해 **[E14:G14]** 영역을 선택하고 수식 입력줄의 **[함수 삽입(fx)]**을 클릭합니다.

DSUM 함수나 DAVERAGE 함수는 [수식] 탭-[함수 라이브러리] 그룹 메뉴에서 제공되지 않으므로 [함수 마법사]를 이용합니다.

E14 ❷ fx ④

	A	B (함수 삽입)	C	D	E	F	G	H	I
10	D구역 104	최현수	회전형	에드벌룬	5,000	372	1,860,000	10위	인상예정
11	F구역 113	김재환	롤러코스터형	파에톤	15,000	340	5,100,000	7위	
12	D구역 114	민승현	회전형	허리케인	9,000	764	6,876,000	4위	인상예정
13	'이용요금' 중 두 번째로 작은 값				5,000				
14	'담당자'가 "김재환"인 '인원'의 합계				④			❶	
15	'총금액'의 최대값-최소값 차이				⑤				

【문제 2】 **"부분합" 시트를 참조하여 다음 《처리조건》에 맞도록 작업하시오.(30점)**

《출력형태》

	A	B	C	D	E	F	G
1							
2	분류	강좌명	강사명	개설시간	수강인원	수강료	강사료
3	공예	도자기	배종기	주간	30	100,000	3,000,000
4	공예	라탄	정수경	주간	28	80,000	2,240,000
5	공예 최대값					100,000	3,000,000
6	공예 평균				29	90,000	
7	바느질	펠트	정준호	주간	19	200,000	3,800,000
8	바느질	홈패션	김상경	주간	35	170,000	5,950,000
9	바느질 최대값					200,000	5,950,000
10	바느질 평균				27	185,000	
11	서예	명언 쓰기	임선옥	야간	10	50,000	500,000
12	서예	기본학습	함소원	주간	60	25,000	1,500,000
13	서예 최대값					50,000	1,500,000
14	서예 평균				35	37,500	
15	플라워	화원	이하나	야간	26	250,000	6,500,000
16	플라워	캔들	한명희	야간	17	130,000	2,210,000
17	플라워	생화 트리	이다희	야간	34	75,000	2,550,000
18	플라워	자이언트	정예린	야간	25	230,000	5,750,000
19	플라워 최대값					250,000	6,500,000
20	플라워 평균				25.5	171,250	
21	전체 최대값					250,000	6,500,000
22	전체 평균				28.4	131,000	
23							

《처리조건》

▶ 데이터를 '분류'를 기준으로 오름차순 정렬하시오.

▶ 아래 조건에 맞는 부분합을 작성하시오.

- '분류'로 그룹화하여 '수강인원', '수강료'의 평균을 구하는 부분합을 만드시오.
- '분류'로 그룹화하여 '수강료', '강사료'의 최대값을 구하는 부분합을 만드시오.
  (새로운 값으로 대치하지 말 것)
- [F3:G22] 영역에 셀 서식의 표시 형식-숫자를 이용하여 1000 단위 구분 기호를 표시하시오.

▶ D~E열을 선택하여 그룹을 설정하시오.

▶ 평균과 최대값의 부분합 순서는 《출력형태》와 다를 수 있음

▶ 지시사항이 없는 경우는 기본 값을 적용하시오.

❷ [함수 마법사] 대화상자가 나타나면 함수 검색에 "DSUM"을 입력하고 [검색]을 클릭합니다. 함수 선택에 'DSUM'이 표시되면 클릭하여 선택하고 [확인]을 클릭합니다.

함수 이름은 대문자와 소문자를 구분하지 않습니다.

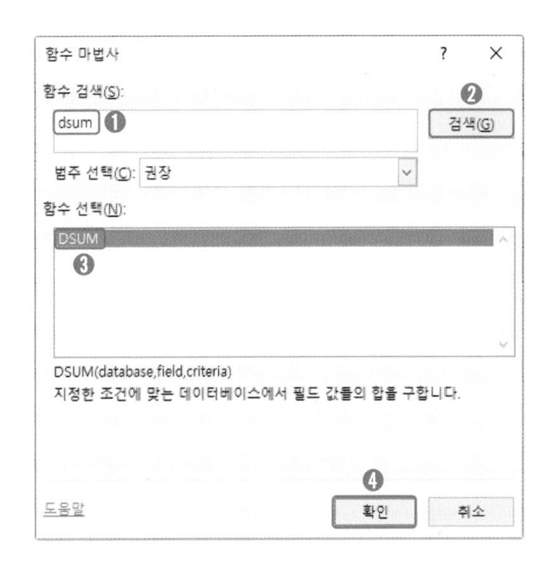

❸ [함수 인수] 대화상자가 나타나면 Database 입력 상자를 클릭하고 데이터베이스의 셀 범위인 [A2:I12] 영역을 드래그합니다.

'A2:I12'를 직접 입력해도 됩니다.

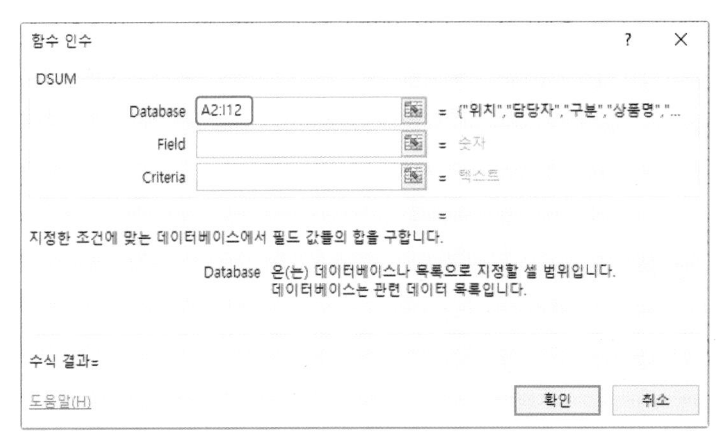

❹ 인원의 합계를 구해야 하므로 Field 입력 상자를 클릭하고 [F2] 셀을 클릭합니다.

'F2'를 직접 입력해도 됩니다.

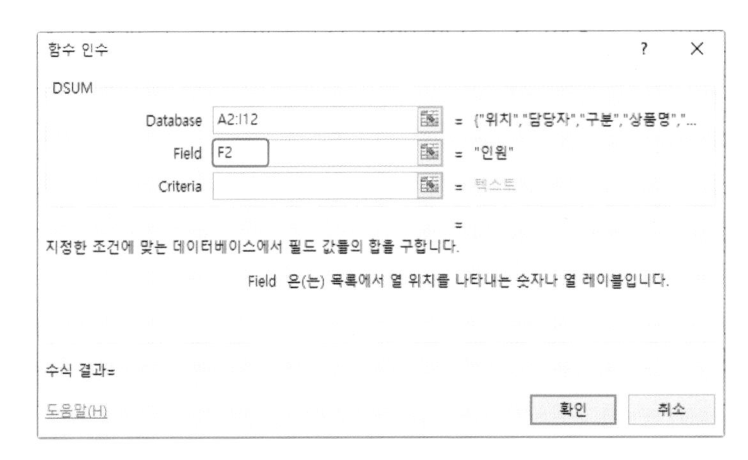

❺ '담당자'가 "김재환"인 조건을 지정하기 위해 Criteria의 입력 상자를 클릭하고 [B2:B3] 영역을 드래그한 후 [확인]을 클릭합니다.

'B2:B3'을 직접 입력해도 됩니다.

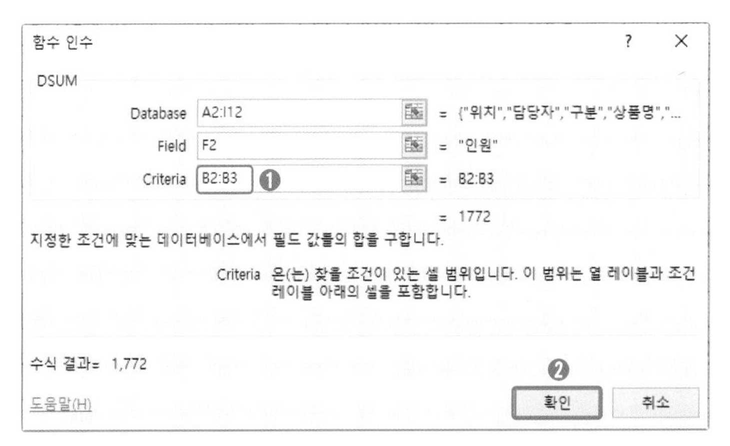

【문제 1】 **"매출현황" 시트를 참조하여 다음 《처리조건》에 맞도록 작업하시오.(50점)**

《출력형태》

개발인력센터 강좌 현황

분류	강좌명	강사명	개설시간	수강인원	수강료	강사료	순위	비고
공예	도자기	배종기	주간	30	100,000	3,000,000	4	인기강좌
플라워	화원	이하나	야간	26	250,000	6,500,000	6	
플라워	캔들	한명희	야간	17	130,000	2,210,000	9	
바느질	펠트	정준호	주간	19	200,000	3,800,000	8	
바느질	홈패션	김상경	주간	35	170,000	5,950,000	2	인기강좌
공예	라탄	정수경	주간	28	80,000	2,240,000	5	
플라워	생화 트리	이다희	야간	34	75,000	2,550,000	3	인기강좌
서예	명언 쓰기	임선옥	야간	10	50,000	500,000	10	
서예	기본학습	함소원	주간	60	25,000	1,500,000	1	인기강좌
플라워	자이언트	정예린	야간	25	230,000	5,750,000	7	
'분류'가 "공예"인 '강사료'의 합계				5,240,000원				
'수강료'의 최대값-최소값 차이				225,000원				
'강사료' 중 다섯 번째로 큰 값				3,000,000원				

《처리조건》

▶ 1행의 행 높이를 '80'으로 설정하고, 2행~15행의 행 높이를 '18'로 설정하시오.

▶ 제목("개발인력센터 강좌 현황") : 기본 도형의 '육각형'을 이용하여 입력하시오.

- 도형 : 위치([B1:H1]), 도형 스타일(테마 스타일 – 미세 효과 – '파랑, 강조 1')
- 글꼴 : 바탕, 28pt, 밑줄
- 도형 서식 : 도형 옵션 – 크기 및 속성(텍스트 상자(세로 맞춤 : 정가운데, 텍스트 방향 : 가로))

▶ 셀 서식을 아래 조건에 맞게 작성하시오.

- [A2:I15] : 테두리(안쪽, 윤곽선 모두 실선, '검정, 텍스트 1'), 전체 가운데 맞춤
- [A13:D13], [A14:D14], [A15:D15] : 각각 병합하고 가운데 맞춤
- [A2:I2], [A13:D15] : 채우기 색('파랑, 강조 1, 40% 더 밝게'), 글꼴(굵게)
- [D3:D12] : 셀 서식의 표시 형식–사용자 지정을 이용하여 @"간"자를 추가
- [F3:G12] : 셀 서식의 표시 형식–숫자를 이용하여 1000 단위 구분 기호 표시
- [E13:G15] : 셀 서식의 표시 형식–사용자 지정을 이용하여 #,##0"원"자를 추가
- 조건부 서식[A3:I12] : '수강료'가 200000 이상인 경우 레코드 전체에 글꼴(녹색, 굵은 기울임꼴) 적용
- 지시사항이 없는 경우는 주어진 문제파일의 서식을 그대로 사용하시오.

▶ ① 순위[H3:H12] : '수강인원'을 기준으로 큰 순으로 '순위'를 구하시오. (RANK.EQ 함수)

▶ ② 비고[I3:I12] : '수강인원'이 30명 이상이면 "인기강좌", 그렇지 않으면 공백을 구하시오. (IF 함수)

▶ ③ 합계[E13:G13] : '분류'가 "공예"인 '강사료'의 합계를 구하시오. (DSUM 함수)

▶ ④ 최대값–최소값[E14:G14] : '수강료'의 최대값과 최소값의 차이를 구하시오. (MAX, MIN 함수)

▶ ⑤ 순위[E15:G15] : '강사료' 중 다섯 번째로 큰 값을 구하시오. (LARGE 함수)

❻ '담당자'가 "김재환"인 '인원'의 합계가 구해진 것을 확인합니다.

E14 =DSUM(A2:I12,F2,B2:B3)

	A	B	C	D	E	F	G	H	I
2	위치	담당자	구분	상품명	이용요금	인원	총금액	순위	비고
3	B구역 127	김재환	회전형	회전목마	4,000	892	3,568,000	9위	인상예정
4	A구역 111	최현수	롤러코스터형	스페이스특급	12,000	947	11,364,000	1위	
5	A구역 129	민승현	다크라이드형	지구마을	9,000	939	8,451,000	2위	인상예정
6	E구역 122	김재환	롤러코스터형	티익스프레스	15,000	540	8,100,000	3위	
7	B구역 124	민승현	다크라이드형	카리브의 해적	10,000	522	5,220,000	6위	
8	C구역 118	최현수	롤러코스터형	썬더폴스	11,000	335	3,685,000	8위	
9	E구역 121	민승현	다크라이드형	나이트메어	11,000	605	6,655,000	5위	
10	D구역 104	최현수	회전형	에드벌룬	5,000	372	1,860,000	10위	인상예정
11	F구역 113	김재환	롤러코스터형	파에톤	15,000	340	5,100,000	7위	
12	D구역 114	민승현	회전형	허리케인	9,000	764	6,876,000	4위	인상예정
13	'이용요금' 중 두 번째로 작은 값				5,000				
14	'담당자'가 "김재환"인 '인원'의 합계				1,772				
15	'총금액'의 최대값-최소값 차이				⑤				
16									

DAVERAGE 함수

특정 조건을 만족하는 필드 값의 평균을 구할 때 사용하는 DAVERAGE 함수도 자주 출제됩니다. DSUM 함수와 DAVERAGE 함수는 번갈아 출제되므로 DAVERAGE 함수의 사용 방법도 함께 알아두는 것이 좋습니다.

- 출제 유형 : '담당자'가 "김재환"인 '인원'의 평균을 구하시오. (DAVERAGE 함수)
- 함수 마법사에서 'DAVERAGE' 검색 후 선택

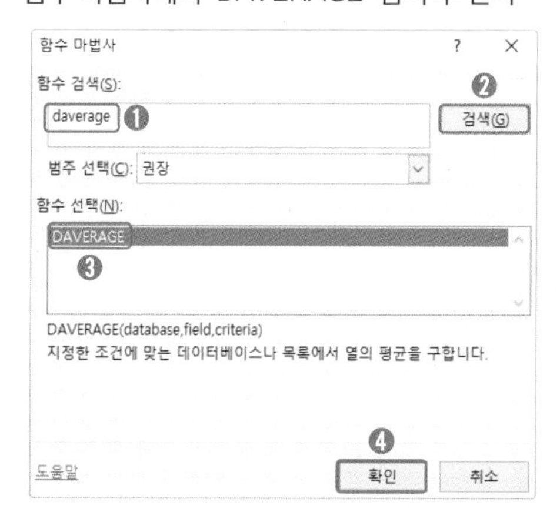

- [함수 인수] 대화상자

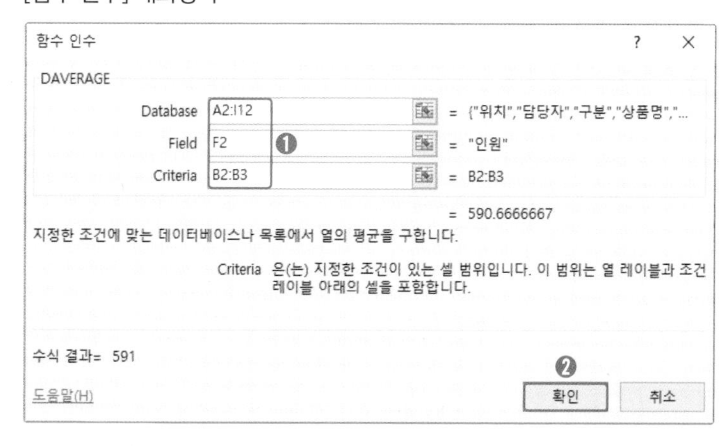

제11회 실전모의고사

- 시험과목 : 스프레드시트(엑셀)
- 시험일자 : 20XX. XX. XX.(X)
- 응시자 기재사항 및 감독위원 확인

수 검 번 호	DIS – XXXX –	감독위원 확인
성 명		

응시자 유의사항

1. 응시자는 신분증을 지참하여야 시험에 응시할 수 있으며, 시험이 종료될 때까지 신분증을 제시하지 못할 경우 해당 시험은 0점 처리됩니다.
2. 시스템(PC 작동 여부, 네트워크 상태 등)의 이상 여부를 반드시 확인하여야 하며, 시스템 이상이 있을시 감독위원에게 조치를 받으셔야 합니다.
3. 시험 중 부주의 또는 고의로 시스템을 파손한 경우는 응시자 부담으로 합니다.
4. 답안 전송 프로그램을 통해 다운로드 받은 파일을 이용하여 답안 파일을 작성하시기 바랍니다.
5. 작성한 답안 파일은 답안 전송 프로그램을 통하여 전송됩니다. 감독위원의 지시에 따라 주시기 바랍니다.
6. 다음 사항의 경우 실격(0점) 혹은 부정행위 처리됩니다.
   ❶ 답안 파일을 저장하지 않았거나, 저장한 파일이 손상되었을 경우
   ❷ 답안 파일을 지정된 폴더(바탕화면 "KAIT" 폴더)에 저장하지 않았을 경우
   ※ 답안 전송 프로그램 로그인 시 바탕화면에 자동 생성됨
   ❸ 답안 파일을 다른 보조기억장치(USB) 혹은 네트워크(메신저, 게시판 등)로 전송할 경우
   ❹ 휴대용 전화기 등 통신기기를 사용할 경우
7. 시험지에 제시된 글꼴이 응시 프로그램에 없는 경우, 반드시 감독위원에게 해당 내용을 통보한 뒤 조치를 받아야 합니다.
8. 시험의 완료는 작성이 완료된 답안을 저장하고, 답안 전송이 완료된 상태를 확인한 것으로 합니다. 답안 전송 확인 후 문제지는 감독위원에게 제출한 후 퇴실하여야 합니다.
9. 답안 전송이 완료된 경우에는 수정 또는 정정이 불가능합니다.
10. 시험시행 후 결과는 홈페이지(www.ihd.or.kr)에서 확인하시기 바랍니다.
   ❶ 문제 및 모범답안 공개 : 20XX. XX. XX.(X)
   ❷ 합격자 발표 : 20XX. XX. XX.(X)

MAX 함수와 MIN 함수로 최대값과 최소값의 차이 구하기

▶ ⑤ 최대값-최소값[E15:G15] : '총금액'의 최대값과 최소값의 차이를 구하시오. (MAX, MIN 함수)

❶ '총금액'의 최대값과 최소값의 차이를 표시할 [E15:G15] 영역을 선택하고 먼저 최대값을 구하기 위해 **[수식] 탭-[함수 라이브러리] 그룹-[함수 더 보기]-[통계]-[MAX]**를 클릭합니다.

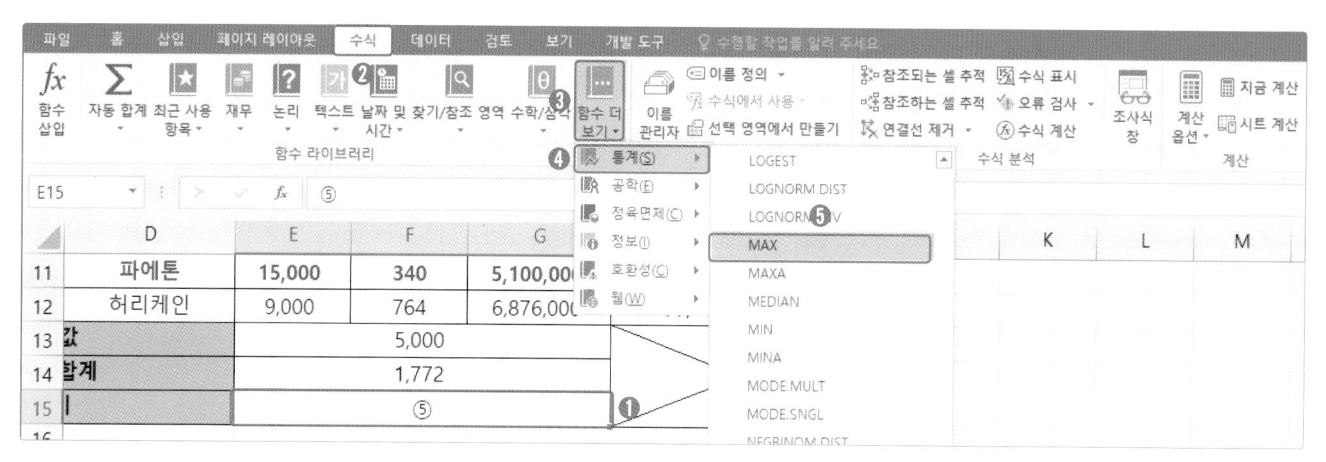

❷ [함수 인수] 대화 상자가 나타나면 Number1 입력 상자가 블록으로 지정된 상태에서 최대값을 구할 총금액이 입력된 [G3:G12] 영역을 드래그한 후 [확인]을 클릭합니다.

'G3:G12'를 직접 입력해도 됩니다.

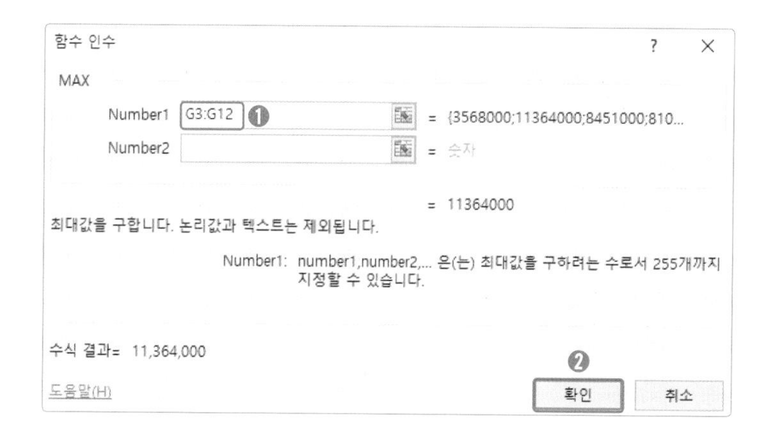

❸ 최대값의 결과가 표시되면 최소값과의 차이를 구하기 위해 [E15:G15] 셀을 더블 클릭하여 함수식 끝에 "-"를 입력한 후 다시 **[수식] 탭-[함수 라이브러리] 그룹-[함수 더 보기]-[통계]-[MIN]**을 클릭합니다.

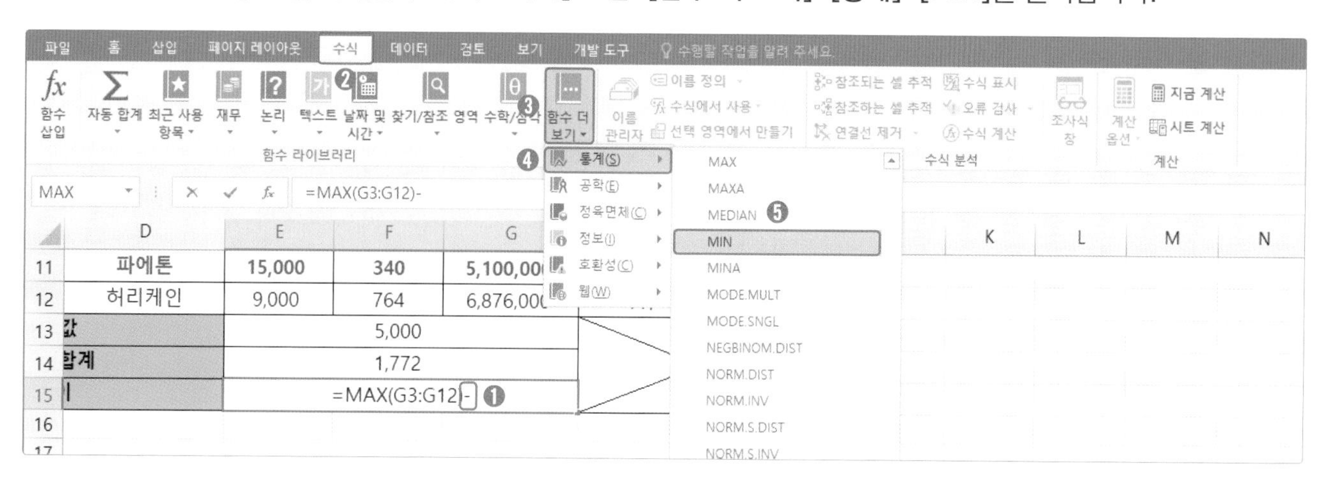

【문제 5】 "차트" 시트를 참조하여 다음 《처리조건》에 맞도록 작업하시오.(30점)

《출력형태》

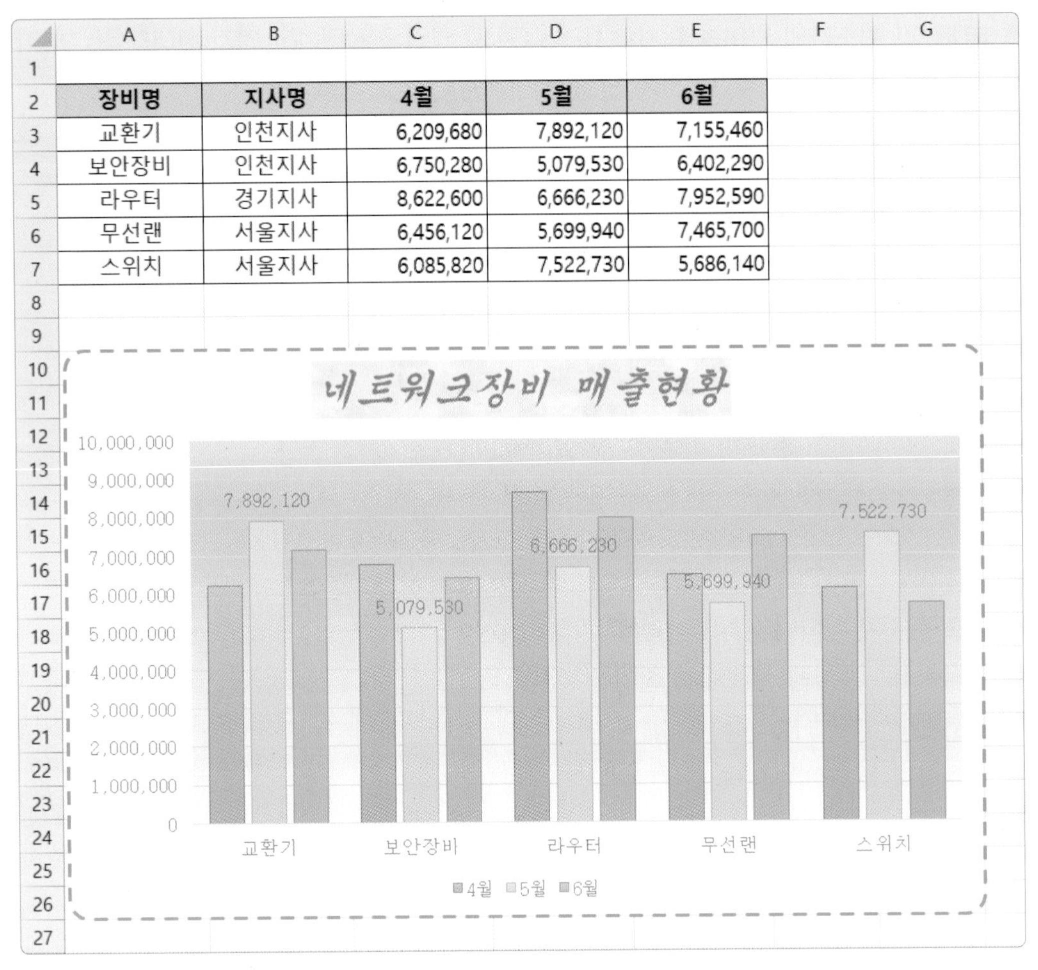

장비명	지사명	4월	5월	6월
교환기	인천지사	6,209,680	7,892,120	7,155,460
보안장비	인천지사	6,750,280	5,079,530	6,402,290
라우터	경기지사	8,622,600	6,666,230	7,952,590
무선랜	서울지사	6,456,120	5,699,940	7,465,700
스위치	서울지사	6,085,820	7,522,730	5,686,140

《처리조건》

▶ "차트" 시트에 주어진 표를 이용하여 '묶은 세로 막대형' 차트를 작성하시오.

- 데이터 범위 : 현재 시트 [A2:A7], [C2:E7]의 데이터를 이용하여 작성하고, 행/열 전환은 '열'로 지정
- 차트 제목("네트워크장비 매출현황")
- 범례 위치 : 아래쪽
- 차트 스타일 : 색 변경(색상형 – 색 3, 스타일 5)
- 차트 위치 : 현재 시트에 [A10:G26] 크기에 정확하게 맞추시오.
- 차트 영역 서식 : 글꼴(바탕체, 10pt), 테두리 색(실선, 색 : 녹색), 테두리 스타일(너비 : 2pt, 겹선 종류 : 단순형, 대시 종류 : 파선, 둥근 모서리)
- 차트 제목 서식 : 글꼴(궁서체, 20pt, 기울임꼴), 채우기(그림 또는 질감 채우기, 질감 : 양피지)
- 그림 영역 서식 : 채우기(그라데이션 채우기, 그라데이션 미리 설정 : 밝은 그라데이션 – 강조 6, 종류 : 선형, 방향 : 선형 위쪽)
- 데이터 레이블 추가 : '5월' 계열에 "값" 표시

▶ 지시사항이 없는 경우는 《출력형태》와 동일하게 작성하시오.

❹ [함수 인수] 대화 상자가 나타나면 Number1 입력 상자가 블록으로 지정된 상태에서 최소값을 구할 총금액이 입력된 [G3:G12] 영역을 드래그한 후 [확인]을 클릭합니다.

- 'G3:G12'를 직접 입력해도 됩니다.
- 제목 셀([G2])을 포함하지 않도록 주의합니다.

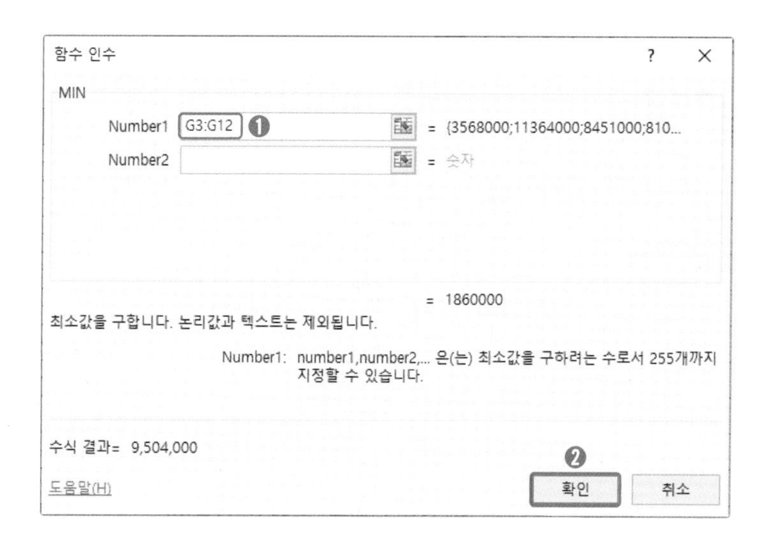

❺ 총금액의 최대값과 최소값의 차이가 구해진 것을 확인한 후 [빠른 실행 도구 모음]에서 **[저장(💾)]**을 클릭하거나 Ctrl+S를 눌러 파일을 저장합니다.

놀이기구 이용 현황

위치	담당자	구분	상품명	이용요금	인원	총금액	순위	비고
B구역 127	김재환	회전형	회전목마	4,000	892	3,568,000	9위	인상예정
A구역 111	최현수	롤러코스터형	스페이스특급	12,000	947	11,364,000	1위	
A구역 129	민승현	다크라이드형	지구마을	9,000	939	8,451,000	2위	인상예정
E구역 122	김재환	롤러코스터형	티익스프레스	15,000	540	8,100,000	3위	
B구역 124	민승현	다크라이드형	카리브의 해적	10,000	522	5,220,000	6위	
C구역 118	최현수	롤러코스터형	썬더폴스	11,000	335	3,685,000	8위	
E구역 121	민승현	다크라이드형	나이트메어	11,000	605	6,655,000	5위	
D구역 104	최현수	회전형	에드벌룬	5,000	372	1,860,000	10위	인상예정
F구역 113	김재환	롤러코스터형	파에톤	15,000	340	5,100,000	7위	
D구역 114	민승현	회전형	허리케인	9,000	764	6,876,000	4위	인상예정
'이용요금' 중 두 번째로 작은 값				5,000				
'담당자'가 "김재환"인 '인원'의 합계				1,772				
'총금액'의 최대값-최소값 차이				9,504,000				

함수식 직접 입력하기

함수 마법사를 이용하지 않고 [E15:G15] 셀에 다음과 같이 수식을 직접 입력하면 더 빠르게 값을 구할 수 있습니다.

=MAX(G3:G12)−MIN(G3:G12)

❶ ❷ ❸ ❹ ❺ ❻

❶ : 수식은 등호(=)로 시작합니다.
❷ : 최대값을 구하는 함수 이름을 입력합니다.
❸ : 최대값을 구할 범위를 입력합니다.
❹ : 최대값과 최소값의 차이를 구하기 위해 '−'를 입력합니다.
❺ : 최소값을 구하는 함수 이름을 입력합니다.
❻ : 최소값을 구할 범위를 입력합니다.

【문제 4】 "피벗테이블" 시트를 참조하여 다음 《처리조건》에 맞도록 작업하시오.(30점)

《출력형태》

	A	B	C	D	E
1					
2					
3			지사명		
4	구분	값	경기지사	서울지사	인천지사
5	기업망	평균 : 4월	8,986,970	6,456,120	6,750,280
6		평균 : 6월	7,776,790	7,465,700	6,402,290
7	이동통신	평균 : 4월	**	5,261,840	7,629,470
8		평균 : 6월	**	8,948,800	7,504,565
9	전체 평균 : 4월		8,986,970	5,858,980	7,336,407
10	전체 평균 : 6월		7,776,790	8,207,250	7,137,140
11					

《처리조건》

▶ 피벗테이블" 시트의 [A2:G12]를 이용하여 새로운 시트에 《출력형태》와 같이 피벗 테이블을 작성 후 시트명을 "피벗테이블 정답"으로 수정하시오.

▶ 구분(행)과 지사명(열)을 기준으로 하여 출력형태와 같이 구하시오.

- '4월', '6월'의 평균을 구하시오.
- 피벗 테이블 옵션을 이용하여 레이블이 있는 셀 병합 및 가운데 맞춤하고 빈 셀을 "**"로 표시한 후, 행의 총합계를 감추기 하시오.
- 피벗 테이블 디자인에서 보고서 레이아웃은 '테이블 형식으로 표시', 피벗 테이블 스타일은 '피벗 스타일 보통 10'으로 표시하시오.
- 구분(행)은 "기업망", "이동통신"만 출력되도록 표시하시오.
- [C5:E10] 데이터는 셀 서식의 표시 형식-숫자를 이용하여 1000 단위 구분 기호를 표시하고, 가운데 맞춤하시오.

▶ 구분의 순서는 《출력형태》와 다를 수 있음

▶ 지시사항이 없는 경우는 《출력형태》와 동일하게 작성하시오.

01 "재고현황" 시트를 참조하여 《처리조건》에 맞도록 작업하시오.

소스파일: 03-01(문제).xlsx
완성파일: 03-01(완성).xlsx

《출력형태》

	A	B	C	D	E	F	G	H	I
1		반려동물용품 재고 현황							
2	주문번호	제조사	상품분류	상품명	단가	수량	재고금액	순위	비고
3	P19-04023	리틀달링	장난감	공	4,800	27개	129,600원	8	
4	P19-06025	바우와우	미용용품	이발기(소)	37,800	32개	1,209,600원	3	단가조정
5	P19-04027	핑크펫	미용용품	이발기(중)	19,800	15개	297,000원	6	
6	P19-06029	블루블루	간식	츄르	20,800	89개	1,851,200원	1	단가조정
7	P19-04031	퍼니펫샵	장난감	일자터널	28,500	17개	484,500원	4	단가조정
8	P19-04033	핑크펫	간식	치즈통조림	10,900	121개	1,318,900원	2	
9	P19-06035	핑크펫	장난감	T자터널	16,000	21개	336,000원	5	
10	P19-04037	핑크펫	미용용품	털제거장갑	3,500	30개	105,000원	9	
11	P19-06039	퍼니펫샵	장난감	놀이인형	3,000	16개	48,000원	10	
12	P19-04041	블루블루	간식	애견소시지	3,500	58개	203,000원	7	
13	'상품분류'가 "장난감"인 '수량'의 합계				81개				
14	'재고금액'의 최대값-최소값 차이				1,803,200원				
15	'단가' 중 세 번째로 큰 값				20,800원				
16									

《처리조건》

- ▶ ① 순위[H3:H12] : '재고금액'을 기준으로 큰 순으로 순위를 구하시오. (RANK.EQ 함수)
- ▶ ② 비고[I3:I12] : '단가'가 20000 이상이면 "단가조정", 그렇지 않으면 공백으로 구하시오. (IF 함수)
- ▶ ③ 합계[E13:G13] : '상품분류'가 "장난감"인 '수량'의 합계를 구하시오. (DSUM 함수)
- ▶ ④ 최대값-최소값[E14:G14] : '재고금액'의 최대값과 최소값의 차이를 구하시오. (MAX, MIN 함수)
- ▶ ⑤ 순위[E15:G15] : '단가' 중 세 번째로 큰 값을 구하시오. (LARGE 함수)

(2) 시나리오

《출력형태 – 시나리오》

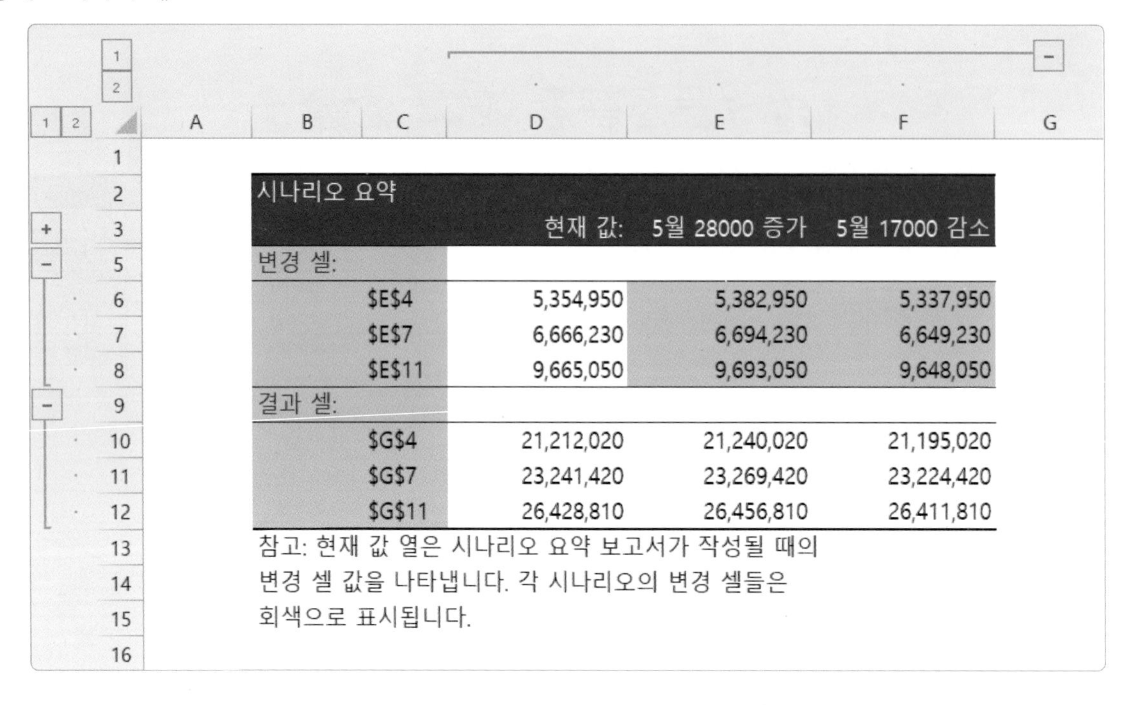

시나리오 요약				
		현재 값:	5월 28000 증가	5월 17000 감소
변경 셀:				
	$E$4	5,354,950	5,382,950	5,337,950
	$E$7	6,666,230	6,694,230	6,649,230
	$E$11	9,665,050	9,693,050	9,648,050
결과 셀:				
	$G$4	21,212,020	21,240,020	21,195,020
	$G$7	23,241,420	23,269,420	23,224,420
	$G$11	26,428,810	26,456,810	26,411,810

참고: 현재 값 열은 시나리오 요약 보고서가 작성될 때의
변경 셀 값을 나타냅니다. 각 시나리오의 변경 셀들은
회색으로 표시됩니다.

《처리조건》

▶ "시나리오" 시트의 [A2:G12]를 이용하여 '지사명'이 "경기지사"인 경우, '5월'이 변동할 때 '총액'이 변동하는 가상분석(시나리오)을 작성하시오.

- 시나리오1 : 시나리오 이름은 "5월 28000 증가", '5월'에 28000을 증가시킨 값 설정.
- 시나리오2 : 시나리오 이름은 "5월 17000 감소", '5월'에 17000을 감소시킨 값 설정.
- "시나리오 요약" 시트를 작성하시오.

▶ 지시사항이 없는 경우는 《출력형태 – 시나리오》와 동일하게 작성하시오.

02 "판매현황" 시트를 참조하여 《처리조건》에 맞도록 작업하시오.

소스파일: 03-02(문제).xlsx
완성파일: 03-02(완성).xlsx

《출력형태》

	A	B	C	D	E	F	G	H	I
1	스니커즈 판매 현황								
2	제품번호	색상	상품분류	상품명	단가	수량	판매금액	순위	비고
3	BS3323-S	실버계열	아쿠아슈즈	루니아쿠아슈즈	24,900	43	1,070,700	5위	인기상품
4	KS3599-R	레드계열	런닝화	컬러라인 런닝화	46,000	38	1,748,000	4위	
5	CS3353-B	블랙계열	운동화	레이시스 런닝화	39,800	21	835,800	8위	
6	*HS3428-S*	*실버계열*	*런닝화*	*컬러라인 런닝화*	*64,000*	*15*	*960,000*	*6위*	
7	*AS4292-B*	*블랙계열*	*운동화*	*레이시스 런닝화*	*48,000*	*38*	*1,824,000*	*3위*	
8	DS3967-R	레드계열	아쿠아슈즈	워터슈즈	39,000	23	897,000	7위	
9	JS3887-B	블랙계열	운동화	콜라보 스니커즈	29,800	16	476,800	9위	
10	*AS4093-R*	*레드계열*	*런닝화*	*레드 러너스*	*49,800*	*46*	*2,290,800*	*1위*	*인기상품*
11	CS3342-S	실버계열	런닝화	컬러라인 런닝화	45,700	40	1,828,000	2위	인기상품
12	IS3437-B	블랙계열	아쿠아슈즈	워터슈즈	19,900	17	338,300	10위	
13	'판매금액'의 최대값-최소값 차이				1,952,500				
14	'상품분류'가 "아쿠아슈즈"인 '판매금액'의 평균				768,667				
15	'수량' 중 세 번째로 작은 값				17				
16									

《처리조건》

- ▶ ① 순위[H3:H12] : '판매금액'을 기준으로 큰 순으로 순위를 구하시오. (RANK.EQ 함수)
- ▶ ② 비고[I3:I12] : '수량'이 40 이상이면 "인기상품", 그렇지 않으면 공백으로 구하시오. (IF 함수)
- ▶ ③ 최대값-최소값[E13:G13] : '판매금액'의 최대값과 최소값의 차이를 구하시오. (MAX, MIN 함수)
- ▶ ④ 평균[E14:G14] : '상품분류'가 "아쿠아슈즈"인 '판매금액'의 평균을 구하시오. (DAVERAGE 함수)
- ▶ ⑤ 순위[E15:G15] : '수량' 중 세 번째로 작은 값을 구하시오. (SMALL 함수)

【문제 3】 "필터"와 "시나리오" 시트를 참조하여 다음 《처리조건》에 맞도록 작업하시오.(60점)

(1) 필터

《출력형태 - 필터》

	A	B	C	D	E	F	G
1							
2	구분	장비명	지사명	4월	5월	6월	총액
3	이동통신	교환기	인천지사	6,209,680	7,892,120	7,155,460	21,257,260
4	교환	G/W	경기지사	7,128,650	5,354,950	8,728,420	21,212,020
5	이동통신	교환기	서울지사	5,261,840	6,183,770	8,948,800	20,394,410
6	기업망	보안장비	인천지사	6,750,280	5,079,530	6,402,290	18,232,100
7	교환	라우터	경기지사	8,622,600	6,666,230	7,952,590	23,241,420
8	기업망	무선랜	서울지사	6,456,120	5,699,940	7,465,700	19,621,760
9	이동통신	기지국	인천지사	9,049,260	7,982,660	7,853,670	24,885,590
10	교환	스위치	서울지사	6,085,820	7,522,730	5,686,140	19,294,690
11	기업망	VPN	경기지사	8,986,970	9,665,050	7,776,790	26,428,810
12	교환	VoIP	서울지사	5,935,430	6,020,180	6,795,260	18,750,870
13							
14	조건						
15	FALSE						
16							
17							
18	장비명	지사명	6월	총액			
19	G/W	경기지사	8,728,420	21,212,020			
20	라우터	경기지사	7,952,590	23,241,420			
21	VoIP	서울지사	6,795,260	18,750,870			
22							

《처리조건》

▶ "필터" 시트의 [A2:G12]를 아래 조건에 맞게 고급 필터를 사용하여 작성하시오.

- '구분'이 "교환"이고 '6월'이 6000000 이상인 데이터를 '장비명', '지사명', '6월', '총액'의 데이터만 필터링하시오.
- 조건 위치 : 조건 함수는 [A15] 한 셀에 작성(AND 함수 이용)
- 결과 위치 : [A18]부터 출력

▶ 지시사항이 없는 경우는 《출력형태 - 필터》와 동일하게 작성하시오.

03 "납품현황" 시트를 참조하여 《처리조건》에 맞도록 작업하시오.

소스파일: 03-03(문제).xlsx
완성파일: 03-03(완성).xlsx

《출력형태》

	A	B	C	D	E	F	G	H	I
1		음료제품 납품 현황							
2	주문번호	주문처	상품분류	상품명	판매단가	판매수량	총판매액	순위	비고
3	FR-008966	할인점	생수	시원수	800	519개	415,200	5	인기제품
4	FR-008969	편의점	탄산음료	톡톡소다	1,200	463개	555,600	4	인기제품
5	FR-009012	통신판매	커피음료	커피아시아	1,500	219개	328,500	7	
6	FR-009008	할인점	탄산음료	라임메이드	1,800	369개	664,200	3	
7	FR-000053	통신판매	커피음료	카페타임	1,400	486개	680,400	2	인기제품
8	FR-000504	편의점	생수	지리산수	900	341개	306,900	8	
9	FR-000759	통신판매	커피음료	커피매니아	2,300	401개	922,300	1	
10	FR-200202	편의점	탄산음료	레몬타임	1,700	236개	401,200	6	
11	FR-200101	할인점	탄산음료	허리케인	2,100	104개	218,400	10	
12	FR-200063	통신판매	생수	심해청수	1,300	216개	280,800	9	
13	'판매단가' 중 두 번째로 작은 값				900원				
14	'상품분류'가 "생수"인 '총판매액'의 합계				1,002,900원				
15	'판매수량'의 최대값-최소값 차이				415개				
16									

《처리조건》

- ▸ ① 순위[H3:H12] : '총판매액'을 기준으로 큰 순으로 순위를 구하시오. (RANK.EQ 함수)
- ▸ ② 비고[I3:I12] : '판매수량'이 450 이상이면 "인기제품", 그렇지 않으면 공백으로 구하시오. (IF 함수)
- ▸ ③ 순위[E13:G13] : '판매단가' 중 두 번째로 작은 값을 구하시오. (SMALL 함수)
- ▸ ④ 합계[E14:G14] : '상품분류'가 "생수"인 '총판매액'의 합계를 구하시오. (DSUM 함수)
- ▸ ⑤ 최대값-최소값[E15:G15] : '판매수량'의 최대값과 최소값의 차이를 구하시오. (MAX, MIN 함수)

【문제 2】 **"부분합" 시트를 참조하여 다음 《처리조건》에 맞도록 작업하시오.(30점)**

《출력형태》

	A	B	C	D	E	F	G
1							
2	구분	장비명	지사명	4월	5월	6월	총액
3	교환	G/W	경기지사	7,128,650	5,354,950	8,728,420	21,212,020
4	교환	라우터	경기지사	8,622,600	6,666,230	7,952,590	23,241,420
5	기업망	VPN	경기지사	8,986,970	9,665,050	7,776,790	26,428,810
6			경기지사 평균			8,152,600	23,627,417
7			경기지사 최대값	8,986,970	9,665,050	8,728,420	
8	이동통신	교환기	서울지사	5,261,840	6,183,770	8,948,800	20,394,410
9	기업망	무선랜	서울지사	6,456,120	5,699,940	7,465,700	19,621,760
10	교환	스위치	서울지사	6,085,820	7,522,730	5,686,140	19,294,690
11	교환	VoIP	서울지사	5,935,430	6,020,180	6,795,260	18,750,870
12			서울지사 평균			7,223,975	19,515,433
13			서울지사 최대값	6,456,120	7,522,730	8,948,800	
14	이동통신	교환기	인천지사	6,209,680	7,892,120	7,155,460	21,257,260
15	기업망	보안장비	인천지사	6,750,280	5,079,530	6,402,290	18,232,100
16	이동통신	기지국	인천지사	9,049,260	7,982,660	7,853,670	24,885,590
17			인천지사 평균			7,137,140	21,458,317
18			인천지사 최대값	9,049,260	7,982,660	7,853,670	
19			전체 평균			7,476,512	21,331,893
20			전체 최대값	9,049,260	9,665,050	8,948,800	
21							

《처리조건》

▶ 데이터를 '지사명' 기준으로 오름차순 정렬하시오.

▶ 아래 조건에 맞는 부분합을 작성하시오.

- '지사명'으로 그룹화하여 '4월', '5월', '6월'의 최대값을 구하는 부분합을 만드시오.
- '지사명'으로 그룹화하여 '6월', '총액'의 평균을 구하는 부분합을 만드시오.
  (새로운 값으로 대치하지 말 것)
- [D3:G20] 영역에 셀 서식의 표시 형식-숫자를 이용하여 1000 단위 구분 기호 표시하시오.

▶ D~F열을 선택하여 그룹을 설정하시오.

▶ 최대값과 평균의 부분합 순서는 《출력형태》와 다를 수 있음

▶ 지시사항이 없는 경우는 기본 값을 적용하시오.

04 "모집현황" 시트를 참조하여 《처리조건》에 맞도록 작업하시오.

소스파일: 03-04(문제).xlsx
완성파일: 03-04(완성).xlsx

《출력형태》

	A	B	C	D	E	F	G	H	I
1		방과후 수업 모집현황							
2	강좌명	분류	대상	모집인원	기간	수강료	합계	순위	비고
3	드론	취미	6학년	20	1개월	30,000	600,000	9위	
4	엑셀	컴퓨터	6학년	30	2개월	18,000	1,080,000	3위	
5	*영어회화*	*어학*	*4학년*	*20*	*3개월*	*16,000*	*960,000*	*4위*	*어학실*
6	*포토샵*	*컴퓨터*	*5학년*	*20*	*2개월*	*17,000*	*680,000*	*7위*	
7	일본어회화	어학	5학년	25	3개월	20,000	1,500,000	2위	어학실
8	바이올린	취미	4학년	25	3개월	30,000	2,250,000	1위	
9	*파워포인트*	*컴퓨터*	*6학년*	*25*	*2개월*	*15,000*	*750,000*	*5위*	
10	축구	취미	4학년	30	1개월	24,000	720,000	6위	
11	*중국어회화*	*어학*	*5학년*	*20*	*2개월*	*16,000*	*640,000*	*8위*	*어학실*
12	*한글*	*컴퓨터*	*4학년*	*30*	*1개월*	*15,000*	*450,000*	*10위*	
13	'분류'가 "취미"인 '모집인원'의 평균				25				
14	'합계'의 최대값-최소값 차이				1,800,000				
15	'수강료' 중 두 번째로 작은 값				15,000				
16									

《처리조건》

- ▶ ① 순위[H3:H12] : '합계'를 기준으로 큰 순으로 순위를 구하시오. (RANK.EQ 함수)
- ▶ ② 비고[I3:I12] : '분류'가 "어학"이면 "어학실", 그렇지 않으면 공백으로 구하시오. (IF 함수)
- ▶ ③ 평균[E13:G13] : '분류'가 "취미"인 '모집인원'의 평균을 구하시오. (DAVERAGE 함수)
- ▶ ④ 최대값-최소값[E14:G14] : '합계'의 최대값과 최소값의 차이를 구하시오. (MAX, MIN 함수)
- ▶ ⑤ 순위[E15:G15] : '수강료' 중 두 번째로 작은 값을 구하시오. (SMALL 함수)

【문제 1】 "매출현황" 시트를 참조하여 다음 《처리조건》에 맞도록 작업하시오.(50점)

《출력형태》

	A	B	C	D	E	F	G	H	I
1		네트워크장비 매출현황							
2	구분	장비명	지사명	4월	5월	6월	총액	순위	비고
3	이동통신	교환기	인천지사	6,209,680	7,892,120	7,155,460	21,257,260	4등	
4	교환	G/W	경기지사	7,128,650	5,354,950	8,728,420	21,212,020	5등	
5	이동통신	교환기	서울지사	5,261,840	6,183,770	8,948,800	20,394,410	6등	
6	기업망	보안장비	인천지사	6,750,280	5,079,530	6,402,290	18,232,100	10등	판매부진
7	교환	라우터	경기지사	8,622,600	6,666,230	7,952,590	23,241,420	3등	
8	기업망	무선랜	서울지사	6,456,120	5,699,940	7,465,700	19,621,760	7등	판매부진
9	이동통신	기지국	인천지사	9,049,260	7,982,660	7,853,670	24,885,590	2등	
10	교환	스위치	서울지사	6,085,820	7,522,730	5,686,140	19,294,690	8등	판매부진
11	기업망	VPN	경기지사	8,986,970	9,665,050	7,776,790	26,428,810	1등	
12	교환	VoIP	서울지사	5,935,430	6,020,180	6,795,260	18,750,870	9등	판매부진
13	'구분'이 "이동통신"인 '4월'의 평균				6,840,260				
14	'5월'의 최대값-최소값 차이				4,585,520				
15	'6월' 중 세 번째로 작은 값				6,795,260				
16									

《처리조건》

▶ 1행의 행 높이를 '80'으로 설정하고, 2행~15행의 행 높이를 '18'로 설정하시오.

▶ 제목("네트워크장비 매출현황") : 기본 도형의 '정육면체'를 이용하여 입력하시오.
- 도형 : 위치([B1:H1]), 도형 스타일(테마 스타일 – 강한 효과 – '파랑, 강조 5')
- 글꼴 : 돋움체, 28pt, 기울임꼴
- 도형 서식 : 도형 옵션 – 크기 및 속성(텍스트 상자(세로 맞춤 : 정가운데, 텍스트 방향 : 가로))

▶ 셀 서식을 아래 조건에 맞게 작성하시오.
- [A2:I15] : 테두리(안쪽, 윤곽선 모두 실선, '검정, 텍스트 1'), 전체 가운데 맞춤
- [A13:D13], [A14:D14], [A15:D15] : 각각 병합하고 가운데 맞춤
- [A2:I2], [A13:D15] : 채우기 색('주황, 강조 2, 60% 더 밝게'), 글꼴(굵게)
- [D3:G12], [E13:G15] : 셀 서식의 표시 형식-숫자를 이용하여 1000 단위 구분 기호 표시
- [C3:C12] : 셀 서식의 표시 형식-사용자 지정을 이용하여 @"지사" 추가
- [H3:H12] : 셀 서식의 표시 형식-사용자 지정을 이용하여 #"등"자 추가
- 조건부 서식[A3:I12] : '6월'이 7800000 이상인 경우 레코드 전체에 글꼴(진한 빨강, 굵게) 적용
- 지시사항이 없는 경우는 주어진 문제파일의 서식을 그대로 사용하시오.

▶ ① 순위[H3:H12] : '총액'을 기준으로 큰 순으로 순위를 구하시오. (RANK.EQ 함수)

▶ ② 비고[I3:I12] : '총액'이 20000000 이하면 "판매부진", 그렇지 않으면 공백으로 구하시오. (IF 함수)

▶ ③ 평균[E13:G13] : '구분'이 "이동통신"인 '4월'의 평균을 구하시오. (DAVERAGE 함수)

▶ ④ 최대값-최소값[E14:G14] : '5월'의 최대값-최소값의 차이를 구하시오. (MAX, MIN 함수)

▶ ⑤ 순위[E15:G15] : '6월' 중 세 번째로 작은 값을 구하시오. (SMALL 함수)

[문제 2] 정렬과 부분합, 그룹 설정하기

[문제 2]는 정렬, 부분합, 그룹 문제로 구성됩니다. 정렬은 특정 열을 기준으로 오름차순 또는 내림차순으로 정렬하는 기능이며, 부분합은 데이터를 그룹별로 분류하고 해당 그룹별로 특정한 계산을 수행하는 기능입니다. 마지막으로 그룹은 셀 범위를 함께 묶어 셀 범위를 축소 또는 확장하는 기능입니다. 어렵지 않은 기능이므로 반복 학습하여 익히도록 합니다.

소스파일: 04차시(문제).pptx　　완성파일: 04차시(완성).pptx

문제 미리보기 【문제 2】 "부분합"시트를 참조하여 다음 《처리조건》에 맞도록 작업하시오.(30점)

《출력형태》

위치	담당자	구분	상품명	이용요금	인원	총금액
A구역 129	민승현	다크라이드	지구마을	9,000	939	8,451,000
B구역 124	민승현	다크라이드	카리브의 해적	10,000	522	5,220,000
E구역 121	민승현	다크라이드	나이트메어	11,000	605	6,655,000
		다크라이드 최대값				8,451,000
		다크라이드 평균		10,000	689	6,775,333
A구역 111	최현수	롤러코스터	스페이스특급	12,000	947	11,364,000
E구역 122	김재환	롤러코스터	티익스프레스	15,000	540	8,100,000
C구역 118	최현수	롤러코스터	썬더폴스	11,000	335	3,685,000
F구역 113	김재환	롤러코스터	파에톤	15,000	340	5,100,000
		롤러코스터 최대값				11,364,000
		롤러코스터 평균		13,250	541	7,062,250
B구역 127	김재환	회전	회전목마	4,000	892	3,568,000
D구역 104	최현수	회전	에드벌룬	5,000	372	1,860,000
D구역 114	민승현	회전	허리케인	9,000	764	6,876,000
		회전 최대값				6,876,000
		회전 평균		6,000	676	4,101,333
		전체 최대값				11,364,000
		전체 평균		10,100	626	6,087,900

《처리조건》

- 데이터를 '구분' 기준으로 오름차순 정렬하시오.
- 아래 조건에 맞는 부분합을 작성하시오.
  - '구분'으로 그룹화하여 '이용요금', '인원', '총금액'의 평균을 구하는 부분합을 만드시오.
  - '구분'으로 그룹화하여 '총금액'의 최대값을 구하는 부분합을 만드시오. (새로운 값으로 대치하지 말 것)
  - [E3:G20] 영역에 셀 서식의 표시 형식-숫자를 이용하여 1000 단위 구분 기호를 표시하시오.
- E~G열을 선택하여 그룹을 설정하시오.
- 평균과 최대값의 부분합 순서는 《출력형태》와 다를 수 있음
- 지시사항이 없는 경우는 기본 값을 적용하시오.

과정 미리보기 데이터 정렬하기 ➜ 부분합 작성하기 ➜ 그룹 설정 하기

제10회 실전모의고사

▹ 시험과목 : 스프레드시트(엑셀)
▹ 시험일자 : 20XX. XX. XX.(X)
▹ 응시자 기재사항 및 감독위원 확인

수 검 번 호	DIS－XXXX－	감독위원 확인
성 명		

응시자 유의사항

1. 응시자는 신분증을 지참하여야 시험에 응시할 수 있으며, 시험이 종료될 때까지 신분증을 제시하지 못할 경우 해당 시험은 0점 처리됩니다.
2. 시스템(PC 작동 여부, 네트워크 상태 등)의 이상 여부를 반드시 확인하여야 하며, 시스템 이상이 있을시 감독위원에게 조치를 받으셔야 합니다.
3. 시험 중 부주의 또는 고의로 시스템을 파손한 경우는 응시자 부담으로 합니다.
4. 답안 전송 프로그램을 통해 다운로드 받은 파일을 이용하여 답안 파일을 작성하시기 바랍니다.
5. 작성한 답안 파일은 답안 전송 프로그램을 통하여 전송됩니다. 감독위원의 지시에 따라 주시기 바랍니다.
6. 다음 사항의 경우 실격(0점) 혹은 부정행위 처리됩니다.
   ❶ 답안 파일을 저장하지 않았거나, 저장한 파일이 손상되었을 경우
   ❷ 답안 파일을 지정된 폴더(바탕화면 “KAIT” 폴더)에 저장하지 않았을 경우
   ※ 답안 전송 프로그램 로그인 시 바탕화면에 자동 생성됨
   ❸ 답안 파일을 다른 보조기억장치(USB) 혹은 네트워크(메신저, 게시판 등)로 전송할 경우
   ❹ 휴대용 전화기 등 통신기기를 사용할 경우
7. 시험지에 제시된 글꼴이 응시 프로그램에 없는 경우, 반드시 감독위원에게 해당 내용을 통보한 뒤 조치를 받아야 합니다.
8. 시험의 완료는 작성이 완료된 답안을 저장하고, 답안 전송이 완료된 상태를 확인한 것으로 합니다. 답안 전송 확인 후 문제지는 감독위원에게 제출한 후 퇴실하여야 합니다.
9. 답안 전송이 완료된 경우에는 수정 또는 정정이 불가능합니다.
10. 시험시행 후 결과는 홈페이지(www.ihd.or.kr)에서 확인하시기 바랍니다.
   ❶ 문제 및 모범답안 공개 : 20XX. XX. XX.(X)
   ❷ 합격자 발표 : 20XX. XX. XX.(X)

01 데이터 정렬하기

▶ 데이터를 '구분' 기준으로 오름차순 정렬하시오.

❶ [04차시] 폴더에서 '04차시(문제).xlsx' 파일을 더블 클릭하여 실행합니다. 파일이 열리면 **[부분합]** 시트를 클릭합니다.

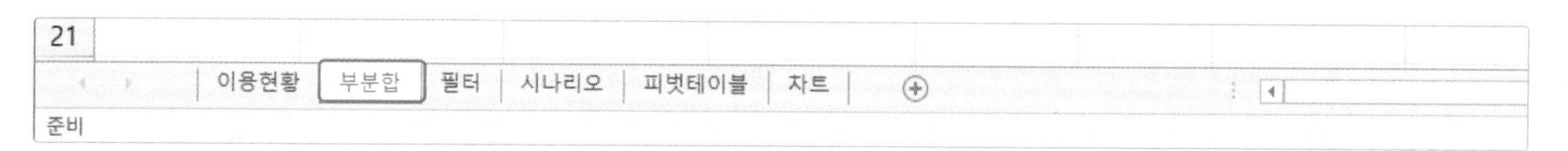

❷ 데이터를 '구분'을 기준으로 정렬하기 위해 [C2] 셀을 선택하고 **[데이터] 탭-[정렬 및 필터] 그룹-[텍스트 오름차순 정렬( )]**을 클릭합니다.

내림차순으로 정렬하는 문제가 출제되었다면 [텍스트 내림차순 정렬( )]을 클릭합니다.

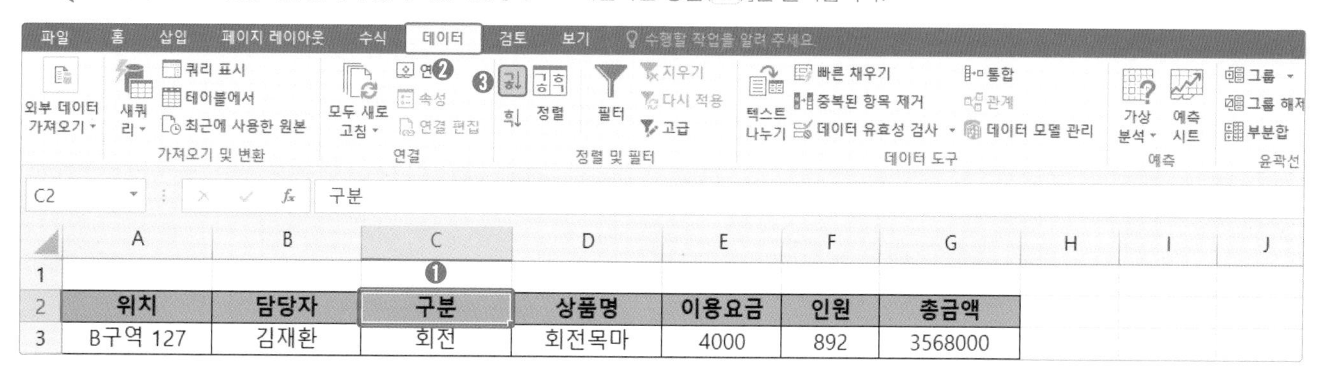

❸ 데이터가 '구분'을 기준으로 오름차순 정렬된 것을 확인합니다.

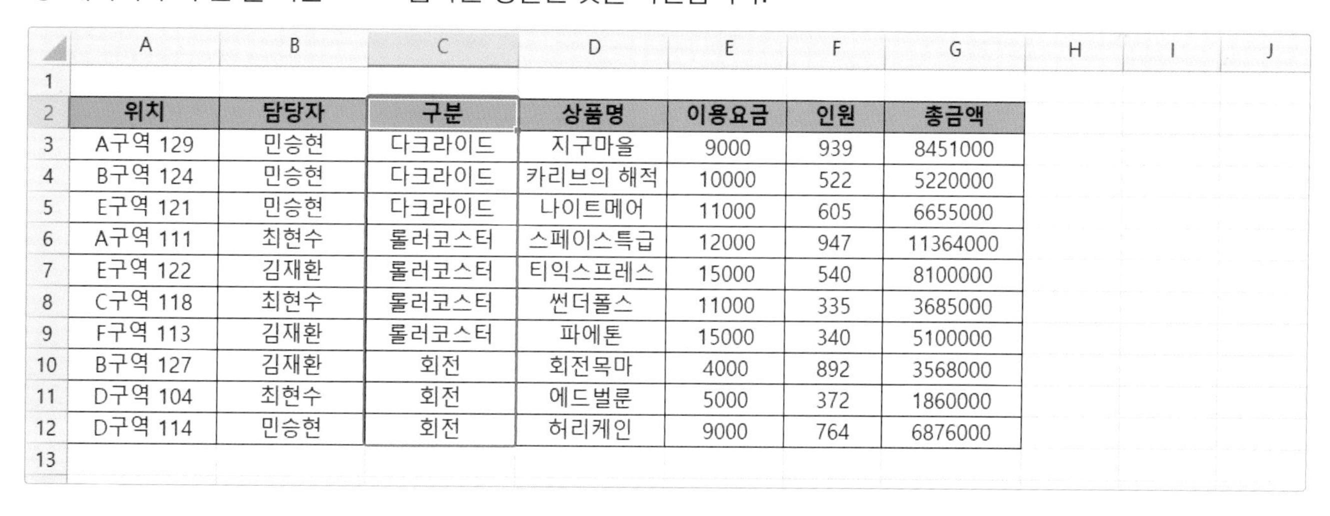

위치	담당자	구분	상품명	이용요금	인원	총금액
A구역 129	민승현	다크라이드	지구마을	9000	939	8451000
B구역 124	민승현	다크라이드	카리브의 해적	10000	522	5220000
E구역 121	민승현	다크라이드	나이트메어	11000	605	6655000
A구역 111	최현수	롤러코스터	스페이스특급	12000	947	11364000
E구역 122	김재환	롤러코스터	티익스프레스	15000	540	8100000
C구역 118	최현수	롤러코스터	썬더폴스	11000	335	3685000
F구역 113	김재환	롤러코스터	파에톤	15000	340	5100000
B구역 127	김재환	회전	회전목마	4000	892	3568000
D구역 104	최현수	회전	에드벌룬	5000	372	1860000
D구역 114	민승현	회전	허리케인	9000	764	6876000

레벨 업 오름차순과 내림차순 정렬

데이터 정렬은 값이 작은 것에서 큰 것 순으로 정렬하는 '오름차순' 정렬과 큰 것에서 작은 것 순으로 정렬하는 '내림차순' 정렬이 있습니다. 문제에 제시된 대로 정렬을 지정하면 됩니다.

- 오름차순 : 숫자(1,2,3 순) – 특수문자 – 영문(A→Z) – 한글(ㄱ→ㅎ) – 논리값 – 오류값 – 빈 셀
- 내림차순 : 오류값 – 논리값 – 한글(ㅎ→ㄱ) – 영문(Z→A) – 특수문자 – 숫자(3,2,1 순) – 빈 셀

※ 빈 셀은 오름차순, 내림차순 모두 가장 마지막에 위치합니다.

[문제 5] "차트" 시트를 참조하여 다음 《처리조건》에 맞도록 작업하시오.(30점)

《출력형태》

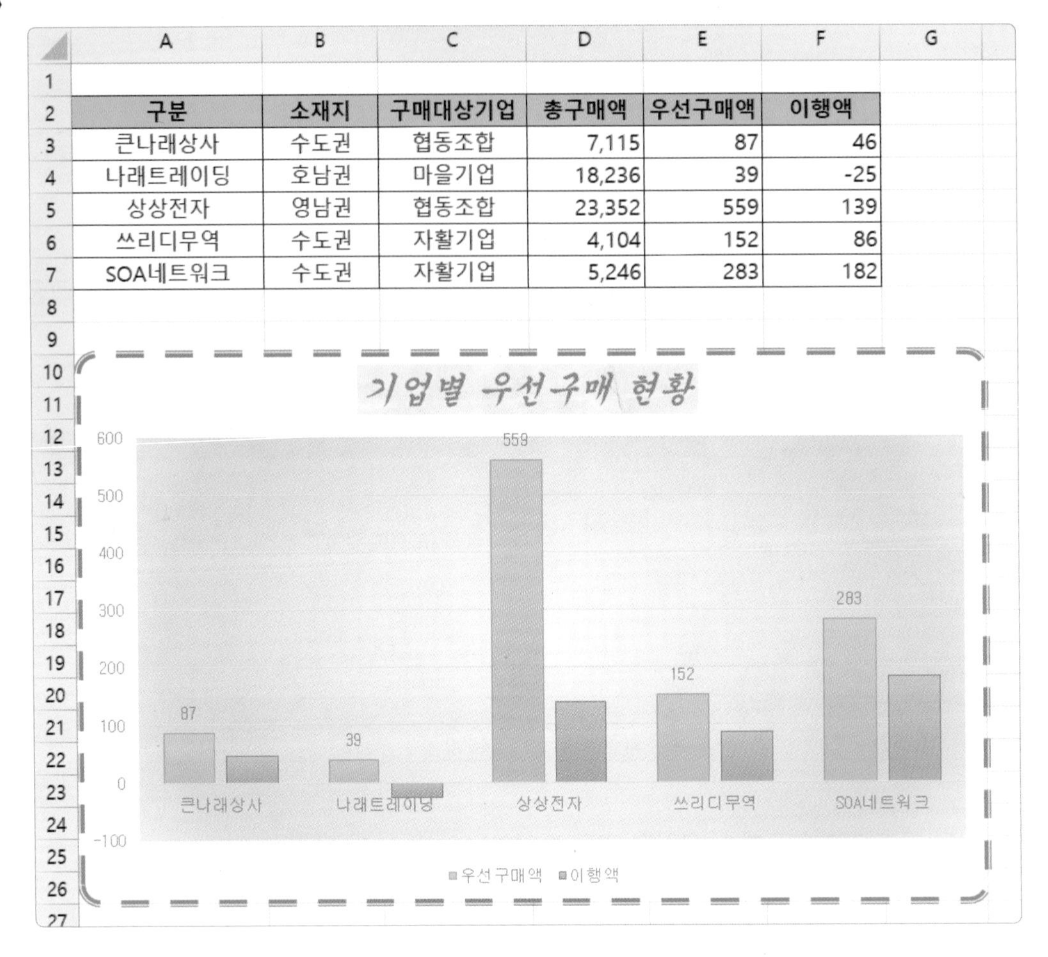

구분	소재지	구매대상기업	총구매액	우선구매액	이행액
큰나래상사	수도권	협동조합	7,115	87	46
나래트레이딩	호남권	마을기업	18,236	39	-25
상상전자	영남권	협동조합	23,352	559	139
쓰리디무역	수도권	자활기업	4,104	152	86
SOA네트워크	수도권	자활기업	5,246	283	182

《처리조건》

▶ "차트" 시트에 주어진 표를 이용하여 '묶은 세로 막대형' 차트를 작성하시오.

- 데이터 범위 : 현재 시트 [A2:A7], [E2:F7]의 데이터를 이용하여 작성하고, 행/열 전환은 '열'로 지정
- 차트 제목("기업별 우선구매 현황")
- 범례 위치 : 아래쪽
- 차트 스타일 : 색 변경(색상형 – 색 4, 스타일 5)
- 차트 위치 : 현재 시트에 [A10:G26] 크기에 정확하게 맞추시오.
- 차트 영역 서식 : 글꼴(굴림체, 9pt), 테두리 색(실선, 색 : 파랑), 테두리 스타일(너비 : 3.75pt, 겹선 종류 : 얇고 굵음, 대시 종류 : 파선, 둥근 모서리)
- 차트 제목 서식 : 글꼴(궁서, 18pt, 기울임꼴), 채우기(그림 또는 질감 채우기, 질감 : 양피지)
- 그림 영역 서식 : 채우기(그라데이션 채우기, 그라데이션 미리 설정 : 밝은 그라데이션 – 강조 1, 종류 : 방사형, 방향 : 가운데에서)
- 데이터 레이블 추가 : '우선구매액' 계열에 "값" 표시

▶ 지시사항이 없는 경우는 《출력형태》와 동일하게 작성하시오.

부분합 작성하기

▶ 아래 조건에 맞는 부분합을 작성하시오.
- '구분'으로 그룹화하여 '이용요금', '인원', '총금액'의 평균을 구하는 부분합을 만드시오.
- '구분'으로 그룹화하여 '총금액'의 최대값을 구하는 부분합을 만드시오. (새로운 값으로 대치하지 말 것)
- [E3:G20] 영역에 셀 서식의 표시 형식-숫자를 이용하여 1000 단위 구분 기호를 표시하시오.

❶ 첫 번째 부분합을 만들기 위해 [A2] 셀을 선택한 후 **[데이터] 탭-[윤곽선] 그룹-[부분합]**을 클릭합니다.

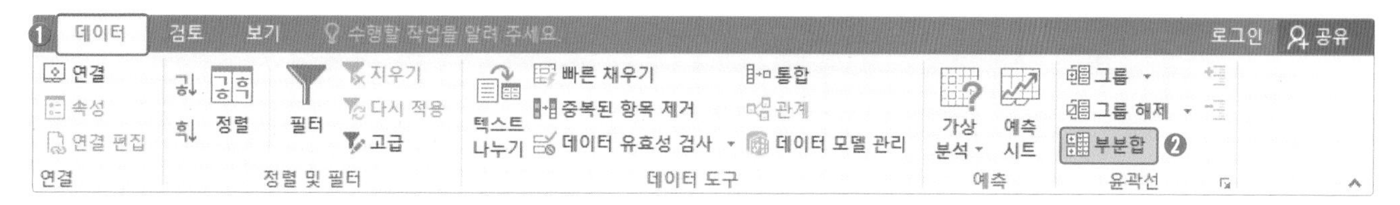

❷ [부분합] 대화상자가 나타나면 다음과 같이 주어진 조건대로 설정한 후 [확인]을 클릭합니다.

- ❶ '구분'으로 그룹화하여 ➔ 그룹화할 항목은 '구분' 선택
- ❷ 평균을 구하는 ➔ 사용할 함수는 '평균' 선택
- ❸ '이용요금', '인원', '총금액'의 ➔ 부분합 계산 항목은 '이용요금', '인원', '총금액'에 체크

문제에 제시되지 않은 부분합 계산 항목이 기본 값으로 체크되어 있다면 반드시 체크 해제해야 합니다.

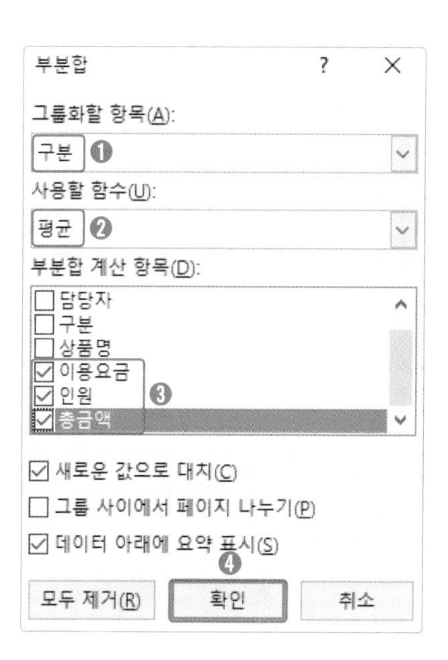

❸ '다크라이드', '롤러코스터' '회전'으로 그룹화하여 '이용요금', '인원', '총금액'의 평균이 구해진 것을 확인합니다.

	A	B	C	D	E	F	G	H
1								
2	위치	담당자	구분	상품명	이용요금	인원	총금액	
3	A구역 129	민승현	다크라이드	지구마을	9000	939	8451000	
4	B구역 124	민승현	다크라이드	카리브의 해적	10000	522	5220000	
5	E구역 121	민승현	다크라이드	나이트메어	11000	605	6655000	
6			다크라이드 평균		10000	688.667	6775333.333	
7	A구역 111	최현수	롤러코스터	스페이스특급	12000	947	11364000	
8	E구역 122	김재환	롤러코스터	티익스프레스	15000	540	8100000	
9	C구역 118	최현수	롤러코스터	썬더폴스	11000	335	3685000	
10	F구역 113	김재환	롤러코스터	파에톤	15000	340	5100000	
11			롤러코스터 평균		13250	540.5	7062250	
12	B구역 127	김재환	회전	회전목마	4000	892	3568000	
13	D구역 104	최현수	회전	에드벌룬	5000	372	1860000	
14	D구역 114	민승현	회전	허리케인	9000	764	6876000	
15			회전 평균		6000	676	4101333.333	
16			전체 평균		10100	625.6	6087900	

【문제 4】 "피벗테이블" 시트를 참조하여 다음 《처리조건》에 맞도록 작업하시오.(30점)

《출력형태》

	A	B	C	D	E
1					
2					
3			구매대상기업		
4	소재지	값	마을기업	협동조합	총합계
5	수도권	최대값 : 총구매액	2,240	7,115	7,115
6		최대값 : 우선구매액	309	87	309
7	영남권	최대값 : 총구매액	***	23,352	23,352
8		최대값 : 우선구매액	***	559	559
9	호남권	최대값 : 총구매액	18,236	1,093	18,236
10		최대값 : 우선구매액	65	130	130
11					

《처리조건》

▶ "피벗테이블" 시트의 [A2:G12]를 이용하여 새로운 시트에 《출력형태》와 같이 피벗 테이블을 작성 후 시트명을 "피벗테이블 정답"으로 수정하시오.

▶ 소재지(행)와 구매대상기업(열)을 기준으로 하여 출력형태와 같이 구하시오.

- '총구매액', '우선구매액'의 최대값을 구하시오.
- 피벗 테이블 옵션을 이용하여 레이블이 있는 셀 병합 및 가운데 맞춤하고 빈 셀을 "***"로 표시한 후, 열의 총합계를 감추기 하시오.
- 피벗 테이블 디자인에서 보고서 레이아웃은 '테이블 형식으로 표시', 피벗 테이블 스타일은 '피벗 스타일 어둡게 7'로 표시하시오.
- 구매대상기업(열)은 '마을기업', '협동조합'만 출력되도록 표시하시오.
- [C5:E10] 데이터는 셀 서식의 표시 형식-숫자를 이용하여 1000 단위 구분 기호를 표시하고, 가운데 맞춤하시오.

▶ 소재지의 순서는 《출력형태》와 다를 수 있음

▶ 지시사항이 없는 경우는 《출력형태》와 동일하게 작성하시오.

❹ 두 번째 부분합을 만들기 위해 **[데이터] 탭-[윤곽선] 그룹-[부분합]**을 클릭합니다.

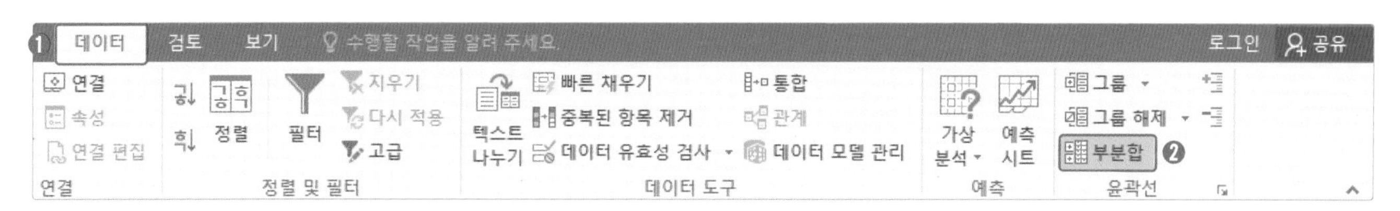

❺ [부분합] 대화상자가 나타나면 다음과 같이 주어진 조건대로 설정한 후 [확인]을 클릭합니다.

- ❶ '구분'으로 그룹화하여 ➔ 그룹화할 항목은 '구분' 선택
- ❷ 최대값을 구하는 ➔ 사용할 함수는 '최대값' 선택
- ❸ '총금액'의 ➔ 부분합 계산 항목은 '총금액'만 체크
- ❹ 새로운 값으로 대치하지 말 것 ➔ '새로운 값으로 대치' 체크 해제

- 데이터가 입력되어 있는 임의의 셀을 클릭한 후 실행합니다.
- 첫 번째 부분합 설정 시 체크했던 '이용요금', '인원'의 체크를 해제해야 합니다.

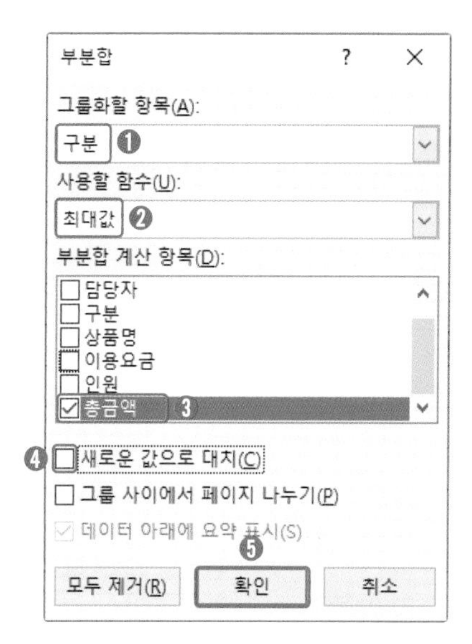

시험꿀팁

두 번째 부분합을 지정할 때에는 반드시 '새로운 값으로 대치'를 체크 해제해야 합니다. 그렇지 않으면 첫 번째 부분합이 사라져버립니다. 이 경우 다시 부분합을 실행하여 [부분합] 대화상자에서 [모두 제거]를 클릭한 후 다시 첫 번째 부분합부터 새로 만들어야 합니다.

❻ 두 번째 부분합이 구해져 그룹별로 '총금액'의 최대값이 표시된 것을 확인합니다.

- 임의의 셀을 클릭하여 블록 지정을 해제합니다.

	A	B	C	D	E	F	G
1							
2	위치	담당자	구분	상품명	이용요금	인원	총금액
3	A구역 129	민승현	다크라이드	지구마을	9000	939	8451000
4	B구역 124	민승현	다크라이드	카리브의 해적	10000	522	5220000
5	E구역 121	민승현	다크라이드	나이트메어	11000	605	6655000
6			다크라이드 최대값				8451000
7			다크라이드 평균		10000	688.667	6775333.333
8	A구역 111	최현수	롤러코스터	스페이스특급	12000	947	11364000
9	E구역 122	김재환	롤러코스터	티익스프레스	15000	540	8100000
10	C구역 118	최현수	롤러코스터	썬더폴스	11000	335	3685000
11	F구역 113	김재환	롤러코스터	파에톤	15000	340	5100000
12			롤러코스터 최대값				11364000
13			롤러코스터 평균		13250	540.5	7062250
14	B구역 127	김재환	회전	회전목마	4000	892	3568000
15	D구역 104	최현수	회전	에드벌룬	5000	372	1860000
16	D구역 114	민승현	회전	허리케인	9000	764	6876000
17			회전 최대값				6876000
18			회전 평균		6000	676	4101333.333

시험꿀팁

평균과 최대값의 부분합 순서는 《출력형태》와 다를 수 있습니다. 평균이 먼저 표시될 수도 있고, 최대값이 먼저 표시될 수도 있습니다. 부분합 순서는 다를 수 있다고 《처리조건》에 명시되어 있으므로 데이터만 맞다면 신경 쓰지 않아도 됩니다.

(2) 시나리오

《출력형태 – 시나리오》

	A	B	C	D	E	F	G
1							
2		시나리오 요약					
3				현재 값:	우선구매액 83 증가	우선구매액 49 감소	
5		변경 셀:					
6			$E$4	205	288	156	
7			$E$6	559	642	510	
8			$E$9	193	276	144	
9		결과 셀:					
10			$F$4	0.6	0.9	0.5	
11			$F$6	2.4	2.7	2.2	
12			$F$9	3.6	5.1	2.7	
13		참고: 현재 값 열은 시나리오 요약 보고서가 작성될 때의					
14		변경 셀 값을 나타냅니다. 각 시나리오의 변경 셀들은					
15		회색으로 표시됩니다.					
16							

《처리조건》

▶ "시나리오" 시트의 [A2:G12]를 이용하여 '소재지'가 "영남권"인 경우, '우선구매액'이 변동할 때 '구매율(%)'이 변동하는 가상분석(시나리오)을 작성하시오.

- 시나리오1 : 시나리오 이름은 "우선구매액 83 증가", '우선구매액'에 83을 증가시킨 값 설정.
- 시나리오2 : 시나리오 이름은 "우선구매액 49 감소", '우선구매액'에 49를 감소시킨 값 설정.
- "시나리오 요약" 시트를 작성하시오.

▶ 지시사항이 없는 경우는《출력형태 – 시나리오》와 동일하게 작성하시오.

❼ [E3:G20] 영역에 천 단위 구분 기호를 표시하기 위해 **[E3:G20]** 영역을 드래그하여 선택하고 마우스 오른쪽 버튼을 눌러 바로 가기 메뉴가 나타나면 **[셀 서식]**을 클릭합니다.

[셀 서식] 작업창 실행 단축키 : Ctrl+1

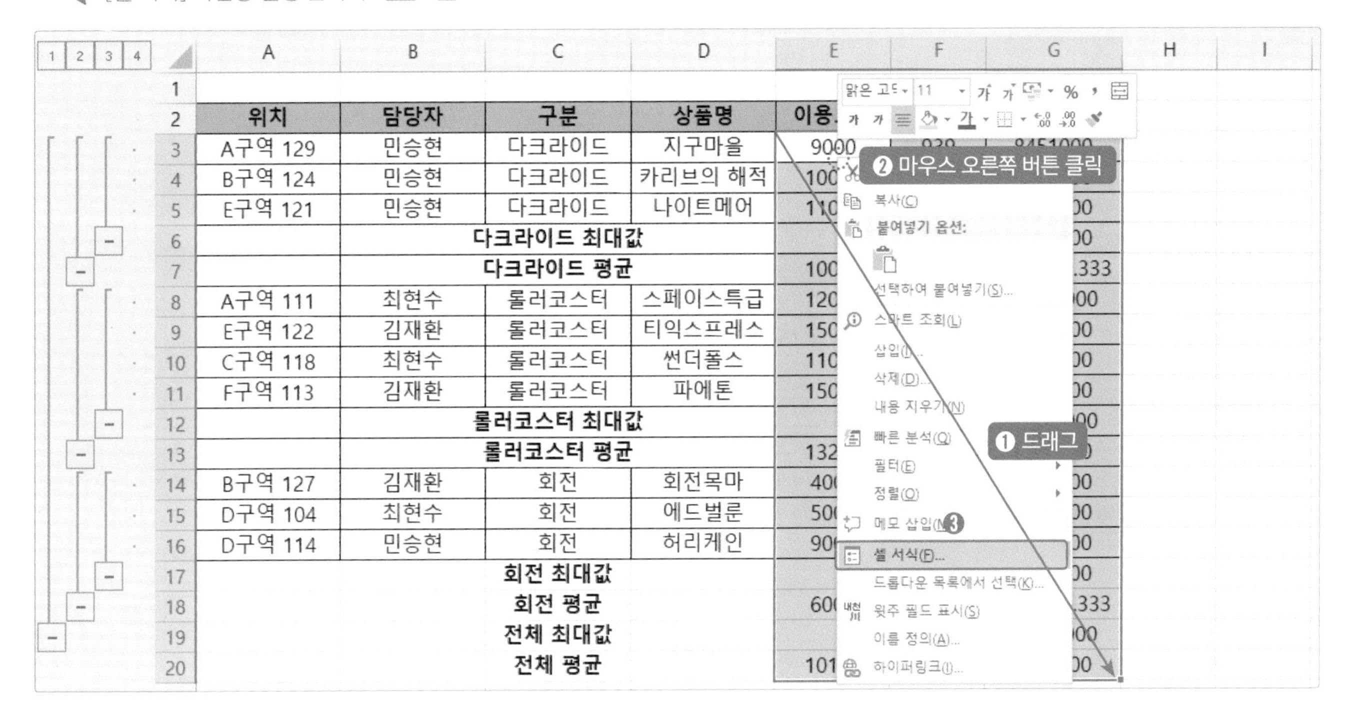

❽ [셀 서식] 대화상자가 나타나면 **[표시 형식]** 탭의 범주에서 **'숫자'**를 클릭하고 **'1000 단위 구분 기호(,) 사용'**에 **체크**한 후 [확인]을 클릭합니다. 선택된 영역에 입력된 금액에 천 단위 구분 기호가 표시된 것을 확인합니다.

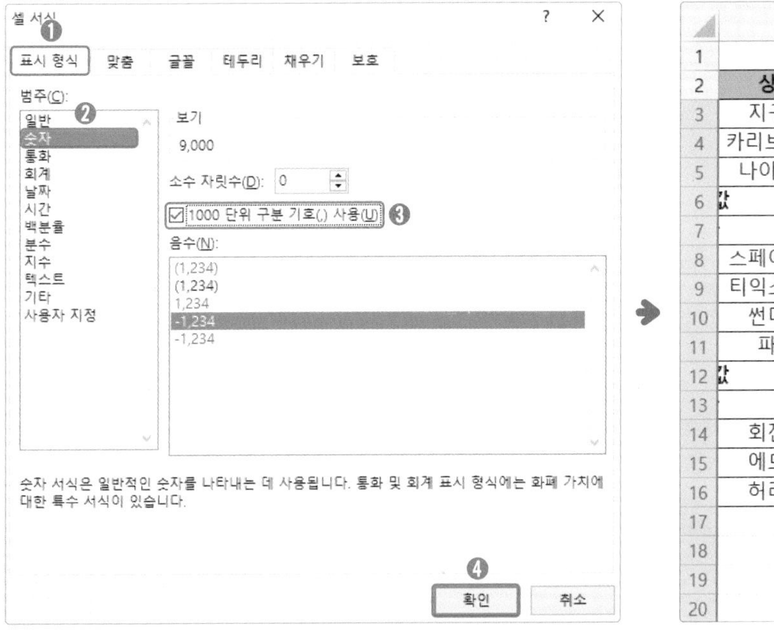

	D	E	F	G
1				
2	상품명	이용요금	인원	총금액
3	지구마을	9,000	939	8,451,000
4	카리브의 해적	10,000	522	5,220,000
5	나이트메어	11,000	605	6,655,000
6	값			8,451,000
7		10,000	689	6,775,333
8	스페이스특급	12,000	947	11,364,000
9	티익스프레스	15,000	540	8,100,000
10	썬더폴스	11,000	335	3,685,000
11	파에톤	15,000	340	5,100,000
12	값			11,364,000
13		13,250	541	7,062,250
14	회전목마	4,000	892	3,568,000
15	에드벌룬	5,000	372	1,860,000
16	허리케인	9,000	764	6,876,000
17				6,876,000
18		6,000	676	4,101,333
19				11,364,000
20		10,100	626	6,087,900

시험꿀팁

만약 셀 안에 입력된 금액이 '#####'과 같은 형태로 표시된다면 열 머리글의 경계를 더블 클릭하여 금액이 모두 보이도록 해야 합니다. 또는 《출력형태》를 참고하여 셀 너비를 적절히 조절해도 됩니다.

【문제 3】 "필터"와 "시나리오" 시트를 참조하여 다음 《처리조건》에 맞도록 작업하시오.(60점)

(1) 필터

《출력형태 – 필터》

	A	B	C	D	E	F	G
1							
2	구분	소재지	구매대상기업	총구매액	우선구매액	구매율(%)	이행액
3	큰나래상사	수도권	협동조합	7,115	87	1.2	46
4	에스큐종합상사	영남권	자활기업	31,758	205	0.6	-43
5	나래트레이딩	호남권	마을기업	18,236	39	0.2	-25
6	상상전자	영남권	협동조합	23,352	559	2.4	139
7	쓰리디무역	수도권	자활기업	4,104	152	3.7	86
8	SPACE네트워크	호남권	마을기업	5,182	65	1.3	16
9	삼바컴퓨터	영남권	자활기업	5,415	193	3.6	203
10	엣지상사	호남권	협동조합	1,093	130	11.9	167
11	SOA네트워크	수도권	자활기업	5,246	283	5.4	182
12	홀인원상사	수도권	마을기업	2,240	309	13.8	359
13							
14	조건						
15	FALSE						
16							
17							
18	구분	소재지	총구매액	우선구매액			
19	나래트레이딩	호남권	18,236	39			
20	상상전자	영남권	23,352	559			
21	SPACE네트워크	호남권	5,182	65			
22	엣지상사	호남권	1,093	130			
23							

《처리조건》

▶ "필터" 시트의 [A2:G12]를 아래 조건에 맞게 고급 필터를 사용하여 작성하시오.

- '소재지'가 "호남권"이거나 '우선구매액'이 500 이상인 데이터를 '구분', '소재지', '총구매액', '우선구매액'의 데이터만 필터링하시오.
- 조건 위치 : 조건 함수는 [A15] 한 셀에 작성(OR 함수 이용)
- 결과 위치 : [A18]부터 출력

▶ 지시사항이 없는 경우는 《출력형태 – 필터》와 동일하게 작성하시오.

03 그룹 설정하기

▶ E~G열을 선택하여 그룹을 설정하시오.

❶ E~G열을 그룹 설정하기 위해 **E열** 머리글부터 **G열** 머리글을 드래그하고 **[데이터] 탭-[윤곽선] 그룹-[그룹]**을 클릭합니다.

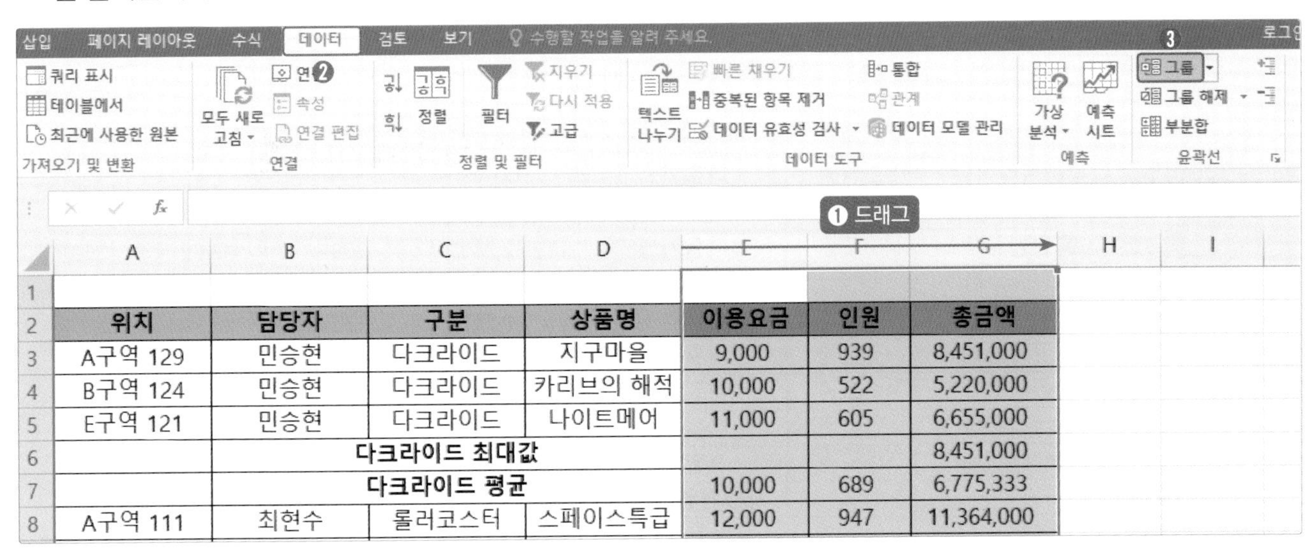

	A	B	C	D	E	F	G
1							
2	위치	담당자	구분	상품명	이용요금	인원	총금액
3	A구역 129	민승현	다크라이드	지구마을	9,000	939	8,451,000
4	B구역 124	민승현	다크라이드	카리브의 해적	10,000	522	5,220,000
5	E구역 121	민승현	다크라이드	나이트메어	11,000	605	6,655,000
6		다크라이드 최대값					8,451,000
7		다크라이드 평균			10,000	689	6,775,333
8	A구역 111	최현수	롤러코스터	스페이스특급	12,000	947	11,364,000

시험꿀팁

열에 그룹을 지정하는 문제는 고정적으로 출제됩니다. 《처리조건》에 제시된 열을 확인하여 범위 지정 후 그룹을 설정하면 됩니다.

❷ 열 머리글 위쪽에 그룹이 설정된 것을 확인하고 [빠른 실행 도구 모음]에서 **[저장(💾)]**을 클릭하거나 Ctrl+S를 눌러 파일을 저장합니다.

➕ 임의의 셀을 클릭하여 영역 지정을 해제합니다.

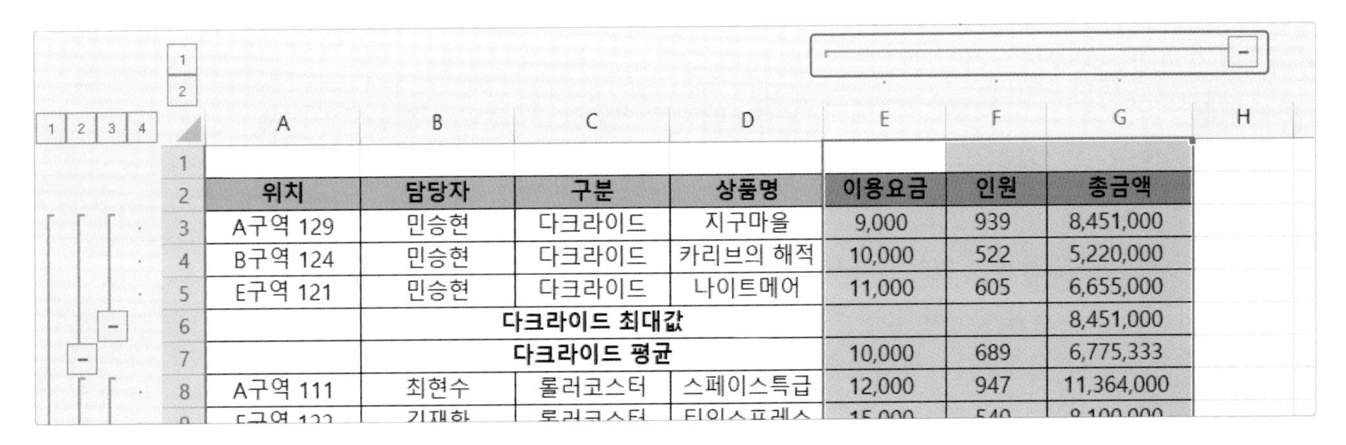

	A	B	C	D	E	F	G
1							
2	위치	담당자	구분	상품명	이용요금	인원	총금액
3	A구역 129	민승현	다크라이드	지구마을	9,000	939	8,451,000
4	B구역 124	민승현	다크라이드	카리브의 해적	10,000	522	5,220,000
5	E구역 121	민승현	다크라이드	나이트메어	11,000	605	6,655,000
6		다크라이드 최대값					8,451,000
7		다크라이드 평균			10,000	689	6,775,333
8	A구역 111	최현수	롤러코스터	스페이스특급	12,000	947	11,364,000

시험꿀팁

DIAT 스프레드시트는 문제지에 결괏값이 함께 표시되므로 자신이 작성한 부분합과 그룹, 정렬 등이 《출력형태》와 동일한지 반드시 확인하도록 합니다. 《출력형태》와 다르다면 잘못된 부분을 꼭 확인해 수정해야 합니다. (단, 부분합 순서는 다를 수 있음)

【문제 2】 "부분합" 시트를 참조하여 다음 《처리조건》에 맞도록 작업하시오.(30점)

《출력형태》

구분	소재지	구매대상기업	총구매액	우선구매액	구매율(%)	이행액
나래트레이딩	호남권	마을기업	18,236	39	0.2	-25
SPACE네트워크	호남권	마을기업	5,182	65	1.3	16
홀인원상사	수도권	마을기업	2,240	309	13.8	359
		마을기업 최대값	18,236			359
		마을기업 평균	8,553	138		
에스큐종합상사	영남권	자활기업	31,758	205	0.6	-43
쓰리디무역	수도권	자활기업	4,104	152	3.7	86
삼바컴퓨터	영남권	자활기업	5,415	193	3.6	203
SOA네트워크	수도권	자활기업	5,246	283	5.4	182
		자활기업 최대값	31,758			203
		자활기업 평균	11,631	208		
큰나래상사	수도권	협동조합	7,115	87	1.2	46
상상전자	영남권	협동조합	23,352	559	2.4	139
엣지상사	호남권	협동조합	1,093	130	11.9	167
		협동조합 최대값	23,352			167
		협동조합 평균	10,520	259		
		전체 최대값	31,758			359
		전체 평균	10,374	202		

《처리조건》

▶ 데이터를 '구매대상기업' 기준으로 오름차순 정렬하시오.

▶ 아래 조건에 맞는 부분합을 작성하시오.

- '구매대상기업'으로 그룹화하여 '총구매액', '우선구매액'의 평균을 구하는 부분합을 만드시오.
- '구매대상기업'으로 그룹화하여 '총구매액', '이행액'의 최대값을 구하는 부분합을 만드시오.
  (새로운 값으로 대치하지 말 것)
- [D3:E20], [G3:G20] 영역에 셀 서식의 표시 형식-숫자를 이용하여 1000 단위 구분 기호를 표시하시오.

▶ D~F열을 선택하여 그룹을 설정하시오.

▶ 평균과 최대값의 부분합 순서는 《출력형태》와 다를 수 있음

▶ 지시사항이 없는 경우는 기본 값을 적용하시오.

01 "부분합" 시트를 참조하여 《처리조건》에 맞도록 작업하시오.

소스파일: 04-01(문제).xlsx
완성파일: 04-01(완성).xlsx

《출력형태》

	A	B	C	D	E	F	G
1							
2	주문번호	제조사	상품분류	상품명	단가	수량	재고금액
3	P19-06029	블루블루	간식	츄르	20,800	89	1,851,200
4	P19-04033	핑크펫	간식	치즈통조림	10,900	121	1,318,900
5	P19-04041	블루블루	간식	애견소시지	3,500	58	203,000
6			**간식 평균**		11,733		1,124,367
7			**간식 최대값**		20,800	121	
8	P19-06025	바우와우	미용용품	이발기(소)	37,800	32	1,209,600
9	P19-04027	핑크펫	미용용품	이발기(중)	19,800	15	297,000
10	P19-04037	핑크펫	미용용품	털제거장갑	3,500	30	105,000
11			**미용용품 평균**		20,367		537,200
12			**미용용품 최대값**		37,800	32	
13	P19-04023	리틀달링	장난감	공	4,800	27	129,600
14	P19-04031	퍼니펫샵	장난감	일자터널	28,500	17	484,500
15	P19-06035	핑크펫	장난감	T자터널	16,000	21	336,000
16	P19-06039	퍼니펫샵	장난감	놀이인형	3,000	16	48,000
17			**장난감 평균**		13,075		249,525
18			**장난감 최대값**		28,500	27	
19			**전체 평균**		14,860		598,280
20			**전체 최대값**		37,800	121	
21							

《처리조건》

- ▶ 데이터를 '상품분류' 기준으로 오름차순 정렬하시오.
- ▶ 아래 조건에 맞는 부분합을 작성하시오.
  - '상품분류'로 그룹화하여 '단가', '수량'의 최대값을 구하는 부분합을 만드시오.
  - '상품분류'로 그룹화하여 '단가', '재고금액'의 평균을 구하는 부분합을 만드시오. (새로운 값으로 대치하지 말 것)
  - [E3:G20] 영역에 셀 서식의 표시 형식-숫자를 이용하여 1000 단위 구분 기호를 표시하시오.
- ▶ E~F열을 선택하여 그룹을 설정하시오.
- ▶ 최대값과 평균의 부분합 순서는 《출력형태》와 다를 수 있음
- ▶ 지시사항이 없는 경우는 기본 값을 적용하시오.

【문제 1】 **"구매실적" 시트를 참조하여 다음 《처리조건》에 맞도록 작업하시오.(50점)**

《출력형태》

	A	B	C	D	E	F	G	H	I
1	기업별 우선구매 실적								
2	구분	소재지	구매대상기업	총구매액	우선구매액	구매율(%)	이행액	순위	비고
3	큰나래상사	수도권	협동조합	7,115	87	1.2프로	46	8위	
4	에스큐종합상사	영남권	자활기업	31,758	205	0.6프로	-43	4위	
5	나래트레이딩	호남권	마을기업	18,236	39	0.2프로	-25	10위	
6	상상전자	영남권	협동조합	23,352	559	2.4프로	139	1위	
7	쓰리디무역	수도권	자활기업	4,104	152	3.7프로	86	6위	소량구매
8	SPACE네트워크	호남권	마을기업	5,182	65	1.3프로	16	9위	
9	삼바컴퓨터	영남권	자활기업	5,415	193	3.6프로	203	5위	
10	엣지상사	호남권	협동조합	1,093	130	11.9프로	167	7위	소량구매
11	SOA네트워크	수도권	자활기업	5,246	283	5.4프로	182	3위	
12	홀인원상사	수도권	마을기업	2,240	309	13.8프로	359	2위	소량구매
13	'구매대상기업'이 "협동조합"인 '총구매액' 합계				31,560				
14	'우선구매액'의 최대값-최소값 차이				520				
15	'이행액' 중 세 번째로 작은 값				16				
16									

《처리조건》

▶ 1행의 행 높이를 '80'으로 설정하고, 2행~15행의 행 높이를 '18'로 설정하시오.

▶ 제목("기업별 우선구매 실적") : 기본 도형의 '구름'을 이용하여 입력하시오.
- 도형 : 위치([B1:H1]), 도형 스타일(테마 스타일 - 보통 효과 - '주황, 강조 2')
- 글꼴 : 궁서체, 24pt, 기울임꼴
- 도형 서식 : 도형 옵션 - 크기 및 속성(텍스트 상자(세로 맞춤 : 정가운데, 텍스트 방향 : 가로))

▶ 셀 서식을 아래 조건에 맞게 작성하시오.
- [A2:I15] : 테두리(안쪽, 윤곽선 모두 실선, '검정, 텍스트 1'), 전체 가운데 맞춤
- [A13:D13], [A14:D14], [A15:D15] : 각각 병합하고 가운데 맞춤
- [A2:I2], [A13:D15] : 채우기 색('연한 녹색'), 글꼴(굵게)
- [D3:E12], [G3:G12], [E13:G15] : 셀 서식의 표시 형식-숫자를 이용하여 1000 단위 구분 기호 표시
- [F3:F12] : 셀 서식의 표시 형식-사용자 지정을 이용하여 0.0"프로"자를 추가
- [H3:H12] : 셀 서식의 표시 형식-사용자 지정을 이용하여 #"위"자를 추가
- 조건부 서식[A3:I12] : '구매대상기업'이 "자활기업"인 경우 레코드 전체에 글꼴(자주, 굵게) 적용
- 지시사항이 없는 경우는 주어진 문제파일의 서식을 그대로 사용하시오.

▶ ① 순위[H3:H12] : '우선구매액'을 기준으로 큰 순으로 순위를 구하시오. (RANK.EQ 함수)

▶ ② 비고[I3:I12] : '총구매액'이 5000 이하이면 "소량구매", 그렇지 않으면 공백으로 구하시오. (IF 함수)

▶ ③ 합계[E13:G13] : '구매대상기업'이 "협동조합"인 '총구매액'의 합계를 구하시오. (DSUM 함수)

▶ ④ 최대값-최소값[E14:G14] : '우선구매액'의 최대값과 최소값의 차이를 구하시오. (MAX, MIN 함수)

▶ ⑤ 순위[E15:G15] : '이행액' 중 세 번째로 작은 값을 구하시오. (SMALL 함수)

02 "부분합" 시트를 참조하여 《처리조건》에 맞도록 작업하시오.

소스파일: 04-02(문제).xlsx
완성파일: 04-02(완성).xlsx

《출력형태》

	A	B	C	D	E	F	G	H
1								
2	제품번호	색상	상품분류	상품명	단가	수량	판매금액	
3	KS3599-R	레드계열	런닝화	컬러라인 런닝화	46,000	38	1,748,000	
4	HS3428-S	실버계열	런닝화	컬러라인 런닝화	64,000	15	960,000	
5	AS4093-R	레드계열	런닝화	레드 러너스	49,800	46	2,290,800	
6	CS3342-S	실버계열	런닝화	컬러라인 런닝화	45,700	40	1,828,000	
7			런닝화 요약				6,826,800	
8			런닝화 평균		51,375	35	1,706,700	
9	BS3323-S	실버계열	아쿠아슈즈	루니아쿠아슈즈	24,900	43	1,070,700	
10	DS3967-R	레드계열	아쿠아슈즈	워터슈즈	39,000	23	897,000	
11	IS3437-B	블랙계열	아쿠아슈즈	워터슈즈	19,900	17	338,300	
12			아쿠아슈즈 요약				2,306,000	
13			아쿠아슈즈 평균		27,933	28	768,667	
14	CS3353-B	블랙계열	운동화	레이시스 런닝화	39,800	21	835,800	
15	AS4292-B	블랙계열	운동화	레이시스 런닝화	48,000	38	1,824,000	
16	JS3887-B	블랙계열	운동화	콜라보 스니커즈	29,800	16	476,800	
17			운동화 요약				3,136,600	
18			운동화 평균		39,200	25	1,045,533	
19			총합계				12,269,400	
20			전체 평균		40,690	30	1,226,940	
21								

《처리조건》

- 데이터를 '상품분류' 기준으로 오름차순 정렬하시오.
- 아래 조건에 맞는 부분합을 작성하시오.
  - '상품분류'로 그룹화하여 '단가', '수량', '판매금액'의 평균을 구하는 부분합을 만드시오.
  - '상품분류'로 그룹화하여 '판매금액'의 합계(요약)를 구하는 부분합을 만드시오.
    (새로운 값으로 대치하지 말 것)
  - [E3:G20] 영역에 셀 서식의 표시 형식-숫자를 이용하여 1000 단위 구분 기호를 표시하시오.
- E~G열을 선택하여 그룹을 설정하시오.
- 평균과 합계의 부분합 순서는 《출력형태》와 다를 수 있음
- 지시사항이 없는 경우는 기본 값을 적용하시오.

제09회 실전모의고사

▹ 시험과목 : 스프레드시트(엑셀)
▹ 시험일자 : 20XX. XX. XX.(X)
▹ 응시자 기재사항 및 감독위원 확인

수 검 번 호	DIS – XXXX –	감독위원 확인
성 명		

응시자 유의사항

1. 응시자는 신분증을 지참하여야 시험에 응시할 수 있으며, 시험이 종료될 때까지 신분증을 제시하지 못할 경우 해당 시험은 0점 처리됩니다.
2. 시스템(PC 작동 여부, 네트워크 상태 등)의 이상 여부를 반드시 확인하여야 하며, 시스템 이상이 있을시 감독위원에게 조치를 받으셔야 합니다.
3. 시험 중 부주의 또는 고의로 시스템을 파손한 경우는 응시자 부담으로 합니다.
4. 답안 전송 프로그램을 통해 다운로드 받은 파일을 이용하여 답안 파일을 작성하시기 바랍니다.
5. 작성한 답안 파일은 답안 전송 프로그램을 통하여 전송됩니다. 감독위원의 지시에 따라 주시기 바랍니다.
6. 다음 사항의 경우 실격(0점) 혹은 부정행위 처리됩니다.
   ❶ 답안 파일을 저장하지 않았거나, 저장한 파일이 손상되었을 경우
   ❷ 답안 파일을 지정된 폴더(바탕화면 "KAIT" 폴더)에 저장하지 않았을 경우
   ※ 답안 전송 프로그램 로그인 시 바탕화면에 자동 생성됨
   ❸ 답안 파일을 다른 보조기억장치(USB) 혹은 네트워크(메신저, 게시판 등)로 전송할 경우
   ❹ 휴대용 전화기 등 통신기기를 사용할 경우
7. 시험지에 제시된 글꼴이 응시 프로그램에 없는 경우, 반드시 감독위원에게 해당 내용을 통보한 뒤 조치를 받아야 합니다.
8. 시험의 완료는 작성이 완료된 답안을 저장하고, 답안 전송이 완료된 상태를 확인한 것으로 합니다. 답안 전송 확인 후 문제지는 감독위원에게 제출한 후 퇴실하여야 합니다.
9. 답안 전송이 완료된 경우에는 수정 또는 정정이 불가능합니다.
10. 시험시행 후 결과는 홈페이지(www.ihd.or.kr)에서 확인하시기 바랍니다.
    ❶ 문제 및 모범답안 공개 : 20XX. XX. XX.(X)
    ❷ 합격자 발표 : 20XX. XX. XX.(X)

소스파일: 04-03(문제).xlsx
완성파일: 04-03(완성).xlsx

03 "부분합" 시트를 참조하여 《처리조건》에 맞도록 작업하시오.

《출력형태》

	A	B	C	D	E	F	G	H
1								
2	주문번호	주문처	상품분류	상품명	판매단가	판매수량	총판매액	
3	FR-009012	통신판매	커피음료	커피아시아	1,500	219	328,500	
4	FR-000053	통신판매	커피음료	카페타임	1,400	486	680,400	
5	FR-000759	통신판매	커피음료	커피매니아	2,300	401	922,300	
6	FR-200063	통신판매	생수	심해청수	1,300	216	280,800	
7		통신판매 최대값			2,300		922,300	
8		통신판매 평균			1,625	331		
9	FR-008969	편의점	탄산음료	톡톡소다	1,200	463	555,600	
10	FR-000504	편의점	생수	지리산수	900	341	306,900	
11	FR-200202	편의점	탄산음료	레몬타임	1,700	236	401,200	
12		편의점 최대값			1,700		555,600	
13		편의점 평균			1,267	347		
14	FR-008966	할인점	생수	시원수	800	519	415,200	
15	FR-009008	할인점	탄산음료	라임메이드	1,800	369	664,200	
16	FR-200101	할인점	탄산음료	허리케인	2,100	104	218,400	
17		할인점 최대값			2,100		664,200	
18		할인점 평균			1,567	331		
19		전체 최대값			2,300		922,300	
20		전체 평균			1,500	335		
21								

《처리조건》

▶ 데이터를 '주문처' 기준으로 오름차순 정렬하시오.

▶ 아래 조건에 맞는 부분합을 작성하시오.

- '주문처'로 그룹화하여 '판매단가', '판매수량'의 평균을 구하는 부분합을 만드시오.
- '주문처'로 그룹화하여 '판매단가', '총판매액'의 최대값을 구하는 부분합을 만드시오.
  (새로운 값으로 대치하지 말 것)
- [E3:G20] 영역에 셀 서식의 표시 형식-숫자를 이용하여 1000 단위 구분 기호를 표시하시오.

▶ E~G열을 선택하여 그룹을 설정하시오.

▶ 평균과 최대값의 부분합 순서는 《출력형태》와 다를 수 있음

▶ 지시사항이 없는 경우는 기본 값을 적용하시오.

【문제 5】 "차트" 시트를 참조하여 다음 《처리조건》에 맞도록 작업하시오.(30점)

《출력형태》

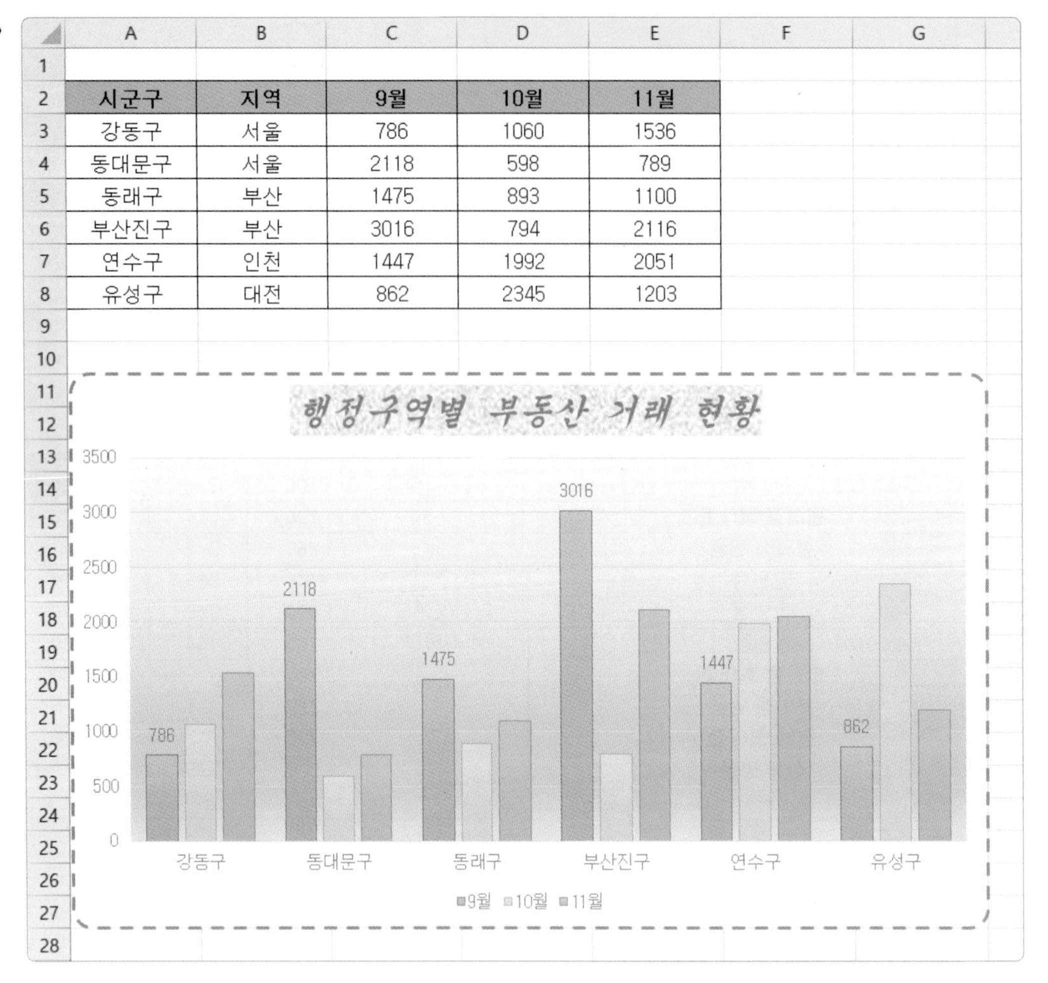

시군구	지역	9월	10월	11월
강동구	서울	786	1060	1536
동대문구	서울	2118	598	789
동래구	부산	1475	893	1100
부산진구	부산	3016	794	2116
연수구	인천	1447	1992	2051
유성구	대전	862	2345	1203

《처리조건》

▶ "차트" 시트에 주어진 표를 이용하여 '묶은 세로 막대형' 차트를 작성하시오.

- 데이터 범위 : 현재 시트 [A2:A8], [C2:E8]의 데이터를 이용하여 작성하고, 행/열 전환은 '열'로 지정
- 차트 제목("행정구역별 부동산 거래 현황")
- 범례 위치 : 아래쪽
- 차트 스타일 : 색 변경(색상형 – 색 3, 스타일 5)
- 차트 위치 : 현재 시트에 [A11:G27] 크기에 정확하게 맞추시오.
- 차트 영역 서식 : 글꼴(돋움체, 9pt), 테두리 색(실선, 색 : 주황, 강조 2), 테두리 스타일 (너비 : 2pt, 겹선 종류 : 단순형, 대시 종류 : 파선, 둥근 모서리)
- 차트 제목 서식 : 글꼴(궁서체, 18pt, 기울임꼴), 채우기(그림 또는 질감 채우기, 질감 : 신문 용지)
- 그림 영역 서식 : 채우기(그라데이션 채우기, 그라데이션 미리 설정 : 밝은 그라데이션 – 강조 6, 종류 : 선형, 방향 : 선형 아래쪽)
- 데이터 레이블 추가 : '9월' 계열에 "값" 표시

▶ 지시사항이 없는 경우는 《출력형태》와 동일하게 작성하시오.

04 "부분합" 시트를 참조하여 《처리조건》에 맞도록 작업하시오.

소스파일: 04-04(문제).xlsx
완성파일: 04-04(완성).xlsx

《출력형태》

	A	B	C	D	E	F	G	H
1								
2	강좌명	분류	대상	모집인원	기간	수강료	합계	
3	영어회화	어학	4학년	20	3	16,000	960,000	
4	바이올린	취미	4학년	25	3	30,000	2,250,000	
5	축구	취미	4학년	30	1	24,000	720,000	
6	한글	컴퓨터	4학년	30	1	15,000	450,000	
7	4		**4학년 개수**					
8			**4학년 평균**	26		21,250	1,095,000	
9	포토샵	컴퓨터	5학년	20	2	17,000	680,000	
10	일본어회화	어학	5학년	25	3	20,000	1,500,000	
11	중국어회화	어학	5학년	20	2	16,000	640,000	
12	3		**5학년 개수**					
13			**5학년 평균**	22		17,667	940,000	
14	드론	취미	6학년	20	1	30,000	600,000	
15	엑셀	컴퓨터	6학년	30	2	18,000	1,080,000	
16	파워포인트	컴퓨터	6학년	25	2	15,000	750,000	
17	3		**6학년 개수**					
18			**6학년 평균**	25		21,000	810,000	
19	10		**전체 개수**					
20			**전체 평균**	25		20,100	963,000	
21								

《처리조건》

▶ 데이터를 '대상' 기준으로 오름차순 정렬하시오.

▶ 아래 조건에 맞는 부분합을 작성하시오.

- '대상'으로 그룹화하여 '모집인원', '수강료', '합계'의 평균을 구하는 부분합을 만드시오.
- '대상'으로 그룹화하여 '강좌명'의 개수를 구하는 부분합을 만드시오.
  (새로운 값으로 대치하지 말 것)
- [D3:G20] 영역에 셀 서식의 표시 형식-숫자를 이용하여 1000 단위 구분 기호를 표시하시오.

▶ F~G열을 선택하여 그룹을 설정하시오.

▶ 평균과 개수의 부분합 순서는 《출력형태》와 다를 수 있음

▶ 지시사항이 없는 경우는 기본 값을 적용하시오.

【문제 4】 "피벗테이블" 시트를 참조하여 다음 《처리조건》에 맞도록 작업하시오.(30점)

《출력형태》

	A	B	C	D
1				
2				
3			단위	
4	지역	값	광역시	특별시
5	대전	평균 : 10월	2,327	***
6		평균 : 11월	861	***
7	서울	평균 : 10월	***	1,109
8		평균 : 11월	***	975
9	인천	평균 : 10월	1,782	***
10		평균 : 11월	2,786	***
11	전체 평균 : 10월		2,055	1,109
12	전체 평균 : 11월		1,823	975
13				

《처리조건》

▶ "피벗테이블" 시트의 [A2:G12]를 이용하여 새로운 시트에 《출력형태》와 같이 피벗 테이블을 작성 후 시트명을 "피벗테이블 정답"으로 수정하시오.

▶ 지역(행)과 단위(열)를 기준으로 하여 출력형태와 같이 구하시오.

- '10월', '11월'의 평균을 구하시오.
- 피벗 테이블 옵션을 이용하여 레이블이 있는 셀 병합 및 가운데 맞춤하고, 빈 셀을 "***"로 표시한 후, 행의 총합계를 감추기 하시오.
- 피벗 테이블 디자인에서 보고서 레이아웃은 '테이블 형식으로 표시', 피벗 테이블 스타일은 '피벗 스타일 어둡게 6'으로 표시하시오.
- 지역(행)은 "대전", "서울", "인천"만 출력되도록 표시하시오.
- [C5:D12] 데이터는 셀 서식의 표시 형식-숫자를 이용하여 1000 단위 구분 기호를 표시하고, 가운데 맞춤하시오.

▶ 지역의 순서는 《출력형태》와 다를 수 있음

▶ 지시사항이 없는 경우는 《출력형태》와 동일하게 작성하시오.

[문제 3] 고급 필터 지정하기

엑셀의 필터는 조건에 맞는 데이터들만 보여 주는 기능을 수행합니다. 필터에는 필터링 버튼을 눌러 쉽게 추출하는 '자동 필터'와 조건을 입력해 추출하는 '고급 필터'가 있습니다. 시험에는 [문제 3]에서 고급 필터를 설정하는 문제가 고정적으로 출제되고 있습니다.

소스파일: 05차시(문제).xlsx　　완성파일: 05차시(완성).xlsx

문제 미리보기 【문제 3】 "필터"와 "시나리오" 시트를 참조하여 다음 《처리조건》에 맞도록 작업하시오.(60점)

《출력형태 – 필터》

	A	B	C	D	E	F	G
1							
2	위치	담당자	구분	상품명	이용요금	인원	총금액
3	B구역 127	김재환	회전	회전목마	4,000	892	3,568,000
4	A구역 111	최현수	롤러코스터	스페이스특급	12,000	947	11,364,000
5	A구역 129	민승현	다크라이드	지구마을	9,000	939	8,451,000
6	E구역 122	김재환	롤러코스터	티익스프레스	15,000	540	8,100,000
7	B구역 124	민승현	다크라이드	카리브의 해적	10,000	522	5,220,000
8	C구역 118	최현수	롤러코스터	썬더폴스	11,000	335	3,685,000
9	E구역 121	민승현	다크라이드	나이트메어	11,000	605	6,655,000
10	D구역 104	최현수	회전	에드벌룬	5,000	372	1,860,000
11	F구역 113	김재환	롤러코스터	파에톤	15,000	340	5,100,000
12	D구역 114	민승현	회전	허리케인	9,000	764	6,876,000
13							
14	조건						
15	FALSE						
16							
17							
18	위치	담당자	상품명	이용요금	총금액		
19	A구역 111	최현수	스페이스특급	12,000	11,364,000		
20	E구역 122	김재환	티익스프레스	15,000	8,100,000		
21							

《처리조건》

- ▶ "필터" 시트의 [A2:G12]를 아래 조건에 맞게 고급 필터를 사용하여 작성하시오.
  - '구분'이 "롤러코스터"이고 '인원'이 500 이상인 데이터를 '위치', '담당자', '상품명', '이용요금', '총금액'의 데이터만 필터링하시오.
  - 조건 위치 : 조건 함수는 [A15] 한 셀에 작성(AND 함수 이용)
  - 결과 위치 : [A18]부터 출력
- ▶ 지시사항이 없는 경우는 《출력형태 – 필터》와 동일하게 작성하시오.

과정 미리보기 조건 함수 작성 ➜ 필드명 작성 ➜ 고급 필터 지정

(2) 시나리오

《출력형태 – 시나리오》

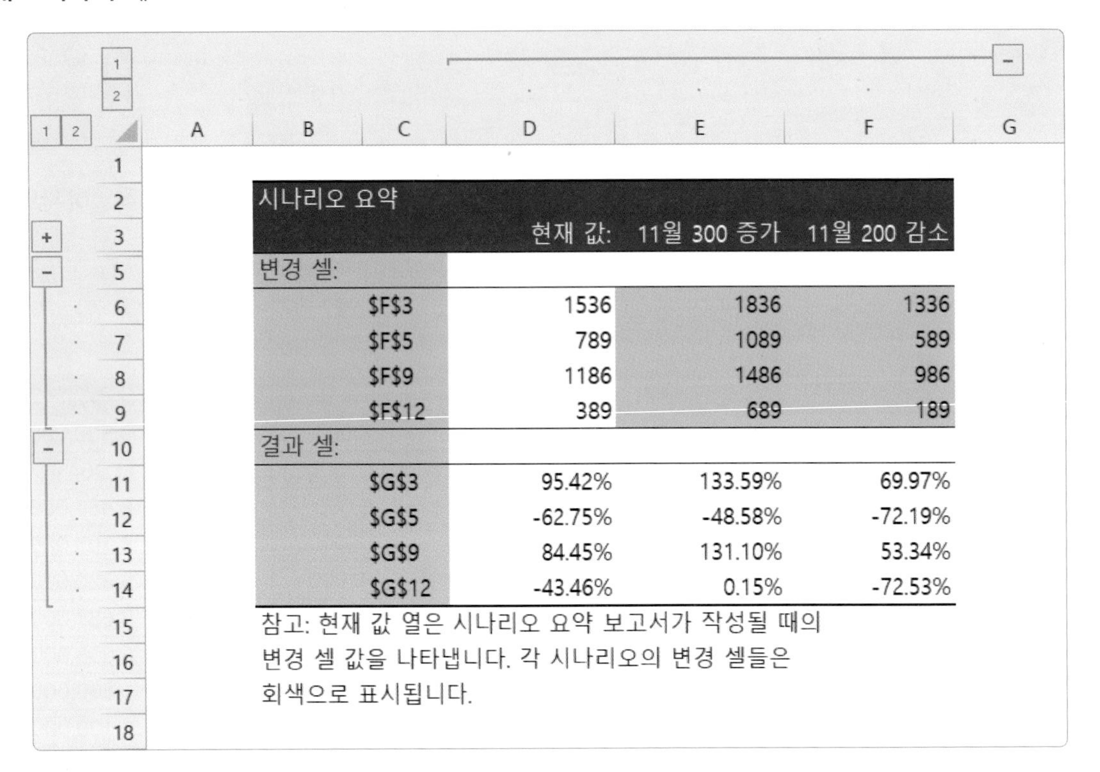

시나리오 요약				
		현재 값:	11월 300 증가	11월 200 감소
변경 셀:				
	$F$3	1536	1836	1336
	$F$5	789	1089	589
	$F$9	1186	1486	986
	$F$12	389	689	189
결과 셀:				
	$G$3	95.42%	133.59%	69.97%
	$G$5	-62.75%	-48.58%	-72.19%
	$G$9	84.45%	131.10%	53.34%
	$G$12	-43.46%	0.15%	-72.53%

참고: 현재 값 열은 시나리오 요약 보고서가 작성될 때의 변경 셀 값을 나타냅니다. 각 시나리오의 변경 셀들은 회색으로 표시됩니다.

《처리조건》

▶ "시나리오" 시트의 [A2:G12]를 이용하여 '지역'이 "서울"인 경우, '11월'이 변동할 때 '증감률'이 변동하는 가상분석(시나리오)을 작성하시오.

- 시나리오1 : 시나리오 이름은 "11월 300 증가", '11월'에 300을 증가시킨 값 설정.
- 시나리오2 : 시나리오 이름은 "11월 200 감소", '11월'에 200을 감소시킨 값 설정.
- "시나리오 요약" 시트를 작성하시오.

▶ 지시사항이 없는 경우는 《출력형태 – 시나리오》와 동일하게 작성하시오.

01 조건 함수 작성하기

▶ "필터" 시트의 [A2:G12]를 아래 조건에 맞게 고급 필터를 사용하여 작성하시오.
- '구분'이 "롤러코스터"이고 '인원'이 500 이상인 데이터를 '위치', '담당자', '상품명', '이용요금', '총금액'의 데이터만 필터링하시오..
- 조건 위치 : 조건 함수는 [A15] 한 셀에 작성(AND 함수 이용)
- 결과 위치 : [A18]부터 출력

❶ [05차시] 폴더에서 '05차시(문제).xlsx' 파일을 더블 클릭하여 실행합니다. 파일이 열리면 **[필터]** 시트를 클릭합니다.

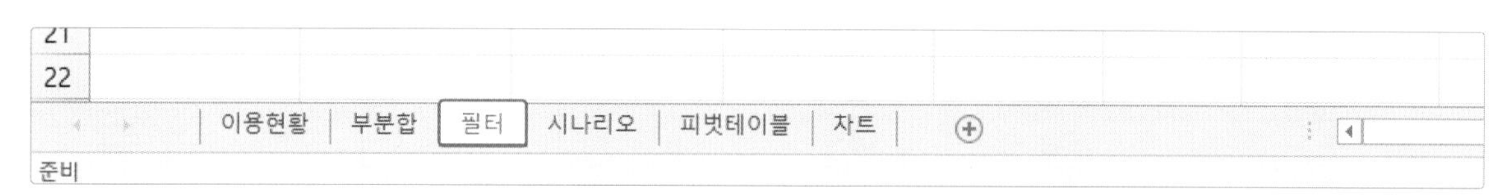

❷ 조건 함수를 작성하기 위해 [A15] 셀을 클릭하고 [수식] 탭-[함수 라이브러리] 그룹-[논리]-[AND]를 클릭합니다.

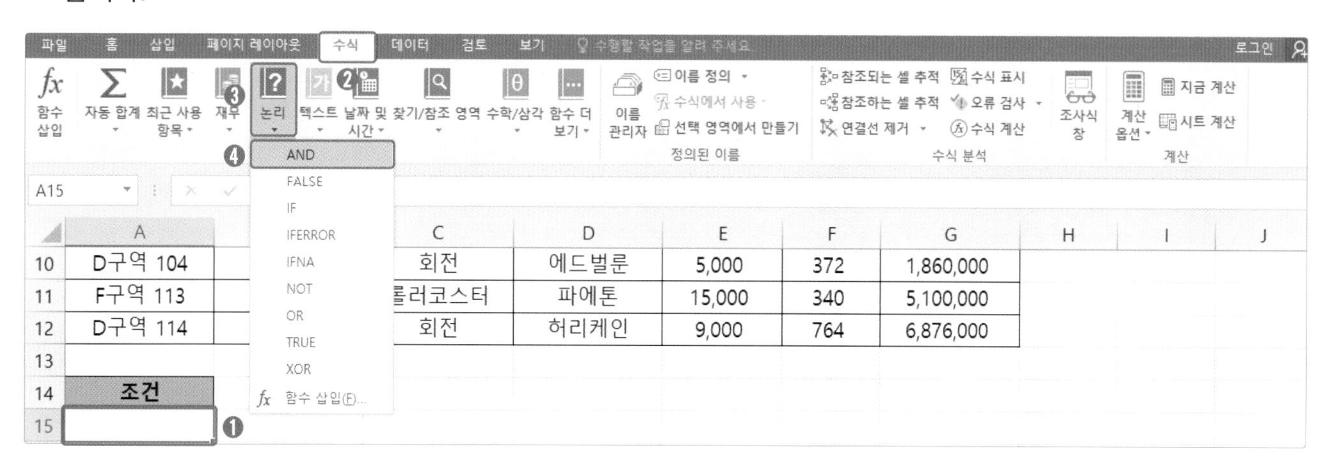

시험꿀팁

조건식은 《처리조건》에 제시된 함수(AND 함수, OR 함수)를 이용하여 조건을 작성해야 합니다.
- AND 함수 : 모든 조건을 만족하면 '참(TRUE)'을, 그렇지 않으면 '거짓(FALSE)'을 출력하는 함수
- OR 함수 : 한 개의 조건이라도 만족하면 '참(TRUE)'을 출력하는 함수

❸ [함수 인수] 대화상자가 나타나면 첫 번째 조건을 입력하기 위해 Logical1 입력 상자를 클릭하고 C3="**롤러코스터**"를 입력합니다.

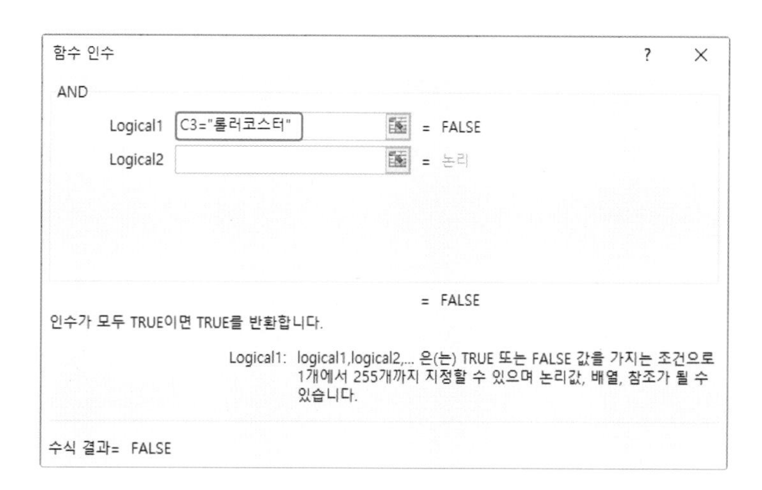

【문제 3】 "필터"와 "시나리오" 시트를 참조하여 다음 《처리조건》에 맞도록 작업하시오.(60점)

(1) 필터

《출력형태 - 필터》

	A	B	C	D	E	F	G
1							
2	단위	지역	시군구	9월	10월	11월	증감률
3	특별시	서울	강동구	786	1060	1536	95.42%
4	광역시	대전	동구	474	2309	518	9.28%
5	특별시	서울	동대문구	2118	598	789	-62.75%
6	광역시	부산	동래구	1475	893	1100	-25.42%
7	광역시	부산	부산진구	3016	794	2116	-29.84%
8	광역시	인천	서구	3290	1572	3520	6.99%
9	특별시	서울	성북구	643	2257	1186	84.45%
10	광역시	인천	연수구	1447	1992	2051	41.74%
11	광역시	대전	유성구	862	2345	1203	39.56%
12	특별시	서울	은평구	688	521	389	-43.46%
13							
14							
15	조건						
16	FALSE						
17							
18	시군구	10월	11월	증감률			
19	동대문구	598	789	-62.75%			
20	동래구	893	1100	-25.42%			
21	부산진구	794	2116	-29.84%			
22	은평구	521	389	-43.46%			
23							

《처리조건》

▶ "필터" 시트의 [A2:G12]를 아래 조건에 맞게 고급 필터를 사용하여 작성하시오.

- '지역'이 "부산"이거나 '10월'이 700 이하인 데이터를 '시군구', '10월', '11월', '증감률'의 데이터만 필터링하시오.
- 조건 위치 : 조건 함수는 [A16] 한 셀에 작성(OR 함수 이용)
- 결과 위치 : [A18]부터 출력

▶ 지시사항이 없는 경우는 《출력형태 - 필터》와 동일하게 작성하시오.

❹ 두 번째 조건을 입력하기 위해 Logical2 입력 상자를 클릭하고 F3>=500을 입력한 후 [확인]을 클릭합니다.

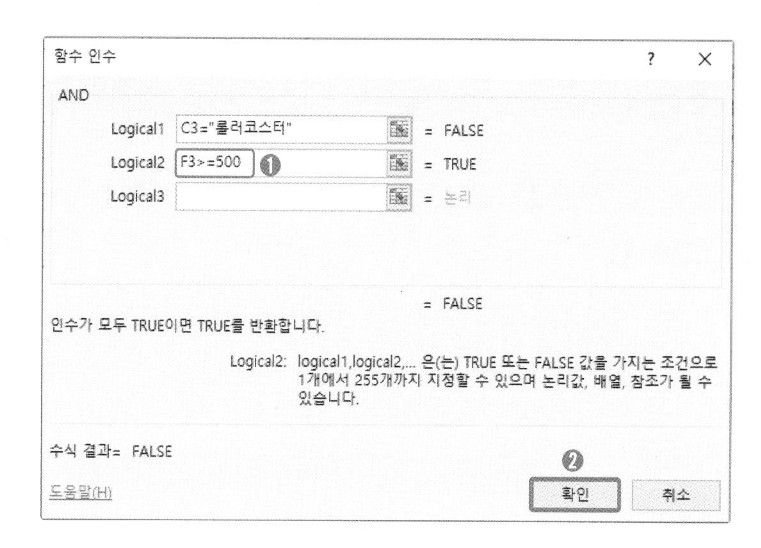

함수식 직접 입력하기

함수 마법사를 이용하지 않고 [A15] 셀에 다음과 같이 직접 수식을 입력하면 더 빠르게 값을 구할 수 있습니다.

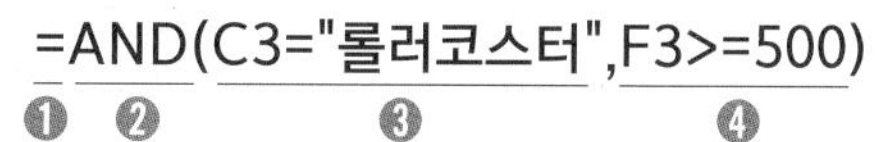

❶ : 수식은 등호(=)로 시작합니다.
❷ : ❸, ❹의 인수가 모두 참(TRUE)이면 참(TRUE)을 반환합니다.
❸ : 구분(C3)이 "롤러코스터"인 조건을 입력합니다.
❹ : 인원(F3)이 500 이상인 조건을 입력합니다.

❺ 고급 필터의 조건 함수 입력이 완료되었습니다.

1							
2	위치	담당자	구분	상품명	이용요금	인원	총금액
3	B구역 127	김재환	회전	회전목마	4,000	892	3,568,000
4	A구역 111	최현수	롤러코스터	스페이스특급	12,000	947	11,364,000
5	A구역 129	민승현	다크라이드	지구마을	9,000	939	8,451,000
6	E구역 122	김재환	롤러코스터	티익스프레스	15,000	540	8,100,000
7	B구역 124	민승현	다크라이드	카리브의 해적	10,000	522	5,220,000
8	C구역 118	최현수	롤러코스터	썬더폴스	11,000	335	3,685,000
9	E구역 121	민승현	다크라이드	나이트메어	11,000	605	6,655,000
10	D구역 104	최현수	회전	에드벌룬	5,000	372	1,860,000
11	F구역 113	김재환	롤러코스터	파에톤	15,000	340	5,100,000
12	D구역 114	민승현	회전	허리케인	9,000	764	6,876,000
13							
14	조건						
15	FALSE						
16							

현재 [C3] 셀과 [F3] 셀에 입력된 데이터가 작성한 함수식의 두 개의 조건 중 하나만 만족하기 때문에 'FALSE'가 표시됩니다.

02 필드명 작성하기

❶ 고급 필터를 적용할 필드명을 복사하기 위해 [A2:B2] 영역을 드래그하여 선택하고 Ctrl을 누른 상태에서 [D2:E2], [G2] 셀을 범위로 지정한 후 Ctrl+C를 눌러 복사합니다.

• 《처리조건》에 '위치', '담당자', '상품명', '이용요금', '총금액'의 데이터만 필터링하라고 되어 있으므로 차례로 선택합니다.
• 데이터가 복사되면 해당 셀에 점선이 표시됩니다.

	A	B	C	D	E	F	G	H	I
1									
2	위치	담당자	구분	상품명	이용요금	인원	총금액		
3	B구역	김재환	회전		00	892			
4	A구역 111	최현수	롤러코스터	스	12,000	947			

❶ 드래그 ❷ Ctrl + 드래그 ❸ Ctrl + 클릭

【문제 2】 "부분합" 시트를 참조하여 다음 《처리조건》에 맞도록 작업하시오.(30점)

《출력형태》

	A	B	C	D	E	F	G
1							
2	단위	지역	시군구	9월	10월	11월	증감률
3	광역시	대전	동구	474	2,309	518	9.28%
4	광역시	대전	유성구	862	2,345	1,203	39.56%
5		대전 개수	2				
6		대전 평균			2,327	861	
7	광역시	부산	동래구	1,475	893	1,100	-25.42%
8	광역시	부산	부산진구	3,016	794	2,116	-29.84%
9		부산 개수	2				
10		부산 평균			844	1,608	
11	특별시	서울	강동구	786	1,060	1,536	95.42%
12	특별시	서울	동대문구	2,118	598	789	-62.75%
13	특별시	서울	성북구	643	2,257	1,186	84.45%
14	특별시	서울	은평구	688	521	389	-43.46%
15		서울 개수	4				
16		서울 평균			1,109	975	
17	광역시	인천	서구	3,290	1,572	3,520	6.99%
18	광역시	인천	연수구	1,447	1,992	2,051	41.74%
19		인천 개수	2				
20		인천 평균			1,782	2,786	
21		전체 개수	10				
22		전체 평균			1,434	1,441	
23							

《처리조건》

▶ 데이터를 '지역' 기준으로 오름차순 정렬하시오.

▶ 아래 조건에 맞는 부분합을 작성하시오.

- '지역'으로 그룹화하여 '10월', '11월'의 평균을 구하는 부분합을 만드시오.
- '지역'으로 그룹화하여 '시군구'의 개수를 구하는 부분합을 만드시오.
  (새로운 값으로 대치하지 말 것)
- [D3:F22] 영역에 셀 서식의 표시 형식-숫자를 이용하여 1000 단위 구분 기호를 표시하시오.

▶ D~F열을 선택하여 그룹을 설정하시오.

▶ 평균과 개수의 부분합 순서는 《출력형태》와 다를 수 있음

▶ 지시사항이 없는 경우는 기본 값을 적용하시오.

❷ 필터링된 결과를 [A18] 셀부터 출력하기 위해 **[A18]** 셀을 클릭한 후 Ctrl+V를 눌러 붙여 넣습니다.

	A	B
10	D구역 104	최현수
11	F구역 113	김재환
12	D구역 114	민승현
13		
14	조건	
15	FALSE	
16		
17		❶ 클릭
18		❷ Ctrl + V
19		

	A	B	C	D	E	F	G
10	D구역 104	최현수	회전	에드벌룬	5,000	372	1,860,000
11	F구역 113	김재환	롤러코스터	파에톤	15,000	340	5,100,000
12	D구역 114	민승현	회전	허리케인	9,000	764	6,876,000
13							
14	조건						
15	FALSE						
16							
17							
18	위치	담당자	상품명	이용요금	총금액		
19						(Ctrl) ▾	

시험꿀팁

필터링 결과 위치는 보통 [A18] 셀부터 출력하도록 출제됩니다. 가끔 [A17] 셀부터 출력하도록 출제되기도 하니 《처리조건》을 반드시 확인합니다.

03 고급 필터 지정하기

❶ [A2:G12] 영역에서 아무 셀이나 클릭한 후 **[데이터] 탭-[정렬 및 필터] 그룹-[고급]**을 클릭합니다.

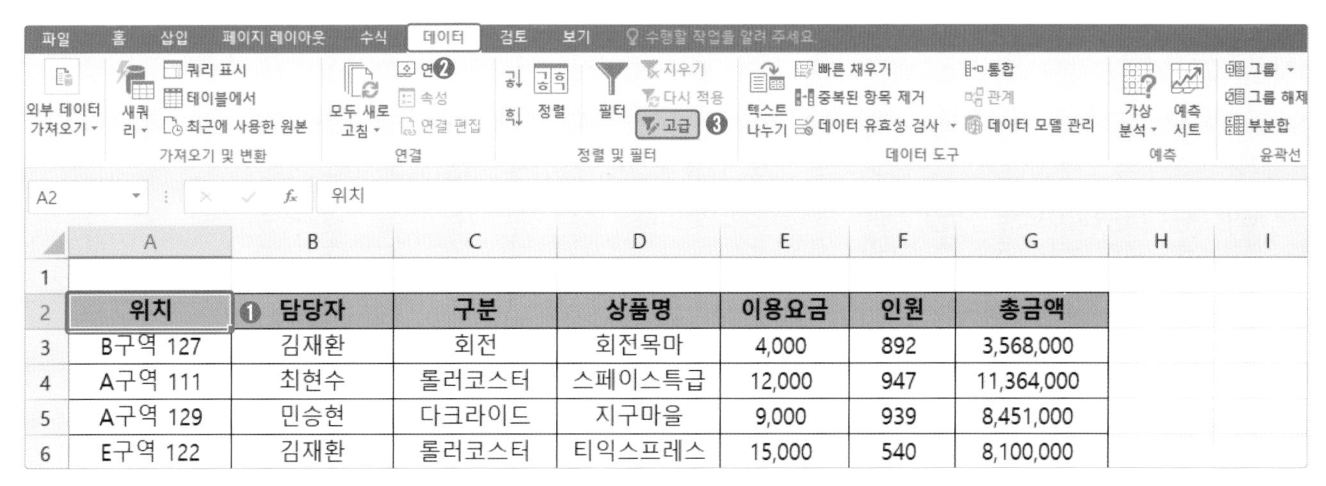

	A	B	C	D	E	F	G
2	위치	담당자	구분	상품명	이용요금	인원	총금액
3	B구역 127	김재환	회전	회전목마	4,000	892	3,568,000
4	A구역 111	최현수	롤러코스터	스페이스특급	12,000	947	11,364,000
5	A구역 129	민승현	다크라이드	지구마을	9,000	939	8,451,000
6	E구역 122	김재환	롤러코스터	티익스프레스	15,000	540	8,100,000

❷ 필터링 결과는 [A18] 셀부터 출력해야 하므로 [고급 필터] 대화 상자에서 '**다른 장소에 복사**'를 선택합니다.
❸ '**조건 범위**'의 입력 상자를 클릭하고 조건이 지정된 **[A14:A15]** 영역을 드래그합니다.
❹ '**복사 위치**'의 입력 상자를 클릭하고 필드명이 작성된 **[A18:E18]** 영역을 드래그한 후 [확인]을 클릭합니다.

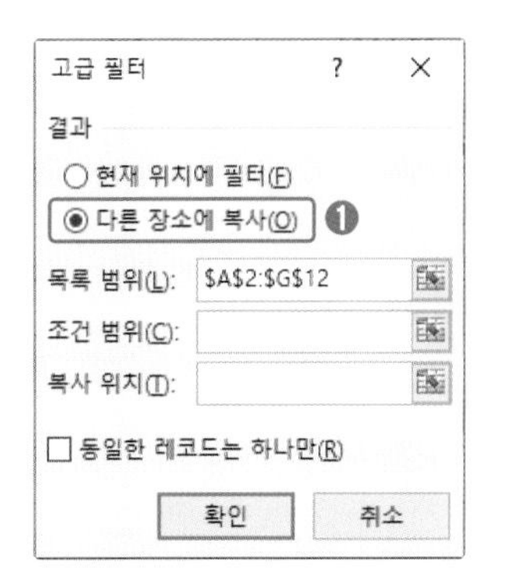

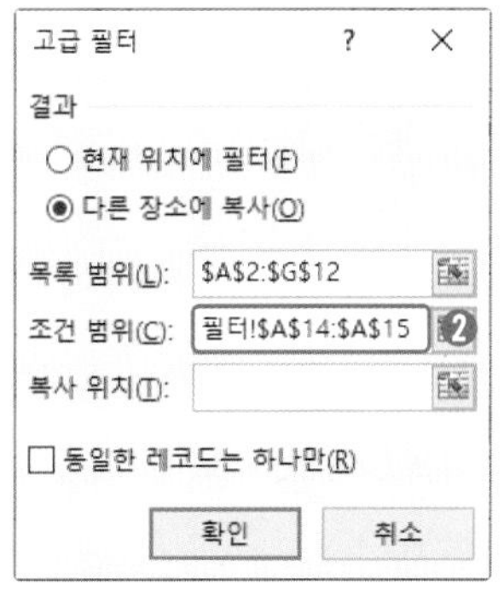

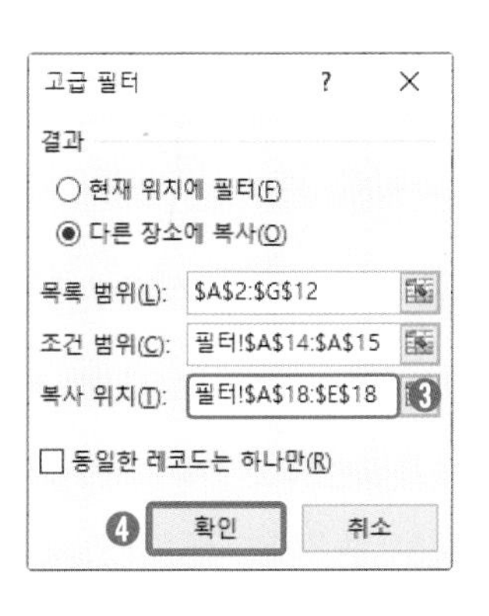

【문제 1】 **"거래현황" 시트를 참조하여 다음 《처리조건》에 맞도록 작업하시오.(50점)**

《출력형태》

	A	B	C	D	E	F	G	H	I
1		행정구역별 부동산 거래 현황							
2	단위	지역	시군구	9월	10월	11월	거래증감률	순위	비고
3	특별시	서울	강동구	786	1,060	1,536	95.42%	1위	
4	광역시	대전	동구	474	2,309	518	9.28%	5위	거래활발
5	특별시	서울	동대문구	2,118	598	789	-62.75%	10위	
6	광역시	부산	동래구	1,475	893	1,100	-25.42%	7위	
7	광역시	부산	부산진구	3,016	794	2,116	-29.84%	8위	
8	광역시	인천	서구	3,290	1,572	3,520	6.99%	6위	거래활발
9	특별시	서울	성북구	643	2,257	1,186	84.45%	2위	거래활발
10	광역시	인천	연수구	1,447	1,992	2,051	41.74%	3위	거래활발
11	광역시	대전	유성구	862	2,345	1,203	39.56%	4위	거래활발
12	특별시	서울	은평구	688	521	389	-43.46%	9위	
13	'9월'의 최대값-최소값 차이				2,816				
14	'지역'이 "서울"인 '10월'의 합계				4,436				
15	'11월' 중 세 번째로 큰 값				2,051				
16									

《처리조건》

▶ 1행의 행 높이를 '80'으로 설정하고, 2행~15행의 행 높이를 '18'로 설정하시오.

▶ 제목("행정구역별 부동산 거래 현황") : 기본 도형의 '정육면체'를 이용하여 입력하시오.
- 도형 : 위치([B1:H1]), 도형 스타일(테마 스타일 - 미세 효과 - '녹색, 강조 6')
- 글꼴 : 굴림체, 24pt, 기울임꼴
- 도형 서식 : 도형 옵션 - 크기 및 속성(텍스트 상자(세로 맞춤 : 정가운데, 텍스트 방향 : 가로))

▶ 셀 서식을 아래 조건에 맞게 작성하시오.
- [A2:I15] : 테두리(안쪽, 윤곽선 모두 실선, '검정, 텍스트 1'), 전체 가운데 맞춤
- [A13:D13], [A14:D14], [A15:D15] : 각각 병합하고 가운데 맞춤
- [A2:I2], [A13:D15] : 채우기 색('주황, 강조 2, 40% 더 밝게'), 글꼴(굵게)
- [D3:F12], [E13:G15] : 셀 서식의 표시 형식-숫자를 이용하여 1000 단위 구분 기호 표시
- [G3:G12] : 셀 서식의 표시 형식-백분율을 이용하여 소수 둘째자리까지 표시
- [H3:H12] : 셀 서식의 표시 형식-사용자 지정을 이용하여 #"위"자를 추가
- 조건부 서식[A3:I12] : '11월'이 1000 이하인 경우 레코드 전체에 글꼴(파랑, 굵게) 적용
- 지시사항이 없는 경우는 주어진 문제파일의 서식을 그대로 사용하시오.

▶ ① 순위[H3:H12] : '거래증감률'을 기준으로 큰 순으로 순위를 구하시오. (RANK.EQ 함수)

▶ ② 비고[I3:I12] : '10월'이 1100 이상이면 "거래활발", 그렇지 않으면 공백으로 구하시오. (IF 함수)

▶ ③ 최대값-최소값[E13:G13] : '9월'의 최대값과 최소값의 차이를 구하시오. (MAX, MIN 함수)

▶ ④ 합계[E14:G14] : '지역'이 "서울"인 '10월'의 합계를 구하시오. (DSUM 함수)

▶ ⑤ 순위[E15:G15] : '11월' 중 세 번째로 큰 값을 구하시오. (LARGE 함수)

❺ 고급 필터 결과가 출력된 것을 확인하고 [빠른 실행 도구 모음]에서 **[저장(💾)]**을 클릭하거나 Ctrl+S를 눌러 파일을 저장합니다.

	A	B	C	D	E	F	G
1							
2	위치	담당자	구분	상품명	이용요금	인원	총금액
3	B구역 127	김재환	회전	회전목마	4,000	892	3,568,000
4	A구역 111	최현수	롤러코스터	스페이스특급	12,000	947	11,364,000
5	A구역 129	민승현	다크라이드	지구마을	9,000	939	8,451,000
6	E구역 122	김재환	롤러코스터	티익스프레스	15,000	540	8,100,000
7	B구역 124	민승현	다크라이드	카리브의 해적	10,000	522	5,220,000
8	C구역 118	최현수	롤러코스터	썬더폴스	11,000	335	3,685,000
9	E구역 121	민승현	다크라이드	나이트메어	11,000	605	6,655,000
10	D구역 104	최현수	회전	에드벌룬	5,000	372	1,860,000
11	F구역 113	김재환	롤러코스터	파에톤	15,000	340	5,100,000
12	D구역 114	민승현	회전	허리케인	9,000	764	6,876,000
13							
14	조건						
15	FALSE						
16							
17							
18	위치	담당자	상품명	이용요금	총금액		
19	A구역 111	최현수	스페이스특급	12,000	11,364,000		
20	E구역 122	김재환	티익스프레스	15,000	8,100,000		
21							

시험꿀팁

DIAT 스프레드시트는 문제지에 결괏값이 함께 표시되므로 자신이 작성한 고급 필터의 결괏값이 《출력형태》와 동일한지 반드시 확인하도록 합니다. 《출력형태》와 다르다면 잘못된 부분을 확인해 수정해야 합니다.

제08회 실전모의고사

- 시험과목 : 스프레드시트(엑셀)
- 시험일자 : 20XX. XX. XX.(X)
- 응시자 기재사항 및 감독위원 확인

수 검 번 호	DIS – XXXX –	감독위원 확인
성 명		

응시자 유의사항

1. 응시자는 신분증을 지참하여야 시험에 응시할 수 있으며, 시험이 종료될 때까지 신분증을 제시하지 못할 경우 해당 시험은 0점 처리됩니다.
2. 시스템(PC 작동 여부, 네트워크 상태 등)의 이상 여부를 반드시 확인하여야 하며, 시스템 이상이 있을시 감독위원에게 조치를 받으셔야 합니다.
3. 시험 중 부주의 또는 고의로 시스템을 파손한 경우는 응시자 부담으로 합니다.
4. 답안 전송 프로그램을 통해 다운로드 받은 파일을 이용하여 답안 파일을 작성하시기 바랍니다.
5. 작성한 답안 파일은 답안 전송 프로그램을 통하여 전송됩니다. 감독위원의 지시에 따라 주시기 바랍니다.
6. 다음 사항의 경우 실격(0점) 혹은 부정행위 처리됩니다.
   ❶ 답안 파일을 저장하지 않았거나, 저장한 파일이 손상되었을 경우
   ❷ 답안 파일을 지정된 폴더(바탕화면 "KAIT" 폴더)에 저장하지 않았을 경우
   ※ 답안 전송 프로그램 로그인 시 바탕화면에 자동 생성됨
   ❸ 답안 파일을 다른 보조기억장치(USB) 혹은 네트워크(메신저, 게시판 등)로 전송할 경우
   ❹ 휴대용 전화기 등 통신기기를 사용할 경우
7. 시험지에 제시된 글꼴이 응시 프로그램에 없는 경우, 반드시 감독위원에게 해당 내용을 통보한 뒤 조치를 받아야 합니다.
8. 시험의 완료는 작성이 완료된 답안을 저장하고, 답안 전송이 완료된 상태를 확인한 것으로 합니다. 답안 전송 확인 후 문제지는 감독위원에게 제출한 후 퇴실하여야 합니다.
9. 답안 전송이 완료된 경우에는 수정 또는 정정이 불가능합니다.
10. 시험시행 후 결과는 홈페이지(www.ihd.or.kr)에서 확인하시기 바랍니다.
   ❶ 문제 및 모범답안 공개 : 20XX. XX. XX.(X)
   ❷ 합격자 발표 : 20XX. XX. XX.(X)

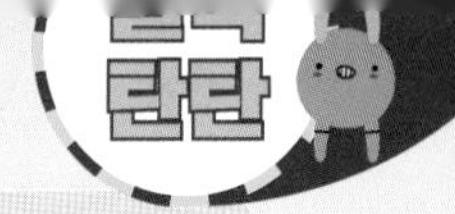

01 "필터" 시트를 참조하여 《처리조건》에 맞도록 작업하시오.

소스파일: 05-01(문제).xlsx
완성파일: 05-01(완성).xlsx

《출력형태 - 필터》

	A	B	C	D	E	F	G
1							
2	주문번호	제조사	상품분류	상품명	단가	수량	재고금액
3	P19-04023	리틀달링	장난감	공	4,800	27	129,600
4	P19-06025	바우와우	미용용품	이발기(소)	37,800	32	1,209,600
5	P19-04027	핑크펫	미용용품	이발기(중)	19,800	15	297,000
6	P19-06029	블루블루	간식	츄르	20,800	89	1,851,200
7	P19-04031	퍼니펫샵	장난감	일자터널	28,500	17	484,500
8	P19-04033	핑크펫	간식	치즈통조림	10,900	121	1,318,900
9	P19-06035	핑크펫	장난감	T자터널	16,000	21	336,000
10	P19-04037	바우와우	미용용품	털제거장갑	3,500	30	105,000
11	P19-06039	퍼니펫샵	장난감	놀이인형	3,000	16	48,000
12	P19-04041	블루블루	간식	애견소시지	3,500	58	203,000
13							
14	조건						
15	FALSE						
16							
17							
18	주문번호	상품분류	상품명	수량	재고금액		
19	P19-04027	미용용품	이발기(중)	15	297,000		
20	P19-06035	장난감	T자터널	21	336,000		
21							

《처리조건》

▸ "필터" 시트의 [A2:G12]를 아래 조건에 맞게 고급 필터를 사용하여 작성하시오.
- '제조사'가 "핑크펫"이고 '단가'가 15000 이상인 데이터를 '주문번호', '상품분류', '상품명', '수량', '재고금액'의 데이터만 필터링하시오.
- 조건 위치 : 조건 함수는 [A15] 한 셀에 작성(AND 함수 이용)
- 결과 위치 : [A18]부터 출력

▸ 지시사항이 없는 경우는 《출력형태 - 필터》와 동일하게 작성하시오.

【문제 5】 "차트" 시트를 참조하여 다음 《처리조건》에 맞도록 작업하시오.(30점)

《출력형태》

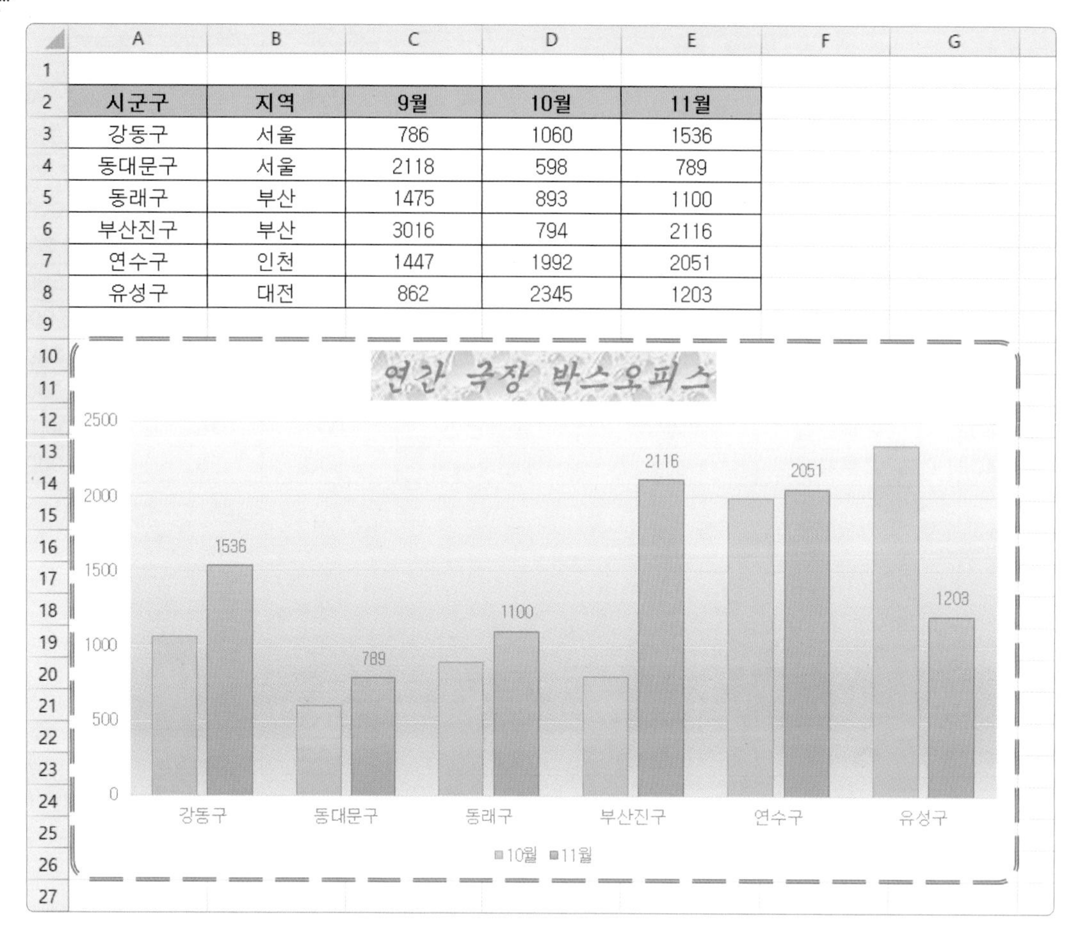

시군구	지역	9월	10월	11월
강동구	서울	786	1060	1536
동대문구	서울	2118	598	789
동래구	부산	1475	893	1100
부산진구	부산	3016	794	2116
연수구	인천	1447	1992	2051
유성구	대전	862	2345	1203

《처리조건》

▶ "차트" 시트에 주어진 표를 이용하여 '묶은 세로 막대형' 차트를 작성하시오.

- 데이터 범위 : 현재 시트 [A2:A8], [D2:E8]의 데이터를 이용하여 작성하고, 행/열 전환은 '열'로 지정
- 차트 제목("연간 극장 박스오피스")
- 범례 위치 : 아래쪽
- 차트 스타일 : 색 변경(색상형 – 색 4, 스타일 5)
- 차트 위치 : 현재 시트에 [A10:G26] 크기에 정확하게 맞추시오.
- 차트 영역 서식 : 글꼴(돋움체, 9pt), 테두리 색(실선, 색 : 빨강), 테두리 스타일 (너비 : 2.5pt, 겹선 종류 : 이중, 대시 종류 : 긴 파선, 둥근 모서리)
- 차트 제목 서식 : 글꼴(궁서체, 18pt, 기울임꼴), 채우기(그림 또는 질감 채우기, 질감 : 작은 물방울)
- 그림 영역 서식 : 채우기(그라데이션 채우기, 그라데이션 미리 설정 : 밝은 그라데이션 – 강조 2, 종류 : 선형, 방향 : 선형 아래쪽)
- 데이터 레이블 추가 : '11월' 계열에 "값" 표시

▶ 지시사항이 없는 경우는 《출력형태》와 동일하게 작성하시오.

02 "필터" 시트를 참조하여 《처리조건》에 맞도록 작업하시오.

소스파일: 05-02(문제).xlsx
완성파일: 05-02(완성).xlsx

《출력형태 - 필터》

	A	B	C	D	E	F	G
1							
2	제품번호	색상	상품분류	상품명	단가	수량	판매금액
3	BS3323-S	실버계열	아쿠아슈즈	루니아쿠아슈즈	24,900	43	1,070,700
4	KS3599-R	레드계열	런닝화	컬러라인 런닝화	46,000	38	1,748,000
5	CS3353-B	블랙계열	운동화	레이시스 런닝화	39,800	21	835,800
6	HS3428-S	실버계열	런닝화	컬러라인 런닝화	64,000	15	960,000
7	AS4292-B	블랙계열	운동화	레이시스 런닝화	48,000	38	1,824,000
8	DS3967-R	레드계열	아쿠아슈즈	워터슈즈	39,000	23	897,000
9	JS3887-B	블랙계열	운동화	콜라보 스니커즈	29,800	16	476,800
10	AS4093-R	레드계열	런닝화	레드 러너스	49,800	46	2,290,800
11	CS3342-S	실버계열	런닝화	컬러라인 런닝화	45,700	40	1,828,000
12	IS3437-B	블랙계열	아쿠아슈즈	워터슈즈	19,900	17	338,300
13							
14	조건						
15	TRUE						
16							
17							
18	제품번호	상품분류	상품명	단가	수량		
19	BS3323-S	아쿠아슈즈	루니아쿠아슈즈	24,900	43		
20	KS3599-R	런닝화	컬러라인 런닝화	46,000	38		
21	AS4292-B	운동화	레이시스 런닝화	48,000	38		
22	DS3967-R	아쿠아슈즈	워터슈즈	39,000	23		
23	AS4093-R	런닝화	레드 러너스	49,800	46		
24	CS3342-S	런닝화	컬러라인 런닝화	45,700	40		
25							

《처리조건》

▶ "필터" 시트의 [A2:G12]를 아래 조건에 맞게 고급 필터를 사용하여 작성하시오.

- '색상'이 "레드계열"이거나 '판매금액'이 1000000 이상인 데이터를 '제품번호', '상품분류', '상품명', '단가', '수량'의 데이터만 필터링하시오.
- 조건 위치 : 조건 함수는 [A15] 한 셀에 작성(OR 함수 이용)
- 결과 위치 : [A18]부터 출력

▶ 지시사항이 없는 경우는 《출력형태 - 필터》와 동일하게 작성하시오.

【문제 4】 "피벗테이블" 시트를 참조하여 다음 《처리조건》에 맞도록 작업하시오.(30점)

《출력형태》

	A	B	C	D	E
1					
2					
3			상영타입		
4	구분	값	디지털2D	디지털4D	스크린X
5	액션	평균 : 스크린수	1,418	2,835	2,121
6		평균 : 관객수	5,247,874	13,934,592	6,911,978
7	어드벤처	평균 : 스크린수	1,971	1,409	***
8		평균 : 관객수	6,290,773	12,552,283	***
9	코미디	평균 : 스크린수	2,003	1,660	***
10		평균 : 관객수	16,265,618	9,426,011	***
11	전체 평균 : 스크린수		1,797	1,968	2,121
12	전체 평균 : 관객수		9,268,088	11,970,962	6,911,978
13					

《처리조건》

▶ "피벗테이블" 시트의 [A2:G12]를 이용하여 새로운 시트에 《출력형태》와 같이 피벗 테이블을 작성 후 시트명을 "피벗테이블 정답"으로 수정하시오.

▶ 구분(행)과 상영타입(열)을 기준으로 하여 출력형태와 같이 구하시오.

- '스크린수', '관객수'의 평균을 구하시오.
- 피벗 테이블 옵션을 이용하여 레이블이 있는 셀 병합 및 가운데 맞춤하고, 빈 셀을 "***"로 표시한 후, 행의 총합계를 감추기 하시오.
- 피벗 테이블 디자인에서 보고서 레이아웃은 '테이블 형식으로 표시', 피벗 테이블 스타일은 '피벗 스타일 보통 14'로 표시하시오.
- 구분(행)은 "액션", "어드벤처", "코미디"만 출력되도록 표시하시오.
- [C5:E12] 데이터는 셀 서식의 표시 형식-숫자를 이용하여 1000 단위 구분 기호를 표시하고, 가운데 맞춤하시오.

▶ 구분의 순서는 《출력형태》와 다를 수 있음

▶ 지시사항이 없는 경우는 《출력형태》와 동일하게 작성하시오.

03 "필터" 시트를 참조하여 《처리조건》에 맞도록 작업하시오.

소스파일: 05-03(문제).xlsx
완성파일: 05-03(완성).xlsx

《출력형태 – 필터》

	A	B	C	D	E	F	G
1							
2	주문번호	주문처	상품분류	상품명	판매단가	판매수량	총판매액
3	FR-008966	할인점	생수	시원수	800	519	415,200
4	FR-008969	편의점	탄산음료	톡톡소다	1,200	463	555,600
5	FR-009012	통신판매	커피음료	커피아시아	1,500	219	328,500
6	FR-009008	할인점	탄산음료	라임메이드	1,800	369	664,200
7	FR-000053	통신판매	커피음료	카페타임	1,400	486	680,400
8	FR-000504	편의점	생수	지리산수	900	341	306,900
9	FR-000759	통신판매	커피음료	커피매니아	2,300	401	922,300
10	FR-200202	편의점	탄산음료	레몬타임	1,700	236	401,200
11	FR-200101	할인점	탄산음료	허리케인	2,100	104	218,400
12	FR-200063	통신판매	생수	심해청수	1,300	216	280,800
13							
14	조건						
15	TRUE						
16							
17							
18	주문번호	상품분류	상품명	판매단가	총판매액		
19	FR-008966	생수	시원수	800	415,200		
20	FR-008969	탄산음료	톡톡소다	1,200	555,600		
21	FR-000504	생수	지리산수	900	306,900		
22	FR-200202	탄산음료	레몬타임	1,700	401,200		
23							

《처리조건》

▶ "필터" 시트의 [A2:G12]를 아래 조건에 맞게 고급 필터를 사용하여 작성하시오.
- '주문처'가 "편의점"이거나 '판매수량'이 500 이상인 데이터를 '주문번호', '상품분류', '상품명', '판매단가', '총판매액'의 데이터만 필터링하시오.
- 조건 위치 : 조건 함수는 [A15] 한 셀에 작성(OR 함수 이용)
- 결과 위치 : [A18]부터 출력

▶ 지시사항이 없는 경우는 《출력형태 – 필터》와 동일하게 작성하시오.

(2) 시나리오

《출력형태 – 시나리오》

	A	B	C	D	E	F	G
1							
2		시나리오 요약					
3				현재 값:	관객수 500000 증가	관객수 300000 감소	
5		변경 셀:					
6			$E$7	8,021,145	8,521,145	7,721,145	
7			$E$9	13,934,592	14,434,592	13,634,592	
8			$E$11	5,247,874	5,747,874	4,947,874	
9			$E$12	5,802,810	6,302,810	5,502,810	
10		결과 셀:					
11			$G$7	7.94%	8.27%	7.74%	
12			$G$9	13.80%	14.01%	13.66%	
13			$G$11	5.20%	5.58%	4.96%	
14			$G$12	5.75%	6.12%	5.51%	
15		참고: 현재 값 열은 시나리오 요약 보고서가 작성될 때의					
16		변경 셀 값을 나타냅니다. 각 시나리오의 변경 셀들은					
17		회색으로 표시됩니다.					
18							

《처리조건》

▶ "시나리오" 시트의 [A2:G12]를 이용하여 '구분'이 "액션"인 경우, '관객수'가 변동할 때 '관객비율'이 변동하는 가상 분석(시나리오)을 작성하시오.

- 시나리오1 : 시나리오 이름은 "관객수 500000 증가", '관객수'에 500000을 증가시킨 값 설정.
- 시나리오2 : 시나리오 이름은 "관객수 300000 감소", '관객수'에 300000을 감소시킨 값 설정.
- "시나리오 요약" 시트를 작성하시오.

▶ 지시사항이 없는 경우는 《출력형태 – 시나리오》와 동일하게 작성하시오.

04 "필터" 시트를 참조하여 《처리조건》에 맞도록 작업하시오.

소스파일: 05-04(문제).xlsx
완성파일: 05-04(완성).xlsx

《출력형태 – 필터》

	A	B	C	D	E	F	G
1							
2	강좌명	분류	대상	모집인원	기간	수강료	합계
3	드론	취미	6학년	20	1	30,000	600,000
4	엑셀	컴퓨터	6학년	30	2	18,000	1,080,000
5	영어회화	어학	4학년	20	3	16,000	960,000
6	포토샵	컴퓨터	5학년	20	2	17,000	680,000
7	일본어회화	어학	5학년	25	3	20,000	1,500,000
8	바이올린	취미	4학년	25	3	30,000	2,250,000
9	파워포인트	컴퓨터	6학년	25	2	15,000	750,000
10	축구	취미	4학년	30	1	24,000	720,000
11	중국어회화	어학	5학년	20	2	16,000	640,000
12	한글	컴퓨터	4학년	30	1	15,000	450,000
13							
14	조건						
15	TRUE						
16							
17	강좌명	모집인원	기간	수강료			
18	드론	20	1	30,000			
19	영어회화	20	3	16,000			
20	바이올린	25	3	30,000			
21	축구	30	1	24,000			
22	한글	30	1	15,000			
23							

《처리조건》

▶ "필터" 시트의 [A2:G12]를 아래 조건에 맞게 고급 필터를 사용하여 작성하시오.
- '분류'가 "취미"이거나 '대상'이 "4학년"인 데이터를 '강좌명', '모집인원', '기간', '수강료'의 데이터만 필터링하시오.
- 조건 위치 : 조건 함수는 [A15] 한 셀에 작성(OR 함수 이용)
- 결과 위치 : [A17]부터 출력

▶ 지시사항이 없는 경우는 《출력형태 – 필터》와 동일하게 작성하시오.

【문제 3】 "필터"와 "시나리오" 시트를 참조하여 다음 《처리조건》에 맞도록 작업하시오.(60점)

(1) 필터

《출력형태 – 필터》

	A	B	C	D	E	F	G
1							
2	구분	영화명	상영타입	스크린수	관객수	상영횟수	관객비율
3	드라마	겨울왕국2	디지털4D	2,648	13,369,075	282,557	13.24%
4	코미디	극한직업	디지털2D	2,003	16,265,618	292,584	16.11%
5	드라마	기생충	디지털2D	1,948	10,085,275	192,855	9.99%
6	어드벤처	백두산	디지털2D	1,971	6,290,773	99,916	6.23%
7	액션	스파이더맨	스크린X	2,142	8,021,145	180,474	7.94%
8	어드벤처	알라딘	디지털4D	1,409	12,552,283	266,469	12.43%
9	액션	어벤져스	디지털4D	2,835	13,934,592	242,001	13.80%
10	코미디	엑시트	디지털4D	1,660	9,426,011	202,223	9.33%
11	액션	조커	디지털2D	1,418	5,247,874	147,380	5.20%
12	액션	캡틴 마블	스크린X	2,100	5,802,810	186,382	5.75%
13							
14	조건						
15	FALSE						
16							
17							
18	구분	영화명	스크린수	관객수			
19	어드벤처	백두산	1,971	6,290,773			
20	어드벤처	알라딘	1,409	12,552,283			
21	액션	조커	1,418	5,247,874			
22							

《처리조건》

▶ "필터" 시트의 [A2:G12]를 아래 조건에 맞게 고급 필터를 사용하여 작성하시오.

- '구분'이 "어드벤처"이거나 '스크린수'가 1500 이하인 데이터를 '구분', '영화명', '스크린수', '관객수'의 데이터만 필터링하시오.
- 조건 위치 : 조건 함수는 [A15] 한 셀에 작성(OR 함수 이용)
- 결과 위치 : [A18]부터 출력

▶ 지시사항이 없는 경우는 《출력형태 – 필터》와 동일하게 작성하시오.

출제유형 마스터하기

06 [문제 3] 시나리오 작성하기

시나리오는 영화의 각본을 의미하기도 하고, 일어날 수 있는 가상의 과정이나 결과를 의미하기도 합니다. 엑셀에서의 시나리오는 특정 셀의 변경에 따라 연결된 결과 셀의 값이 자동으로 변경되어 결괏값을 예측할 수 있는 기능입니다. 조금 어려워 보일 수 있지만 문제지를 보면서 작업하면 쉽게 완성할 수 있습니다. 천천히 따라해 보세요.

소스파일: 06차시(문제).xlsx　　완성파일: 06차시(완성).xlsx

문제 미리보기 【문제 3】 "필터"와 "시나리오" 시트를 참조하여 다음 《처리조건》에 맞도록 작업하시오.(60점)

《출력형태 – 시나리오》

	A	B	C	D	E	F	G
1							
2		시나리오 요약					
3				현재 값:	이용요금 1180 인상	이용요금 1460 인하	
5		변경 셀:					
6			$E$3	4,000	5,180	2,540	
7			$E$10	5,000	6,180	3,540	
8			$E$12	9,000	10,180	7,540	
9		결과 셀:					
10			$G$3	3,568,000	4,620,560	2,265,680	
11			$G$10	1,860,000	2,298,960	1,316,880	
12			$G$12	6,876,000	7,777,520	5,760,560	
13		참고: 현재 값 열은 시나리오 요약 보고서가 작성될 때의					
14		변경 셀 값을 나타냅니다. 각 시나리오의 변경 셀들은					
15		회색으로 표시됩니다.					

《처리조건》

- "시나리오" 시트의 [A2:G12]를 이용하여 '구분'이 "회전"인 경우, '이용요금'이 변동할 때 '총금액'이 변동하는 가상분석(시나리오)을 작성하시오.
  - 시나리오1 : 시나리오 이름은 "이용요금 1180 인상", '이용요금'에 1180을 증가시킨 값 설정.
  - 시나리오2 : 시나리오 이름은 "이용요금 1460 인하", '이용요금'에 1460을 감소시킨 값 설정.
  - "시나리오 요약" 시트를 작성하시오.
- 지시사항이 없는 경우는 《출력형태 – 시나리오》와 동일하게 작성하시오.

과정 미리보기 시나리오 이름 입력 ➔ 변경 셀 지정 ➔ 변경 셀 값 입력 ➔ 시나리오 추가 ➔ 시나리오 요약 시트 작성

【문제 2】 "부분합" 시트를 참조하여 다음 《처리조건》에 맞도록 작업하시오.(30점)

《출력형태》

	A	B	C	D	E	F	G
1							
2	구분	영화명	상영타입	스크린수	관객수	상영횟수	관객비율
3	코미디	극한직업	디지털2D	2,003	16,265,618	292,584	16.11%
4	드라마	기생충	디지털2D	1,948	10,085,275	192,855	9.99%
5	어드벤처	백두산	디지털2D	1,971	6,290,773	99,916	6.23%
6	액션	조커	디지털2D	1,418	5,247,874	147,380	5.20%
7		4	디지털2D 개수				
8			디지털2D 평균		9,472,385	183,184	
9	드라마	겨울왕국2	디지털4D	2,648	13,369,075	282,557	13.24%
10	어드벤처	알라딘	디지털4D	1,409	12,552,283	266,469	12.43%
11	액션	어벤져스	디지털4D	2,835	13,934,592	242,001	13.80%
12	코미디	엑시트	디지털4D	1,660	9,426,011	202,223	9.33%
13		4	디지털4D 개수				
14			디지털4D 평균		12,320,490	248,313	
15	액션	스파이더맨	스크린X	2,142	8,021,145	180,474	7.94%
16	액션	캡틴 마블	스크린X	2,100	5,802,810	186,382	5.75%
17		2	스크린X 개수				
18			스크린X 평균		6,911,978	183,428	
19		10	전체 개수				
20			전체 평균		10,099,546	209,284	
21							

《처리조건》

▶ 데이터를 '상영타입' 기준으로 오름차순 정렬하시오.

▶ 아래 조건에 맞는 부분합을 작성하시오.

- '상영타입'으로 그룹화하여 '관객수', '상영횟수'의 평균을 구하는 부분합을 만드시오.
- '상영타입'으로 그룹화하여 '영화명'의 개수를 구하는 부분합을 만드시오.
  (새로운 값으로 대치하지 말 것)
- [D3:F20] 영역에 셀 서식의 표시 형식-숫자를 이용하여 1000 단위 구분 기호를 표시하시오.

▶ D~F열을 선택하여 그룹을 설정하시오.

▶ 평균과 개수의 부분합 순서는 《출력형태》와 다를 수 있음

▶ 지시사항이 없는 경우는 기본 값을 적용하시오.

01 '시나리오1' 작성하기

▶ "시나리오" 시트의 [A2:G12]를 이용하여 '구분'이 "회전"인 경우, '이용요금'이 변동할 때 '총금액'이 변동하는 가상분석(시나리오)을 작성하시오.
- 시나리오1 : 시나리오 이름은 "이용요금 1180 인상", '이용요금'에 1180을 증가시킨 값 설정.
- 시나리오2 : 시나리오 이름은 "이용요금 1460 인하", '이용요금'에 1460을 감소시킨 값 설정.
- "시나리오 요약" 시트를 작성하시오.

▶ 지시사항이 없는 경우는 《출력형태 – 시나리오》와 동일하게 작성하시오.

❶ [06차시] 폴더에서 '06차시(문제).xlsx' 파일을 더블 클릭하여 실행합니다. 파일이 열리면 [시나리오] 시트를 클릭합니다.

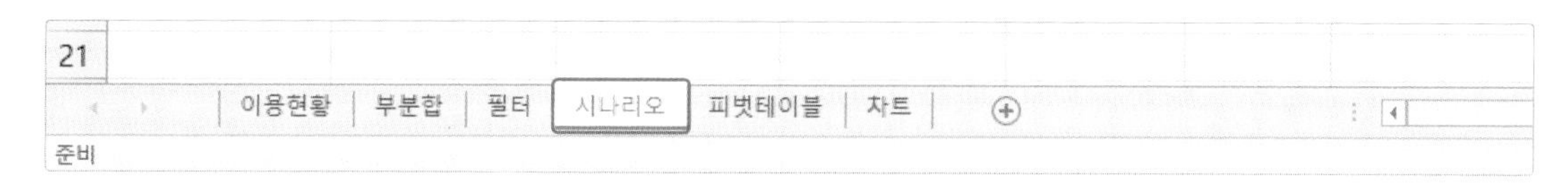

❷ 시나리오를 만들기 위해 [데이터] 탭–[예측] 그룹–[가상 분석]–[시나리오 관리자]를 클릭합니다.

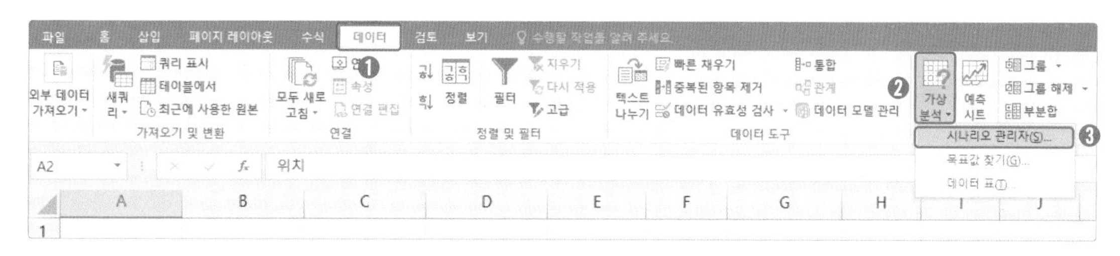

임의의 셀을 선택한 후 [시나리오 관리자]를 클릭합니다.

❸ [시나리오 관리자] 대화상자가 나타나면 시나리오를 추가하기 위해 [추가]를 클릭합니다.

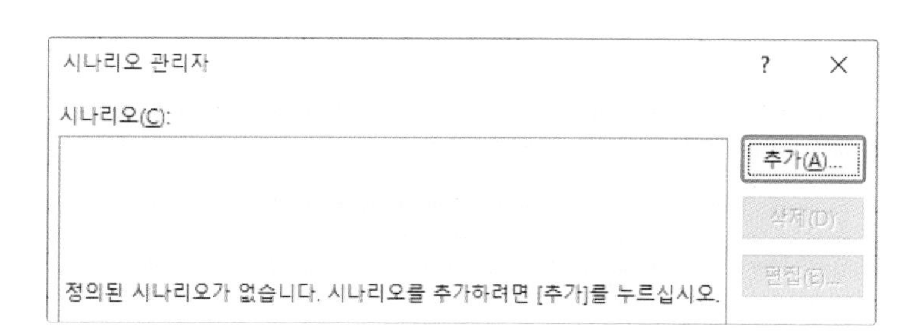

❹ [시나리오 추가] 대화상자가 나타나면 시나리오 이름에 《처리조건》에서 제시된 대로 **이용요금 1180 인상**을 입력합니다.

❺ '회전'의 이용요금이 변동할 때의 시나리오이므로 변경 셀을 클릭하고 기존 입력된 내용을 삭제합니다. '회전'의 이용요금인 [E3] 셀을 클릭하고 Ctrl을 누른 상태에서 [E10], [E12] 셀을 각각 클릭한 후 [확인]을 클릭합니다.

변경 셀에는 선택된 셀 주소가 표시됩니다. 텍스트를 지운 후 변경할 셀을 입력하면 됩니다.

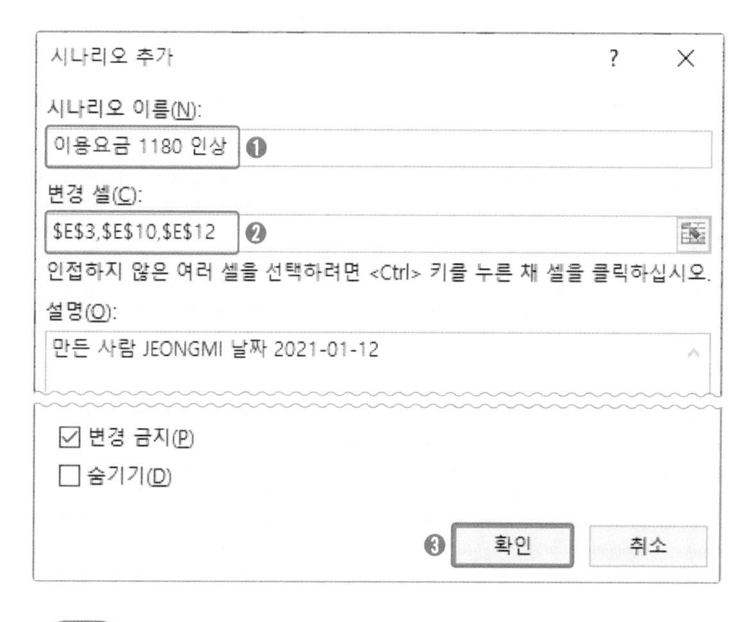

【문제 1】 **"박스오피스" 시트를 참조하여 다음 《처리조건》에 맞도록 작업하시오.(50점)**

《출력형태》

연간 극장 박스오피스

구분	영화명	상영타입	스크린수	관객수	상영횟수	관객비율	순위	비고
드라마	겨울왕국2	디지털4D	2,648	13,369,075	282,557	13.24%	3위	천만관객
코미디	극한직업	디지털2D	2,003	16,265,618	292,584	16.11%	1위	천만관객
드라마	기생충	디지털2D	1,948	10,085,275	192,855	9.99%	5위	천만관객
어드벤처	백두산	디지털2D	1,971	6,290,773	99,916	6.23%	8위	
액션	스파이더맨	스크린X	2,142	8,021,145	180,474	7.94%	7위	
어드벤처	알라딘	디지털4D	1,409	12,552,283	266,469	12.43%	4위	천만관객
액션	어벤져스	디지털4D	2,835	13,934,592	242,001	13.80%	2위	천만관객
코미디	엑시트	디지털4D	1,660	9,426,011	202,223	9.33%	6위	
액션	조커	디지털2D	1,418	5,247,874	147,380	5.20%	10위	
액션	캡틴 마블	스크린X	2,100	5,802,810	186,382	5.75%	9위	
'스크린수'의 최대값-최소값 차이				1,426				
'구분'이 "드라마"인 '관객수'의 합계				23,454,350				
'상영횟수' 중 다섯 번째로 작은 값				192,855				

《처리조건》

▶ 1행의 행 높이를 '80'으로 설정하고, 2행~15행의 행 높이를 '18'로 설정하시오.

▶ 제목("연간 극장 박스오피스") : 기본 도형의 '정육면체'를 이용하여 입력하시오.

- 도형 : 위치([B1:H1]), 도형 스타일(테마 스타일 – 미세 효과 – '주황, 강조 2')
- 글꼴 : 굴림체, 24pt, 기울임꼴
- 도형 서식 : 도형 옵션 – 크기 및 속성(텍스트 상자(세로 맞춤 : 정가운데, 텍스트 방향 : 가로))

▶ 셀 서식을 아래 조건에 맞게 작성하시오.

- [A2:I15] : 테두리(안쪽, 윤곽선 모두 실선, '검정, 텍스트 1'), 전체 가운데 맞춤
- [A13:D13], [A14:D14], [A15:D15] : 각각 병합하고 가운데 맞춤
- [A2:I2], [A13:D15] : 채우기 색('녹색, 강조 6, 40% 더 밝게'), 글꼴(굵게)
- [D3:F12], [E13:G15] : 셀 서식의 표시 형식-숫자를 이용하여 1000 단위 구분 기호 표시
- [G3:G12] : 셀 서식의 표시 형식-백분율을 이용하여 소수 둘째자리까지 표시
- [H3:H12] : 셀 서식의 표시 형식-사용자 지정을 이용하여 #"위"자를 추가
- 조건부 서식[A3:I12] : '스크린수'가 2500 이상인 경우 레코드 전체에 글꼴(빨강, 굵게) 적용
- 지시사항이 없는 경우는 주어진 문제파일의 서식을 그대로 사용하시오.

▶ ① 순위[H3:H12] : '관객수'를 기준으로 큰 순으로 순위를 구하시오. (RANK.EQ 함수)

▶ ② 비고[I3:I12] : '관객수'가 10000000 이상이면 "천만관객", 그렇지 않으면 공백으로 구하시오. (IF 함수)

▶ ③ 최대값-최소값[E13:G13] : '스크린수'의 최대값과 최소값의 차이를 구하시오. (MAX, MIN 함수)

▶ ④ 합계[E14:G14] : '구분'이 "드라마"인 '관객수'의 합계를 구하시오. (DSUM 함수)

▶ ⑤ 순위[E15:G15] : '상영횟수' 중 다섯 번째로 작은 값을 구하시오. (SMALL 함수)

❻ [시나리오 값] 대화상자가 나타나면 **이용요금이 1180 증가된 값**을 입력한 후 두 번째 시나리오를 추가하기 위해 **[추가]**를 클릭합니다.

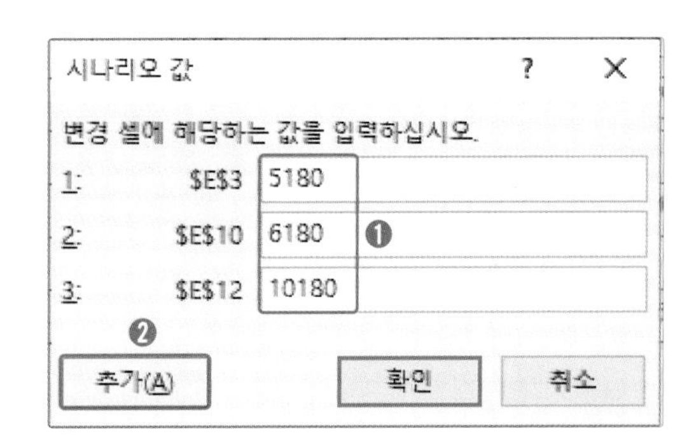

시험꿀팁

시나리오 값은 이용요금에 1180원을 더하여 입력해야 합니다. 시험 중에 덧셈을 하는 것은 쉽지 않고, 더한 값이 틀릴 수도 있으므로 문제지의 《출력형태 - 시나리오》를 확인하여 그대로 입력하면 됩니다. 셀 주소와 값을 확인하고 입력합니다.

시나리오 요약				
		현재 값:	이용요금 1180 인상	이용요금 1460 인하
변경 셀:				
	$E$3	4,000	5,180	2,540
	$E$10	5,000	6,180	3,540
	$E$12	9,000	10,180	7,540
결과 셀:				
	$G$3	3,568,000	4,620,560	2,265,680
	$G$10	1,860,000	2,298,960	1,316,880
	$G$12	6,876,000	7,777,520	5,760,560

02 '시나리오2' 작성하기

❶ [시나리오 추가] 대화상자가 나타나면 시나리오 이름에 《처리조건》에서 제시된 대로 **이용요금 1460 인하**를 입력하고 [확인]을 클릭합니다.

변경 셀은 '시나리오1'과 마찬가지로 구분이 '회전'인 이용요금 셀이 변경되므로 '시나리오1'에서 입력한 셀을 그대로 두면 됩니다.

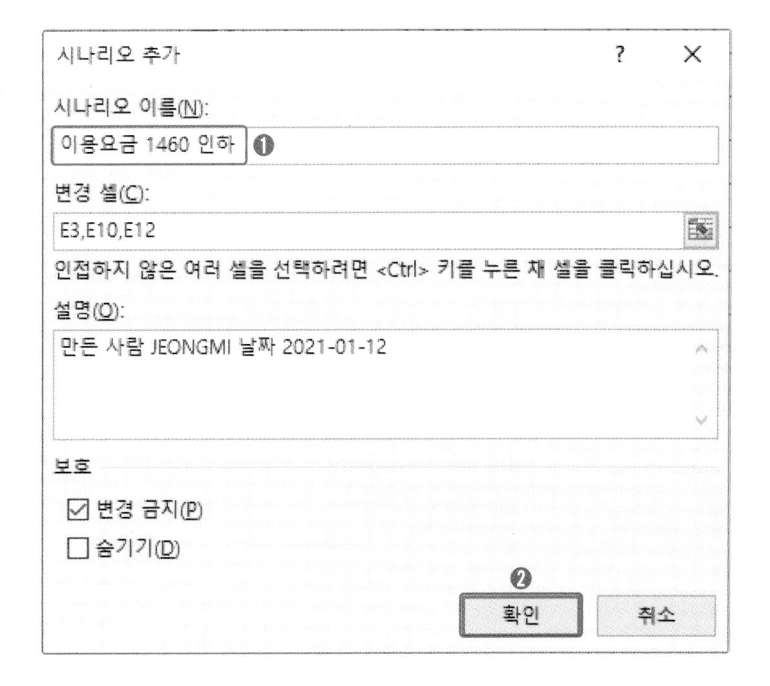

제07회 실전모의고사

- 시험과목 : 스프레드시트(엑셀)
- 시험일자 : 20XX. XX. XX.(X)
- 응시자 기재사항 및 감독위원 확인

수 검 번 호	DIS – XXXX –	감독위원 확인
성 명		

응시자 유의사항

1. 응시자는 신분증을 지참하여야 시험에 응시할 수 있으며, 시험이 종료될 때까지 신분증을 제시하지 못할 경우 해당 시험은 0점 처리됩니다.
2. 시스템(PC 작동 여부, 네트워크 상태 등)의 이상 여부를 반드시 확인하여야 하며, 시스템 이상이 있을시 감독위원에게 조치를 받으셔야 합니다.
3. 시험 중 부주의 또는 고의로 시스템을 파손한 경우는 응시자 부담으로 합니다.
4. 답안 전송 프로그램을 통해 다운로드 받은 파일을 이용하여 답안 파일을 작성하시기 바랍니다.
5. 작성한 답안 파일은 답안 전송 프로그램을 통하여 전송됩니다. 감독위원의 지시에 따라 주시기 바랍니다.
6. 다음 사항의 경우 실격(0점) 혹은 부정행위 처리됩니다.
   ❶ 답안 파일을 저장하지 않았거나, 저장한 파일이 손상되었을 경우
   ❷ 답안 파일을 지정된 폴더(바탕화면 "KAIT" 폴더)에 저장하지 않았을 경우
   ※ 답안 전송 프로그램 로그인 시 바탕화면에 자동 생성됨
   ❸ 답안 파일을 다른 보조기억장치(USB) 혹은 네트워크(메신저, 게시판 등)로 전송할 경우
   ❹ 휴대용 전화기 등 통신기기를 사용할 경우
7. 시험지에 제시된 글꼴이 응시 프로그램에 없는 경우, 반드시 감독위원에게 해당 내용을 통보한 뒤 조치를 받아야 합니다.
8. 시험의 완료는 작성이 완료된 답안을 저장하고, 답안 전송이 완료된 상태를 확인한 것으로 합니다. 답안 전송 확인 후 문제지는 감독위원에게 제출한 후 퇴실하여야 합니다.
9. 답안 전송이 완료된 경우에는 수정 또는 정정이 불가능합니다.
10. 시험시행 후 결과는 홈페이지(www.ihd.or.kr)에서 확인하시기 바랍니다.
   ❶ 문제 및 모범답안 공개 : 20XX. XX. XX.(X)
   ❷ 합격자 발표 : 20XX. XX. XX.(X)

❷ [시나리오 값] 대화상자가 나타나면 **이용요금이 1460 인하된 값**을 입력한 후 [확인]을 클릭합니다.

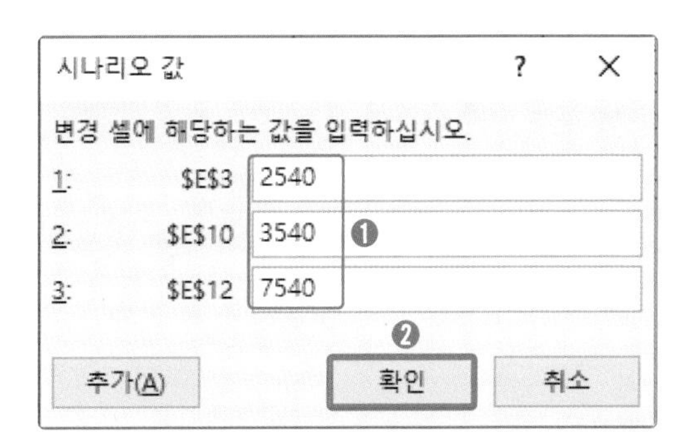

시험꿀팁

시나리오 값은 이용요금에 1460원을 빼고 입력해야 합니다. 시험 중에 뺄셈을 하는 것은 쉽지 않고, 뺀 값이 틀릴 수도 있으므로 문제지의 《출력형태 – 시나리오》를 확인하여 그대로 입력하면 됩니다. 셀 주소와 값을 확인하고 입력합니다.

시나리오 요약				
		현재 값:	이용요금 1180 인상	이용요금 1460 인하
변경 셀:				
	$E$3	4,000	5,180	2,540
	$E$10	5,000	6,180	3,540
	$E$12	9,000	10,180	7,540
결과 셀:				
	$G$3	3,568,000	4,620,560	2,265,680
	$G$10	1,860,000	2,298,960	1,316,880
	$G$12	6,876,000	7,777,520	5,760,560

03 '시나리오 요약' 시트 작성하기

❶ [시나리오 관리자] 대화상자로 돌아오면 **[요약]** 버튼을 클릭합니다.

시나리오 목록에 자신이 만든 시나리오 이름 2개가 표시되는 것을 확인합니다. 이름이 잘못 입력된 경우 수정할 시나리오를 선택하고 [편집]을 클릭하여 수정합니다.

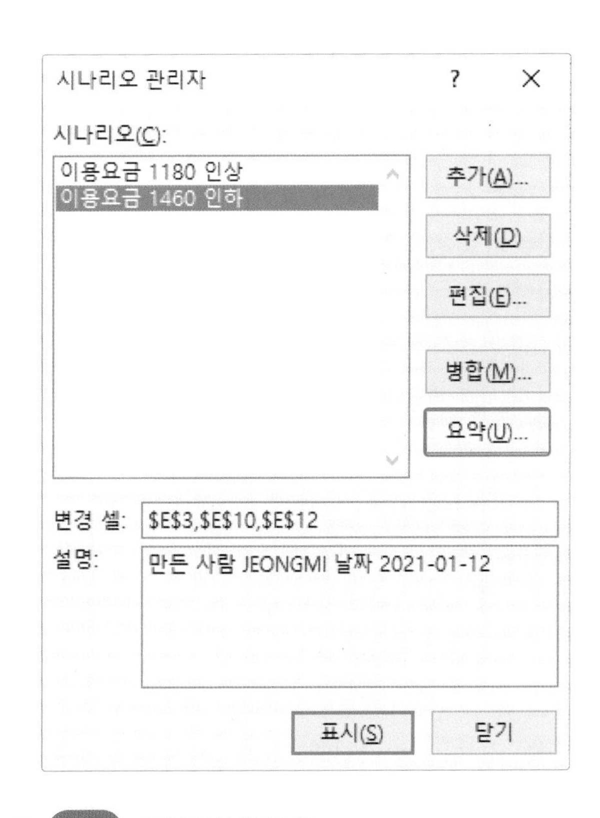

【문제 5】 "차트" 시트를 참조하여 다음 《처리조건》에 맞도록 작업하시오.(30점)

《출력형태》

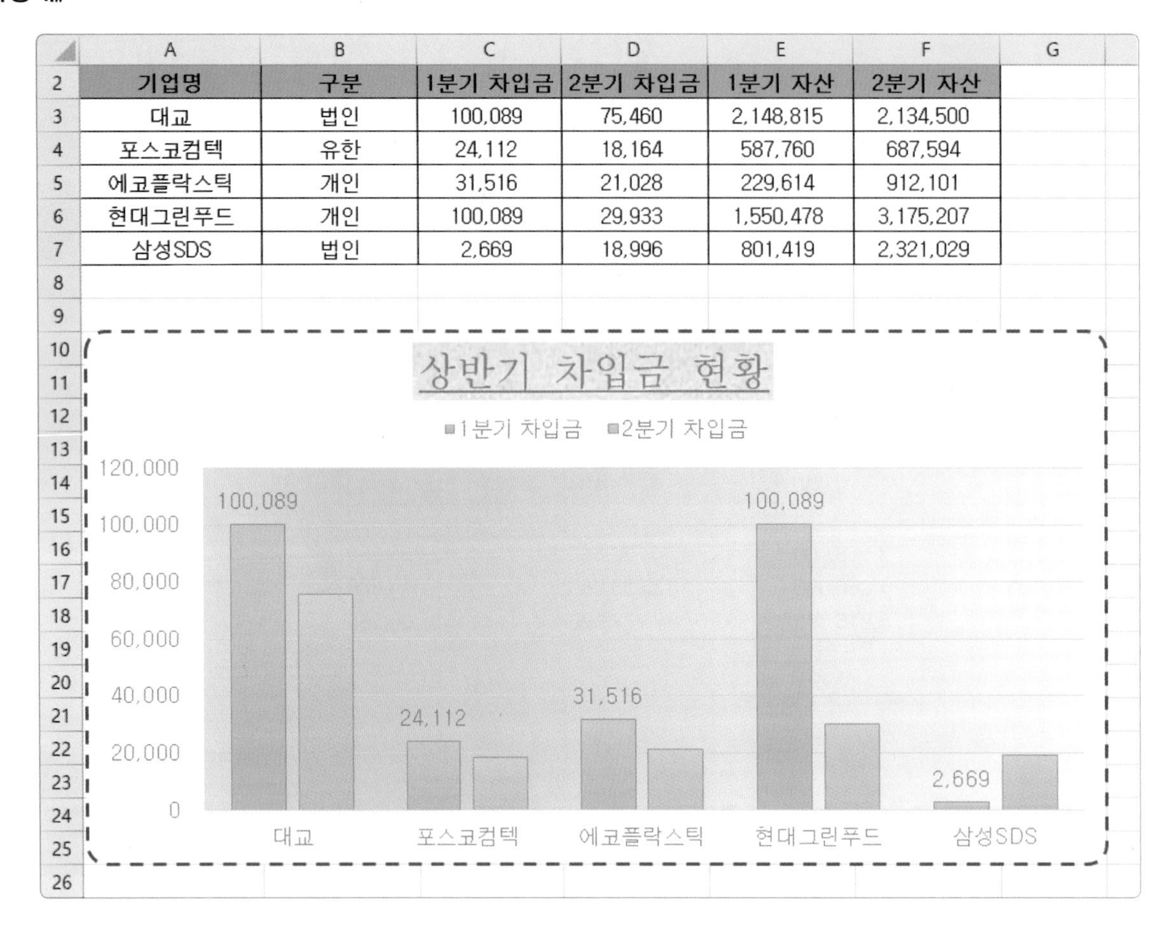

기업명	구분	1분기 차입금	2분기 차입금	1분기 자산	2분기 자산
대교	법인	100,089	75,460	2,148,815	2,134,500
포스코컴텍	유한	24,112	18,164	587,760	687,594
에코플락스틱	개인	31,516	21,028	229,614	912,101
현대그린푸드	개인	100,089	29,933	1,550,478	3,175,207
삼성SDS	법인	2,669	18,996	801,419	2,321,029

《처리조건》

▶ "차트" 시트에 주어진 표를 이용하여 '묶은 세로 막대형' 차트를 작성하시오.

- 데이터 범위 : 현재 시트 [A2:A7], [C2:D7]의 데이터를 이용하여 작성하고, 행/열 전환은 '열'로 지정
- 차트 제목("상반기 차입금 현황")
- 범례 위치 : 위쪽
- 차트 스타일 : 색 변경(색상형 – 색 2, 스타일 5)
- 차트 위치 : 현재 시트에 [A10:G25] 크기에 정확하게 맞추시오.
- 차트 영역 서식 : 글꼴(돋움, 11pt), 테두리 색(실선, 색 : 자주), 테두리 스타일(너비 : 2pt, 겹선 종류 : 단순형, 대시 종류 : 파선, 둥근 모서리)
- 차트 제목 서식 : 글꼴(바탕체, 20pt, 밑줄), 채우기(그림 또는 질감 채우기, 질감 : 파랑 박엽지)
- 그림 영역 서식 : 채우기(그라데이션 채우기, 그라데이션 미리 설정 : 밝은 그라데이션 – 강조 6, 종류 : 선형, 방향 : 선형 왼쪽)
- 데이터 레이블 추가 : '1분기 차입금' 계열에 "값" 표시

▶ 지시사항이 없는 경우는 《출력형태》와 동일하게 작성하시오.

❷ [시나리오 요약] 대화상자에서 보고서 종류를 《처리조건》에 제시된 대로 **'시나리오 요약'**을 선택합니다.

❸ '회전'의 이용요금이 변동할 때 '총금액'이 변동하는 시나리오이므로, 결과 셀의 내용을 삭제하고 '회전'의 '총금액'인 [G3] 셀을 클릭한 후, Ctrl을 누른 상태에서 [G10], [G12] 셀을 각각 클릭한 다음 [확인]을 클릭합니다.

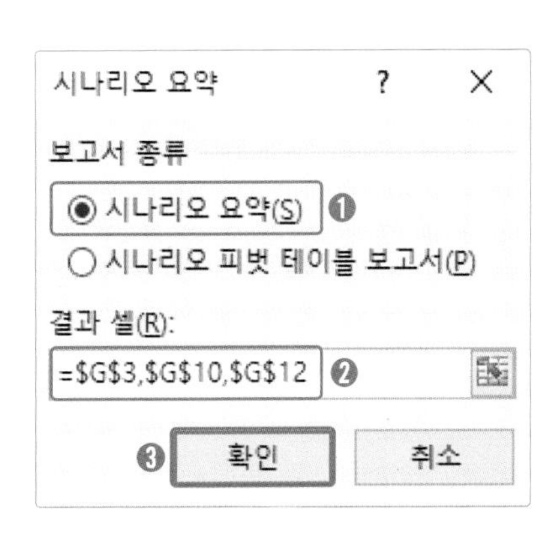

❹ [시나리오] 시트 앞에 **[시나리오 요약]** 시트가 새로 만들어진 것을 확인하고 [빠른 실행 도구 모음]에서 **[저장]**을 클릭하거나 Ctrl+S를 눌러 파일을 저장합니다.

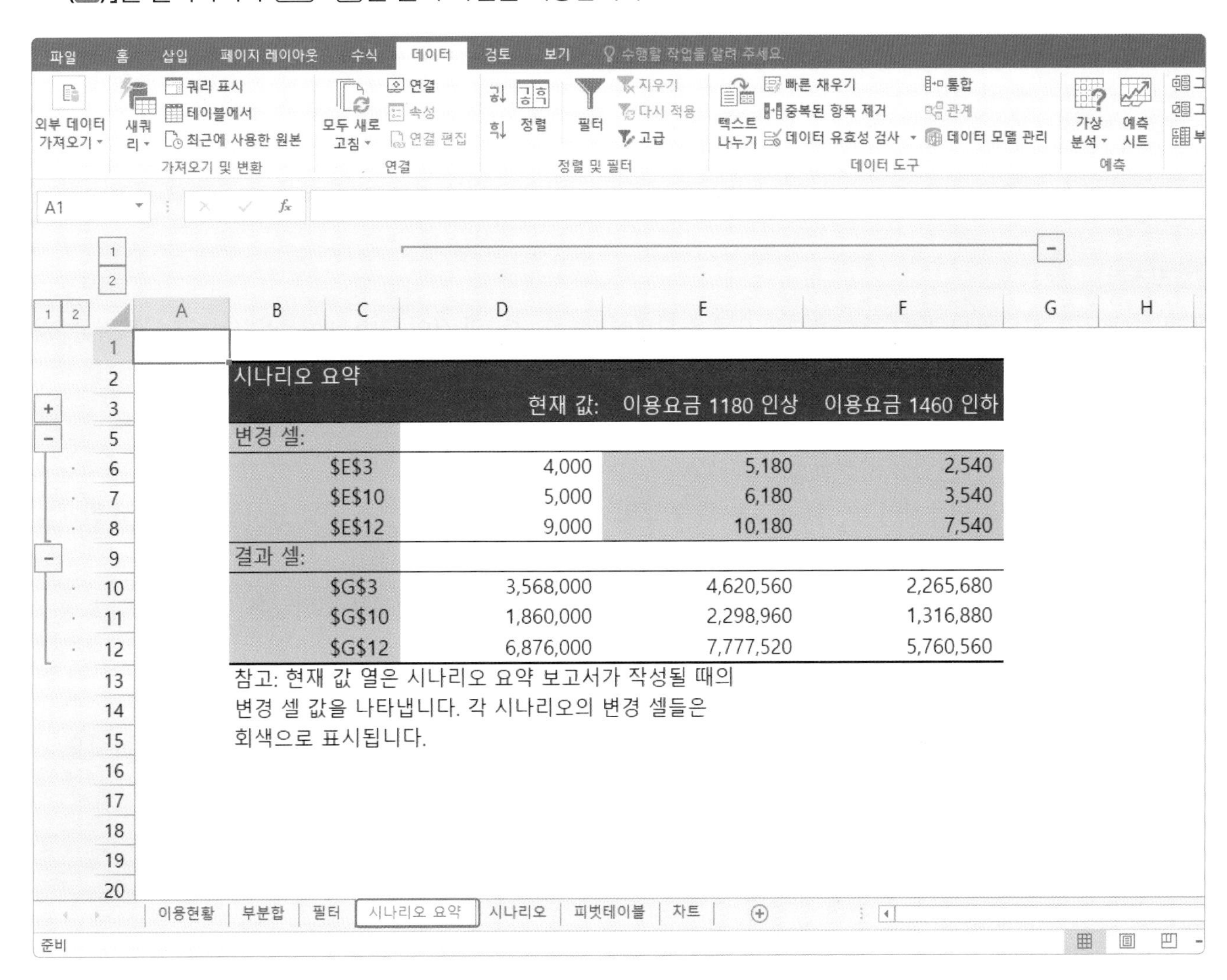

시나리오 요약	현재 값:	이용요금 1180 인상	이용요금 1460 인하
변경 셀:			
$E$3	4,000	5,180	2,540
$E$10	5,000	6,180	3,540
$E$12	9,000	10,180	7,540
결과 셀:			
$G$3	3,568,000	4,620,560	2,265,680
$G$10	1,860,000	2,298,960	1,316,880
$G$12	6,876,000	7,777,520	5,760,560

참고: 현재 값 열은 시나리오 요약 보고서가 작성될 때의
변경 셀 값을 나타냅니다. 각 시나리오의 변경 셀들은
회색으로 표시됩니다.

【문제 4】 "피벗테이블" 시트를 참조하여 다음 《처리조건》에 맞도록 작업하시오.(30점)

《출력형태》

	A	B	C	D	E
1					
2					
3			구분		
4	기업명	값	법인	유한	총합계
5	대교	평균 : 1분기 차입금	100,089	*	100,089
6		평균 : 2분기 차입금	75,460	*	75,460
7	빙그레	평균 : 1분기 차입금	*	6,352	6,352
8		평균 : 2분기 차입금	*	12,518	12,518
9	삼성SDS	평균 : 1분기 차입금	2,669	*	2,669
10		평균 : 2분기 차입금	18,996	*	18,996
11	포스코컴텍	평균 : 1분기 차입금	*	24,112	24,112
12		평균 : 2분기 차입금	*	18,164	18,164
13					

《처리조건》

▶ "피벗테이블" 시트의 [A2:G12]를 이용하여 새로운 시트에 《출력형태》와 같이 피벗 테이블을 작성 후 시트명을 "피벗테이블 정답"으로 수정하시오.

▶ 기업명(행)과 구분(열)을 기준으로 하여 출력형태와 같이 구하시오.

- '1분기 차입금', '2분기 차입금'의 평균을 구하시오.
- 피벗 테이블 옵션을 이용하여 레이블이 있는 셀 병합 및 가운데 맞춤하고 빈 셀을 "*"로 표시한 후, 열의 총합계를 감추기 하시오.
- 피벗 테이블 디자인에서 보고서 레이아웃은 '테이블 형식으로 표시', 피벗 테이블 스타일은 '피벗 스타일 보통 5'로 표시하시오.
- 기업명(행)은 "대교", "빙그레", "삼성SDS", "포스코컴텍"만 출력되도록 표시하시오.
- [C5:E12] 데이터는 셀 서식의 표시 형식-숫자를 이용하여 1000 단위 구분 기호를 표시하고, 가운데 맞춤하시오.

▶ 기업명의 순서는 《출력형태》와 다를 수 있음

▶ 지시사항이 없는 경우는 《출력형태》와 동일하게 작성하시오.

탄탄

01 "시나리오" 시트를 참조하여 《처리조건》에 맞도록 작업하시오.

소스파일: 06-01(문제).xlsx
완성파일: 06-01(완성).xlsx

《출력형태 – 시나리오》

	A	B	C	D	E	F	G
1							
2		시나리오 요약					
3				현재 값:	단가 1540 증가	단가 1280 감소	
5		변경 셀:					
6			$E$6	20,800	22,340	19,520	
7			$E$8	10,900	12,440	9,620	
8			$E$12	3,500	5,040	2,220	
9		결과 셀:					
10			$G$6	1,851,200	1,988,260	1,737,280	
11			$G$8	1,318,900	1,505,240	1,164,020	
12			$G$12	203,000	292,320	128,760	
13		참고: 현재 값 열은 시나리오 요약 보고서가 작성될 때의					
14		변경 셀 값을 나타냅니다. 각 시나리오의 변경 셀들은					
15		회색으로 표시됩니다.					
16							

《처리조건》

▸ "시나리오" 시트의 [A2:G12]를 이용하여 '상품분류'가 "간식"인 경우, '단가'가 변동할 때 '재고금액'이 변동하는 가상분석(시나리오)을 작성하시오.
  - 시나리오1 : 시나리오 이름은 "단가 1540 증가", '단가'에 1540을 증가시킨 값 설정.
  - 시나리오2 : 시나리오 이름은 "단가 1280 감소", '단가'에 1280을 감소시킨 값 설정.
  - "시나리오 요약" 시트를 작성하시오.

▸ 지시사항이 없는 경우는 《출력형태 – 시나리오》와 동일하게 작성하시오.

(2) 시나리오

《출력형태 – 시나리오》

	B	C	D	E	F	G
1						
2	시나리오 요약					
3			현재 값:	1분기 차입금 2500 증가	1분기 차입금 1800 감소	
5	변경 셀:					
6		$C$4	24,112	26,612	22,312	
7		$C$8	6,352	8,852	4,552	
8		$C$9	5,210	7,710	3,410	
9	결과 셀:					
10		$G$4	42,276	44,776	40,476	
11		$G$8	18,870	21,370	17,070	
12		$G$9	29,322	31,822	27,522	
13	참고: 현재 값 열은 시나리오 요약 보고서가 작성될 때의					
14	변경 셀 값을 나타냅니다. 각 시나리오의 변경 셀들은					
15	회색으로 표시됩니다.					
16						

《처리조건》

▶ "시나리오" 시트의 [A2:G12]를 이용하여 '구분'이 "유한"인 경우, '1분기 차입금'이 변동할 때 '상반기 차입금'이 변동하는 가상분석(시나리오)을 작성하시오.

- 시나리오1 : 시나리오 이름은 "1분기 차입금 2500 증가", '1분기 차입금'에 2500을 증가시킨 값 설정.
- 시나리오2 : 시나리오 이름은 "1분기 차입금 1800 감소", '1분기 차입금'에 1800을 감소시킨 값 설정.
- "시나리오 요약" 시트를 작성하시오.

▶ 지시사항이 없는 경우는 《출력형태 – 시나리오》와 동일하게 작성하시오.

02 "시나리오" 시트를 참조하여 《처리조건》에 맞도록 작업하시오.

소스파일: 06-02(문제).xlsx
완성파일: 06-02(완성).xlsx

《출력형태 – 시나리오》

	A	B	C	D	E	F	G
1							
2		시나리오 요약					
3				현재 값:	단가 1550 증가	단가 2150 감소	
5		변경 셀:					
6			$E$4	46,000	47,550	43,850	
7			$E$8	39,000	40,550	36,850	
8			$E$10	49,800	51,350	47,650	
9		결과 셀:					
10			$G$4	1,748,000	1,806,900	1,666,300	
11			$G$8	897,000	932,650	847,550	
12			$G$10	2,290,800	2,362,100	2,191,900	
13		참고: 현재 값 열은 시나리오 요약 보고서가 작성될 때의					
14		변경 셀 값을 나타냅니다. 각 시나리오의 변경 셀들은					
15		회색으로 표시됩니다.					
16							

《처리조건》

▶ "시나리오" 시트의 [A2:G12]를 이용하여 '색상'이 "레드계열"인 경우, '단가'가 변동할 때 '판매금액'이 변동하는 가상분석(시나리오)을 작성하시오.
  - 시나리오1 : 시나리오 이름은 "단가 1550 증가", '단가'에 1550을 증가시킨 값 설정.
  - 시나리오2 : 시나리오 이름은 "단가 2150 감소", '단가'에 2150을 감소시킨 값 설정.
  - "시나리오 요약" 시트를 작성하시오.

▶ 지시사항이 없는 경우는 《출력형태 – 시나리오》와 동일하게 작성하시오.

【문제 3】 "필터"와 "시나리오" 시트를 참조하여 다음 《처리조건》에 맞도록 작업하시오.(60점)

(1) 필터

《출력형태 - 필터》

	A	B	C	D	E	F	G
1							
2	기업명	구분	1분기 차입금	1분기 자산	2분기 차입금	2분기 자산	상반기 차입금
3	대교	법인	100,089	2,148,815	75,460	2,134,500	175,549
4	포스코컴텍	유한	24,112	587,760	18,164	687,594	42,276
5	에코플락스틱	개인	31,516	229,614	21,028	912,101	52,544
6	현대그린푸드	개인	100,089	1,550,478	29,933	3,175,207	130,022
7	삼성SDS	법인	2,669	801,419	18,996	2,321,029	21,665
8	빙그레	유한	6,352	1,676,583	12,518	2,112,380	18,870
9	S&T중공업	유한	5,210	893,185	24,112	724,500	29,322
10	미래산업	개인	48,324	4,575,236	9,143	5,210,000	57,467
11	한려산업	법인	13,532	1,178,126	22,182	1,002,100	35,714
12	그린물산	법인	14,792	1,184,488	27,198	924,800	41,990
13							
14	조건						
15	TRUE						
16							
17							
18	기업명	1분기 자산	2분기 자산	상반기 차입금			
19	대교	2,148,815	2,134,500	175,549			
20	현대그린푸드	1,550,478	3,175,207	130,022			
21	삼성SDS	801,419	2,321,029	21,665			
22	한려산업	1,178,126	1,002,100	35,714			
23	그린물산	1,184,488	924,800	41,990			
24							

《처리조건》

▶ "필터" 시트의 [A2:G12]를 아래 조건에 맞게 고급 필터를 사용하여 작성하시오.

- '구분'이 "법인"이거나 '상반기 차입금'이 100000 이상인 데이터를 '기업명', '1분기 자산', '2분기 자산', '상반기 차입금'의 데이터만 필터링하시오.
- 조건 위치 : 조건 함수는 [A15] 한 셀에 작성(OR 함수 이용)
- 결과 위치 : [A18]부터 출력

▶ 지시사항이 없는 경우는 《출력형태 - 필터》와 동일하게 작성하시오.

03 "시나리오" 시트를 참조하여 《처리조건》에 맞도록 작업하시오.

소스파일: 06-03(문제).xlsx
완성파일: 06-03(완성).xlsx

《출력형태 – 시나리오》

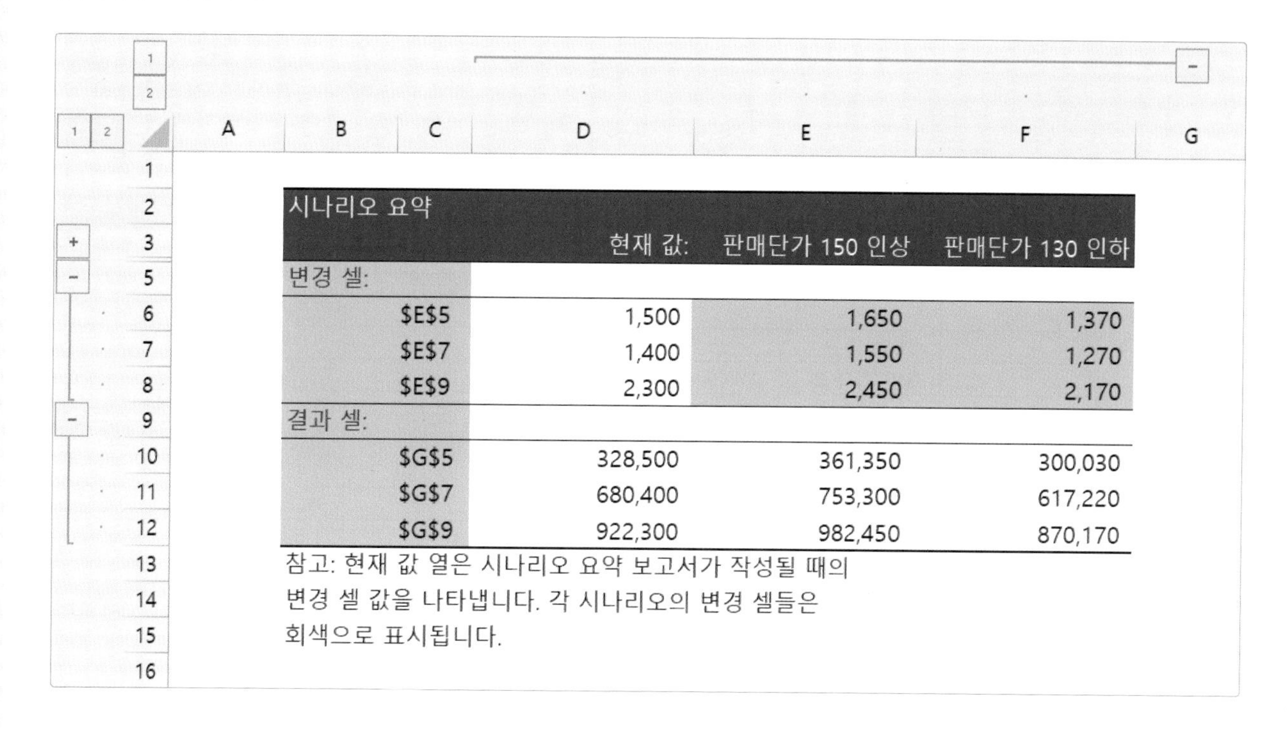

시나리오 요약				
		현재 값:	판매단가 150 인상	판매단가 130 인하
변경 셀:				
	$E$5	1,500	1,650	1,370
	$E$7	1,400	1,550	1,270
	$E$9	2,300	2,450	2,170
결과 셀:				
	$G$5	328,500	361,350	300,030
	$G$7	680,400	753,300	617,220
	$G$9	922,300	982,450	870,170

참고: 현재 값 열은 시나리오 요약 보고서가 작성될 때의
변경 셀 값을 나타냅니다. 각 시나리오의 변경 셀들은
회색으로 표시됩니다.

《처리조건》

▶ "시나리오" 시트의 [A2:G12]를 이용하여 '상품분류'가 "커피음료"인 경우, '판매단가'가 변동할 때 '총판매액'이 변동하는 가상분석(시나리오)을 작성하시오.

- 시나리오1 : 시나리오 이름은 "판매단가 150 인상", '판매단가'에 150을 증가시킨 값 설정.
- 시나리오2 : 시나리오 이름은 "판매단가 130 인하", '판매단가'에 130을 감소시킨 값 설정.
- "시나리오 요약" 시트를 작성하시오.

▶ 지시사항이 없는 경우는 《출력형태 – 시나리오》와 동일하게 작성하시오.

【문제 2】 "부분합" 시트를 참조하여 다음 《처리조건》에 맞도록 작업하시오.(30점)

《출력형태》

	A	B	C	D	E	F	G
1							
2	기업명	구분	1분기 차입금	1분기 자산	2분기 차입금	2분기 자산	상반기 차입금
3	에코플락스틱	개인	31,516	229,614	21,028	912,101	52,544
4	현대그린푸드	개인	100,089	1,550,478	29,933	3,175,207	130,022
5	미래산업	개인	48,324	4,575,236	9,143	5,210,000	57,467
6		개인 평균		2,118,443		3,099,103	
7		개인 최대값	100,089		29,933		
8	대교	법인	100,089	2,148,815	75,460	2,134,500	175,549
9	삼성SDS	법인	2,669	801,419	18,996	2,321,029	21,665
10	한려산업	법인	13,532	1,178,126	22,182	1,002,100	35,714
11	그린물산	법인	14,792	1,184,488	27,198	924,800	41,990
12		법인 평균		1,328,212		1,595,607	
13		법인 최대값	100,089		75,460		
14	포스코컴텍	유한	24,112	587,760	18,164	687,594	42,276
15	빙그레	유한	6,352	1,676,583	12,518	2,112,380	18,870
16	S&T중공업	유한	5,210	893,185	24,112	724,500	29,322
17		유한 평균		1,052,509		1,174,825	
18		유한 최대값	24,112		24,112		
19		전체 평균		1,482,570		1,920,421	
20		전체 최대값	100,089		75,460		
21							

《처리조건》

▶ 데이터를 '구분' 기준으로 오름차순 정렬하시오.

▶ 아래 조건에 맞는 부분합을 작성하시오.

- '구분'으로 그룹화하여 '1분기 차입금', '2분기 차입금'의 최대값을 구하는 부분합을 만드시오.
- '구분'으로 그룹화하여 '1분기 자산', '2분기 자산'의 평균을 구하는 부분합을 만드시오.
  (새로운 값으로 대치하지 말 것)
- [C3:G20] 영역에 셀 서식의 표시 형식-숫자를 이용하여 1000 단위 구분 기호를 표시하시오.

▶ C~F열을 선택하여 그룹을 설정하시오.

▶ 최대값과 평균의 부분합 순서는 《출력형태》와 다를 수 있음

▶ 지시사항이 없는 경우는 기본 값을 적용하시오.

04 "시나리오" 시트를 참조하여 《처리조건》에 맞도록 작업하시오.

소스파일: 06-04(문제).xlsx
완성파일: 06-04(완성).xlsx

《출력형태 – 시나리오》

	A	B	C	D	E	F	G
1							
2		시나리오 요약					
3				현재 값:	수강료 15670 증가	수강료 13720 감소	
5		변경 셀:					
6			$F$4	18,000	33,670	4,280	
7			$F$6	17,000	32,670	3,280	
8			$F$9	15,000	30,670	1,280	
9			$F$12	15,000	30,670	1,280	
10		결과 셀:					
11			$G$4	1,080,000	2,020,200	256,800	
12			$G$6	680,000	1,306,800	131,200	
13			$G$9	750,000	1,533,500	64,000	
14			$G$12	450,000	920,100	38,400	
15		참고: 현재 값 열은 시나리오 요약 보고서가 작성될 때의					
16		변경 셀 값을 나타냅니다. 각 시나리오의 변경 셀들은					
17		회색으로 표시됩니다.					
18							

《처리조건》

▸ "시나리오" 시트의 [A2:G12]를 이용하여 '분류'가 "컴퓨터"인 경우, '수강료'가 변동할 때 '합계'가 변동하는 가상 분석(시나리오)을 작성하시오.
  - 시나리오1 : 시나리오 이름은 "수강료 15670 증가", '수강료'에 15670을 증가시킨 값 설정.
  - 시나리오2 : 시나리오 이름은 "수강료 13720 감소", '수강료'에 13720을 감소시킨 값 설정.
  - "시나리오 요약" 시트를 작성하시오.

▸ 지시사항이 없는 경우는 《출력형태 – 시나리오》와 동일하게 작성하시오.

【문제 1】 "차입금 현황" 시트를 참조하여 다음 《처리조건》에 맞도록 작업하시오.(50점)

《출력형태》

	A	B	C	D	E	F	G	H	I
1		상반기 차입금 현황							
2	기업명	구분	1분기 차입금	1분기 자산	2분기 차입금	2분기 자산	상반기 차입금	순위	비고
3	대교	법인	100,089	2,148,815	75,460	2,134,500	175,549	4위	적자
4	포스코컴텍	유한	24,112	587,760	18,164	687,594	42,276	10위	
5	에코플락스틱	개인	31,516	229,614	21,028	912,101	52,544	8위	
6	현대그린푸드	개인	100,089	1,550,478	29,933	3,175,207	130,022	2위	적자
7	삼성SDS	법인	2,669	801,419	18,996	2,321,029	21,665	3위	
8	빙그레	유한	6,352	1,676,583	12,518	2,112,380	18,870	5위	
9	S&T중공업	유한	5,210	893,185	24,112	724,500	29,322	9위	
10	미래산업	개인	48,324	4,575,236	9,143	5,210,000	57,467	1위	
11	한려산업	법인	13,532	1,178,126	22,182	1,002,100	35,714	6위	
12	그린물산	법인	14,792	1,184,488	27,198	924,800	41,990	7위	
13	'2분기 차입금' 중 세 번째로 큰 값				27,198천원				
14	'상반기 차입금'의 최대값-최소값 차이				156,679천원				
15	'기업명'이 "대교"인 '2분기 자산'의 평균				2,134,500천원				
16									

《처리조건》

▶ 1행의 행 높이를 '80'으로 설정하고, 2행~15행의 행 높이를 '18'로 설정하시오.

▶ 제목("상반기 차입금 현황") : 기본 도형의 '빗면'을 이용하여 입력하시오.

- 도형 : 위치([B1:H1]), 도형 스타일(테마 스타일 – 미세 효과 – '녹색, 강조 6')
- 글꼴 : 궁서체, 28pt, 기울임꼴
- 도형 서식 : 도형 옵션 – 크기 및 속성(텍스트 상자(세로 맞춤 : 정가운데, 텍스트 방향 : 가로))

▶ 셀 서식을 아래 조건에 맞게 작성하시오.

- [A2:I15] : 테두리(안쪽, 윤곽선 모두 실선, '검정, 텍스트 1'), 전체 가운데 맞춤
- [A13:D13], [A14:D14], [A15:D15] : 각각 병합하고 가운데 맞춤
- [A2:I2], [A13:D15] : 채우기 색('파랑, 강조 5, 40% 더 밝게'), 글꼴(굵게)
- [C3:G12] : 셀 서식의 표시 형식-숫자를 이용하여 1000 단위 구분 기호 표시
- [E13:G15] : 셀 서식의 표시 형식-사용자 지정을 이용하여 #,##0"천원"자를 추가
- [H3:H12] : 셀 서식의 표시 형식-사용자 지정을 이용하여 #"위"자를 추가
- 조건부 서식[A3:I12] : '상반기 차입금'이 50000 이상인 경우 레코드 전체에 글꼴(파랑, 굵게) 적용
- 지시사항이 없는 경우는 주어진 문제파일의 서식을 그대로 사용하시오.

▶ ① 순위[H3:H12] : '2분기 자산'을 기준으로 큰 순으로 '순위'를 구하시오. (RANK.EQ 함수)

▶ ② 비고[I3:I12] : '상반기 차입금'이 100000 이상이면 "적자", 그렇지 않으면 공백을 구하시오. (IF 함수)

▶ ③ 순위[E13:G13] : '2분기 차입금' 중 세 번째로 큰 값을 구하시오. (LARGE 함수)

▶ ④ 최대값-최소값[E14:G14] : '상반기 차입금'의 최대값과 최소값의 차이를 구하시오. (MAX, MIN 함수)

▶ ⑤ 평균[E15:G15] : '기업명'이 "대교"인 '2분기 자산'의 평균을 구하시오. (DAVERAGE 함수)

[문제 4] 피벗 테이블 작성하기

[문제 4]에서는 피벗 테이블을 작성하는 문제가 출제됩니다. 피벗 테이블(Pivot Table)이란 많은 양의 데이터를 요약하고 사용자가 원하는 형태로 보여 주는 테이블입니다. 피벗 테이블을 사용하면 사용자 마음대로 데이터를 정렬하고 필터링할 수 있습니다. 어렵게 느껴질 수 있지만 정해진 순서대로만 잘 따라오면 충분히 30점 만점을 받을 수 있습니다.

소스파일: 07차시(문제).xlsx　　완성파일: 07차시(완성).xlsx

문제 미리보기 【문제 4】 "피벗테이블" 시트를 참조하여 다음 《처리조건》에 맞도록 작업하시오.(30점)

《출력형태》

	A	B	C	D	E
1					
2					
3			상품명		
4	담당자	값	스페이스특급	카리브의 해적	티익스프레스
5	김재환	평균 : 이용요금	***	***	15,000
6		평균 : 총금액	***	***	8,100,000
7	민승현	평균 : 이용요금	***	10,000	***
8		평균 : 총금액	***	5,220,000	***
9	최현수	평균 : 이용요금	12,000	***	***
10		평균 : 총금액	11,364,000	***	***
11	전체 평균 : 이용요금		12,000	10,000	15,000
12	전체 평균 : 총금액		11,364,000	5,220,000	8,100,000
13					

《처리조건》

▶ "피벗테이블" 시트의 [A2:G12]를 이용하여 새로운 시트에 《출력형태》와 같이 피벗 테이블을 작성 후 시트명을 "피벗테이블 정답"으로 수정하시오.

▶ 담당자(행)와 상품명(열)을 기준으로 하여 출력형태와 같이 구하시오.
- '이용요금', '총금액'의 평균을 구하시오.
- 피벗 테이블 옵션을 이용하여 레이블이 있는 셀 병합 및 가운데 맞춤하고 빈 셀을 "***"로 표시한 후, 행의 총합계를 감추기 하시오.
- 피벗 테이블 디자인에서 보고서 레이아웃은 '테이블 형식으로 표시', 피벗 테이블 스타일은 '피벗 스타일 어둡게 13'으로 표시하시오.
- 상품명(열)은 "스페이스특급", "카리브의 해적", "티익스프레스"만 출력되도록 표시하시오.
- [C5:E12] 데이터는 셀 서식의 표시 형식-숫자를 이용하여 1000 단위 구분 기호를 표시하고, 가운데 맞춤하시오.

▶ 담당자의 순서는 《출력형태》와 다를 수 있음

▶ 지시사항이 없는 경우는 《출력형태》와 동일하게 작성하시오.

과정 미리보기 피벗 테이블 작성 및 시트명 수정 ➡ 필드 목록 추가 ➡ 레이아웃 및 서식 설정 ➡ 보고서 레이아웃 및 스타일 지정 ➡ 필터링 ➡ 셀 서식 지정

제06회 실전모의고사

▹ 시험과목 : 스프레드시트(엑셀)
▹ 시험일자 : 20XX. XX. XX.(X)
▹ 응시자 기재사항 및 감독위원 확인

수 검 번 호	DIS – XXXX –	감독위원 확인
성 명		

응시자 유의사항

1. 응시자는 신분증을 지참하여야 시험에 응시할 수 있으며, 시험이 종료될 때까지 신분증을 제시하지 못할 경우 해당 시험은 0점 처리됩니다.
2. 시스템(PC 작동 여부, 네트워크 상태 등)의 이상 여부를 반드시 확인하여야 하며, 시스템 이상이 있을시 감독위원에게 조치를 받으셔야 합니다.
3. 시험 중 부주의 또는 고의로 시스템을 파손한 경우는 응시자 부담으로 합니다.
4. 답안 전송 프로그램을 통해 다운로드 받은 파일을 이용하여 답안 파일을 작성하시기 바랍니다.
5. 작성한 답안 파일은 답안 전송 프로그램을 통하여 전송됩니다. 감독위원의 지시에 따라 주시기 바랍니다.
6. 다음 사항의 경우 실격(0점) 혹은 부정행위 처리됩니다.
   ❶ 답안 파일을 저장하지 않았거나, 저장한 파일이 손상되었을 경우
   ❷ 답안 파일을 지정된 폴더(바탕화면 "KAIT" 폴더)에 저장하지 않았을 경우
   ※ 답안 전송 프로그램 로그인 시 바탕화면에 자동 생성됨
   ❸ 답안 파일을 다른 보조기억장치(USB) 혹은 네트워크(메신저, 게시판 등)로 전송할 경우
   ❹ 휴대용 전화기 등 통신기기를 사용할 경우
7. 시험지에 제시된 글꼴이 응시 프로그램에 없는 경우, 반드시 감독위원에게 해당 내용을 통보한 뒤 조치를 받아야 합니다.
8. 시험의 완료는 작성이 완료된 답안을 저장하고, 답안 전송이 완료된 상태를 확인한 것으로 합니다. 답안 전송 확인 후 문제지는 감독위원에게 제출한 후 퇴실하여야 합니다.
9. 답안 전송이 완료된 경우에는 수정 또는 정정이 불가능합니다.
10. 시험시행 후 결과는 홈페이지(www.ihd.or.kr)에서 확인하시기 바랍니다.
   ❶ 문제 및 모범답안 공개 : 20XX. XX. XX.(X)
   ❷ 합격자 발표 : 20XX. XX. XX.(X)

01 피벗 테이블 만들고 시트명 수정하기

▶ "피벗테이블" 시트의 [A2:G12]를 이용하여 새로운 시트에 《출력형태》와 같이 피벗 테이블을 작성 후 시트명을 "피벗테이블 정답"으로 수정하시오.

❶ [07차시] 폴더에서 '07차시(문제).xlsx' 파일을 더블 클릭하여 실행합니다. 파일이 열리면 **[피벗테이블]** 시트를 클릭합니다.

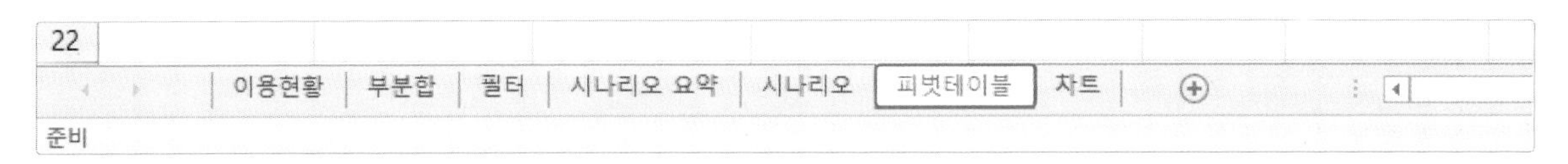

❷ 피벗 테이블을 만들기 위해 [A2:G12] 영역 중 아무 셀을 클릭하고 **[삽입] 탭-[표] 그룹-[피벗 테이블]**을 클릭합니다.

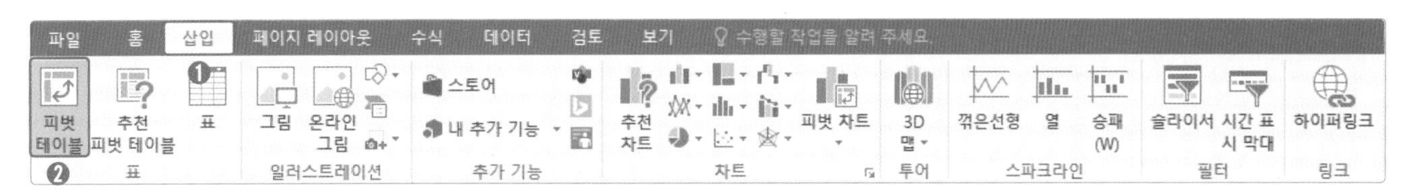

❸ [피벗 테이블 만들기] 대화상자가 나타나면 표 또는 범위 선택의 표/범위에 **'피벗테이블!$A$2:$G$12'**가 입력되어 있고, 피벗 테이블 보고서를 넣을 위치는 **'새 워크시트'**로 선택된 것을 확인한 후 [확인]을 클릭합니다.

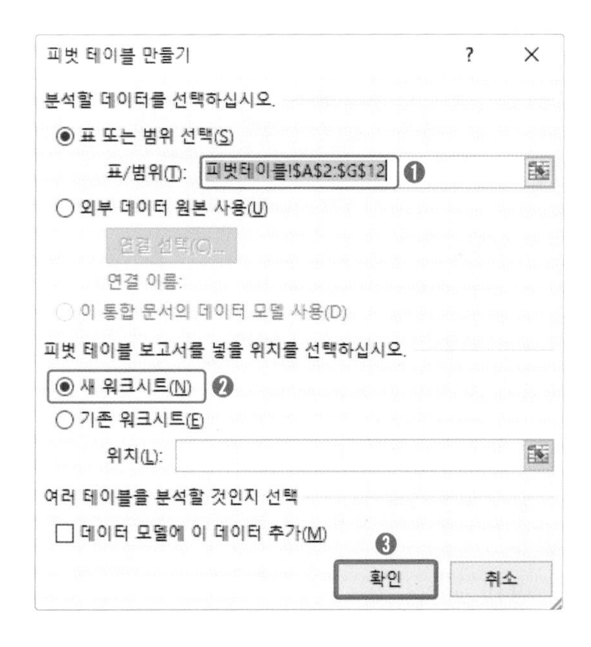

❹ [피벗테이블] 시트 앞에 [Sheet1] 시트가 생성된 것을 확인합니다. [Sheet1] 시트 탭을 더블 클릭하여 **"피벗 테이블 정답"**으로 시트 이름을 수정합니다.

- 시트명을 수정한 후 시트의 빈 공간을 클릭하면 수정이 완료됩니다.
- 시트명을 수정하라는 지시사항이 있으므로 반드시 수정해야 합니다.

【문제 5】 "차트" 시트를 참조하여 다음 《처리조건》에 맞도록 작업하시오.(30점)

《출력형태》

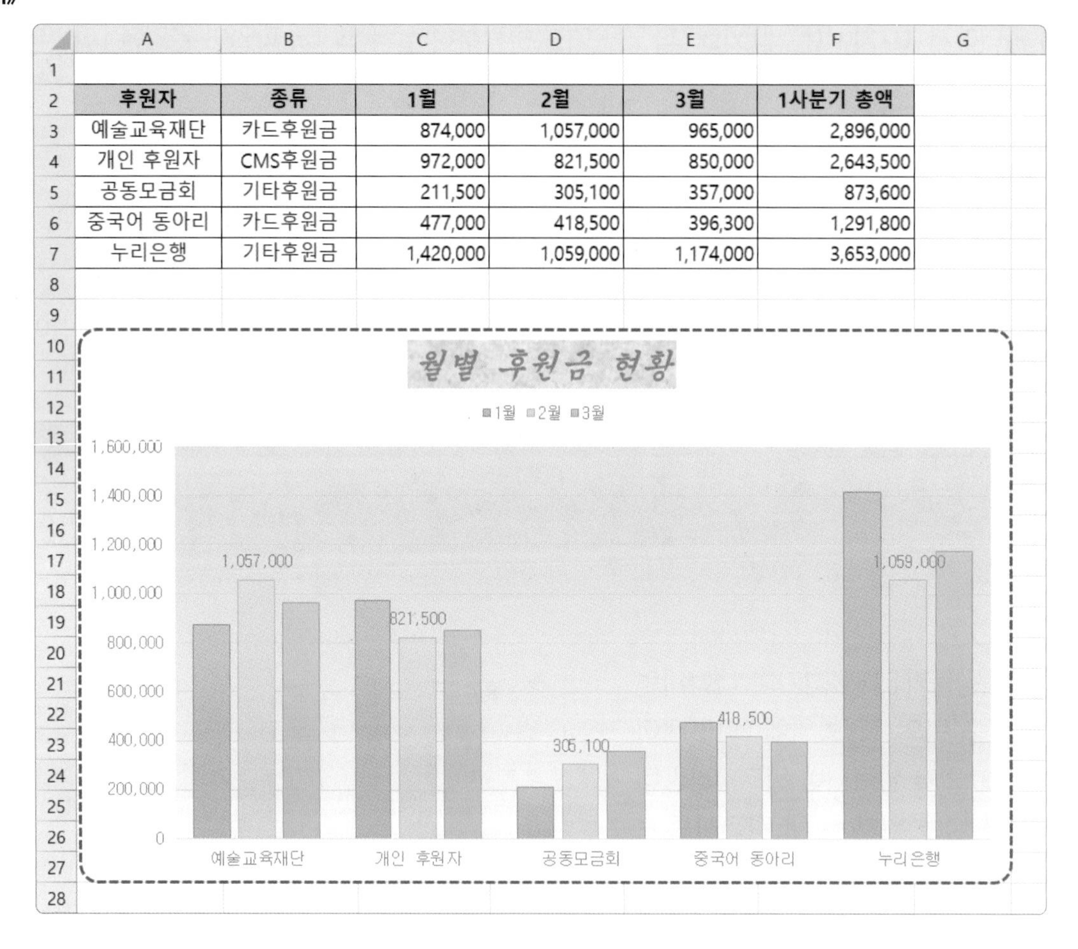

후원자	종류	1월	2월	3월	1사분기 총액
예술교육재단	카드후원금	874,000	1,057,000	965,000	2,896,000
개인 후원자	CMS후원금	972,000	821,500	850,000	2,643,500
공동모금회	기타후원금	211,500	305,100	357,000	873,600
중국어 동아리	카드후원금	477,000	418,500	396,300	1,291,800
누리은행	기타후원금	1,420,000	1,059,000	1,174,000	3,653,000

《처리조건》

▶ "차트" 시트에 주어진 표를 이용하여 '묶은 세로 막대형' 차트를 작성하시오.

- 데이터 범위 : 현재 시트 [A2:A7], [C2:E7]의 데이터를 이용하여 작성하고, 행/열 전환은 '열'로 지정
- 차트 제목("월별 후원금 현황")
- 범례 위치 : 위쪽
- 차트 스타일 : 색 변경(색상형 – 색 3, 스타일 5)
- 차트 위치 : 현재 시트에 [A10:G27] 크기에 정확하게 맞추시오.
- 차트 영역 서식 : 글꼴(굴림체, 9pt), 테두리 색(실선, 색 : 자주), 테두리 스타일(너비 : 1.75pt, 겹선 종류 : 단순형, 대시 종류 : 사각 점선, 둥근 모서리)
- 차트 제목 서식 : 글꼴(궁서체, 18pt, 기울임꼴), 채우기(그림 또는 질감 채우기, 질감 : 꽃다발)
- 그림 영역 서식 : 채우기(그라데이션 채우기, 그라데이션 미리 설정 : 밝은 그라데이션 – 강조 4, 종류 : 선형, 방향 : 선형 위쪽)
- 데이터 레이블 추가 : '2월' 계열에 "값" 표시

▶ 지시사항이 없는 경우는 《출력형태》와 동일하게 작성하시오.

02 피벗 테이블 필드 목록 추가하기

▶ 담당자(행)와 상품명(열)을 기준으로 하여 출력형태와 같이 구하시오.
- '이용요금', '총금액'의 평균을 구하시오.

피벗 테이블의 구조

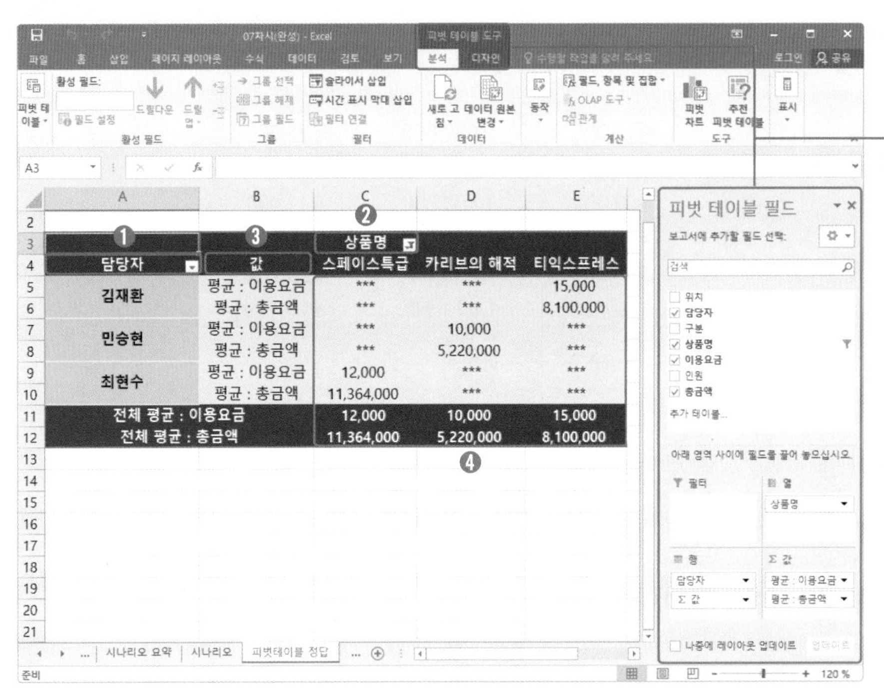

[피벗 테이블 도구] 탭과 [피벗 테이블 필드] 창은 피벗 테이블이 선택된 상태에서만 표시됩니다.

❶ 행 레이블(필드) : 행 머리글에 표시할 필드를 추가합니다.
❷ 열 레이블(필드) : 열 머리글에 표시할 필드를 추가합니다.
❸ 값 필드 : 행 머리글과 열 머리글이 교차하는 위치에 값을 요약하여 표시할 필드를 추가합니다.
❹ 값 영역 : 값 필드에서 지정한 데이터 값들이 표시됩니다.

❶ 담당자를 행에 추가하기 위해 [피벗 테이블 필드] 창의 보고서에 추가할 필드 선택의 항목 중 **'담당자'** 필드를 행 레이블로 드래그합니다.

❷ 이번엔 상품명을 열에 추가하기 위해 **'상품명'** 필드를 열 레이블로 드래그합니다.

[피벗 테이블 필드] 창이 보이지 않는다면 피벗 테이블 영역을 클릭합니다.

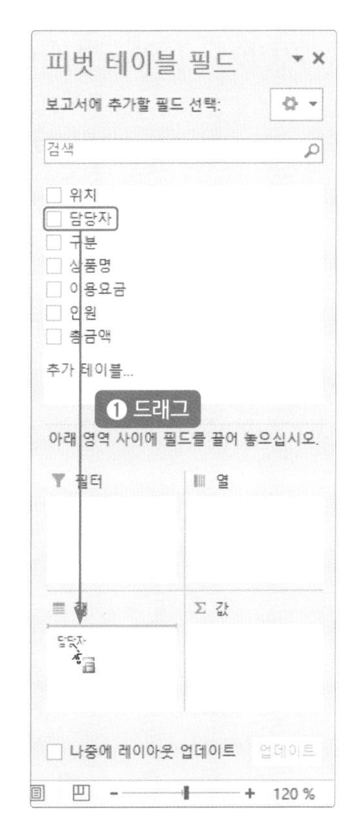

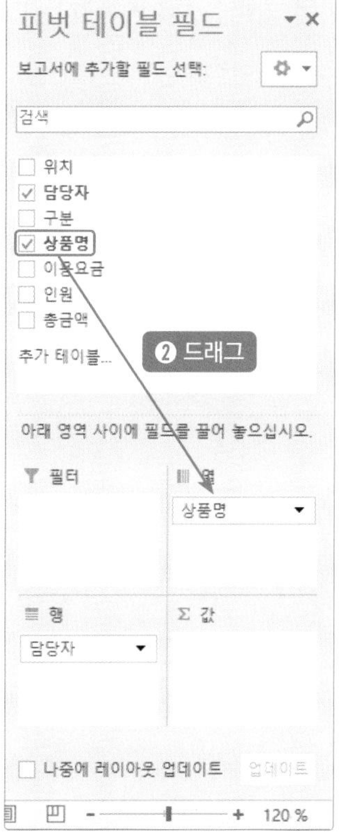

【문제 4】 **"피벗테이블" 시트를 참조하여 다음 《처리조건》에 맞도록 작업하시오.(30점)**

《출력형태》

	A	B	C	D	E
1					
2					
3			구분		
4	종류	값	결연	비지정	지정
5	CMS후원금	평균 : 1월	972,000	1,090,000	635,000
6		평균 : 2월	821,500	964,000	733,200
7	기타후원금	평균 : 1월	400,000	1,420,000	211,500
8		평균 : 2월	400,000	1,059,000	305,100
9	전체 평균 : 1월		686,000	1,255,000	423,250
10	전체 평균 : 2월		610,750	1,011,500	519,150
11					

《처리조건》

▶ "피벗테이블" 시트의 [A2:G12]를 이용하여 새로운 시트에 《출력형태》와 같이 피벗 테이블을 작성 후 시트명을 "피벗테이블 정답"으로 수정하시오.

▶ 종류(행)와 구분(열)을 기준으로 하여 출력형태와 같이 구하시오.

- '1월', '2월'의 평균을 구하시오.
- 피벗 테이블 옵션을 이용하여 레이블이 있는 셀 병합 및 가운데 맞춤하고 빈 셀을 "***"로 표시한 후, 행의 총합계를 감추기 하시오.
- 피벗 테이블 디자인에서 보고서 레이아웃은 '테이블 형식으로 표시', 피벗 테이블 스타일은 '피벗 스타일 보통 12'로 표시하시오.
- 종류(행)는 "CMS후원금", "기타후원금"만 출력되도록 표시하시오.
- [C5:E10] 데이터는 셀 서식의 표시 형식-숫자를 이용하여 1000 단위 구분 기호를 표시하고, 가운데 맞춤하시오.

▶ 종류의 순서는 《출력형태》와 다를 수 있음

▶ 지시사항이 없는 경우는 《출력형태》와 동일하게 작성하시오.

❸ 이용요금의 평균을 구하기 위해 **'이용요금'** 필드를 값으로 드래그하여 추가합니다.

❹ 이용요금의 평균을 구해야 하므로 **'합계 : 이용요금'**을 클릭하고 바로 가기 메뉴에서 **[값 필드 설정]**을 선택합니다.

값 필드에 필드를 추가할 때는 《처리조건》에 제시된 순서대로(이용요금 → 총금액) 추가해야 합니다.

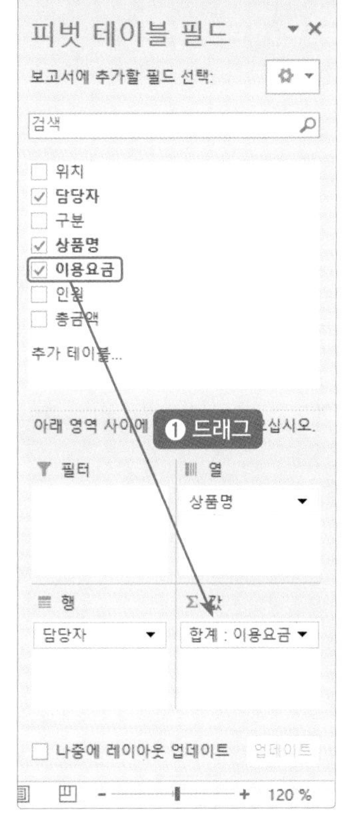

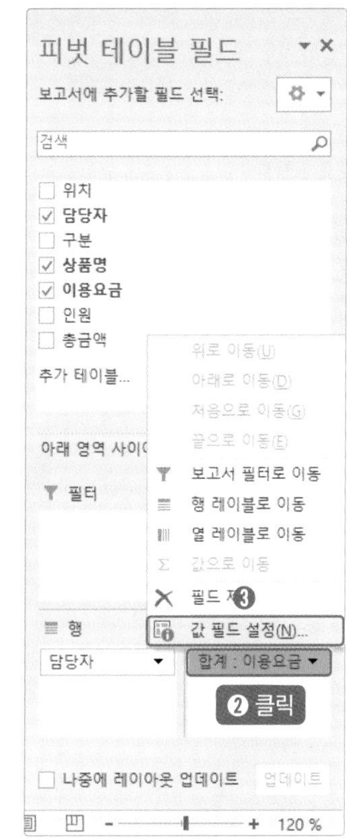

❺ [값 필드 설정] 대화상자가 나타나면 선택한 필드의 데이터에서 **'평균'**을 선택하고 [확인]을 클릭합니다.

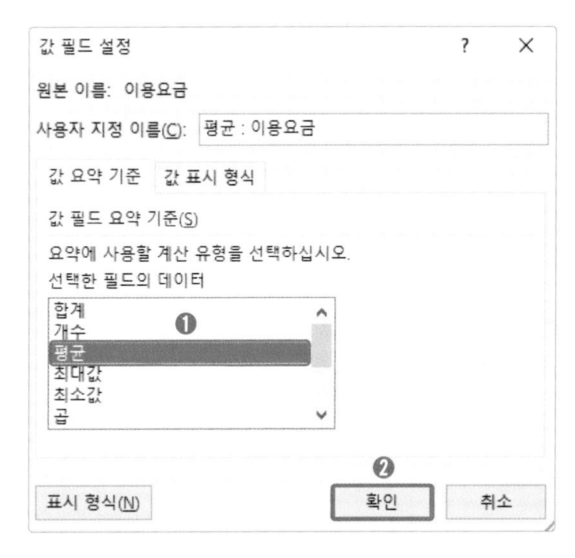

시험에서는 '평균, 합계, 최대값, 최소값'이 주로 출제됩니다.

레벨 업 필드 삭제하기

필드를 잘못 추가했다면 필드 삭제를 해야 합니다. 삭제하고자 하는 필드를 선택하여 나타나는 바로 가기 메뉴에서 [필드 제거]를 클릭합니다.

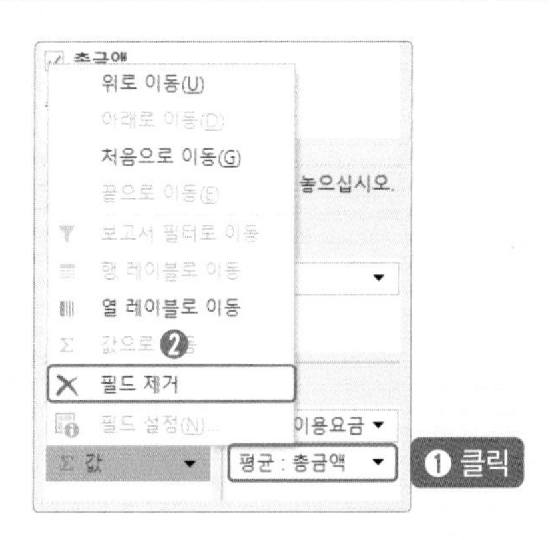

(2) 시나리오

《출력형태 – 시나리오》

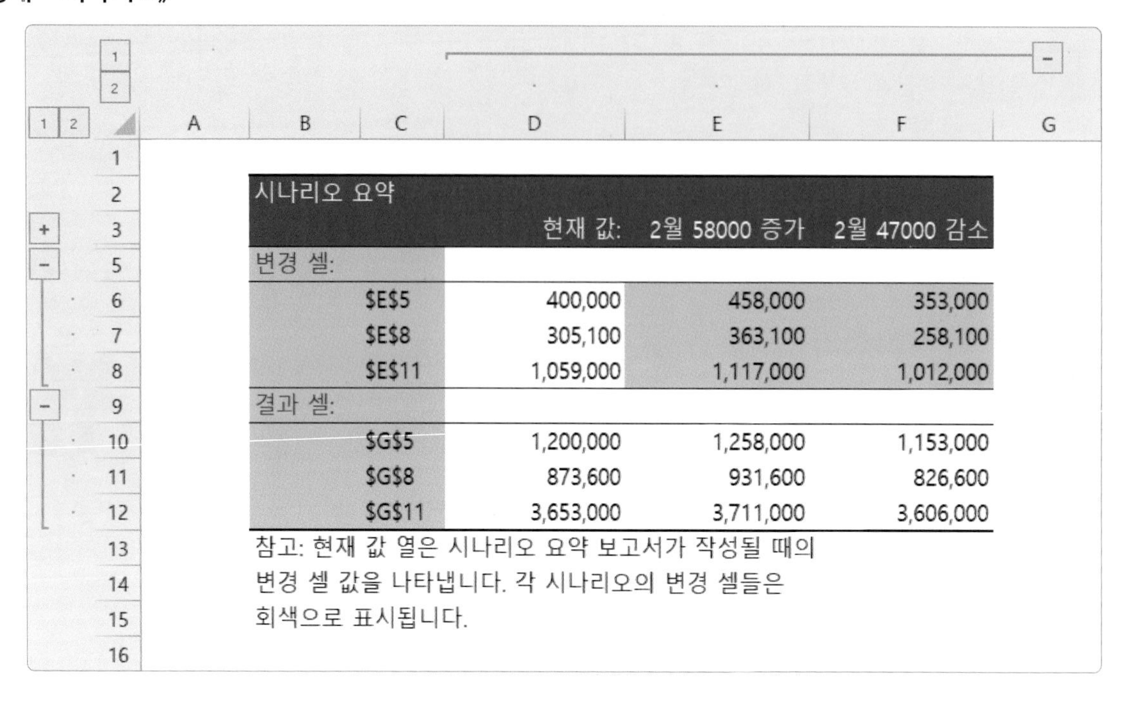

시나리오 요약				
		현재 값:	2월 58000 증가	2월 47000 감소
변경 셀:				
	$E$5	400,000	458,000	353,000
	$E$8	305,100	363,100	258,100
	$E$11	1,059,000	1,117,000	1,012,000
결과 셀:				
	$G$5	1,200,000	1,258,000	1,153,000
	$G$8	873,600	931,600	826,600
	$G$11	3,653,000	3,711,000	3,606,000

참고: 현재 값 열은 시나리오 요약 보고서가 작성될 때의 변경 셀 값을 나타냅니다. 각 시나리오의 변경 셀들은 회색으로 표시됩니다.

《처리조건》

▶ "시나리오" 시트의 [A2:G12]를 이용하여 '종류'가 "기타후원금"인 경우, '2월'이 변동할 때 '1사분기 총액'이 변동하는 가상분석(시나리오)을 작성하시오.

- 시나리오1 : 시나리오 이름은 "2월 58000 증가", '2월'에 58000을 증가시킨 값 설정.
- 시나리오2 : 시나리오 이름은 "2월 47000 감소", '2월'에 47000을 감소시킨 값 설정.
- "시나리오 요약" 시트를 작성하시오.

▶ 지시사항이 없는 경우는 《출력형태 – 시나리오》와 동일하게 작성하시오.

❻ 같은 방법으로 '**총금액**' 필드도 값으로 드래그하여 추가하고 [값 필드 설정] 대화상자에서 '**평균**'으로 지정한 후 [확인]을 클릭합니다.

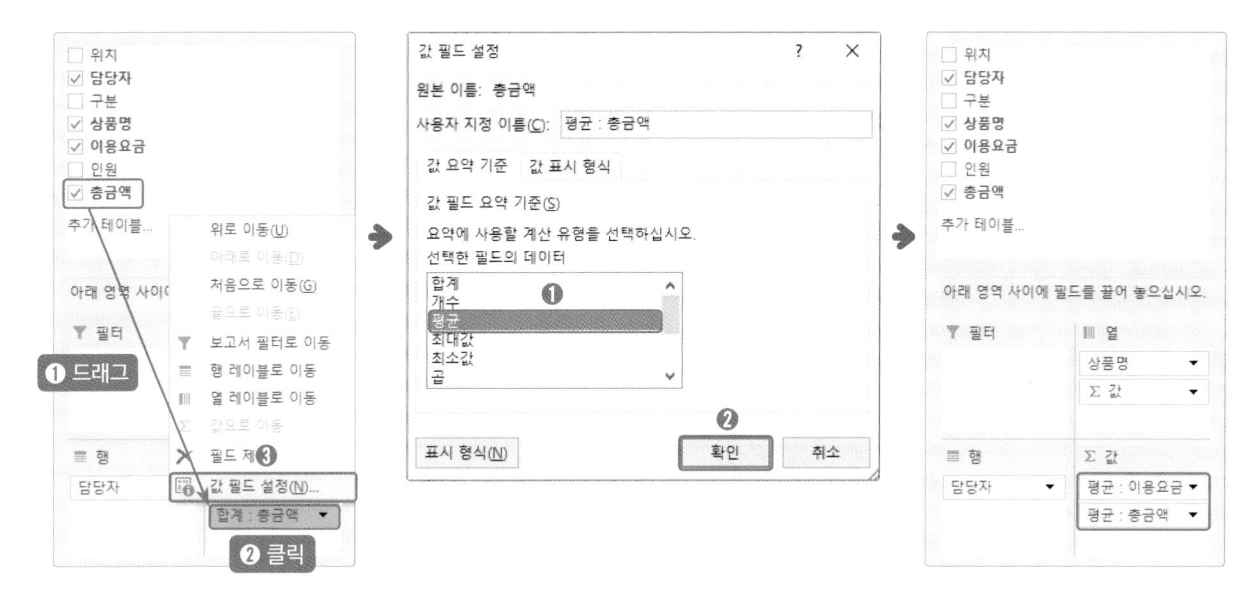

❼ 《출력형태》와 같이 '평균 : 이용요금'과 '평균 : 총금액'을 행의 맨 앞, 즉 행 레이블에 위치시키기 위해 열 레이블의 '**값**'을 행 레이블로 드래그합니다. 《출력형태》와 같이 변경된 것을 확인합니다.

시험꿀팁

값 필드는 어디에 위치하느냐에 따라 레이아웃이 달라집니다. 문제지의 《출력형태》를 보고 값이 어디에 위치하는지 확인하여 설정하면 됩니다. 보통 값 필드는 행 레이블에 배치하는 형태로 출제되고 있습니다.

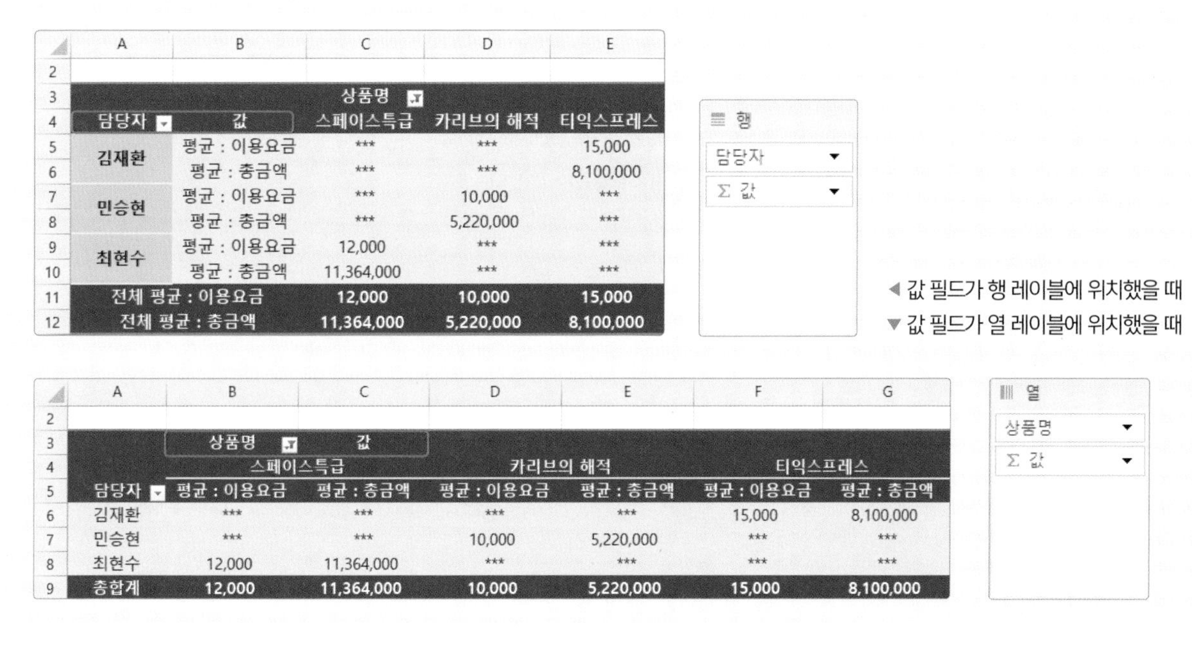

	A	B	C	D	E
2					
3			상품명		
4	담당자	값	스페이스특급	카리브의 해적	티익스프레스
5	김재환	평균 : 이용요금	***	***	15,000
6		평균 : 총금액	***	***	8,100,000
7	민승현	평균 : 이용요금	***	10,000	***
8		평균 : 총금액	***	5,220,000	***
9	최현수	평균 : 이용요금	12,000	***	***
10		평균 : 총금액	11,364,000	***	***
11	전체 평균 : 이용요금		12,000	10,000	15,000
12	전체 평균 : 총금액		11,364,000	5,220,000	8,100,000

◀ 값 필드가 행 레이블에 위치했을 때
▼ 값 필드가 열 레이블에 위치했을 때

	A	B	C	D	E	F	G
2							
3		상품명	값				
4		스페이스특급		카리브의 해적		티익스프레스	
5	담당자	평균 : 이용요금	평균 : 총금액	평균 : 이용요금	평균 : 총금액	평균 : 이용요금	평균 : 총금액
6	김재환	***	***	***	***	15,000	8,100,000
7	민승현	***	***	10,000	5,220,000	***	***
8	최현수	12,000	11,364,000	***	***	***	***
9	총합계	12,000	11,364,000	10,000	5,220,000	15,000	8,100,000

【문제 3】 "필터"와 "시나리오" 시트를 참조하여 다음 《처리조건》에 맞도록 작업하시오.(60점)

(1) 필터

《출력형태 - 필터》

	A	B	C	D	E	F	G
1							
2	구분	종류	후원자	1월	2월	3월	1사분기 총액
3	비지정	CMS후원금	배움학교 학부모회	1,090,000	964,000	1,189,400	3,243,400
4	지정	카드후원금	예술교육재단	874,000	1,057,000	965,000	2,896,000
5	결연	기타후원금	우리들 내과의원	400,000	400,000	400,000	1,200,000
6	비지정	카드후원금	문인화 교실	313,000	416,500	292,000	1,021,500
7	결연	CMS후원금	개인 후원자	972,000	821,500	850,000	2,643,500
8	지정	기타후원금	공동모금회	211,500	305,100	357,000	873,600
9	지정	CMS후원금	최강 조기축구회	635,000	733,200	698,400	2,066,600
10	결연	카드후원금	중국어 동아리	477,000	418,500	396,300	1,291,800
11	비지정	기타후원금	누리은행	1,420,000	1,059,000	1,174,000	3,653,000
12	결연	카드후원금	튼튼치아 치과	577,500	608,300	596,100	1,781,900
13							
14	조건						
15	FALSE						
16							
17							
18	후원자	1월	2월	3월			
19	예술교육재단	874,000	1,057,000	965,000			
20	중국어 동아리	477,000	418,500	396,300			
21	튼튼치아 치과	577,500	608,300	596,100			
22							

《처리조건》

▶ "필터" 시트의 [A2:G12]를 아래 조건에 맞게 고급 필터를 사용하여 작성하시오.

- '종류'가 "카드후원금"이고 '1사분기 총액'이 1200000 이상인 데이터를 '후원자', '1월', '2월', '3월'의 데이터만 필터링하시오.
- 조건 위치 : 조건 함수는 [A15] 한 셀에 작성(AND 함수 이용)
- 결과 위치 : [A18]부터 출력

▶ 지시사항이 없는 경우는 《출력형태 - 필터》와 동일하게 작성하시오.

03 피벗 테이블 레이아웃 및 서식 설정하기

- 피벗 테이블 옵션을 이용하여 레이블이 있는 셀 병합 및 가운데 맞춤하고 빈 셀을 "***"로 표시한 후, 행의 총합계를 감추기 하시오.

❶ 피벗 테이블에서 아무 셀이나 클릭한 후 마우스 오른쪽 버튼을 클릭하여 **[피벗 테이블 옵션]**을 선택합니다.

[피벗 테이블 도구-분석] 탭-[피벗 테이블] 그룹-[옵션]을 클릭해도 됩니다.

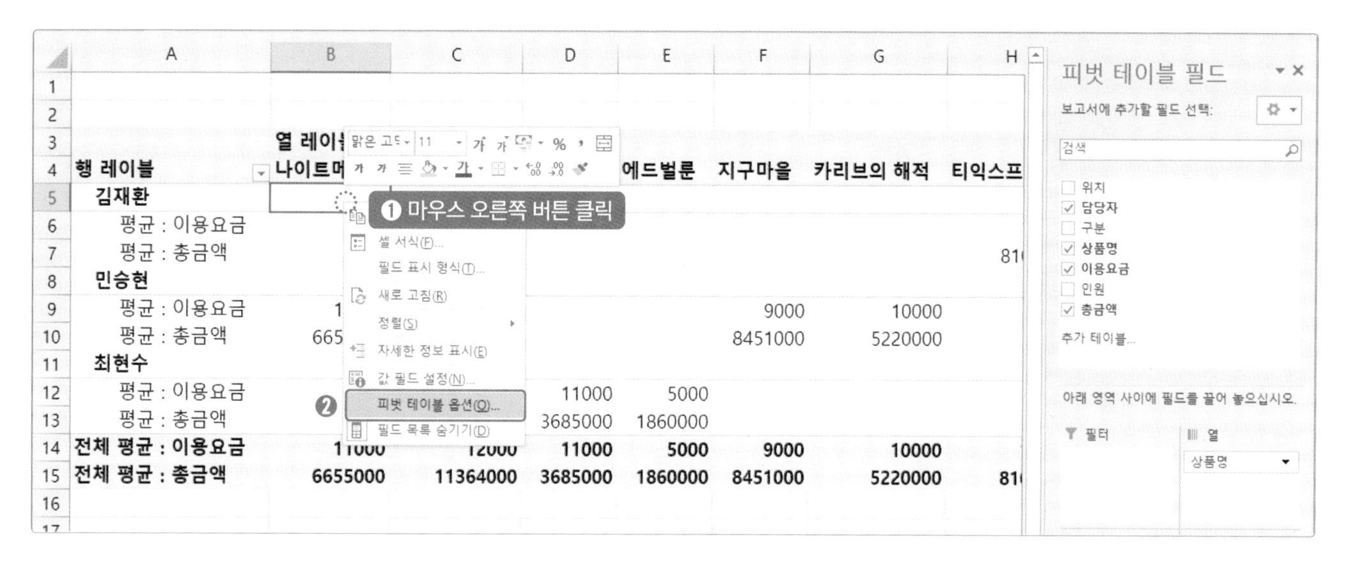

❷ [피벗 테이블 옵션] 대화상자가 나타나면 **[레이아웃 및 서식]** 탭에서 **'레이블이 있는 셀 병합 및 가운데 맞춤'** 항목에 체크하고, **'빈 셀 표시'** 항목에 ***을 입력합니다.

❸ **[요약 및 필터]** 탭에서 **'행 총합계 표시'** 항목을 **체크 해제**한 후 [확인]을 클릭합니다.

• 빈 셀에 입력하는 '*'의 개수는 문제마다 다를 수 있으므로 《처리조건》을 확인하고 입력합니다.
• 표시 항목에 체크 해제하면 감추기가 됩니다.

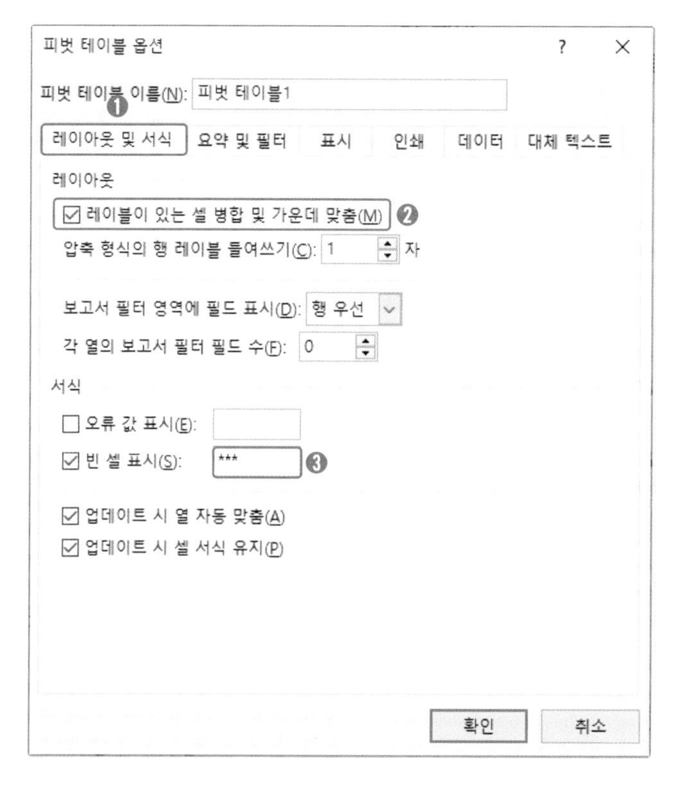

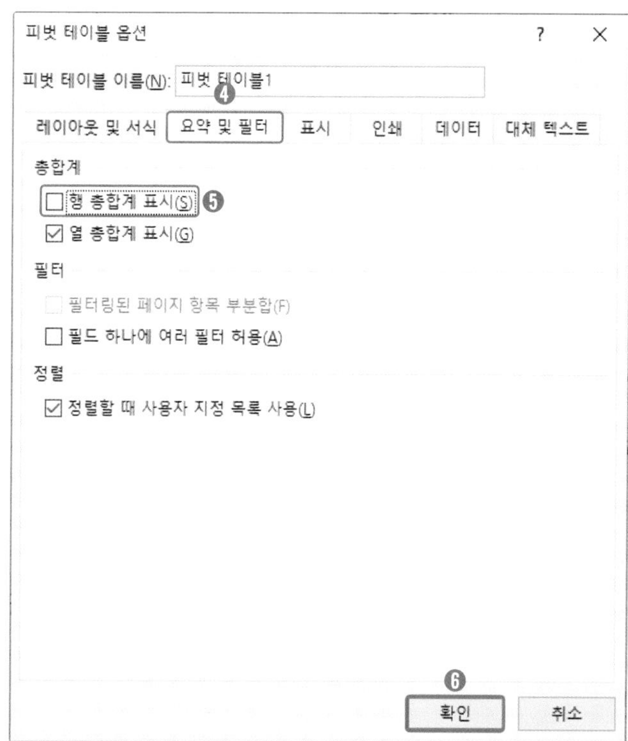

【문제 2】 "부분합" 시트를 참조하여 다음 《처리조건》에 맞도록 작업하시오.(30점)

《출력형태》

	A	B	C	D	E	F	G
1							
2	구분	종류	후원자	1월	2월	3월	1사분기 총액
3	지정	카드후원금	예술교육재단	874,000	1,057,000	965,000	2,896,000
4	지정	기타후원금	공동모금회	211,500	305,100	357,000	873,600
5	지정	CMS후원금	최강 조기축구회	635,000	733,200	698,400	2,066,600
6	지정 최대값			874,000		965,000	
7	지정 평균				698,433		1,945,400
8	비지정	CMS후원금	배움학교 학부모회	1,090,000	964,000	1,189,400	3,243,400
9	비지정	카드후원금	문인화 교실	313,000	416,500	292,000	1,021,500
10	비지정	기타후원금	누리은행	1,420,000	1,059,000	1,174,000	3,653,000
11	비지정 최대값			1,420,000		1,189,400	
12	비지정 평균				813,167		2,639,300
13	결연	기타후원금	우리들 내과의원	400,000	400,000	400,000	1,200,000
14	결연	CMS후원금	개인 후원자	972,000	821,500	850,000	2,643,500
15	결연	카드후원금	중국어 동아리	477,000	418,500	396,300	1,291,800
16	결연	카드후원금	튼튼치아 치과	577,500	608,300	596,100	1,781,900
17	결연 최대값			972,000		850,000	
18	결연 평균				562,075		1,729,300
19	전체 최대값			1,420,000		1,189,400	
20	전체 평균				678,310		2,067,130
21							

《처리조건》

▶ 데이터를 '구분' 기준으로 내림차순 정렬하시오.

▶ 아래 조건에 맞는 부분합을 작성하시오.

- '구분'으로 그룹화하여 '2월', '1사분기 총액'의 평균을 구하는 부분합을 만드시오.
- '구분'으로 그룹화하여 '1월', '3월'의 최대값을 구하는 부분합을 만드시오.
  (새로운 값으로 대치하지 말 것)
- [D3:G20] 영역에 셀 서식의 표시 형식-숫자를 이용하여 1000 단위 구분 기호를 표시하시오.

▶ D~F열을 선택하여 그룹을 설정하시오.

▶ 평균과 최대값의 부분합 순서는 《출력형태》와 다를 수 있음

▶ 지시사항이 없는 경우는 기본 값을 적용하시오.

❹ 설정한 피벗 테이블 옵션이 적용된 것을 확인합니다.

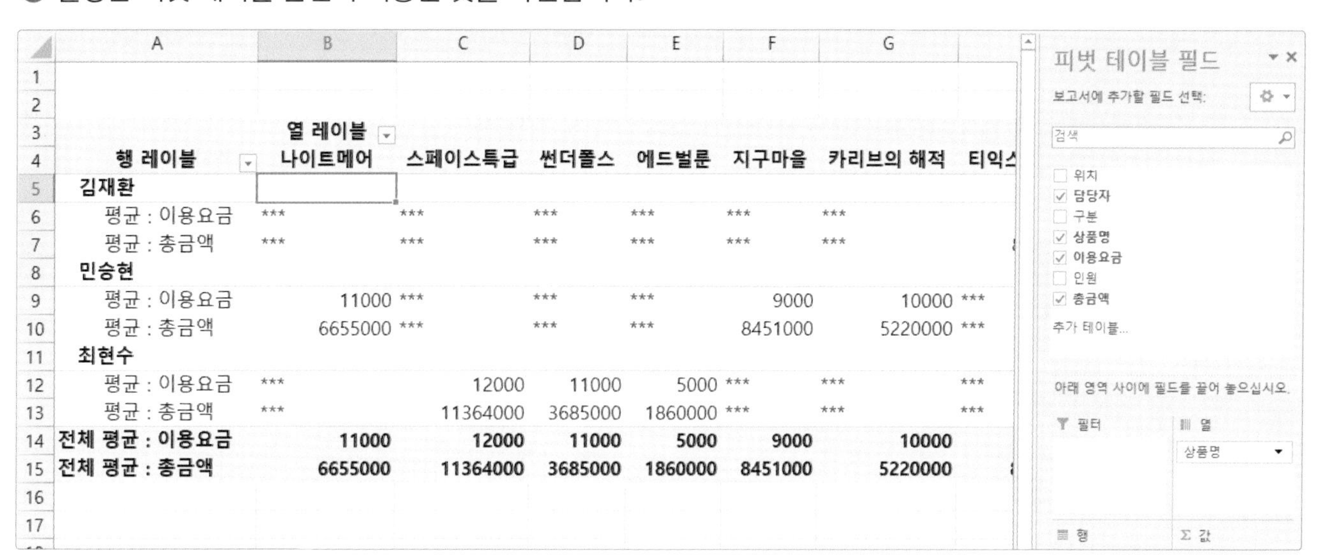

행 레이블	나이트메어	스페이스특급	썬더폴스	에드벌룬	지구마을	카리브의 해적	티익스
김재환							
평균 : 이용요금	***	***	***	***	***	***	
평균 : 총금액	***	***	***	***	***	***	
민승현							
평균 : 이용요금	11000	***	***	***	9000	10000	***
평균 : 총금액	6655000	***	***	***	8451000	5220000	***
최현수							
평균 : 이용요금	***	12000	11000	5000	***	***	***
평균 : 총금액	***	11364000	3685000	1860000	***	***	***
전체 평균 : 이용요금	11000	12000	11000	5000	9000	10000	
전체 평균 : 총금액	6655000	11364000	3685000	1860000	8451000	5220000	

04 보고서 레이아웃 및 스타일 설정하기

- 피벗 테이블 디자인에서 보고서 레이아웃은 '테이블 형식으로 표시', 피벗 테이블 스타일은 '피벗 스타일 어둡게 13'으로 표시하시오.

❶ 보고서 레이아웃을 변경하기 위해 **[피벗 테이블 도구-디자인] 탭-[레이아웃] 그룹-[보고서 레이아웃]-[테이블 형식으로 표시]**를 클릭합니다.

피벗 테이블 안의 아무 셀이나 클릭한 후 레이아웃을 지정합니다.

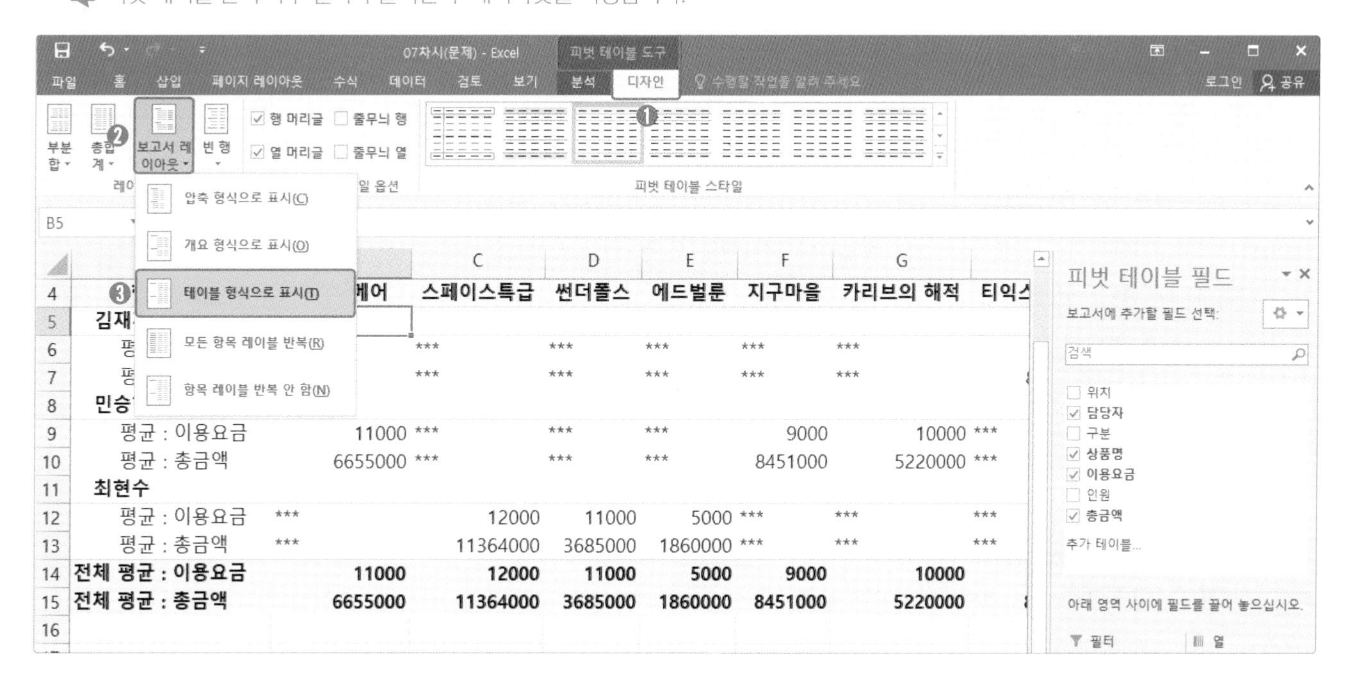

【문제 1】 "교육실적" 시트를 참조하여 다음 《처리조건》에 맞도록 작업하시오.(50점)

《출력형태》

	A	B	C	D	E	F	G	H	I
1		행복사랑 복지관 후원금 현황							
2	구분	종류	후원자	1월	2월	3월	1사분기 총액	순위	비고
3	*비지정*	*CMS후원금*	*배움학교 학부모회*	*1,090,000*	*964,000*	*1,189,400*	*3,243,400원*	*2위*	
4	*지정*	*카드후원금*	*예술교육재단*	*874,000*	*1,057,000*	*965,000*	*2,896,000원*	*3위*	
5	결연	기타후원금	우리들 내과의원	400,000	400,000	400,000	1,200,000원	8위	1월 부족
6	비지정	카드후원금	문인화 교실	313,000	416,500	292,000	1,021,500원	9위	1월 부족
7	*결연*	*CMS후원금*	*개인 후원자*	*972,000*	*821,500*	*850,000*	*2,643,500원*	*4위*	
8	지정	기타후원금	공동모금회	211,500	305,100	357,000	873,600원	10위	1월 부족
9	지정	CMS후원금	최강 조기축구회	635,000	733,200	698,400	2,066,600원	5위	
10	결연	카드후원금	중국어 동아리	477,000	418,500	396,300	1,291,800원	7위	1월 부족
11	*비지정*	*기타후원금*	*누리은행*	*1,420,000*	*1,059,000*	*1,174,000*	*3,653,000원*	*1위*	
12	결연	카드후원금	튼튼치아 치과	577,500	608,300	596,100	1,781,900원	6위	1월 부족
13	'구분'이 "비지정"인 '1사분기 총액'의 평균				2,639,300원				
14	'3월'의 최대값-최소값 차이				897,400원				
15	'1월' 중 두 번째로 큰 값				1,090,000원				
16									

《처리조건》

▶ 1행의 행 높이를 '80'으로 설정하고, 2행~15행의 행 높이를 '18'로 설정하시오.

▶ 제목("행복사랑 복지관 후원금 현황") : 기본 도형의 '빗면'을 이용하여 입력하시오.
- 도형 : 위치([B1:H1]), 도형 스타일(테마 스타일 – 미세 효과 – '황금색, 강조 4')
- 글꼴 : 돋움체, 28pt, 기울임꼴
- 도형 서식 : 도형 옵션 – 크기 및 속성(텍스트 상자(세로 맞춤 : 정가운데, 텍스트 방향 : 가로))

▶ 셀 서식을 아래 조건에 맞게 작성하시오.
- [A2:I15] : 테두리(안쪽, 윤곽선 모두 실선, '검정, 텍스트 1'), 전체 가운데 맞춤
- [A13:D13], [A14:D14], [A15:D15] : 각각 병합하고 가운데 맞춤
- [A2:I2], [A13:D15] : 채우기 색('황금색, 강조 4, 40% 더 밝게'), 글꼴(굵게)
- [D3:F12] : 셀 서식의 표시 형식–숫자를 이용하여 1000 단위 구분 기호 표시
- [G3:G12], [E13:G15] : 셀 서식의 표시 형식–사용자 지정을 이용하여 #,##0"원"자 추가
- [H3:H12] : 셀 서식의 표시 형식–사용자 지정을 이용하여 #"위"자 추가
- 조건부 서식[A3:I12] : '2월'이 800000 이상인 경우 레코드 전체에 글꼴(자주, 굵은 기울임꼴) 적용
- 지시사항이 없는 경우는 주어진 문제파일의 서식을 그대로 사용하시오.

▶ ① 순위[H3:H12] : '1사분기 총액'을 기준으로 큰 순으로 순위를 구하시오. (RANK.EQ 함수)

▶ ② 비고[I3:I12] : '1월'이 600000 이하이면 "1월 부족", 그렇지 않으면 공백으로 구하시오. (IF 함수)

▶ ③ 평균[E13:G13] : '구분'이 "비지정"인 '1사분기 총액'의 평균을 구하시오. (DAVERAGE 함수)

▶ ④ 최대값-최소값[E14:G14] : '3월'의 최대값과 최소값의 차이를 구하시오. (MAX, MIN 함수)

▶ ⑤ 순위[E15:G15] : '1월' 중 두 번째로 큰 값을 구하시오. (LARGE 함수)

❷ 피벗 테이블 스타일을 지정하기 위해 **[피벗 테이블 도구-디자인]** 탭-**[피벗 테이블 스타일]** 그룹에서 **자세히**(▽)를 클릭합니다. 피벗 테이블 스타일 목록이 나타나면 **'피벗 스타일 어둡게 13'**을 선택합니다.

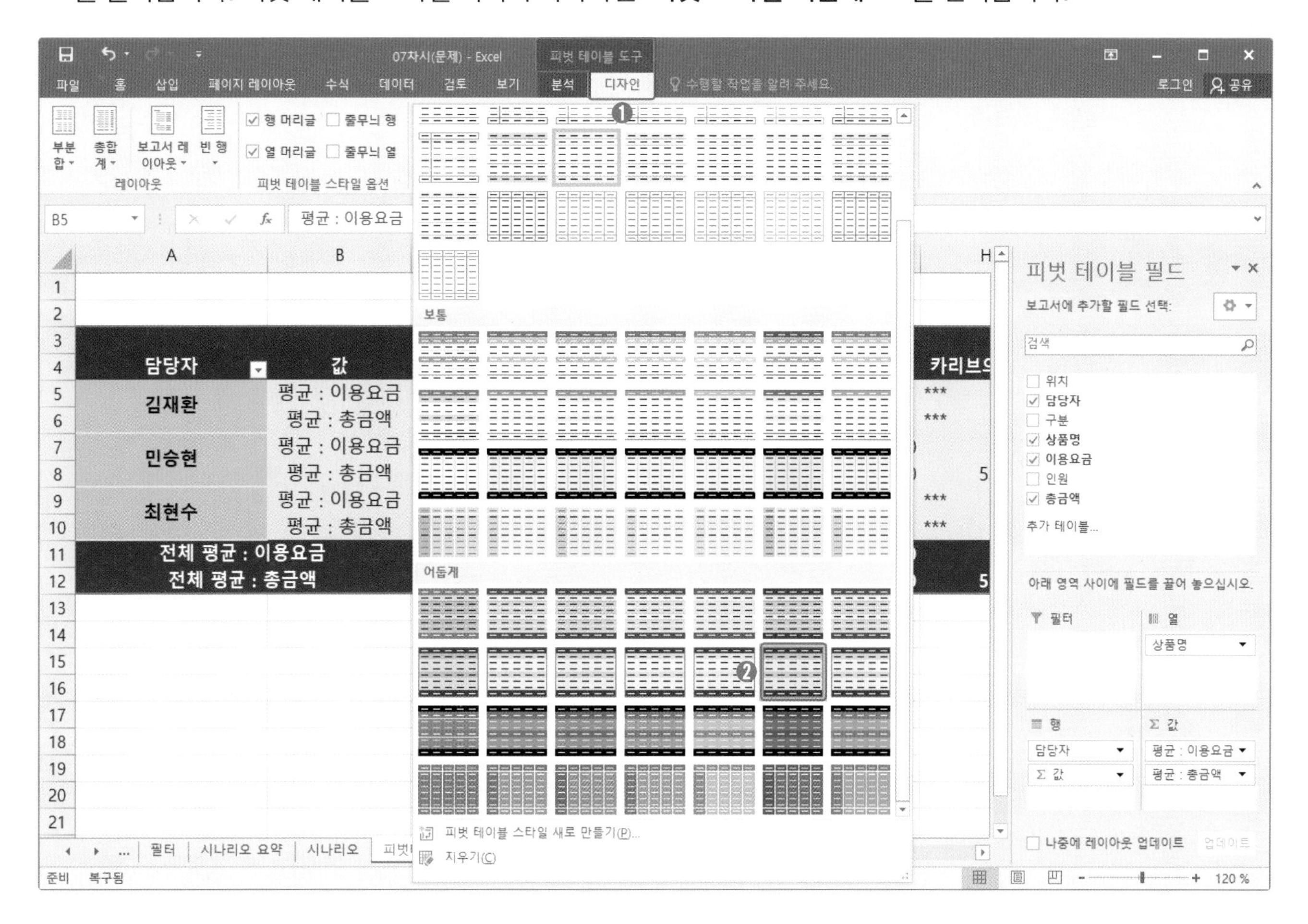

시험꿀팁

피벗 테이블 스타일은 다양하게 출제됩니다.

❸ 피벗 테이블 스타일이 지정된 것을 확인합니다.

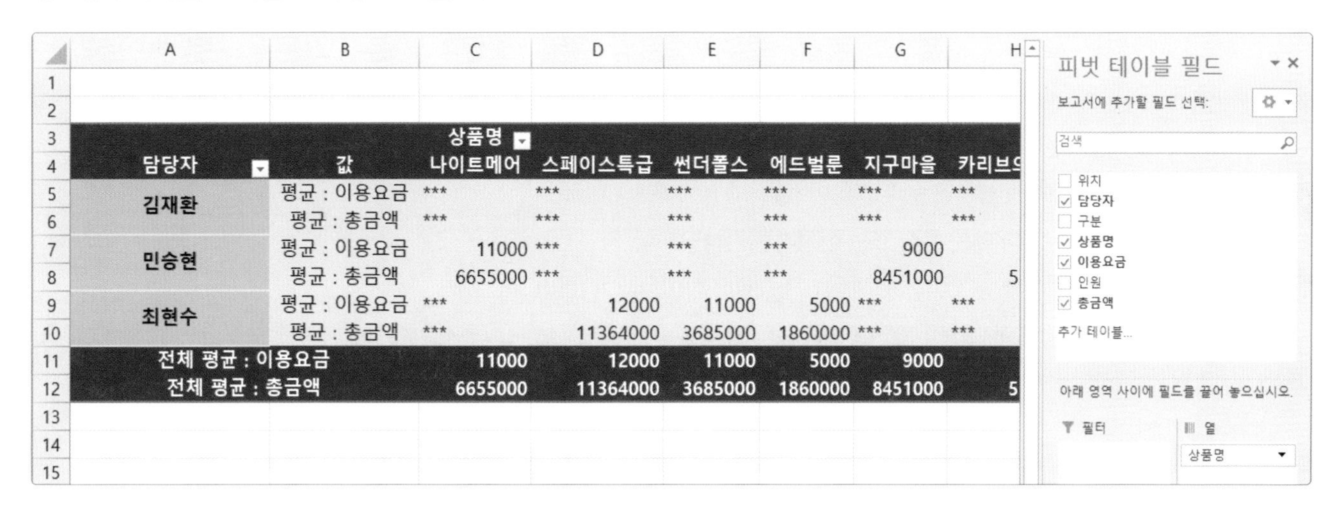

제05회 실전모의고사

▹ 시험과목 : 스프레드시트(엑셀)
▹ 시험일자 : 20XX. XX. XX.(X)
▹ 응시자 기재사항 및 감독위원 확인

수 검 번 호	DIS – XXXX –	감독위원 확인
성 명		

응시자 유의사항

1. 응시자는 신분증을 지참하여야 시험에 응시할 수 있으며, 시험이 종료될 때까지 신분증을 제시하지 못할 경우 해당 시험은 0점 처리됩니다.
2. 시스템(PC 작동 여부, 네트워크 상태 등)의 이상 여부를 반드시 확인하여야 하며, 시스템 이상이 있을시 감독위원에게 조치를 받으셔야 합니다.
3. 시험 중 부주의 또는 고의로 시스템을 파손한 경우는 응시자 부담으로 합니다.
4. 답안 전송 프로그램을 통해 다운로드 받은 파일을 이용하여 답안 파일을 작성하시기 바랍니다.
5. 작성한 답안 파일은 답안 전송 프로그램을 통하여 전송됩니다. 감독위원의 지시에 따라 주시기 바랍니다.
6. 다음 사항의 경우 실격(0점) 혹은 부정행위 처리됩니다.
   ❶ 답안 파일을 저장하지 않았거나, 저장한 파일이 손상되었을 경우
   ❷ 답안 파일을 지정된 폴더(바탕화면 "KAIT" 폴더)에 저장하지 않았을 경우
   ※ 답안 전송 프로그램 로그인 시 바탕화면에 자동 생성됨
   ❸ 답안 파일을 다른 보조기억장치(USB) 혹은 네트워크(메신저, 게시판 등)로 전송할 경우
   ❹ 휴대용 전화기 등 통신기기를 사용할 경우
7. 시험지에 제시된 글꼴이 응시 프로그램에 없는 경우, 반드시 감독위원에게 해당 내용을 통보한 뒤 조치를 받아야 합니다.
8. 시험의 완료는 작성이 완료된 답안을 저장하고, 답안 전송이 완료된 상태를 확인한 것으로 합니다. 답안 전송 확인 후 문제지는 감독위원에게 제출한 후 퇴실하여야 합니다.
9. 답안 전송이 완료된 경우에는 수정 또는 정정이 불가능합니다.
10. 시험시행 후 결과는 홈페이지(www.ihd.or.kr)에서 확인하시기 바랍니다.
    ❶ 문제 및 모범답안 공개 : 20XX. XX. XX.(X)
    ❷ 합격자 발표 : 20XX. XX. XX.(X)

05 필터링하기

- 상품명(열)은 "스페이스특급", "카리브의 해적", "티익스프레스"만 출력되도록 표시하시오.

❶ 상품명(열)은 "스페이스특급", "카리브의 해적", "티익스프레스"만 출력되도록 설정하기 위해 **'상품명'** 열에서 **목록 버튼(▾)**을 클릭합니다.

❷ 목록이 나타나면 **(모두 선택)**의 **체크를 해제**하고 **표시될 이름(스페이스특급, 카리브의 해적, 티익스프레스)**에만 **체크**한 후 [확인]을 클릭해요.

'모두 선택'의 체크를 해제하면 선택된 모든 이름의 체크가 해제됩니다.

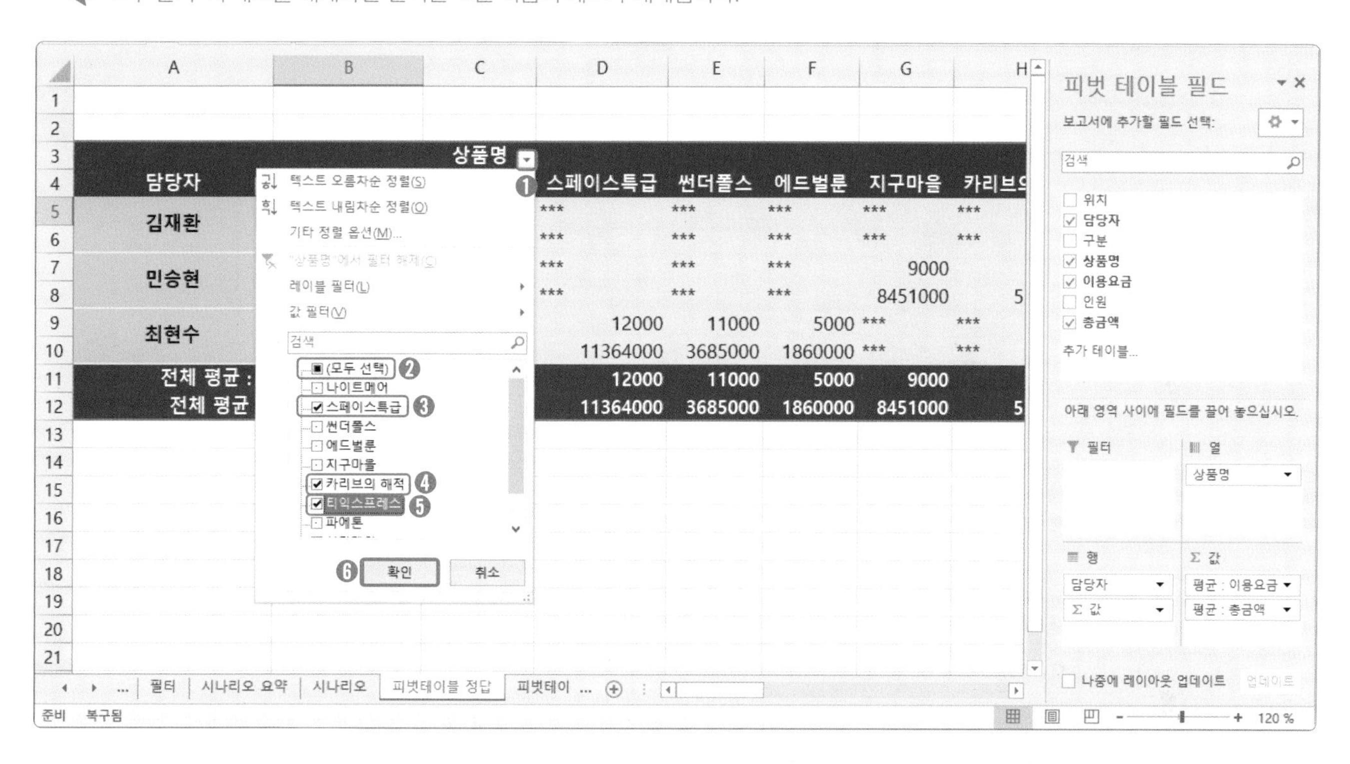

시험꿀팁

필터 기능을 적용하는 문제는 고정적으로 출제됩니다. 행 레이블 또는 열 레이블 중 하나만 필터링하는 문제가 출제되니, 《처리조건》을 확인하여 제시된 레이블만 표시되도록 설정하도록 합니다.

❸ 체크된 상품만 표시되는 것을 확인합니다.

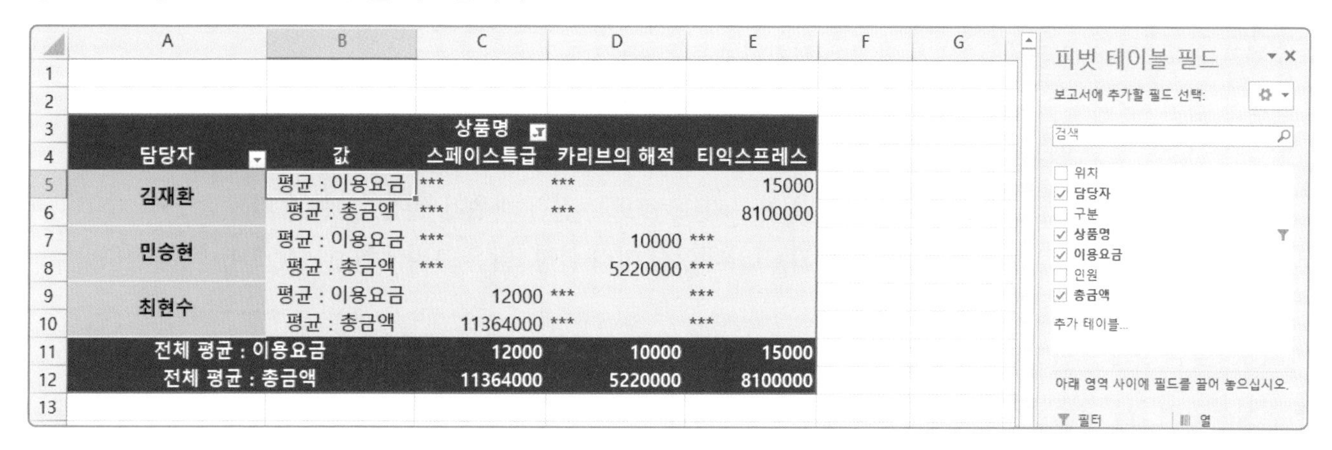

[문제 5] "차트" 시트를 참조하여 다음 《처리조건》에 맞도록 작업하시오.(30점)

《출력형태》

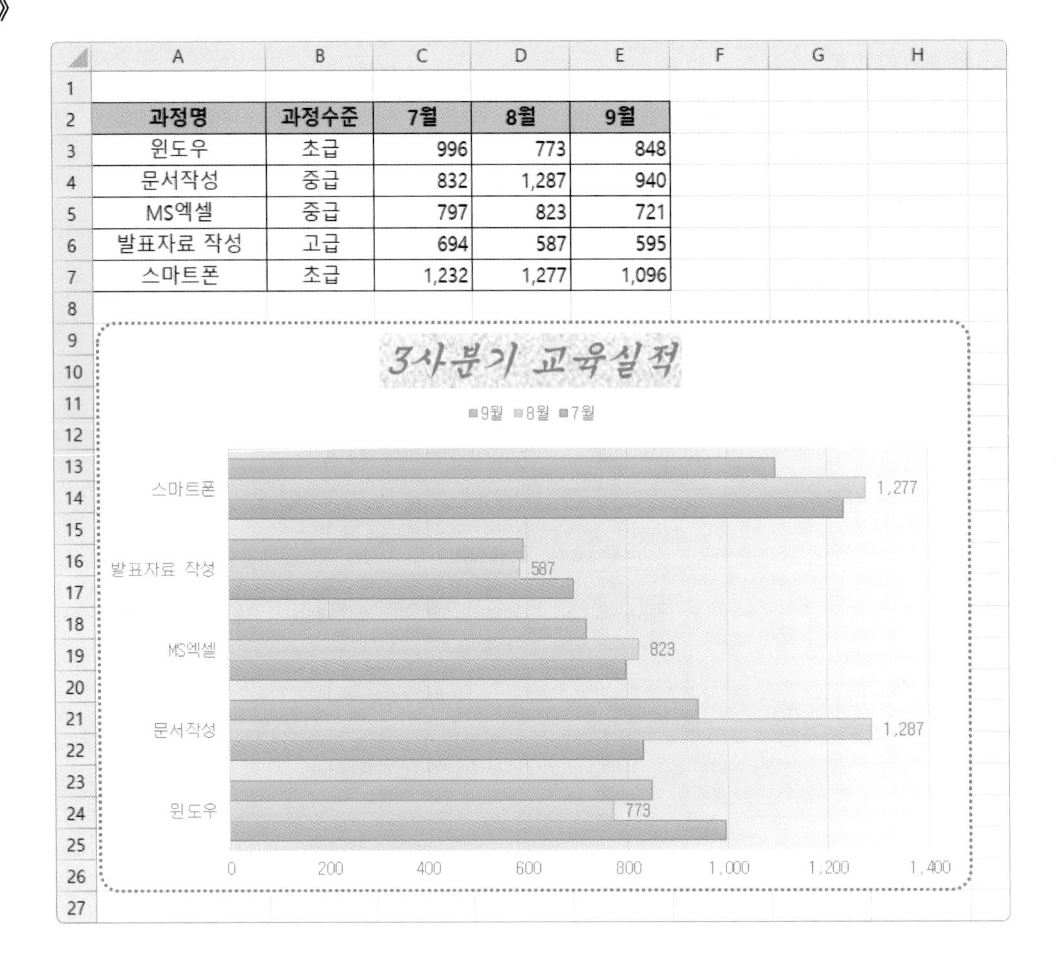

《처리조건》

▶ "차트" 시트에 주어진 표를 이용하여 '묶은 가로 막대형' 차트를 작성하시오.
- 데이터 범위 : 현재 시트 [A2:A7], [C2:E7]의 데이터를 이용하여 작성하고, 행/열 전환은 '열'로 지정
- 차트 제목("3사분기 교육실적")
- 범례 위치 : 위쪽
- 차트 스타일 : 색 변경(색상형 – 색 3, 스타일 4)
- 차트 위치 : 현재 시트에 [A9:H26] 크기에 정확하게 맞추시오.
- 차트 영역 서식 : 글꼴(굴림체, 9pt), 테두리 색(실선, 색 : 파랑), 테두리 스타일(너비 : 1.5pt, 겹선 종류 : 단순형, 대시 종류 : 둥근 점선, 둥근 모서리)
- 차트 제목 서식 : 글꼴(궁서, 20pt, 기울임꼴), 채우기(그림 또는 질감 채우기, 질감 : 신문 용지)
- 그림 영역 서식 : 채우기(그라데이션 채우기, 그라데이션 미리 설정 : 밝은 그라데이션 – 강조 4, 종류 : 선형, 방향 : 선형 왼쪽)
- 데이터 레이블 추가 : '8월' 계열에 "값" 표시

▶ 지시사항이 없는 경우는 《출력형태》와 동일하게 작성하시오.

06 셀 서식 지정하기

- [C5:E12] 데이터는 셀 서식의 표시 형식-숫자를 이용하여 1000 단위 구분 기호를 표시하고, 가운데 맞춤하시오.

❶ 서식을 지정할 **[C5:E12]** 영역을 드래그합니다. 마우스 오른쪽 버튼을 클릭하여 바로 가기 메뉴가 나타나면 **[셀 서식]**을 클릭합니다.

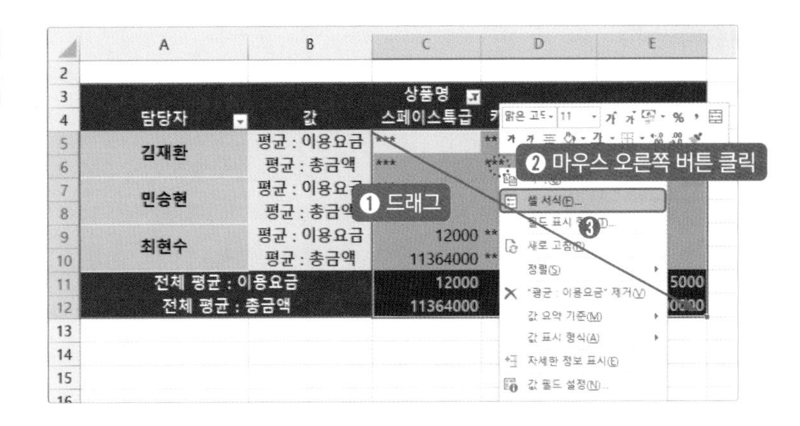

❷ [셀 서식] 대화상자가 나타나면 **[표시 형식]** 탭의 범주에서 **'숫자'**를 클릭하고 **'1000 단위 구분 기호(,) 사용'**에 **체크**한 후 [확인]을 클릭합니다.

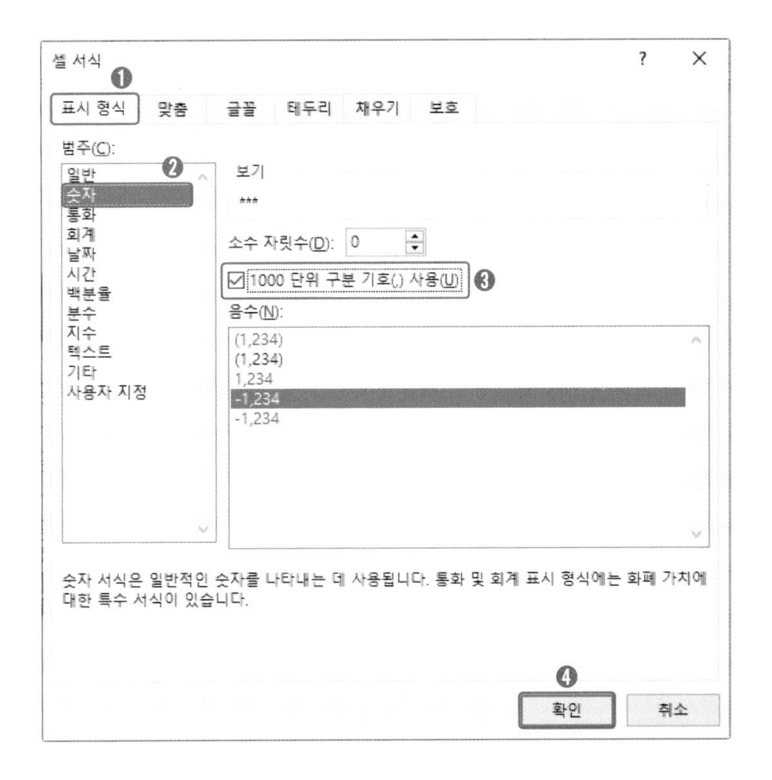

❸ 선택된 영역에 입력된 금액에 천 단위 구분 기호가 표시된 것을 확인하고 **[홈] 탭-[맞춤] 그룹-[가운데 맞춤(≡)]**을 클릭하여 데이터를 가운데 맞춤합니다.

❹ 임의의 셀을 클릭하여 영역 지정을 해제하고 [빠른 실행 도구 모음]에서 **[저장(💾)]**을 클릭하거나 Ctrl+S를 눌러 파일을 저장합니다.

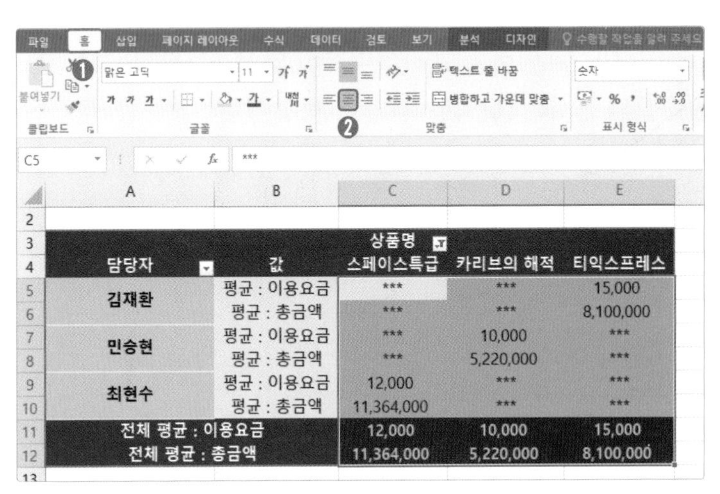

【문제 4】 "피벗테이블" 시트를 참조하여 다음 《처리조건》에 맞도록 작업하시오.(30점)

《출력형태》

	A	B	C	D
1				
2				
3			과정수준	
4	구분	값	중급	초급
5	사무자동화	평균 : 7월	832	**
6		평균 : 8월	1,287	**
7	자격증	평균 : 7월	860	964
8		평균 : 8월	855	1,277
9	컴퓨터일반	평균 : 7월	899	1,046
10		평균 : 8월	702	1,087
11	전체 평균 : 7월		**863**	**1,026**
12	전체 평균 : 8월		**925**	**1,135**
13				

《처리조건》

- ▶ "피벗테이블" 시트의 [A2:G12]를 이용하여 새로운 시트에 《출력형태》와 같이 피벗 테이블을 작성 후 시트명을 "피벗테이블 정답"으로 수정하시오.
- ▶ 구분(행)과 과정수준(열)을 기준으로 하여 출력형태와 같이 구하시오.
  - '7월', '8월'의 평균을 구하시오.
  - 피벗 테이블 옵션을 이용하여 레이블이 있는 셀 병합 및 가운데 맞춤하고 빈 셀을 "**"로 표시한 후, 행의 총합계를 감추기 하시오.
  - 피벗 테이블 디자인에서 보고서 레이아웃은 '테이블 형식으로 표시', 피벗 테이블 스타일은 '피벗 스타일 보통 9'로 표시하시오.
  - 과정수준(열)은 "중급", "초급"만 출력되도록 표시하시오.
  - [C5:D12] 데이터는 셀 서식의 표시 형식-숫자를 이용하여 1000 단위 구분 기호를 표시하고, 오른쪽 맞춤하시오.
- ▶ 구분의 순서는 《출력형태》와 다를 수 있음
- ▶ 지시사항이 없는 경우는 《출력형태》와 동일하게 작성하시오.

01 "피벗테이블" 시트를 참조하여 《처리조건》에 맞도록 작업하시오.

소스파일: 07-01(문제).xlsx
완성파일: 07-01(완성).xlsx

《출력형태》

	A	B	C	D	E
1					
2					
3			제조사		
4	상품분류	값	리틀달링	바우와우	블루블루
5	간식	평균 : 단가	***	***	12,150
6		평균 : 재고금액	***	***	1,027,100
7	미용용품	평균 : 단가	***	20,650	***
8		평균 : 재고금액	***	657,300	***
9	장난감	평균 : 단가	4,800	***	***
10		평균 : 재고금액	129,600	***	***
11	**전체 평균 : 단가**		**4,800**	**20,650**	**12,150**
12	**전체 평균 : 재고금액**		**129,600**	**657,300**	**1,027,100**
13					

《처리조건》

- "피벗테이블" 시트의 [A2:G12]를 이용하여 새로운 시트에 《출력형태》와 같이 피벗 테이블을 작성 후 시트명을 "피벗테이블 정답"으로 수정하시오.
- 상품분류(행)와 제조사(열)를 기준으로 하여 출력형태와 같이 구하시오.
  - '단가', '재고금액'의 평균을 구하시오.
  - 피벗 테이블 옵션을 이용하여 레이블이 있는 셀 병합 및 가운데 맞춤하고 빈 셀을 "***"로 표시한 후, 행의 총합계를 감추기 하시오.
  - 피벗 테이블 디자인에서 보고서 레이아웃은 '테이블 형식으로 표시', 피벗 테이블 스타일은 '피벗 스타일 보통 12'로 표시하시오.
  - 제조사(열)는 "리틀달링", "바우와우", "블루블루"만 출력되도록 표시하시오.
  - [C5:E12] 데이터는 셀 서식의 표시 형식-숫자를 이용하여 1000 단위 구분 기호를 표시하고, 가운데 맞춤하시오.
- 상품분류의 순서는 《출력형태》와 다를 수 있음
- 지시사항이 없는 경우는 《출력형태》와 동일하게 작성하시오.

(2) 시나리오

《출력형태 – 시나리오》

	A	B	C	D	E	F	G
1							
2		시나리오 요약					
3				현재 값:	8월 125 증가	8월 97 감소	
5		변경 셀:					
6			$E$5	823	948	726	
7			$E$7	886	1,011	789	
8			$E$9	1,277	1,402	1,180	
9		결과 셀:					
10			$G$5	2,341	2,466	2,244	
11			$G$7	3,047	3,172	2,950	
12			$G$9	3,574	3,699	3,477	
13		참고: 현재 값 열은 시나리오 요약 보고서가 작성될 때의					
14		변경 셀 값을 나타냅니다. 각 시나리오의 변경 셀들은					
15		회색으로 표시됩니다.					
16							

《처리조건》

▶ "시나리오" 시트의 [A2:G12]를 이용하여 '구분'이 "자격증"인 경우, '8월'이 변동할 때 '계'가 변동하는 가상분석(시나리오)을 작성하시오.

- 시나리오1 : 시나리오 이름은 "8월 125 증가", '8월'에 125를 증가시킨 값 설정.
- 시나리오2 : 시나리오 이름은 "8월 97 감소", '8월'에 97을 감소시킨 값 설정.
- "시나리오 요약" 시트를 작성하시오.

▶ 지시사항이 없는 경우는《출력형태 – 시나리오》와 동일하게 작성하시오.

02 "피벗테이블" 시트를 참조하여 《처리조건》에 맞도록 작업하시오.

소스파일: 07-02(문제).xlsx
완성파일: 07-02(완성).xlsx

《출력형태》

	A	B	C	D	E
1					
2					
3			상품분류		
4	상품명	값	런닝화	아쿠아슈즈	운동화
5	루니아쿠아슈즈	합계 : 단가	**	24,900원	**
6		합계 : 판매금액	**	1,070,700원	**
7	컬러라인 런닝화	합계 : 단가	155,700원	**	**
8		합계 : 판매금액	4,536,000원	**	**
9	콜라보 스니커즈	합계 : 단가	**	**	29,800원
10		합계 : 판매금액	**	**	476,800원
11	전체 합계 : 단가		155,700원	24,900원	29,800원
12	전체 합계 : 판매금액		4,536,000원	1,070,700원	476,800원
13					

《처리조건》

▶ "피벗테이블" 시트의 [A2:G12]를 이용하여 새로운 시트에 《출력형태》와 같이 피벗 테이블을 작성 후 시트명을 "피벗테이블 정답"으로 수정하시오.

▶ 상품명(행)과 상품분류(열)를 기준으로 하여 출력형태와 같이 구하시오.
- '단가', '판매금액'의 합계를 구하시오.
- 피벗 테이블 옵션을 이용하여 레이블이 있는 셀 병합 및 가운데 맞춤하고 빈 셀을 "**"로 표시한 후, 행의 총합계를 감추기 하시오.
- 피벗 테이블 디자인에서 보고서 레이아웃은 '테이블 형식으로 표시', 피벗 테이블 스타일은 '피벗 스타일 어둡게 13'으로 표시하시오.
- 상품명(행)은 "루니아쿠아슈즈", "컬러라인 런닝화", "콜라보 스니커즈"만 출력되도록 표시하시오.
- [C5:E12] 데이터는 셀 서식의 표시 형식-사용자 지정을 이용하여 #,##0"원"자를 표시하고, 오른쪽 맞춤하시오.

▶ 상품명의 순서는 《출력형태》와 다를 수 있음

▶ 지시사항이 없는 경우는 《출력형태》와 동일하게 작성하시오.

【문제 3】 "필터"와 "시나리오" 시트를 참조하여 다음 《처리조건》에 맞도록 작업하시오.(60점)

(1) 필터

《출력형태 – 필터》

	A	B	C	D	E	F	G
1							
2	구분	과정명	과정수준	7월	8월	9월	계
3	컴퓨터일반	윈도우	초급	996	773	848	2,617
4	사무자동화	문서작성	중급	832	1,287	940	3,059
5	자격증	MS엑셀	중급	797	823	721	2,341
6	컴퓨터일반	인터넷 정보검색	초급	911	1,212	1,274	3,397
7	자격증	한컴오피스 한셀	중급	922	886	1,239	3,047
8	사무자동화	발표자료 작성	고급	694	587	595	1,876
9	자격증	한컴오피스 한글	초급	964	1,277	1,333	3,574
10	컴퓨터일반	인터넷쇼핑	중급	899	702	1,047	2,648
11	사무자동화	실무계산 활용	고급	713	892	776	2,381
12	컴퓨터일반	스마트폰	초급	1,232	1,277	1,096	3,605
13							
14	조건						
15	FALSE						
16							
17							
18	과정명	과정수준	계				
19	인터넷 정보검색	초급	3,397				
20	인터넷쇼핑	중급	2,648				
21	스마트폰	초급	3,605				
22							

《처리조건》

▶ "필터" 시트의 [A2:G12]를 아래 조건에 맞게 고급 필터를 사용하여 작성하시오.

- '구분'이 "컴퓨터일반"이고 '9월'이 1000 이상인 데이터를 '과정명', '과정수준', '계'의 데이터만 필터링하시오.
- 조건 위치 : 조건 함수는 [A15] 한 셀에 작성(AND 함수 이용)
- 결과 위치 : [A18]부터 출력

▶ 지시사항이 없는 경우는 《출력형태 – 필터》와 동일하게 작성하시오.

03 "피벗테이블" 시트를 참조하여 《처리조건》에 맞도록 작업하시오.

소스파일: 07-03(문제).xlsx
완성파일: 07-03(완성).xlsx

《출력형태》

	A	B	C	D	E
1					
2					
3			상품명		
4	주문처	값	레몬타임	시원수	커피매니아
5	통신판매	평균 : 판매단가	*	*	2,300
6		평균 : 판매수량	*	*	401
7		평균 : 총판매액	*	*	922,300
8	편의점	평균 : 판매단가	1,700	*	*
9		평균 : 판매수량	236	*	*
10		평균 : 총판매액	401,200	*	*
11	할인점	평균 : 판매단가	*	800	*
12		평균 : 판매수량	*	519	*
13		평균 : 총판매액	*	415,200	*
14	**전체 평균 : 판매단가**		**1,700**	**800**	**2,300**
15	**전체 평균 : 판매수량**		**236**	**519**	**401**
16	**전체 평균 : 총판매액**		**401,200**	**415,200**	**922,300**
17					

《처리조건》

▸ "피벗테이블" 시트의 [A2:G12]를 이용하여 새로운 시트에 《출력형태》와 같이 피벗 테이블을 작성 후 시트명을 "피벗테이블 정답"으로 수정하시오.

▸ 주문처(행)와 상품명(열)을 기준으로 하여 출력형태와 같이 구하시오.
- '판매단가', '판매수량', '총판매액'의 평균을 구하시오.
- 피벗 테이블 옵션을 이용하여 레이블이 있는 셀 병합 및 가운데 맞춤하고 빈 셀을 "*"로 표시한 후, 행의 총합계를 감추기 하시오.
- 피벗 테이블 디자인에서 보고서 레이아웃은 '테이블 형식으로 표시', 피벗 테이블 스타일은 '피벗 스타일 보통 9'로 표시하시오.
- 상품명(열)은 "레몬타임", "시원수", "커피매니아"만 출력되도록 표시하시오.
- [C5:E16] 데이터는 셀 서식의 표시 형식-숫자를 이용하여 1000 단위 구분 기호를 표시하고, 가운데 맞춤하시오.

▸ 주문처의 순서는 《출력형태》와 다를 수 있음

▸ 지시사항이 없는 경우는 《출력형태》와 동일하게 작성하시오.

【문제 2】 "부분합" 시트를 참조하여 다음 《처리조건》에 맞도록 작업하시오.(30점)

《출력형태》

	A	B	C	D	E	F	G
1							
2	구분	과정명	과정수준	7월	8월	9월	계
3	컴퓨터일반	윈도우	초급	996	773	848	2,617
4	컴퓨터일반	인터넷 정보검색	초급	911	1,212	1,274	3,397
5	자격증	한컴오피스 한글	초급	964	1,277	1,333	3,574
6	컴퓨터일반	스마트폰	초급	1,232	1,277	1,096	3,605
7			초급 최대값			1,333	3,605
8			초급 평균	1,026	1,135		
9	사무자동화	문서작성	중급	832	1,287	940	3,059
10	자격증	MS엑셀	중급	797	823	721	2,341
11	자격증	한컴오피스 한셀	중급	922	886	1,239	3,047
12	컴퓨터일반	인터넷쇼핑	중급	899	702	1,047	2,648
13			중급 최대값			1,239	3,059
14			중급 평균	863	925		
15	사무자동화	발표자료 작성	고급	694	587	595	1,876
16	사무자동화	실무계산 활용	고급	713	892	776	2,381
17			고급 최대값			776	2,381
18			고급 평균	704	740		
19			전체 최대값			1,333	3,605
20			전체 평균	896	972		
21							

《처리조건》

▶ 데이터를 '과정수준' 기준으로 내림차순 정렬하시오.

▶ 아래 조건에 맞는 부분합을 작성하시오.

- '과정수준'으로 그룹화하여 '7월', '8월'의 평균을 구하는 부분합을 만드시오.
- '과정수준'으로 그룹화하여 '9월', '계'의 최대값을 구하는 부분합을 만드시오.
  (새로운 값으로 대치하지 말 것)
- [D3:G20] 영역에 셀 서식의 표시 형식-숫자를 이용하여 1000 단위 구분 기호를 표시하시오.

▶ D~F열을 선택하여 그룹을 설정하시오.

▶ 평균과 최대값의 부분합 순서는 《출력형태》와 다를 수 있음

▶ 지시사항이 없는 경우는 기본 값을 적용하시오.

04 "피벗테이블" 시트를 참조하여 《처리조건》에 맞도록 작업하시오.

소스파일: 07-04(문제).xlsx
완성파일: 07-04(완성).xlsx

《출력형태》

	A	B	C	D	E
1					
2					
3			분류		
4	강좌명	값	어학	취미	컴퓨터
5	드론	평균 : 모집인원	**	20	**
6		평균 : 수강료	**	30,000	**
7		평균 : 합계	**	600,000	**
8	바이올린	평균 : 모집인원	**	25	**
9		평균 : 수강료	**	30,000	**
10		평균 : 합계	**	2,250,000	**
11	영어회화	평균 : 모집인원	20	**	**
12		평균 : 수강료	16,000	**	**
13		평균 : 합계	960,000	**	**
14	한글	평균 : 모집인원	**	**	30
15		평균 : 수강료	**	**	15,000
16		평균 : 합계	**	**	450,000
17	전체 평균 : 모집인원		20	23	30
18	전체 평균 : 수강료		16,000	30,000	15,000
19	전체 평균 : 합계		960,000	1,425,000	450,000
20					

《처리조건》

- "피벗테이블" 시트의 [A2:G12]를 이용하여 새로운 시트에 《출력형태》와 같이 피벗 테이블을 작성 후 시트명을 "피벗테이블 정답"으로 수정하시오.
- 강좌명(행)과 분류(열)를 기준으로 하여 출력형태와 같이 구하시오.
  - '모집인원', '수강료', '합계'의 평균을 구하시오.
  - 피벗 테이블 옵션을 이용하여 레이블이 있는 셀 병합 및 가운데 맞춤하고 빈 셀을 "**"로 표시한 후, 행의 총합계를 감추기 하시오.
  - 피벗 테이블 디자인에서 보고서 레이아웃은 '테이블 형식으로 표시', 피벗 테이블 스타일은 '피벗 스타일 보통 6'으로 표시하시오.
  - 강좌명(행)은 "드론", "바이올린", "영어회화", "한글"만 출력되도록 표시하시오.
  - [C5:E19] 데이터는 셀 서식의 표시 형식-숫자를 이용하여 1000 단위 구분 기호를 표시하고, 오른쪽 맞춤하시오.
- 강좌명의 순서는 《출력형태》와 다를 수 있음
- 지시사항이 없는 경우는 《출력형태》와 동일하게 작성하시오.

【문제 1】 "교육실적" 시트를 참조하여 다음 《처리조건》에 맞도록 작업하시오.(50점)

《출력형태》

3사분기 정보화 교육실적

구분	과정명	과정수준	7월	8월	9월	계	순위	비고
컴퓨터일반	윈도우	초급	996	773	848	2,617원	7위	
사무자동화	문서작성	중급	832	1,287	940	3,059원	4위	목표달성
자격증	MS엑셀	중급	797	823	721	2,341원	9위	
컴퓨터일반	인터넷 정보검색	초급	911	1,212	1,274	3,397원	3위	목표달성
자격증	한컴오피스 한셀	중급	922	886	1,239	3,047원	5위	목표달성
사무자동화	발표자료 작성	고급	694	587	595	1,876원	10위	
자격증	한컴오피스 한글	초급	964	1,277	1,333	3,574원	2위	목표달성
컴퓨터일반	인터넷쇼핑	중급	899	702	1,047	2,648원	6위	
사무자동화	실무계산 활용	고급	713	892	776	2,381원	8위	
컴퓨터일반	스마트폰	초급	1,232	1,277	1,096	3,605원	1위	목표달성
'계'의 최대값-최소값 차이				1,729원				
'과정수준'이 "초급"인 '계'의 합계				13,193원				
'9월' 중 두 번째로 큰 값				1,274원				

《처리조건》

▶ 1행의 행 높이를 '78'로 설정하고, 2행~15행의 행 높이를 '18'로 설정하시오.

▶ 제목("3사분기 정보화 교육실적") : 기본 도형의 '배지'를 이용하여 입력하시오.
- 도형 : 위치([B1:H1]), 도형 스타일(테마 스타일 – 미세 효과 – '파랑, 강조 1')
- 글꼴 : 궁서체, 28pt, 기울임꼴
- 도형 서식 : 도형 옵션 – 크기 및 속성(텍스트 상자(세로 맞춤 : 정가운데, 텍스트 방향 : 가로))

▶ 셀 서식을 아래 조건에 맞게 작성하시오.
- [A2:I15] : 테두리(안쪽, 윤곽선 모두 실선, '검정, 텍스트 1'), 전체 가운데 맞춤
- [A13:D13], [A14:D14], [A15:D15] : 각각 병합하고 가운데 맞춤
- [A2:I2], [A13:D15] : 채우기 색('파랑, 강조 1, 40% 더 밝게'), 글꼴(굵게)
- [D3:F12] : 셀 서식의 표시 형식–숫자를 이용하여 1000 단위 구분 기호 표시
- [G3:G12], [E13:G15] : 셀 서식의 표시 형식–사용자 지정을 이용하여 #,##0"원"자 추가
- [H3:H12] : 셀 서식의 표시 형식–사용자 지정을 이용하여 #"위"자 추가
- 조건부 서식[A3:I12] : '8월'이 800 이하인 경우 레코드 전체에 글꼴(연한 파랑, 굵게) 적용
- 지시사항이 없는 경우는 주어진 문제파일의 서식을 그대로 사용하시오.

▶ ① 순위[H3:H12] : '계'를 기준으로 큰 순으로 순위를 구하시오. (RANK.EQ 함수)

▶ ② 비고[I3:I12] : '계'가 3000 이상이면 "목표달성", 그렇지 않으면 공백으로 구하시오. (IF 함수)

▶ ③ 최대값–최소값[E13:G13] : '계'의 최대값과 최소값의 차이를 구하시오. (MAX, MIN 함수)

▶ ④ 합계[E14:G14] : '과정수준'이 "초급"인 '계'의 합계를 구하시오. (DSUM 함수)

▶ ⑤ 순위[E15:G15] : '9월' 중 두 번째로 큰 값을 구하시오. (LARGE 함수)

[문제 5] 차트 작성하기

차트는 한눈에 내용을 파악하고, 데이터의 변화를 쉽게 보여줄 수 있습니다. [문제 5]는 [차트] 시트에 제시된 데이터를 활용하여 차트를 1개 만든 후 스타일과 글꼴 서식을 지정하면 됩니다. 설정해야 하는 지시사항이 많아서 조금 어려울 수 있지만 천천히 따라하면서 익히면 어렵지 않게 완성할 수 있습니다.

소스파일: 08차시(문제).xlsx　　완성파일: 08차시(완성).xlsx

문제 미리보기 【문제 5】 "차트" 시트를 참조하여 다음 《처리조건》에 맞도록 작업하시오.(30점)

《출력형태》

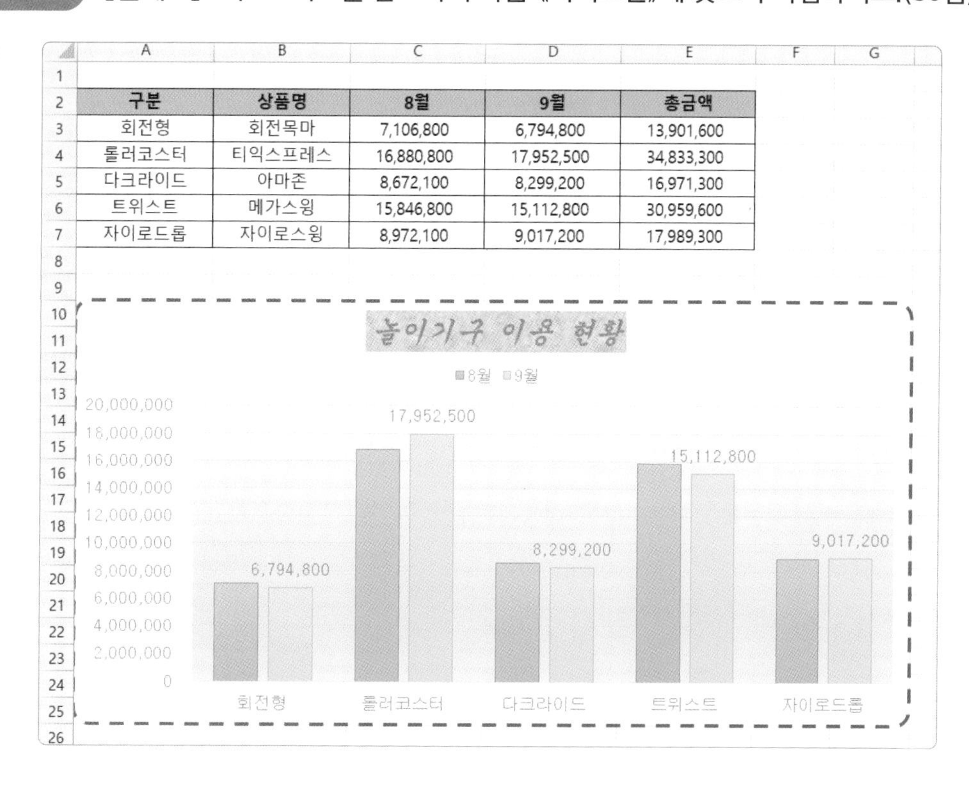

구분	상품명	8월	9월	총금액
회전형	회전목마	7,106,800	6,794,800	13,901,600
롤러코스터	티익스프레스	16,880,800	17,952,500	34,833,300
다크라이드	아마존	8,672,100	8,299,200	16,971,300
트위스트	메가스윙	15,846,800	15,112,800	30,959,600
자이로드롭	자이로스윙	8,972,100	9,017,200	17,989,300

《처리조건》

▸ "차트" 시트에 주어진 표를 이용하여 '묶은 세로 막대형' 차트를 작성하시오.
  - 데이터 범위 : 현재 시트 [A2:A7], [C2:D7]의 데이터를 이용하여 작성하고, 행/열 전환은 '열'로 지정
  - 차트 제목("놀이기구 이용 현황")
  - 범례 위치 : 위쪽
  - 차트 스타일 : 색 변경(색상형 – 색 3, 스타일 5)
  - 차트 위치 : 현재 시트에 [A10:G25] 크기에 정확하게 맞추시오.
  - 차트 영역 서식 : 글꼴(굴림, 11pt), 테두리 색(실선, 색 : 자주), 테두리 스타일(너비 : 2pt, 겹선 종류 : 단순형, 대시 종류 : 파선–점선, 둥근 모서리)
  - 차트 제목 서식 : 글꼴(궁서체, 18pt, 기울임꼴), 채우기(그림 또는 질감 채우기, 질감 : 분홍 박엽지)
  - 그림 영역 서식 : 채우기(그라데이션 채우기, 그라데이션 미리 설정 : 밝은 그라데이션 – 강조 4, 종류 : 선형, 방향 : 선형 아래쪽)
  - 데이터 레이블 추가 : '9월' 계열에 "값" 표시
▸ 지시사항이 없는 경우는 《출력형태》와 동일하게 작성하시오.

제04회 실전모의고사

- 시험과목 : 스프레드시트(엑셀)
- 시험일자 : 20XX. XX. XX.(X)
- 응시자 기재사항 및 감독위원 확인

수 검 번 호	DIS – XXXX –	감독위원 확인
성 명		

응시자 유의사항

1. 응시자는 신분증을 지참하여야 시험에 응시할 수 있으며, 시험이 종료될 때까지 신분증을 제시하지 못할 경우 해당 시험은 0점 처리됩니다.
2. 시스템(PC 작동 여부, 네트워크 상태 등)의 이상 여부를 반드시 확인하여야 하며, 시스템 이상이 있을시 감독위원에게 조치를 받으셔야 합니다.
3. 시험 중 부주의 또는 고의로 시스템을 파손한 경우는 응시자 부담으로 합니다.
4. 답안 전송 프로그램을 통해 다운로드 받은 파일을 이용하여 답안 파일을 작성하시기 바랍니다.
5. 작성한 답안 파일은 답안 전송 프로그램을 통하여 전송됩니다. 감독위원의 지시에 따라 주시기 바랍니다.
6. 다음 사항의 경우 실격(0점) 혹은 부정행위 처리됩니다.
   ❶ 답안 파일을 저장하지 않았거나, 저장한 파일이 손상되었을 경우
   ❷ 답안 파일을 지정된 폴더(바탕화면 "KAIT" 폴더)에 저장하지 않았을 경우
   ※ 답안 전송 프로그램 로그인 시 바탕화면에 자동 생성됨
   ❸ 답안 파일을 다른 보조기억장치(USB) 혹은 네트워크(메신저, 게시판 등)로 전송할 경우
   ❹ 휴대용 전화기 등 통신기기를 사용할 경우
7. 시험지에 제시된 글꼴이 응시 프로그램에 없는 경우, 반드시 감독위원에게 해당 내용을 통보한 뒤 조치를 받아야 합니다.
8. 시험의 완료는 작성이 완료된 답안을 저장하고, 답안 전송이 완료된 상태를 확인한 것으로 합니다. 답안 전송 확인 후 문제지는 감독위원에게 제출한 후 퇴실하여야 합니다.
9. 답안 전송이 완료된 경우에는 수정 또는 정정이 불가능합니다.
10. 시험시행 후 결과는 홈페이지(www.ihd.or.kr)에서 확인하시기 바랍니다.
   ❶ 문제 및 모범답안 공개 : 20XX. XX. XX.(X)
   ❷ 합격자 발표 : 20XX. XX. XX.(X)

01 차트 삽입하고 위치 지정하기

▶ "차트" 시트에 주어진 표를 이용하여 '묶은 세로 막대형' 차트를 작성하시오.
- 데이터 범위 : 현재 시트 [A2:A7], [C2:D7]의 데이터를 이용하여 작성하고, 행/열 전환은 '열'로 지정
- 차트 위치 : 현재 시트에 [A10:G25] 크기에 정확하게 맞추시오.

❶ [08차시] 폴더에서 **'08차시(문제).xlsx'** 파일을 더블 클릭하여 실행합니다. 파일이 열리면 **[차트]** 시트를 클릭합니다.

❷ 차트 작성에 이용할 데이터 범위를 지정하기 위해 [A2:A7] 영역을 드래그하고 Ctrl을 누른 상태에서 [C2:D7] 영역을 드래그합니다.

《처리조건》에 차트를 만들 때 사용할 데이터 범위가 제시됩니다.

❶ 드래그 ❷ Ctrl+드래그

구분	상품명	8월	9월	총금액
회전형	회전목마	7,106,800	6,794,800	13,901,600
롤러코스터	티익스프레스	16,880,800	17,952,500	34,833,300
다크라이드	아마존	8,672,100	8,299,200	16,971,300
트위스트	메가스윙	15,846,800	15,112,800	30,959,600
자이로드롭	자이로스윙	8,972,100	9,017,200	17,989,300

❸ 차트를 삽입하기 위해 **[삽입] 탭-[차트] 그룹-[세로 또는 가로 막대형 차트 삽입]-[2차원 세로 막대형]-[묶은 세로 막대형]**을 클릭합니다.

《처리조건》에 제시된 차트의 모양을 선택합니다.

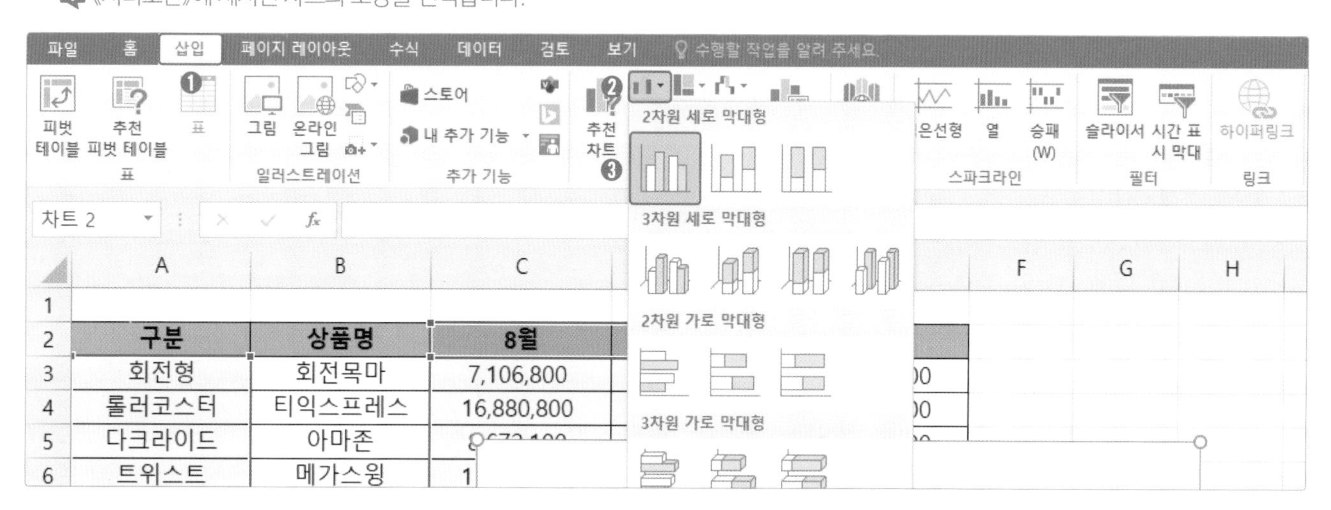

시험꿀팁

차트의 모양은 '묶은 세로 막대형'이 주로 출제되고 '묶은 가로 막대형', '누적 가로 막대형'이 가끔 출제됩니다.

【문제 5】 "차트" 시트를 참조하여 다음 《처리조건》에 맞도록 작업하시오.(30점)

《출력형태》

제품명	20대	30대	40대
미러리스	2,754	2,025	1,525
카본삼각대	1,271	1,949	1,632
샷건마이크	1,527	1,117	1,395
스마트폰짐벌셀카봉	2,240	2,115	320
링라이트조명	1,853	2,069	1,286
마이크거치대	2,857	2,519	1,162

《처리조건》

▶ "차트" 시트에 주어진 표를 이용하여 '묶은 세로 막대형' 차트를 작성하시오.

- 데이터 범위 : 현재 시트 [A2:D8]의 데이터를 이용하여 작성하고, 행/열 전환은 '열'로 지정
- 차트 제목("1인 방송 장비 조회 수")
- 범례 위치 : 위쪽
- 차트 스타일 : 색 변경(색상형 - 색 2, 스타일 6)
- 차트 위치 : 현재 시트에 [A10:G27] 크기에 정확하게 맞추시오.
- 차트 영역 서식 : 글꼴(돋움체, 11pt), 테두리 색(실선, 색 : 황금색, 강조 4), 테두리 스타일 (너비 : 2pt, 겹선 종류 : 단순형, 대시 종류 : 사각 점선, 둥근 모서리)
- 차트 제목 서식 : 글꼴(궁서체, 18pt, 기울임꼴), 채우기(그림 또는 질감 채우기, 질감 : 꽃다발)
- 그림 영역 서식 : 채우기(그라데이션 채우기, 그라데이션 미리 설정 : 밝은 그라데이션 - 강조 2, 종류 : 선형, 방향 : 선형 아래쪽)
- 데이터 레이블 추가 : '40대' 계열에 "값" 표시

▶ 지시사항이 없는 경우는 《출력형태》와 동일하게 작성하시오.

❹ 묶은 세로 막대형 차트가 삽입되었습니다.

삽입한 차트의 모양이 《출력형태》와 다른 경우 [차트 도구-디자인] 탭-[데이터] 그룹-[행/열 전환( )]을 클릭합니다.

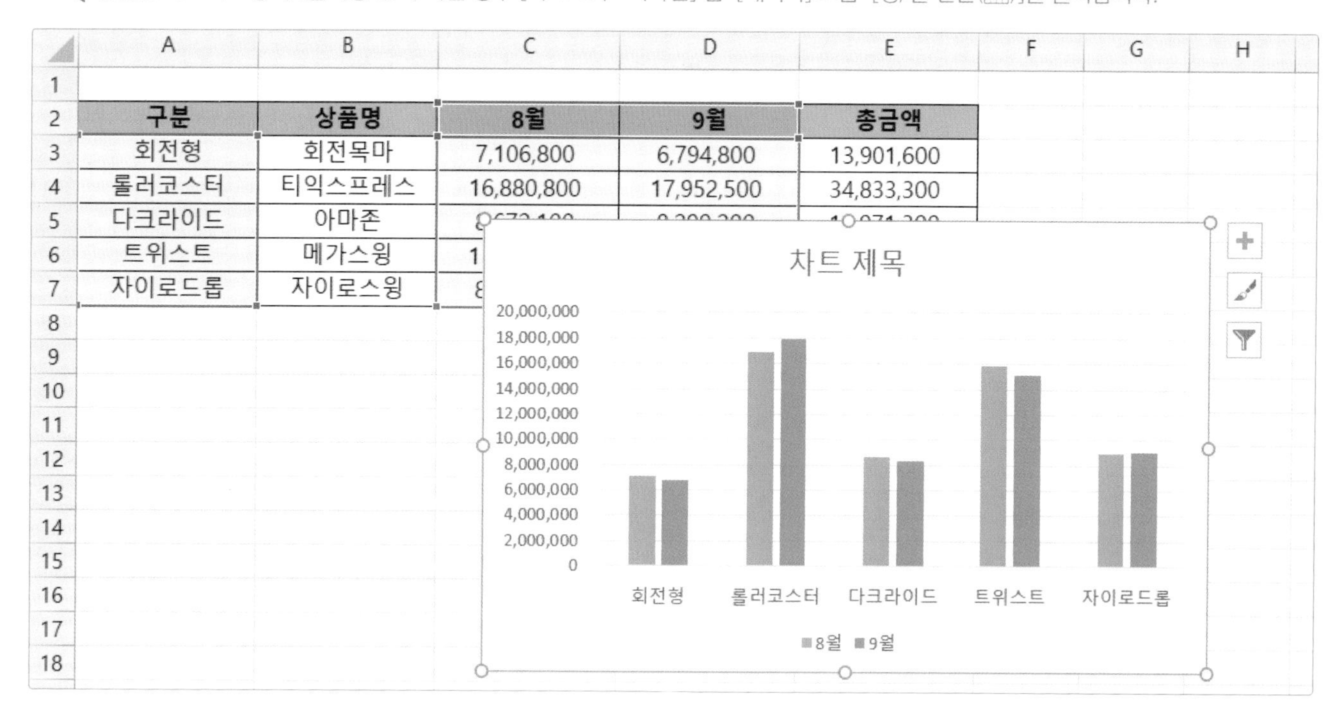

레벨 업 차트 구성 요소

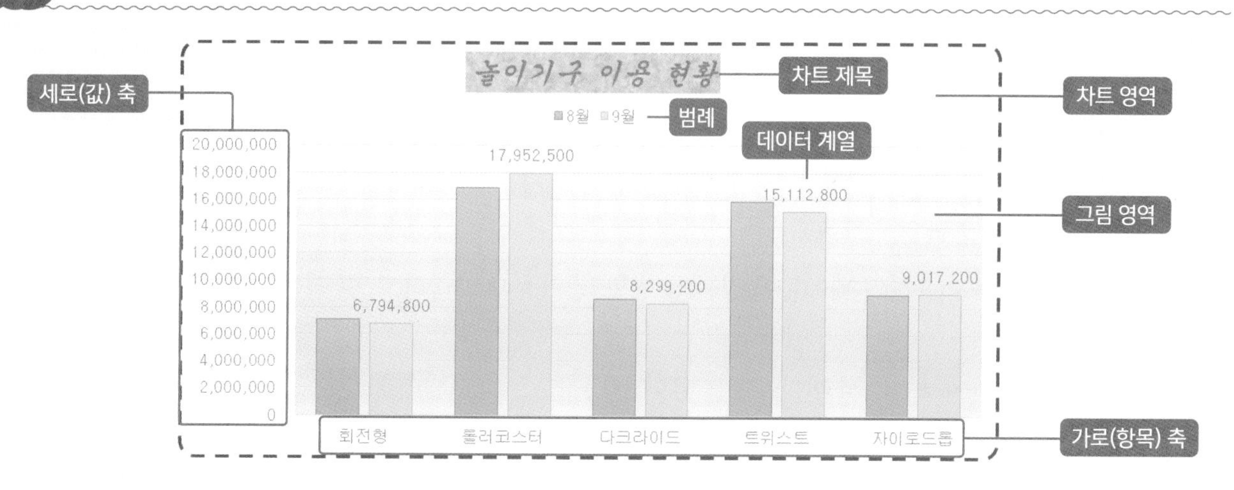

❺ 차트 위치를 [A10:G25] 크기에 정확하게 맞추기 위해 Alt를 누른 채 차트의 왼쪽 위 크기 조절점을 [A10] 셀까지 드래그합니다.

- 차트의 위치는 《처리조건》에 제시되므로 크기와 위치를 맞춰줍니다.
- Alt를 누른 상태에서 차트를 드래그하면 셀의 경계선에 정확하게 맞출 수 있습니다.

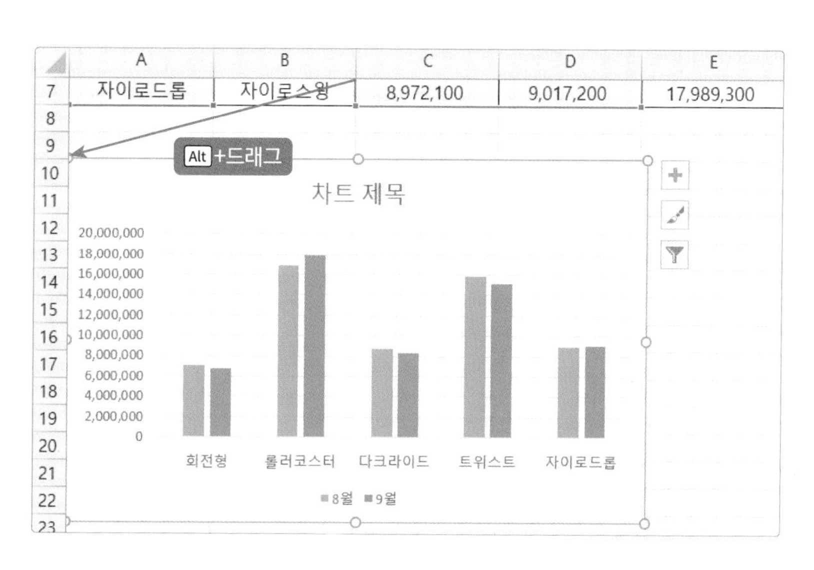

【문제 4】 "피벗테이블" 시트를 참조하여 다음 《처리조건》에 맞도록 작업하시오.(30점)

《출력형태》

	A	B	C	D	E	F
1						
2						
3			구분			
4	대상	값	마이크	조명	카메라	패키지
5	고급자용	평균 : 20대	1,527	1,853	2,754	***
6		평균 : 30대	1,117	2,069	2,025	***
7		평균 : 40대	1,395	1,286	1,525	***
8	입문자용	평균 : 20대	3,097	1,539	1,650	1,268
9		평균 : 30대	2,134	2,376	2,791	1,866
10		평균 : 40대	1,510	791	1,125	1,270
11	전체 평균 : 20대		2,312	1,696	2,202	1,268
12	전체 평균 : 30대		1,626	2,223	2,408	1,866
13	전체 평균 : 40대		1,453	1,039	1,325	1,270
14						

《처리조건》

▶ "피벗테이블" 시트의 [A2:G12]를 이용하여 새로운 시트에 《출력형태》와 같이 피벗 테이블을 작성 후 시트명을 "피벗테이블 정답"으로 수정하시오.

▶ 대상(행)과 구분(열)을 기준으로 하여 출력형태와 같이 구하시오.

- '20대', '30대', '40대'의 평균을 구하시오.
- 피벗 테이블 옵션을 이용하여 레이블이 있는 셀 병합 및 가운데 맞춤하고, 빈 셀을 "***"로 표시한 후, 행의 총합계를 감추기 하시오.
- 피벗 테이블 디자인에서 보고서 레이아웃은 '테이블 형식으로 표시', 피벗 테이블 스타일은 '피벗 스타일 보통 12'로 표시하시오.
- 대상(행)은 "고급자용", "입문자용"만 출력되도록 표시하시오.
- [C5:F13] 데이터는 셀 서식의 표시 형식-숫자를 이용하여 1000 단위 구분 기호를 표시하고, 가운데 맞춤하시오.

▶ 대상의 순서는 《출력형태》와 다를 수 있음

▶ 지시사항이 없는 경우는 《출력형태》와 동일하게 작성하시오.

❻ 다시 Alt를 누른 상태에서 오른쪽 아래 크기 조절점을 **[G25]** 셀까지 드래그합니다.

❼ 차트 위치가 [A10:G25] 범위에 맞춰 크기가 조절된 것을 확인합니다.

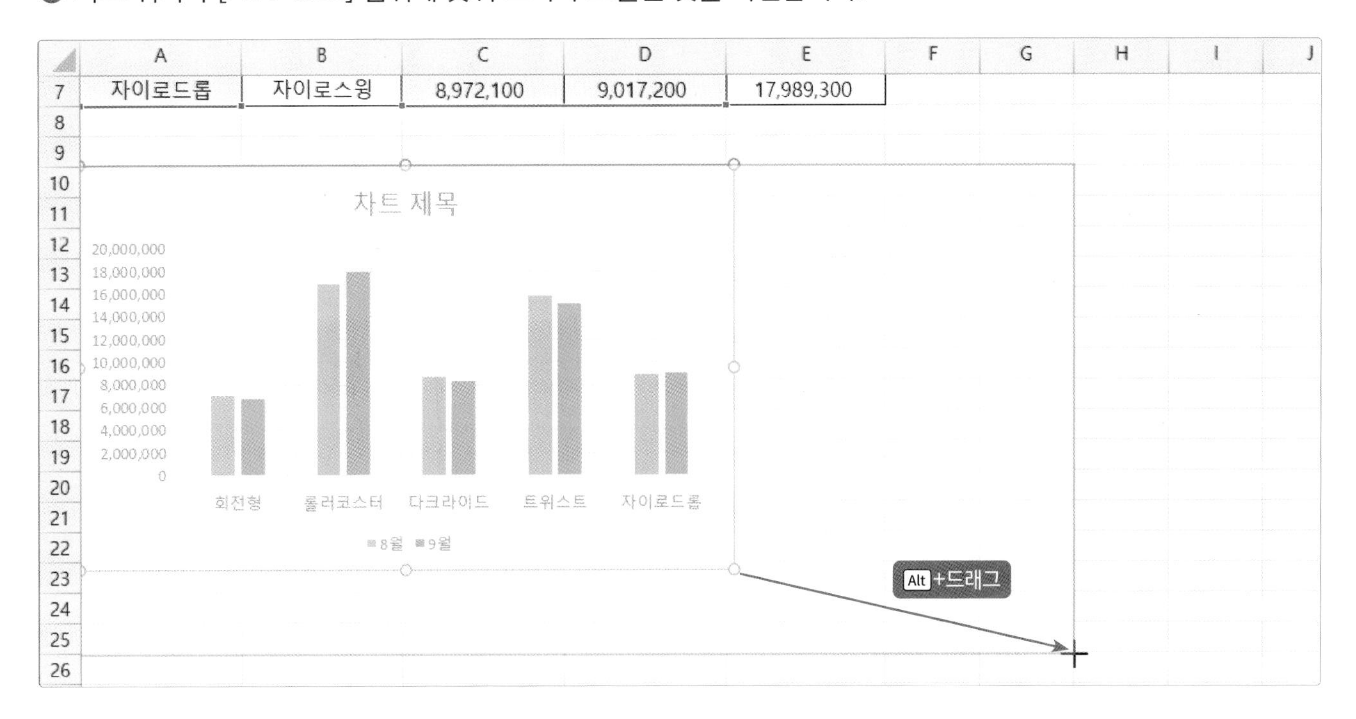

02 차트 제목, 범례 위치, 차트 스타일 지정하기

- 차트 제목("놀이기구 이용 현황")
- 범례 위치 : 위쪽
- 차트 스타일 : 색 변경(색상형 – 색 3, 스타일 5)

❶ 차트의 스타일을 지정하기 위해 **[차트 도구–디자인] 탭–[차트 스타일] 그룹–[색 변경]–[색상형]–[색 3]**을 클릭합니다.

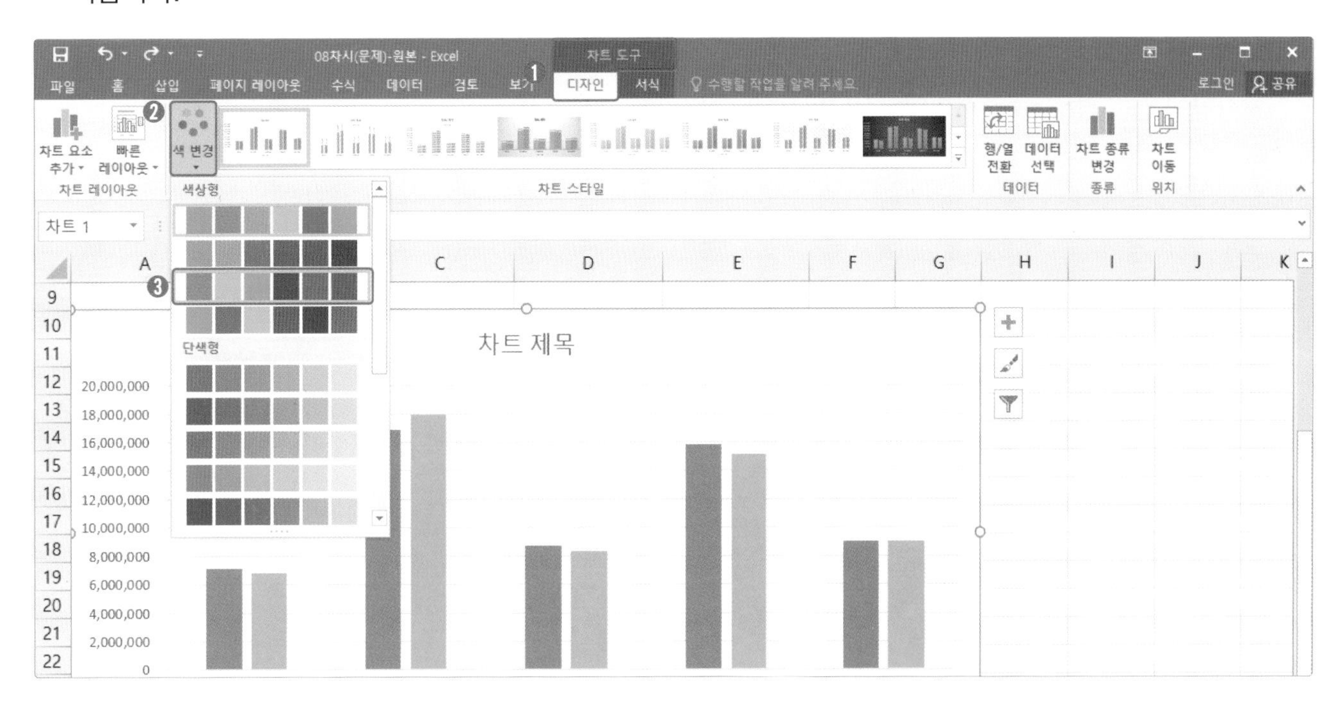

(2) 시나리오

《출력형태 - 시나리오》

	A	B	C	D	E	F	G
1							
2		시나리오 요약					
3				현재 값:	40대 150회 증가	40대 100회 감소	
5		변경 셀:					
6			$F$5	1,632	1,782	1,532	
7			$F$9	320	470	220	
8			$F$12	1,162	1,312	1,062	
9		결과 셀:					
10			$G$5	4,852	5,002	4,752	
11			$G$9	4,675	4,825	4,575	
12			$G$12	6,538	6,688	6,438	
13		참고: 현재 값 열은 시나리오 요약 보고서가 작성될 때의					
14		변경 셀 값을 나타냅니다. 각 시나리오의 변경 셀들은					
15		회색으로 표시됩니다.					
16							

《처리조건》

- ▶ "시나리오" 시트의 [A2:G12]를 이용하여 '대상'이 "야외장비"인 경우, '40대'가 변동할 때 '합계'가 변동하는 가상분석(시나리오)을 작성하시오.
  - 시나리오1 : 시나리오 이름은 "40대 150회 증가", '40대'에 150을 증가시킨 값 설정.
  - 시나리오2 : 시나리오 이름은 "40대 100회 감소", '40대'에 100을 감소시킨 값 설정.
  - "시나리오 요약" 시트를 작성하시오.
- ▶ 지시사항이 없는 경우는 《출력형태 - 시나리오》와 동일하게 작성하시오.

❷ 다시 **[차트 도구-디자인] 탭-[차트 스타일] 그룹**의 꾸러미에서 **'스타일 5'**를 선택합니다.

색 변경을 하고 나면 선택할 수 있는 차트 스타일의 종류가 달라질 수 있기 때문에 반드시 색 변경을 먼저 한 후에 스타일을 지정해야 합니다.

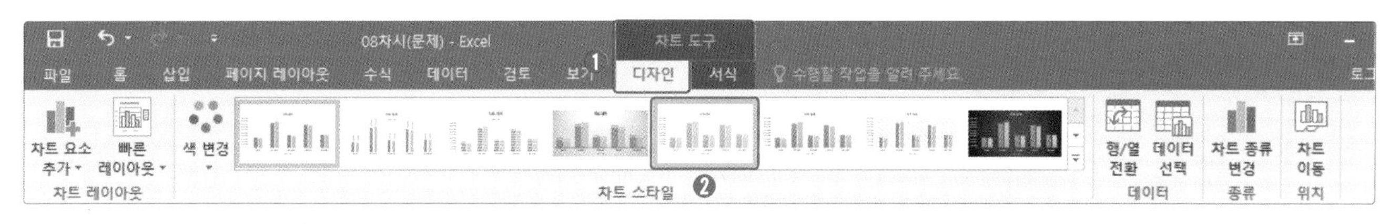

시험꿀팁

처리조건에 맞는 차트 스타일이 없는 경우 자세히(▾)를 눌러 목록을 확인합니다.

❸ 차트 스타일이 변경된 것을 확인합니다.

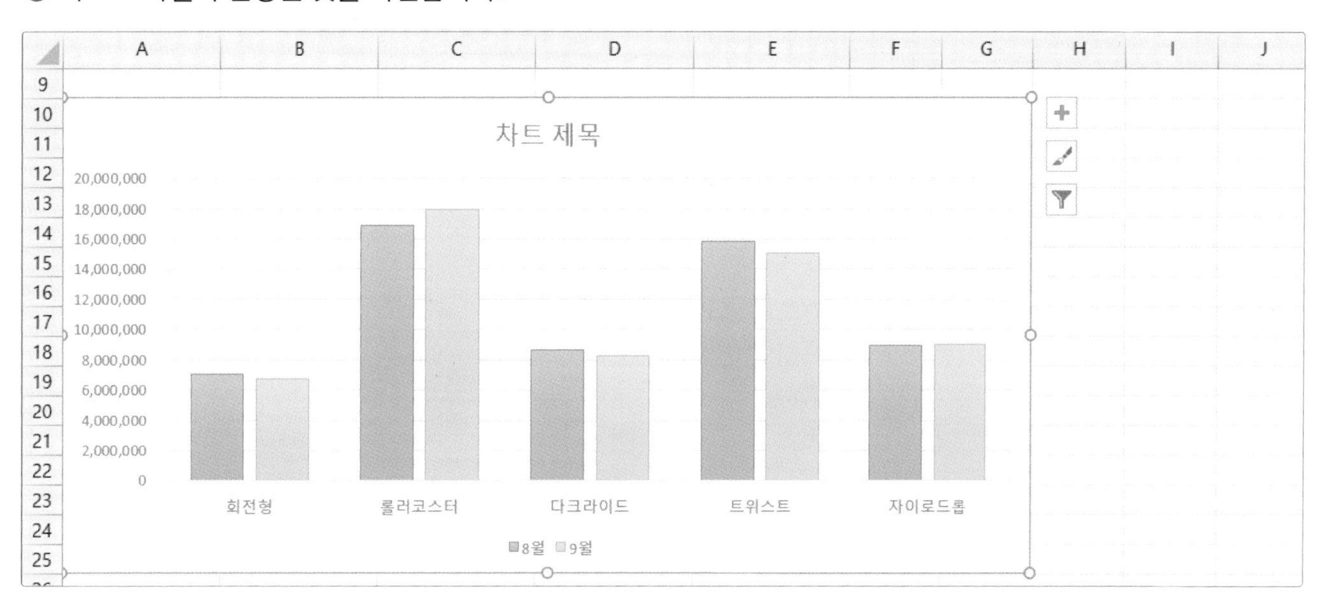

❹ 차트 제목을 변경하기 위해 **'차트 제목'**을 선택한 후 안쪽을 다시 클릭합니다. 테두리가 점선으로 변경되면 Delete나 Back Space를 눌러 글자를 지우고 문제지에 제시된 제목**(놀이기구 이용 현황)**을 입력합니다.

- 제목 입력이 완료되면 차트의 빈 영역을 클릭합니다.
- 차트 제목 서식 변경은 차트 영역의 글꼴을 먼저 변경한 후 작업합니다.

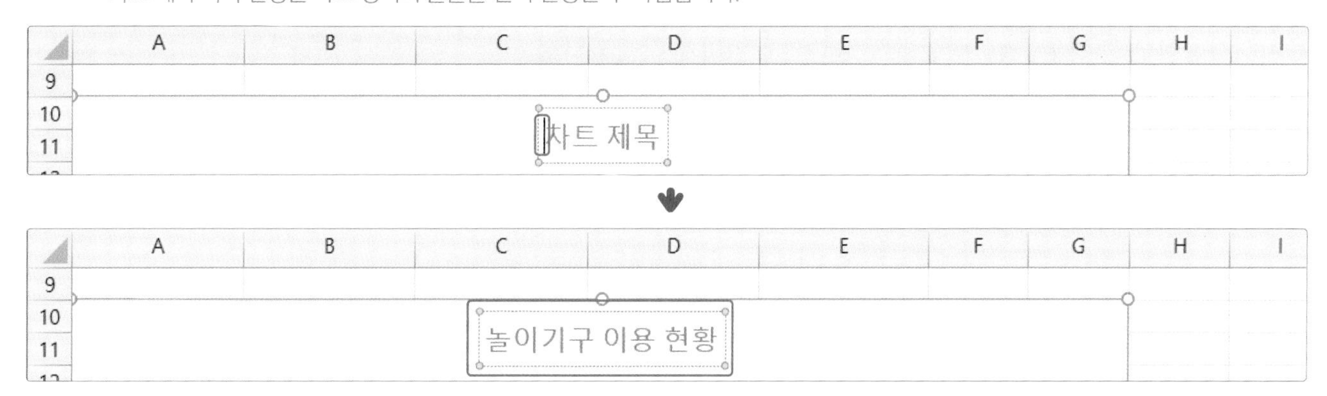

【문제 3】 "필터"와 "시나리오" 시트를 참조하여 다음 《처리조건》에 맞도록 작업하시오.(60점)

(1) 필터

《출력형태 – 필터》

	A	B	C	D	E	F	G
1							
2	제품명	구분	대상	20대	30대	40대	합계
3	콘덴서마이크	마이크	입문자용	3097	2134	1510	6741
4	미러리스	카메라	고급자용	2754	2025	1525	6304
5	카본삼각대	삼각대	야외장비	1271	1949	1632	4852
6	엘이디조명룩스패드	조명	입문자용	1539	2376	791	4706
7	웹캠	카메라	입문자용	1650	2791	1125	5566
8	샷건마이크	마이크	고급자용	1527	1117	1395	4039
9	스마트폰짐벌셀카봉	짐벌	야외장비	2240	2115	320	4675
10	패키지	패키지	입문자용	1268	1866	1270	4404
11	링라이트조명	조명	고급자용	1853	2069	1286	5208
12	마이크거치대	마이크	야외장비	2857	2519	1162	6538
13							
14	조건						
15	TRUE						
16							
17							
18	제품명	구분	20대	30대	40대		
19	콘덴서마이크	마이크	3097	2134	1510		
20	웹캠	카메라	1650	2791	1125		
21							

《처리조건》

▶ "필터" 시트의 [A2:G12]를 아래 조건에 맞게 고급 필터를 사용하여 작성하시오.

- '대상'이 "입문자용"이고 '합계'가 5000 이상인 데이터를 '제품명', '구분', '20대', '30대', '40대'의 데이터만 필터링 하시오..
- 조건 위치 : 조건 함수는 [A15] 한 셀에 작성(AND 함수 이용)
- 결과 위치 : [A18]부터 출력

▶ 지시사항이 없는 경우는 《출력형태 – 필터》와 동일하게 작성하시오.

❺ 범례의 위치를 지정하기 위해 **[차트 도구-디자인] 탭-[차트 레이아웃] 그룹-[차트 요소 추가]-[범례]-[위쪽]**을 클릭합니다.

차트가 선택된 상태에만 [차트 도구-디자인] 탭이 표시됩니다.

❻ 아래쪽에 있던 범례가 위쪽으로 변경된 것을 확인합니다.

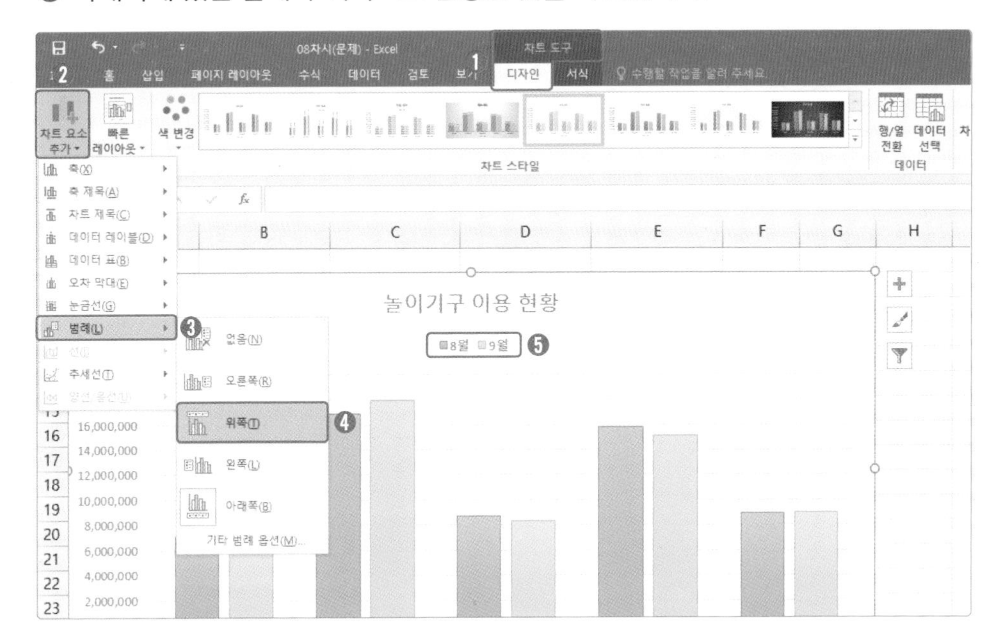

시험꿀팁

- 차트 스타일에 따라 제목이나 범례의 위치가 달라지므로 색과 스타일을 먼저 지정한 후 범례의 위치를 지정해야 합니다.
- 범례의 위치는 '위쪽', '아래쪽'이 골고루 출제됩니다.

03 차트 영역 서식 지정하기

- 차트 영역 서식 : 글꼴(굴림, 11pt), 테두리 색(실선, 색 : 자주), 테두리 스타일(너비 : 2pt, 겹선 종류 : 단순형, 대시 종류 : 파선-점선, 둥근 모서리)

❶ 차트 영역의 글꼴을 지정하기 위해 차트를 선택하고 **[홈] 탭-[글꼴] 그룹에서 글꼴(굴림), 글꼴 크기(11pt)**를 지정합니다.

차트가 선택된 상태에서 글꼴, 글꼴 크기를 지정하면 한꺼번에 변경이 가능합니다.

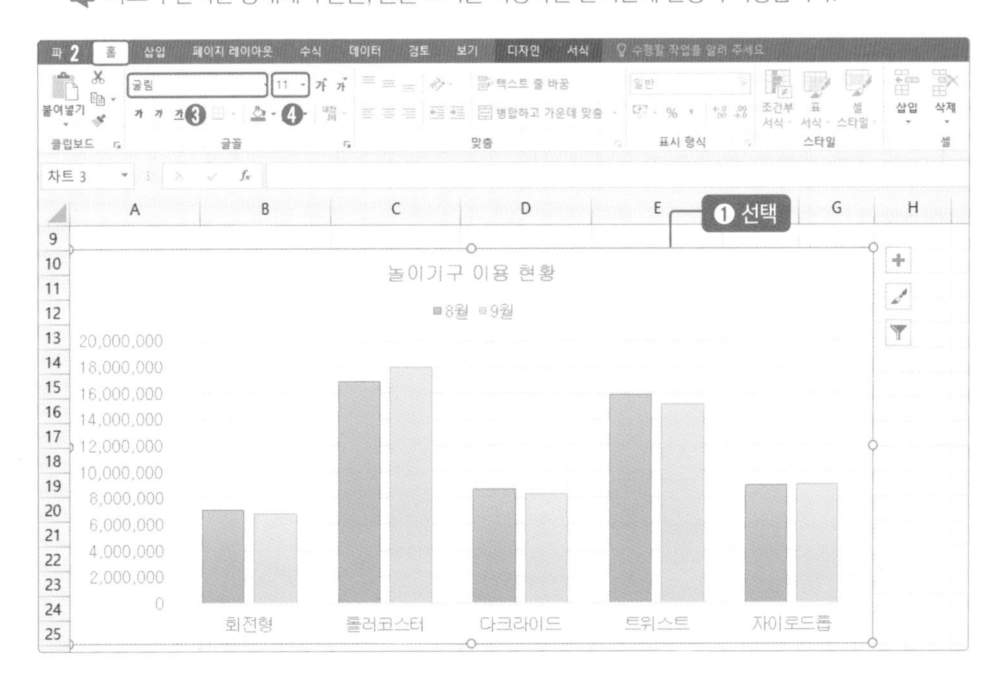

시험꿀팁

- 글꼴은 '굴림, 굴림체, 돋움, 돋움체, 바탕체, 바탕' 등이 주로 출제됩니다.
- 글꼴 크기는 '9~12pt'로 다양하게 출제됩니다.

【문제 2】 **"부분합" 시트를 참조하여 다음 《처리조건》에 맞도록 작업하시오.(30점)**

《출력형태》

	A	B	C	D	E	F	G
1							
2	제품명	구분	대상	20대	30대	40대	합계
3	콘덴서마이크	마이크	입문자용	3,097	2,134	1,510	6,741
4	엘이디조명룩스패드	조명	입문자용	1,539	2,376	791	4,706
5	웹캠	카메라	입문자용	1,650	2,791	1,125	5,566
6	패키지	패키지	입문자용	1,268	1,866	1,270	4,404
7			입문자용 최대값				6,741
8			입문자용 평균	1,889	2,292	1,174	
9	카본삼각대	삼각대	야외장비	1,271	1,949	1,632	4,852
10	스마트폰짐벌셀카봉	짐벌	야외장비	2,240	2,115	320	4,675
11	마이크거치대	마이크	야외장비	2,857	2,519	1,162	6,538
12			야외장비 최대값				6,538
13			야외장비 평균	2,123	2,194	1,038	
14	미러리스	카메라	고급자용	2,754	2,025	1,525	6,304
15	샷건마이크	마이크	고급자용	1,527	1,117	1,395	4,039
16	링라이트조명	조명	고급자용	1,853	2,069	1,286	5,208
17			고급자용 최대값				6,304
18			고급자용 평균	2,045	1,737	1,402	
19			전체 최대값				6,741
20			전체 평균	2,006	2,096	1,202	
21							

《처리조건》

▶ 데이터를 '대상' 기준으로 내림차순 정렬하시오.

▶ 아래 조건에 맞는 부분합을 작성하시오.

- '대상'으로 그룹화하여 '20대', '30대', '40대'의 평균을 구하는 부분합을 만드시오.
- '대상'으로 그룹화하여 '합계'의 최대값을 구하는 부분합을 만드시오.
  (새로운 값으로 대치하지 말 것)
- [D3:G20] 영역에 셀 서식의 표시 형식-숫자를 이용하여 1000 단위 구분 기호를 표시하시오.

▶ D~F열을 선택하여 그룹을 설정하시오.

▶ 평균과 최대값의 부분합 순서는 《출력형태》와 다를 수 있음

▶ 지시사항이 없는 경우는 기본 값을 적용하시오.

❷ 차트의 테두리를 지정하기 위해 차트 영역에서 마우스 오른쪽 버튼을 클릭하여 바로 가기 메뉴에서 **[차트 영역 서식]**을 클릭합니다.

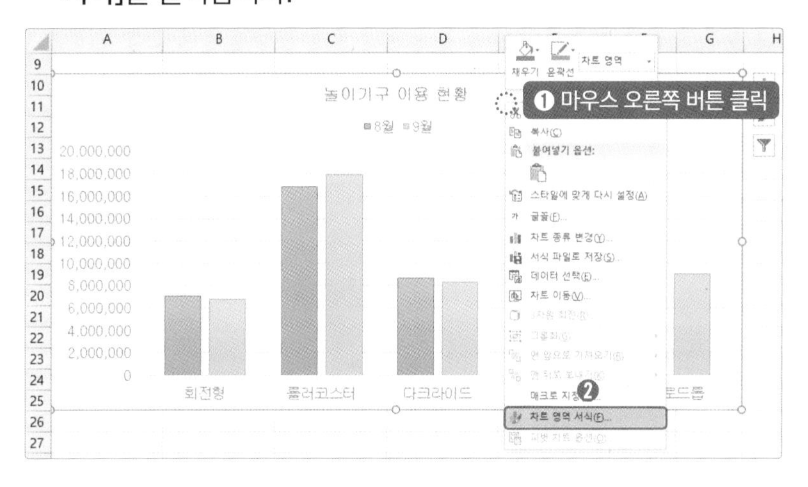

❸ 워크시트 오른쪽에 [차트 영역 서식] 창이 나타나면 **[차트 옵션]-[채우기 및 선]-[테두리]**에서 **'실선'**을 선택하고 색을 **'자주'**로 설정합니다.

❹ 계속해서 너비는 '2pt', 겹선 종류는 **'단순형'**을 지정합니다.

❺ 마지막으로 대시 종류를 **'파선'**으로 설정하고 아래쪽에 **'둥근 모서리'에 체크**합니다.

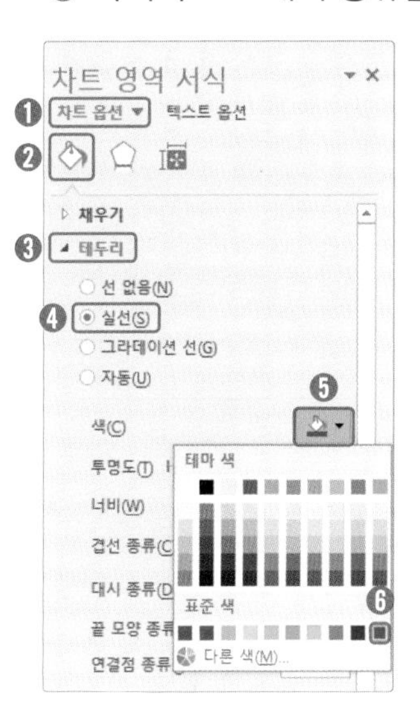

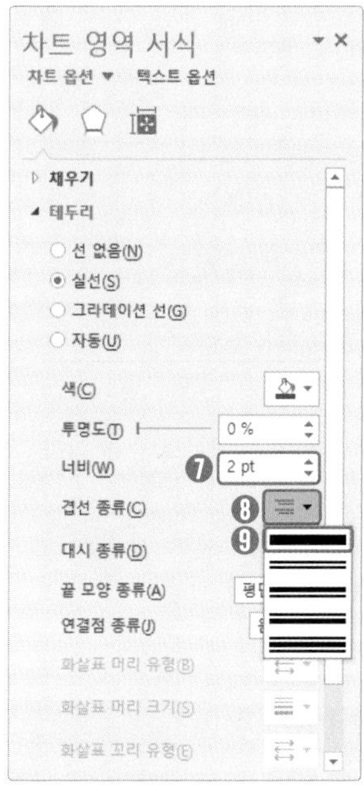

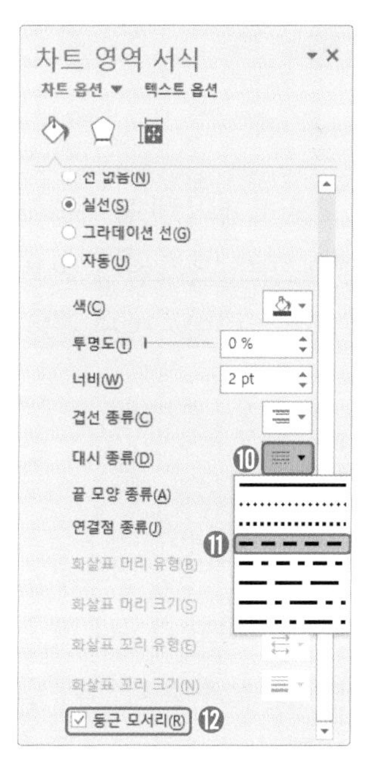

시험꿀팁

- 테두리는 실선이 고정적으로 출제됩니다.
- 너비는 '1.5~3.75pt'로 다양하게 출제됩니다.
- 겹선 종류 : 단순형이 주로 출제됩니다.
- 대시 종류 : '사각 점선, 파선'이 주로 출제되며, '둥근 모서리'가 고정적으로 출제됩니다.

❻ 오른쪽 상단의 [닫기(✕)]를 클릭하고 차트의 테두리가 설정된 것을 확인합니다.

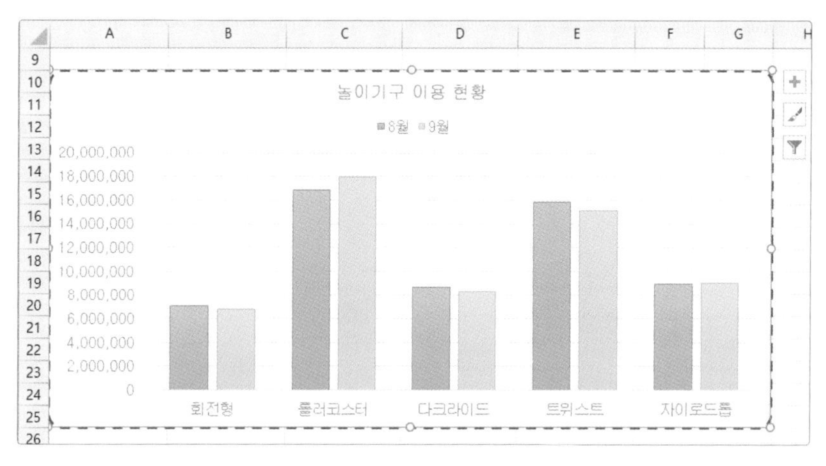

【문제 1】 "조회수" 시트를 참조하여 다음 《처리조건》에 맞도록 작업하시오.(50점)

《출력형태》

	A	B	C	D	E	F	G	H	I
1		1인 방송 장비 조회 수							
2	제품명	구분	대상	20대	30대	40대	합계	순위	비고
3	콘덴서마이크	마이크	입문자용	3,097	2,134	1,510	6,741회	1위	관심상품
4	미러리스	카메라	고급자용	2,754	2,025	1,525	6,304회	3위	관심상품
5	카본삼각대	삼각대	야외장비	1,271	1,949	1,632	4,852회	6위	
6	엘이디조명룩스패드	조명	입문자용	1,539	2,376	791	4,706회	7위	
7	웹캠	카메라	입문자용	1,650	2,791	1,125	5,566회	4위	
8	샷건마이크	마이크	고급자용	1,527	1,117	1,395	4,039회	10위	
9	스마트폰짐벌셀카봉	짐벌	야외장비	2,240	2,115	320	4,675회	8위	
10	패키지	패키지	입문자용	1,268	1,866	1,270	4,404회	9위	
11	링라이트조명	조명	고급자용	1,853	2,069	1,286	5,208회	5위	
12	마이크거치대	마이크	야외장비	2,857	2,519	1,162	6,538회	2위	관심상품
13	'구분'이 "마이크"인 '30대'의 평균				1,923				
14	'40대'의 최대값-최소값 차이				1,312				
15	'20대' 중 세 번째로 큰 값				2,754				
16									

《처리조건》

▶ 1행의 행 높이를 '80'으로 설정하고, 2행~15행의 행 높이를 '18'로 설정하시오.

▶ 제목("1인 방송 장비 조회 수") : 기본 도형의 '육각형'을 이용하여 입력하시오.
- 도형 : 위치([B1:H1]), 도형 스타일(테마 스타일 – 미세 효과 – '황금색, 강조 4')
- 글꼴 : 돋움체, 24pt, 기울임꼴
- 도형 서식 : 도형 옵션 – 크기 및 속성(텍스트 상자(세로 맞춤 : 정가운데, 텍스트 방향 : 가로))

▶ 셀 서식을 아래 조건에 맞게 작성하시오.
- [A2:I15] : 테두리(안쪽, 윤곽선 모두 실선, '검정, 텍스트 1'), 전체 가운데 맞춤
- [A13:D13], [A14:D14], [A15:D15] : 각각 병합하고 가운데 맞춤
- [A2:I2], [A13:D15] : 채우기 색('주황, 강조 2, 40% 더 밝게'), 글꼴(굵게)
- [D3:F12], [E13:G15] : 셀 서식의 표시 형식-숫자를 이용하여 1000 단위 구분 기호 표시
- [G3:G12] : 셀 서식의 표시 형식-사용자 지정을 이용하여 #,##0"회"자를 추가
- [H3:H12] : 셀 서식의 표시 형식-사용자 지정을 이용하여 #"위"자를 추가
- 조건부 서식[A3:I12] : '대상'이 "고급자용"인 경우 레코드 전체에 글꼴(빨강, 굵게) 적용
- 지시사항이 없는 경우는 주어진 문제파일의 서식을 그대로 사용하시오.

▶ ① 순위[H3:H12] : '합계'를 기준으로 큰 순으로 순위를 구하시오. (RANK.EQ 함수)

▶ ② 비고[I3:I12] : '합계'가 6000 이상이면 "관심상품", 그렇지 않으면 공백으로 구하시오. (IF 함수)

▶ ③ 평균[E13:G13] : '구분'이 "마이크"인 '30대'의 평균을 구하시오. (DAVERAGE 함수)

▶ ④ 최대값-최소값[E14:G14] : '40대'의 최대값과 최소값의 차이를 구하시오. (MAX, MIN 함수)

▶ ⑤ 순위[E15:G15] : '20대' 중 세 번째로 큰 값을 구하시오. (LARGE 함수)

04 차트 제목 서식 지정하기

- 차트 제목 서식 : 글꼴(궁서체, 18pt, 기울임꼴), 채우기(그림 또는 질감 채우기, 질감 : 분홍 박엽지)

❶ 차트 제목의 글꼴을 지정하기 위해 **차트 제목**을 클릭한 후 **[홈] 탭-[글꼴] 그룹**에서 글꼴은 **'궁서체'**, 글꼴 크기는 **'18pt'**, **'기울임꼴'**을 지정합니다.

- 차트의 기본 글꼴을 설정한 다음 제목만 따로 설정하면 시간을 절약할 수 있습니다.
- 차트의 스타일에 따라 제목에 '굵게' 서식 지정되어 있을 수 있습니다. 《처리조건》에 없는 내용이라면 반드시 '굵게' 서식을 해제해야 합니다.

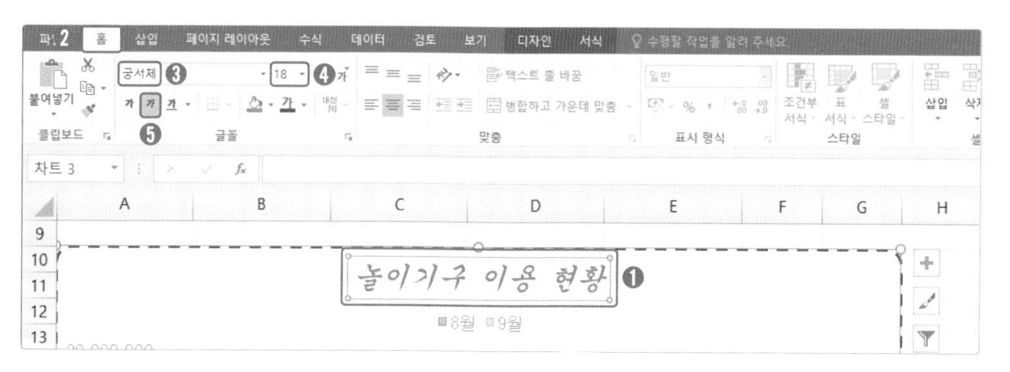

시험꿀팁

글꼴은 '궁서체', 글꼴 크기는 '18~20pt', 기울임꼴이 주로 출제됩니다.

❷ 이번엔 제목 서식을 지정하기 위해 차트 제목 위에서 마우스 오른쪽 버튼을 클릭하여 바로 가기 메뉴에서 **[차트 제목 서식]**을 클릭합니다.

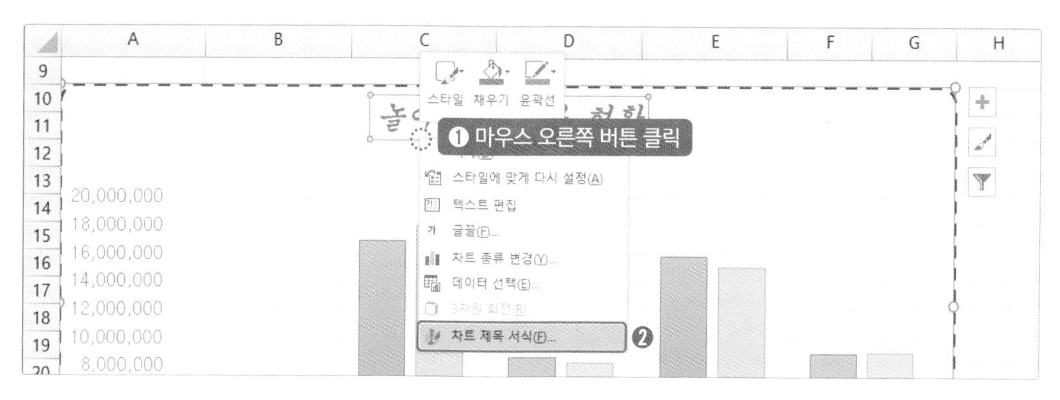

❸ 워크시트 오른쪽에 [차트 제목 서식] 창이 나타나면 **[제목 옵션]-[채우기 및 선]-[채우기]**에서 **'그림 또는 질감 채우기'**를 선택합니다.

❹ 질감의 [질감]를 클릭하고 **'분홍 박엽지'**를 선택한 후 오른쪽 상단의 [닫기(✕)]를 클릭합니다.

- [차트 도구]-[서식]-[도형 스타일]-[도형 채우기]-[질감]을 이용할 수도 있습니다.

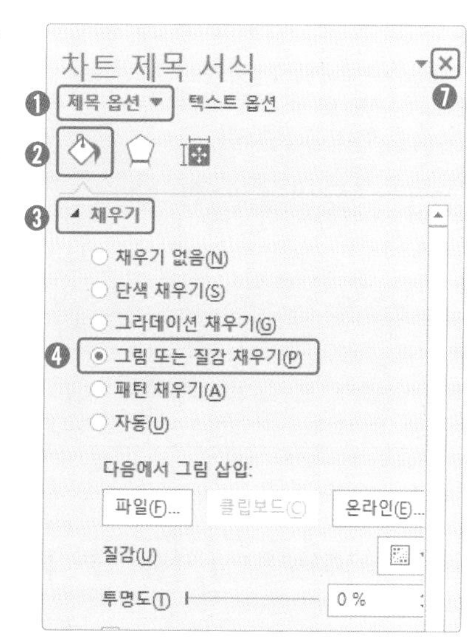

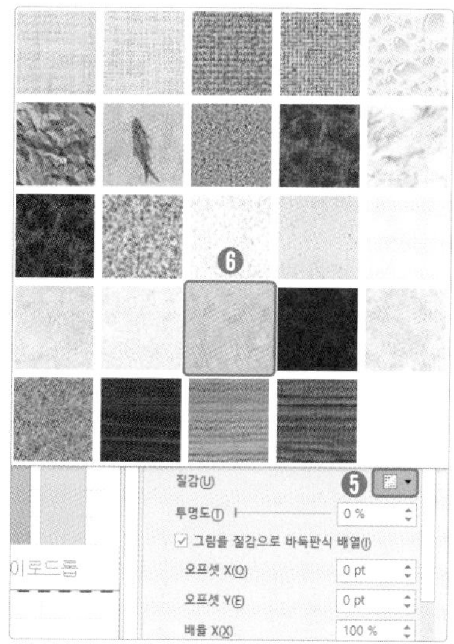

제03회 실전모의고사

▸ 시험과목 : 스프레드시트(엑셀)
▸ 시험일자 : 20XX. XX. XX.(X)
▸ 응시자 기재사항 및 감독위원 확인

수 검 번 호	DIS – XXXX –	감독위원 확인
성 명		

응시자 유의사항

1. 응시자는 신분증을 지참하여야 시험에 응시할 수 있으며, 시험이 종료될 때까지 신분증을 제시하지 못할 경우 해당 시험은 0점 처리됩니다.
2. 시스템(PC 작동 여부, 네트워크 상태 등)의 이상 여부를 반드시 확인하여야 하며, 시스템 이상이 있을시 감독위원에게 조치를 받으셔야 합니다.
3. 시험 중 부주의 또는 고의로 시스템을 파손한 경우는 응시자 부담으로 합니다.
4. 답안 전송 프로그램을 통해 다운로드 받은 파일을 이용하여 답안 파일을 작성하시기 바랍니다.
5. 작성한 답안 파일은 답안 전송 프로그램을 통하여 전송됩니다. 감독위원의 지시에 따라 주시기 바랍니다.
6. 다음 사항의 경우 실격(0점) 혹은 부정행위 처리됩니다.
   ❶ 답안 파일을 저장하지 않았거나, 저장한 파일이 손상되었을 경우
   ❷ 답안 파일을 지정된 폴더(바탕화면 "KAIT" 폴더)에 저장하지 않았을 경우
   ※ 답안 전송 프로그램 로그인 시 바탕화면에 자동 생성됨
   ❸ 답안 파일을 다른 보조기억장치(USB) 혹은 네트워크(메신저, 게시판 등)로 전송할 경우
   ❹ 휴대용 전화기 등 통신기기를 사용할 경우
7. 시험지에 제시된 글꼴이 응시 프로그램에 없는 경우, 반드시 감독위원에게 해당 내용을 통보한 뒤 조치를 받아야 합니다.
8. 시험의 완료는 작성이 완료된 답안을 저장하고, 답안 전송이 완료된 상태를 확인한 것으로 합니다. 답안 전송 확인 후 문제지는 감독위원에게 제출한 후 퇴실하여야 합니다.
9. 답안 전송이 완료된 경우에는 수정 또는 정정이 불가능합니다.
10. 시험시행 후 결과는 홈페이지(www.ihd.or.kr)에서 확인하시기 바랍니다.
   ❶ 문제 및 모범답안 공개 : 20XX. XX. XX.(X)
   ❷ 합격자 발표 : 20XX. XX. XX.(X)

❺ 차트 제목 서식이 지정된 것을 확인합니다.

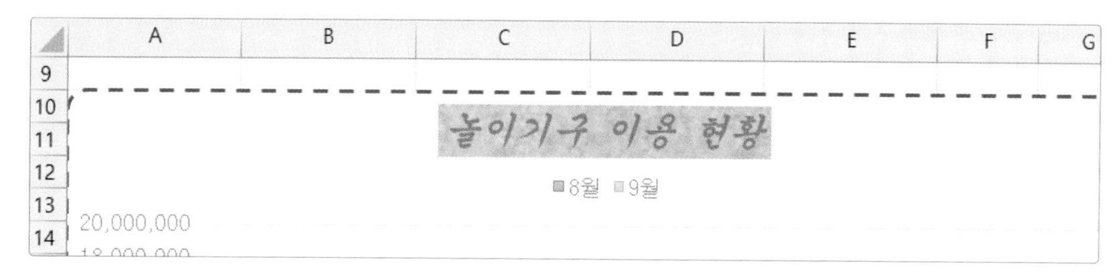

05 그림 영역 서식 지정하기

- 그림 영역 서식 : 채우기(그라데이션 채우기, 그라데이션 미리 설정 : 밝은 그라데이션 – 강조 4, 종류 : 선형, 방향 : 선형 아래쪽)

❶ 그림 영역 서식을 지정하기 위해 그림 영역 위에서 마우스 오른쪽 버튼을 클릭하여 바로 가기 메뉴에서 **[그림 영역 서식]**을 클릭합니다.

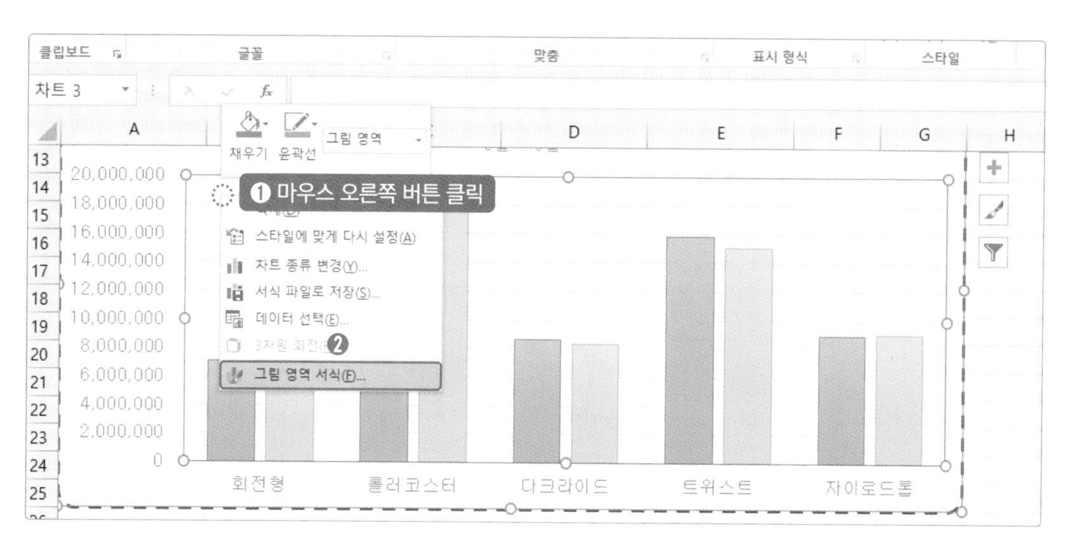

❷ 워크시트 오른쪽에 [그림 영역 서식] 창이 나타나면 **[그림 영역 옵션]-[채우기 및 선]-[채우기]**에서 **'그라데이션 채우기'**를 선택합니다. 이어서, **그라데이션 미리 설정( )**을 클릭한 후 **'밝은 그라데이션 – 강조 4'**를 선택합니다.

❸ 종류(선형)를 확인한 후 **방향( )**을 클릭하여 **'선형 아래쪽'**을 선택한 다음 [닫기(✕)]를 클릭합니다.

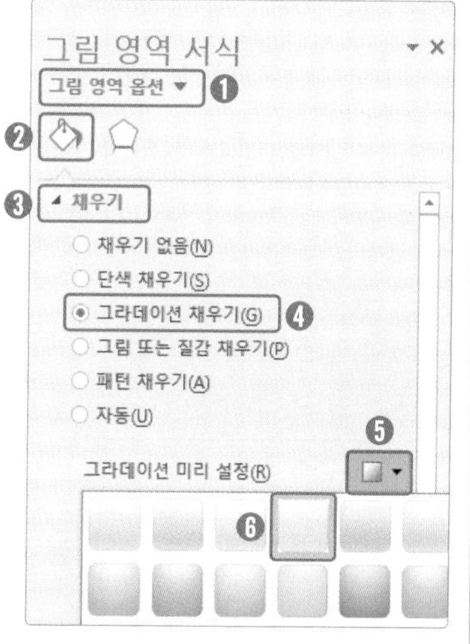

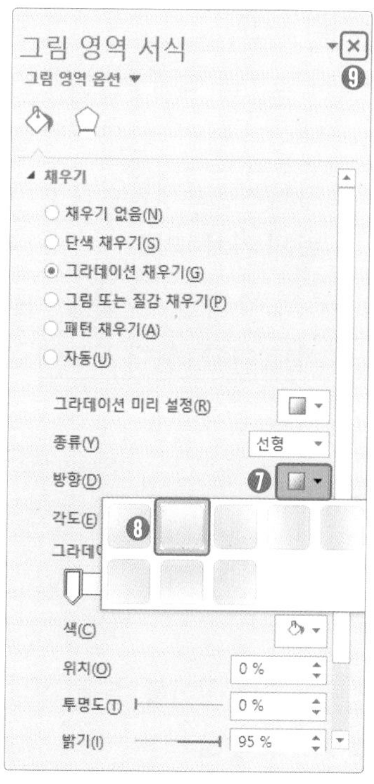

마우스 포인터를 가져가면 색상 이름이나 그라데이션 방향 이름이 표시됩니다.

시험꿀팁

- 종류는 '선형'이 주로 출제되고 종종 '방사형'도 출제됩니다.
- 방향은 '선형 위쪽, 선형 아래쪽, 선형 왼쪽, 선형 오른쪽' 등 다양하게 출제됩니다.

[문제 5] "차트" 시트를 참조하여 다음 《처리조건》에 맞도록 작업하시오.(30점)

《출력형태》

제목	장르	1일	2일	3일
닥터두리틀	어드벤처	107,984	103,497	129,073
천문	드라마	147,537	110,763	215,272
스타워즈	액션	73,091	45,219	48,491
백두산	드라마	450,171	424,465	798,673
겨울왕국2	애니메이션	606,618	632,547	1,661,836
터미네이터	어드벤처	269,270	153,473	186,050

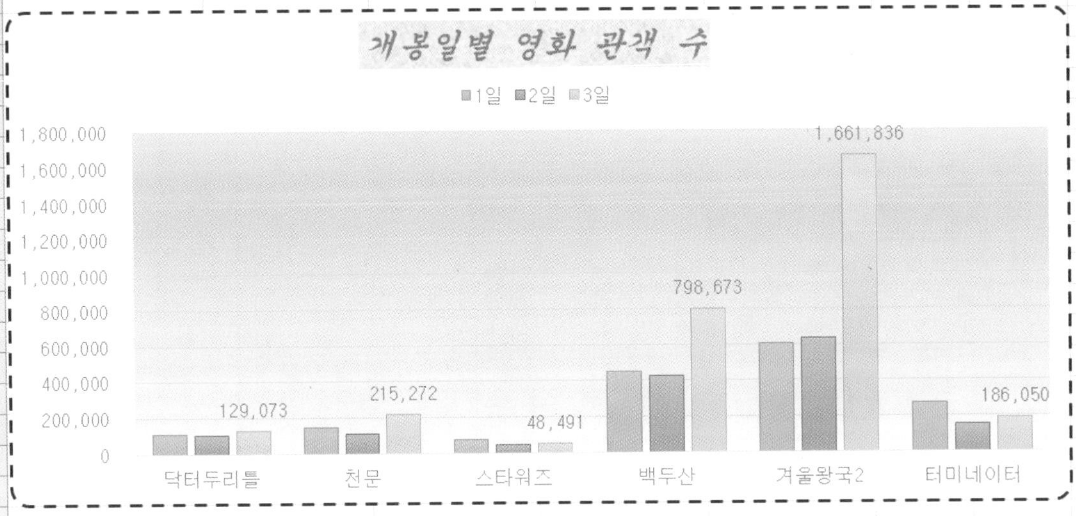

개봉일별 영화 관객 수

1일 2일 3일

1,800,000
1,600,000
1,400,000
1,200,000
1,000,000
800,000
600,000
400,000
200,000
0

129,073 215,272 48,491 798,673 1,661,836 186,050

닥터두리틀 천문 스타워즈 백두산 겨울왕국2 터미네이터

《처리조건》

▶ "차트" 시트에 주어진 표를 이용하여 '묶은 세로 막대형' 차트를 작성하시오.

- 데이터 범위 : 현재 시트 [A2:A8], [C2:E8]의 데이터를 이용하여 작성하고, 행/열 전환은 '열'로 지정
- 차트 제목("개봉일별 영화 관객 수")
- 범례 위치 : 위쪽
- 차트 스타일 : 색 변경(색상형 - 색 4, 스타일 5)
- 차트 위치 : 현재 시트에 [A11:G26] 크기에 정확하게 맞추시오.
- 차트 영역 서식 : 글꼴(돋움체, 11pt), 테두리 색(실선, 색 : '진한 파랑'), 테두리 스타일 (너비 : 2pt, 겹선 종류 : 단순형, 대시 종류 : 파선, 둥근 모서리)
- 차트 제목 서식 : 글꼴(궁서체, 18pt, 기울임꼴), 채우기(그림 또는 질감 채우기, 질감 : 파랑 박엽지)
- 그림 영역 서식 : 채우기(그라데이션 채우기, 그라데이션 미리 설정 : 밝은 그라데이션 - 강조 1, 종류 : 선형, 방향 : 선형 위쪽)
- 데이터 레이블 추가 : '3일' 계열에 "값" 표시

▶ 지시사항이 없는 경우는 《출력형태》와 동일하게 작성하시오.

그라데이션 미리 설정과 방향

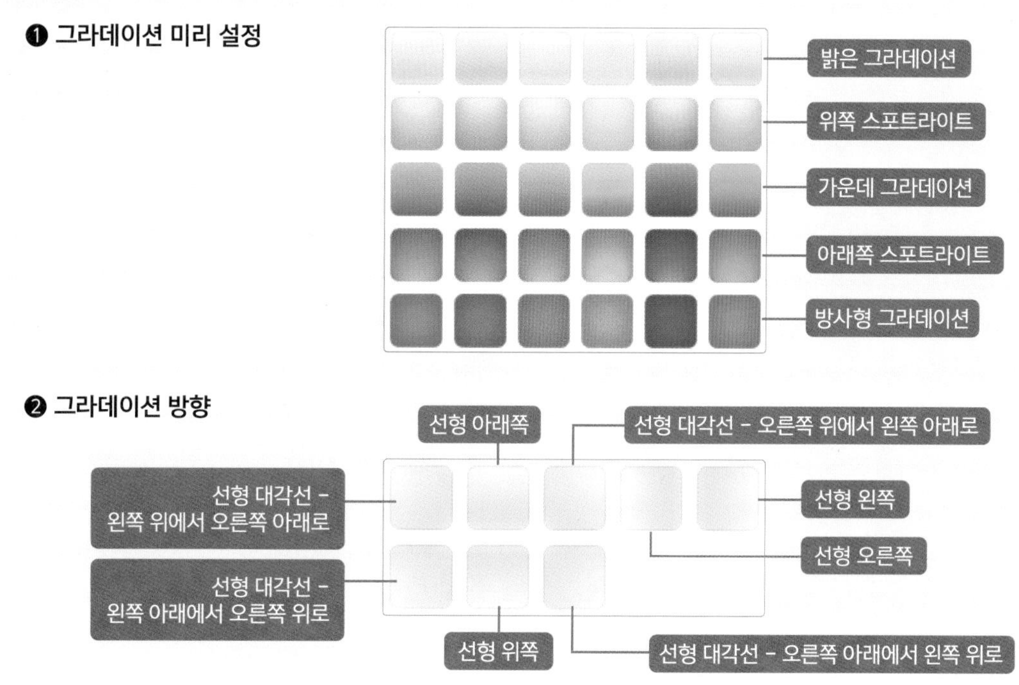

❹ 그림 영역 서식이 지정된 것을 확인합니다.

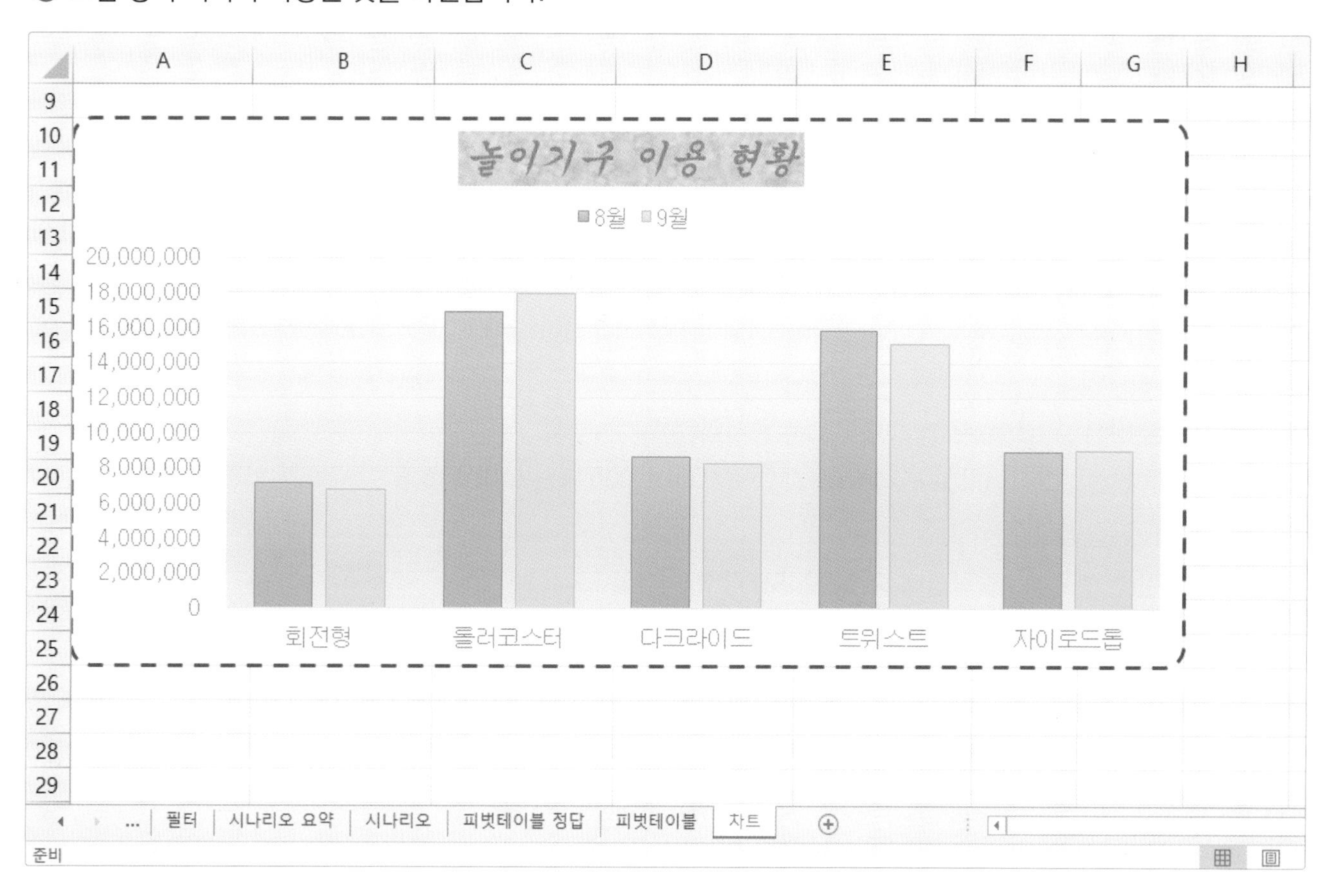

[문제 4] "피벗테이블" 시트를 참조하여 다음 《처리조건》에 맞도록 작업하시오.(30점)

《출력형태》

	A	B	C	D	E
1					
2					
3			등급		
4	장르	값	12세이상	15세이상	전체
5	액션	평균 : 1일	62,788	131,880	**
6		평균 : 2일	47,677	174,407	**
7		평균 : 3일	58,781	55,793	**
8	어드벤처	평균 : 1일	**	269,270	107,984
9		평균 : 2일	**	153,473	103,497
10		평균 : 3일	**	186,050	129,073
11	**전체 평균 : 1일**		**62,788**	**200,575**	**107,984**
12	**전체 평균 : 2일**		**47,677**	**163,940**	**103,497**
13	**전체 평균 : 3일**		**58,781**	**120,922**	**129,073**
14					

《처리조건》

▶ "피벗테이블" 시트의 [A2:G12]를 이용하여 새로운 시트에 《출력형태》와 같이 피벗 테이블을 작성 후 시트명을 "피벗테이블 정답"으로 수정하시오.

▶ 장르(행)와 등급(열)을 기준으로 하여 출력형태와 같이 구하시오.

- '1일', '2일', '3일'의 평균을 구하시오.
- 피벗 테이블 옵션을 이용하여 레이블이 있는 셀 병합 및 가운데 맞춤하고, 빈 셀을 "**"로 표시한 후, 행의 총합계를 감추기 하시오.
- 피벗 테이블 디자인에서 보고서 레이아웃은 '테이블 형식으로 표시', 피벗 테이블 스타일은 '피벗 스타일 보통 6'으로 표시하시오.
- 장르(행)는 "액션", "어드벤처"만 출력되도록 표시하시오.
- [C5:E13] 데이터는 셀 서식의 표시 형식-숫자를 이용하여 1000 단위 구분 기호를 표시하고, 가운데 맞춤하시오.

▶ 장르의 순서는 《출력형태》와 다를 수 있음

▶ 지시사항이 없는 경우는 《출력형태》와 동일하게 작성하시오.

06 데이터 레이블 추가하기

- 데이터 레이블 추가 : '9월' 계열에 "값" 표시

❶ 차트의 '9월' 계열에 레이블 값을 표시하기 위해 **'9월'** 계열 막대 위에서 마우스 오른쪽 버튼을 눌러 바로 가기 메뉴가 나타나면 **[데이터 레이블 추가]-[데이터 레이블 추가]**를 클릭합니다.

[차트 도구]-[디자인]-[차트 레이아웃]-[차트 요소 추가]-[데이터 레이블]을 이용할 수도 있습니다.

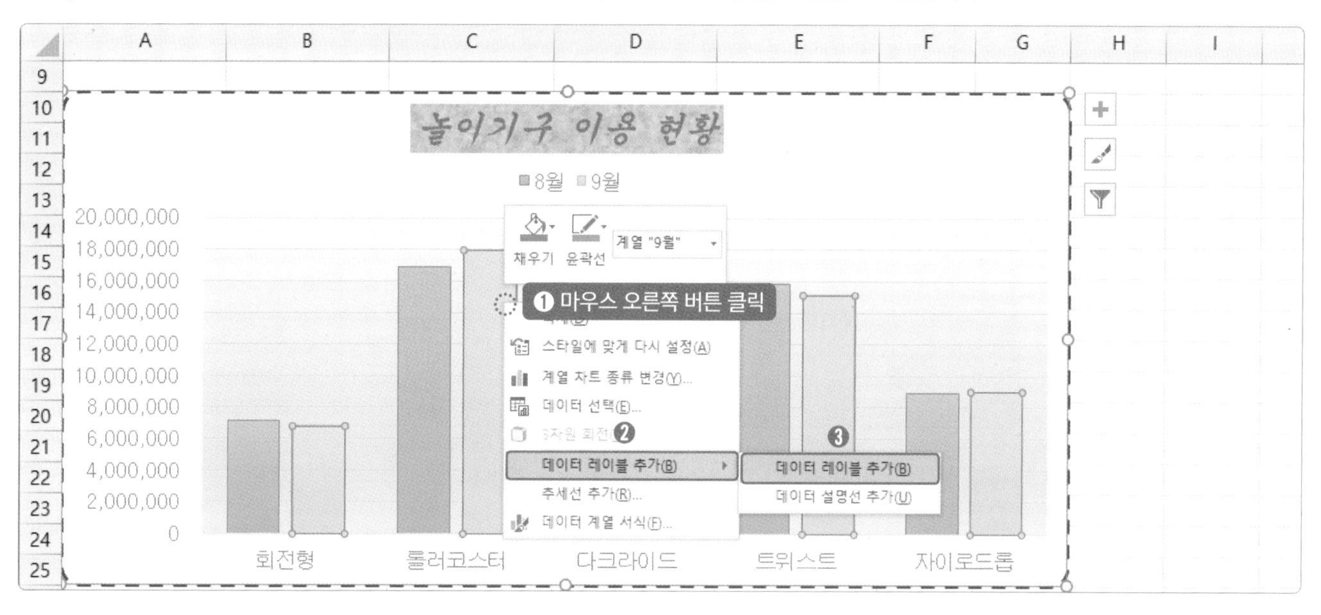

시험꿀팁

여러 계열 중 하나의 계열에만 레이블 값을 표시하는 문제가 출제됩니다.

❷ '9월' 계열에 레이블 값이 표시된 것을 확인하고 [빠른 실행 도구 모음]에서 **[저장(💾)]**을 클릭하거나 Ctrl+S를 눌러 파일을 저장합니다.

워크시트 임의의 영역을 클릭하면 계열 선택이 해제됩니다.

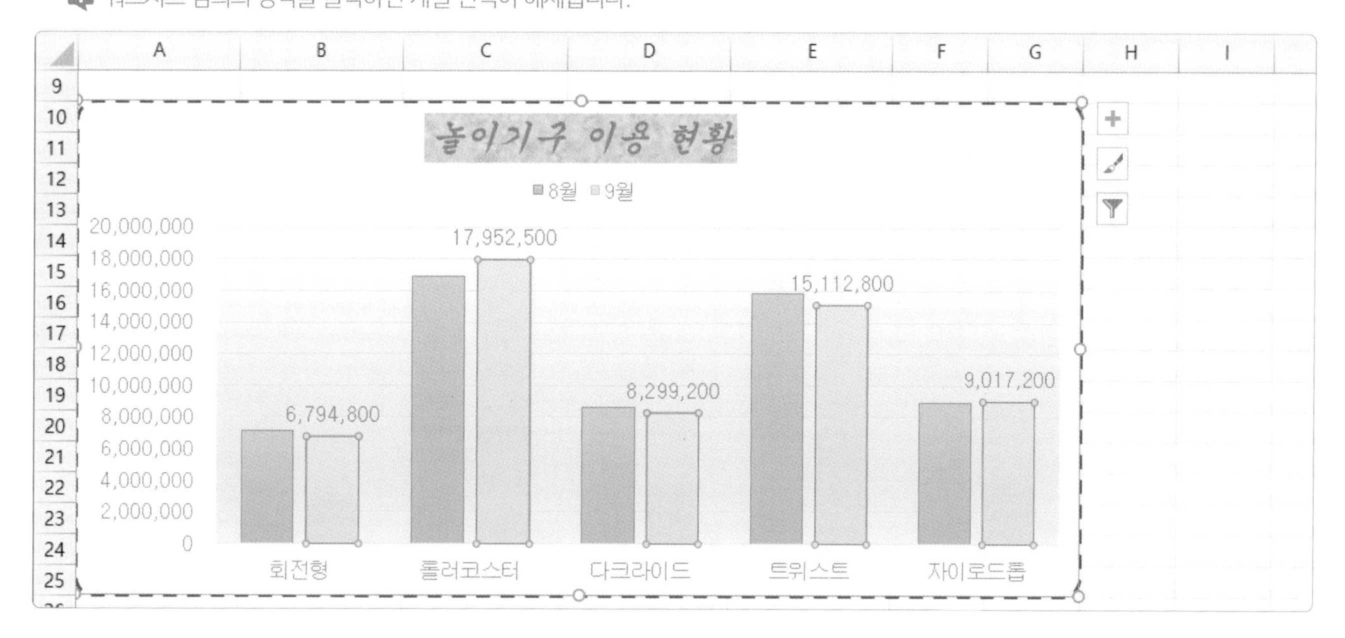

(2) 시나리오

《출력형태 – 시나리오》

	A	B	C	D	E	F	G
1							
2		시나리오 요약					
3				현재 값:	1일 20000명 증가	1일 10000명 감소	
5		변경 셀:					
6			$D$3	107,984	127,984	97,984	
7			$D$9	606,618	626,618	596,618	
8			$D$10	22,805	42,805	12,805	
9		결과 셀:					
10			$G$3	340,554	360,554	330,554	
11			$G$9	2,901,001	2,921,001	2,891,001	
12			$G$10	178,073	198,073	168,073	
13		참고: 현재 값 열은 시나리오 요약 보고서가 작성될 때의					
14		변경 셀 값을 나타냅니다. 각 시나리오의 변경 셀들은					
15		회색으로 표시됩니다.					
16							

《처리조건》

▶ "시나리오" 시트의 [A2:G12]를 이용하여 '등급'이 "전체"인 경우, '1일'이 변동할 때 '합계'가 변동하는 가상분석(시나리오)을 작성하시오.

- 시나리오1 : 시나리오 이름은 "1일 20000명 증가", '1일'에 20000을 증가시킨 값 설정.
- 시나리오2 : 시나리오 이름은 "1일 10000명 감소", '1일'에 10000을 감소시킨 값 설정.
- "시나리오 요약" 시트를 작성하시오.

▶ 지시사항이 없는 경우는 《출력형태 – 시나리오》와 동일하게 작성하시오.

01 "차트" 시트를 참조하여 《처리조건》에 맞도록 작업하시오.

소스파일: 08-01(문제).xlsx
완성파일: 08-01(완성).xlsx

《출력형태》

	A	B	C	D	E	F	G
1							
2	제조사	상품분류	상반기	하반기	재고금액		
3	리틀달링	장난감	931,400	445,000	1,376,400		
4	바우와우	미용용품	1,689,600	2,147,340	3,836,940		
5	핑크펫	미용용품	1,230,460	410,080	1,640,540		
6	블루블루	간식	414,800	398,000	812,800		
7	퍼니펫샵	장난감	1,635,060	1,734,280	3,369,340		

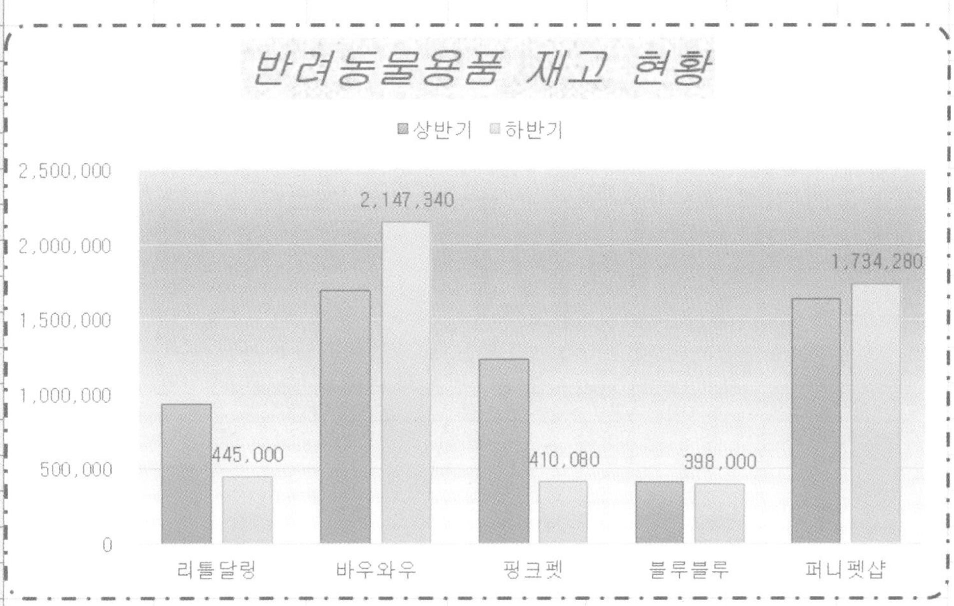

반려동물용품 재고 현황

■상반기 ■하반기

2,500,000
2,000,000
1,500,000
1,000,000
500,000
0

2,147,340
1,734,280
445,000
410,080
398,000

리틀달링 바우와우 핑크펫 블루블루 퍼니펫샵

《처리조건》

▶ "차트" 시트에 주어진 표를 이용하여 '묶은 세로 막대형' 차트를 작성하시오.
- 데이터 범위 : 현재 시트 [A2:A7], [C2:D7]의 데이터를 이용하여 작성하고, 행/열 전환은 '열'로 지정
- 차트 제목("반려동물용품 재고 현황")
- 범례 위치 : 위쪽
- 차트 스타일 : 색 변경(색상형 – 색 3, 스타일 5)
- 차트 위치 : 현재 시트에 [A10:G25] 크기에 정확하게 맞추시오.
- 차트 영역 서식 : 글꼴(돋움체, 10pt), 테두리 색(실선, 색 : 파랑), 테두리 스타일(너비 : 1.75pt, 겹선 종류 : 단순형, 대시 종류 : 파선-점선, 둥근 모서리)
- 차트 제목 서식 : 글꼴(굴림체, 20pt, 기울임꼴), 채우기(그림 또는 질감 채우기, 질감 : 파랑 박엽지)
- 그림 영역 서식 : 채우기(그라데이션 채우기, 그라데이션 미리 설정 : 밝은 그라데이션 – 강조 5, 종류 : 선형, 방향 : 선형 위쪽)
- 데이터 레이블 추가 : '하반기' 계열에 "값" 표시

▶ 지시사항이 없는 경우는 《출력형태》와 동일하게 작성하시오.

【문제 3】 "필터"와 "시나리오" 시트를 참조하여 다음 《처리조건》에 맞도록 작업하시오.(60점)

(1) 필터

《출력형태 – 필터》

	A	B	C	D	E	F	G
1							
2	제목	장르	등급	1일	2일	3일	합계
3	닥터두리틀	어드벤처	전체	107,984	103,497	129,073	340,554
4	천문	드라마	12세이상	147,537	110,763	215,272	473,572
5	스타워즈	액션	12세이상	73,091	45,219	48,491	166,801
6	백두산	드라마	12세이상	450,171	424,465	798,673	1,673,309
7	시동	드라마	15세이상	233,340	136,261	164,483	534,084
8	미드웨이	액션	15세이상	131,880	174,407	55,793	362,080
9	겨울왕국2	애니메이션	전체	606,618	632,547	1,661,836	2,901,001
10	신비아파트	애니메이션	전체	22,805	18,709	136,559	178,073
11	포드V페라리	액션	12세이상	52,484	50,135	69,070	171,689
12	터미네이터	어드벤처	15세이상	269,270	153,473	186,050	608,793
13							
14	조건						
15	FALSE						
16							
17							
18	제목	장르	등급	3일	합계		
19	스타워즈	액션	12세이상	48,491	166,801		
20	백두산	드라마	12세이상	798,673	1,673,309		
21	미드웨이	액션	15세이상	55,793	362,080		
22	겨울왕국2	애니메이션	전체	1,661,836	2,901,001		
23	포드V페라리	액션	12세이상	69,070	171,689		
24							

《처리조건》

▶ "필터" 시트의 [A2:G12]를 아래 조건에 맞게 고급 필터를 사용하여 작성하시오.

- '장르'가 "액션"이거나 '합계'가 1000000 이상인 데이터를 '제목', '장르, '등급', '3일', '합계'의 데이터만 필터링하시오.
- 조건 위치 : 조건 함수는 [A15] 한 셀에 작성(OR 함수 이용)
- 결과 위치 : [A18]부터 출력

▶ 지시사항이 없는 경우는 《출력형태 – 필터》와 동일하게 작성하시오.

02 "차트" 시트를 참조하여 《처리조건》에 맞도록 작업하시오.

소스파일: 08-02(문제).xlsx
완성파일: 08-02(완성).xlsx

《출력형태》

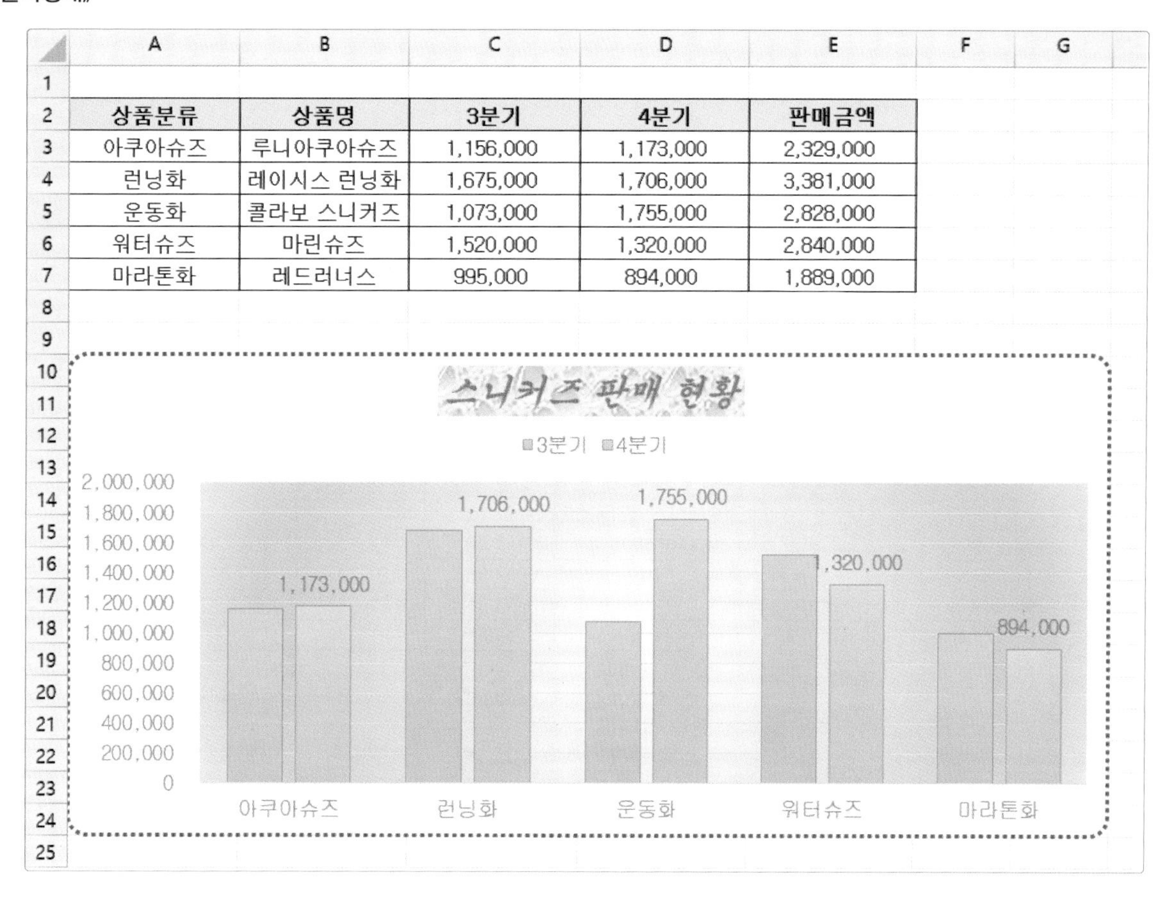

상품분류	상품명	3분기	4분기	판매금액
아쿠아슈즈	루니아쿠아슈즈	1,156,000	1,173,000	2,329,000
런닝화	레이시스 런닝화	1,675,000	1,706,000	3,381,000
운동화	콜라보 스니커즈	1,073,000	1,755,000	2,828,000
워터슈즈	마린슈즈	1,520,000	1,320,000	2,840,000
마라톤화	레드러너스	995,000	894,000	1,889,000

《처리조건》

- ▶ "차트" 시트에 주어진 표를 이용하여 '묶은 세로 막대형' 차트를 작성하시오.
  - – 데이터 범위 : 현재 시트 [A2:A7], [C2:D7]의 데이터를 이용하여 작성하고, 행/열 전환은 '열'로 지정
  - – 차트 제목("스니커즈 판매 현황")
  - – 범례 위치 : 위쪽
  - – 차트 스타일 : 색 변경(색상형 – 색 2, 스타일 5)
  - – 차트 위치 : 현재 시트에 [A10:G24] 크기에 정확하게 맞추시오.
  - – 차트 영역 서식 : 글꼴(굴림체, 11pt), 테두리 색(실선, 색 : 빨강), 테두리 스타일(너비 : 2.3pt, 겹선 종류 : 단순형, 대시 종류 : 둥근 점선, 둥근 모서리)
  - – 차트 제목 서식 : 글꼴(궁서, 18pt, 기울임꼴), 채우기(그림 또는 질감 채우기, 질감 : 작은 물방울)
  - – 그림 영역 서식 : 채우기(그라데이션 채우기, 그라데이션 미리 설정 : 밝은 그라데이션 – 강조 2, 종류 : 방사형, 방향 : 가운데에서)
  - – 데이터 레이블 추가 : '4분기' 계열에 "값" 표시
- ▶ 지시사항이 없는 경우는 《출력형태》와 동일하게 작성하시오.

【문제 2】 **"부분합" 시트를 참조하여 다음 《처리조건》에 맞도록 작업하시오.(30점)**

《출력형태》

	A	B	C	D	E	F	G
1							
2	제목	장르	등급	1일	2일	3일	합계
3	천문	드라마	12세이상	147,537	110,763	215,272	473,572
4	스타워즈	액션	12세이상	73,091	45,219	48,491	166,801
5	백두산	드라마	12세이상	450,171	424,465	798,673	1,673,309
6	포드V페라리	액션	12세이상	52,484	50,135	69,070	171,689
7			**12세이상 최대값**				1,673,309
8			**12세이상 평균**	180,821	157,646	282,877	
9	시동	드라마	15세이상	233,340	136,261	164,483	534,084
10	미드웨이	액션	15세이상	131,880	174,407	55,793	362,080
11	터미네이터	어드벤처	15세이상	269,270	153,473	186,050	608,793
12			**15세이상 최대값**				608,793
13			**15세이상 평균**	211,497	154,714	135,442	
14	닥터두리틀	어드벤처	전체	107,984	103,497	129,073	340,554
15	겨울왕국2	애니메이션	전체	606,618	632,547	1,661,836	2,901,001
16	신비아파트	애니메이션	전체	22,805	18,709	136,559	178,073
17			**전체 최대값**				2,901,001
18			**전체 평균**	245,802	251,584	642,489	
19			**전체 최대값**				2,901,001
20			**전체 평균**	209,518	184,948	346,530	
21							

《처리조건》

▶ 데이터를 '등급' 기준으로 오름차순 정렬하시오.

▶ 아래 조건에 맞는 부분합을 작성하시오.

- '등급'으로 그룹화하여 '1일', '2일', '3일'의 평균을 구하는 부분합을 만드시오.
- '등급'으로 그룹화하여 '합계'의 최대값을 구하는 부분합을 만드시오.
  (새로운 값으로 대치하지 말 것)
- [D3:G20] 영역에 셀 서식의 표시 형식-숫자를 이용하여 1000 단위 구분 기호를 표시하시오.

▶ D~F열을 선택하여 그룹을 설정하시오.

▶ 평균과 최대값의 부분합 순서는 《출력형태》와 다를 수 있음

▶ 지시사항이 없는 경우는 기본 값을 적용하시오.

03 "차트" 시트를 참조하여 《처리조건》에 맞도록 작업하시오.

소스파일: 08-03(문제).xlsx
완성파일: 08-03(완성).xlsx

《출력형태》

상품분류	상품명	상반기	하반기	분기별판매액
생수	시원수	6,174,000	7,944,000	14,118,000
탄산음료	톡톡소다	9,624,000	13,692,000	23,316,000
커피음료	커피매니아	8,106,000	9,426,000	17,532,000
과일음료	애플쥬스	7,560,000	9,846,000	17,406,000
이온음료	헬쓰메이트	10,020,000	9,090,000	19,110,000

《처리조건》

▶ "차트" 시트에 주어진 표를 이용하여 '묶은 세로 막대형' 차트를 작성하시오.
- 데이터 범위 : 현재 시트 [A2:A7], [C2:D7]의 데이터를 이용하여 작성하고, 행/열 전환은 '열'로 지정
- 차트 제목("음료제품 납품 현황")
- 범례 위치 : 아래쪽
- 차트 스타일 : 색 변경(색상형 – 색 4, 스타일 11)
- 차트 위치 : 현재 시트에 [A10:G25] 크기에 정확하게 맞추시오.
- 차트 영역 서식 : 글꼴(굴림체, 10pt), 테두리 색(실선, 색 : 자주), 테두리 스타일(너비 : 2pt, 겹선 종류 : 단순형, 대시 종류 : 사각 점선, 둥근 모서리)
- 차트 제목 서식 : 글꼴(궁서체, 24pt, 기울임꼴), 채우기(그림 또는 질감 채우기, 질감 : 꽃다발)
- 그림 영역 서식 : 채우기(그라데이션 채우기, 그라데이션 미리 설정 : 밝은 그라데이션 – 강조 6, 종류 : 선형, 방향 : 선형 아래쪽)
- 데이터 레이블 추가 : '하반기' 계열에 "값" 표시

▶ 지시사항이 없는 경우는 《출력형태》와 동일하게 작성하시오.

【문제 1】 "관객수" 시트를 참조하여 다음 《처리조건》에 맞도록 작업하시오.(50점)

《출력형태》

개봉일별 영화 관객 수

제목	장르	등급	1일	2일	3일	합계	순위	비고
닥터두리틀	어드벤처	전체	107,984	103,497	129,073	340,554명	7위	
천문	드라마	12세이상	147,537	110,763	215,272	473,572명	5위	
스타워즈	액션	12세이상	73,091	45,219	48,491	166,801명	10위	
백두산	드라마	12세이상	450,171	424,465	798,673	1,673,309명	2위	흥행영화
시동	드라마	15세이상	233,340	136,261	164,483	534,084명	4위	흥행영화
미드웨이	액션	15세이상	131,880	174,407	55,793	362,080명	6위	
겨울왕국2	애니메이션	전체	606,618	632,547	1,661,836	2,901,001명	1위	흥행영화
신비아파트	애니메이션	전체	22,805	18,709	136,559	178,073명	8위	
포드V페라리	액션	12세이상	52,484	50,135	69,070	171,689명	9위	
터미네이터	어드벤처	15세이상	269,270	153,473	186,050	608,793명	3위	흥행영화
'등급'이 "전체"인 '3일'의 평균				642,489				
'1일'의 최대값-최소값 차이				583,813				
'2일' 중 세 번째로 큰 값				174,407				

《처리조건》

▶ 1행의 행 높이를 '80'으로 설정하고, 2행~15행의 행 높이를 '18'로 설정하시오.

▶ 제목("개봉일별 영화 관객 수") : 순서도의 '순서도: 문서'를 이용하여 입력하시오.
- 도형 : 위치([B1:H1]), 도형 스타일(테마 스타일 - 미세 효과 - '파랑, 강조 5')
- 글꼴 : 돋움체, 24pt, 기울임꼴
- 도형 서식 : 도형 옵션 - 크기 및 속성(텍스트 상자(세로 맞춤 : 정가운데, 텍스트 방향 : 가로))

▶ 셀 서식을 아래 조건에 맞게 작성하시오.
- [A2:I15] : 테두리(안쪽, 윤곽선 모두 실선, '검정, 텍스트 1'), 전체 가운데 맞춤
- [A13:D13], [A14:D14], [A15:D15] : 각각 병합하고 가운데 맞춤
- [A2:I2], [A13:D15] : 채우기 색('파랑, 강조 1, 40% 더 밝게'), 글꼴(굵게)
- [D3:F12], [E13:G15] : 셀 서식의 표시 형식-숫자를 이용하여 1000 단위 구분 기호 표시
- [G3:G12] : 셀 서식의 표시 형식-사용자 지정을 이용하여 #,##0"명"자를 추가
- [H3:H12] : 셀 서식의 표시 형식-사용자 지정을 이용하여 #"위"자를 추가
- 조건부 서식[A3:I12] : '등급'이 "전체"인 경우 레코드 전체에 글꼴(파랑, 굵은 기울임꼴) 적용
- 지시사항이 없는 경우는 주어진 문제파일의 서식을 그대로 사용하시오.

▶ ① 순위[H3:H12] : '합계'를 기준으로 큰 순으로 순위를 구하시오. (RANK.EQ 함수)

▶ ② 비고[I3:I12] : '합계'가 500000 이상이면 "흥행영화", 그렇지 않으면 공백으로 구하시오. (IF 함수)

▶ ③ 평균[E13:G13] : '등급'이 "전체"인 '3일'의 평균을 구하시오. (DAVERAGE 함수)

▶ ④ 최대값-최소값[E14:G14] : '1일'의 최대값과 최소값의 차이를 구하시오. (MAX, MIN 함수)

▶ ⑤ 순위[E15:G15] : '2일' 중 세 번째로 큰 값을 구하시오. (LARGE 함수)

04 "차트" 시트를 참조하여 《처리조건》에 맞도록 작업하시오.

소스파일: 08-04(문제).xlsx
완성파일: 08-04(완성).xlsx

《출력형태》

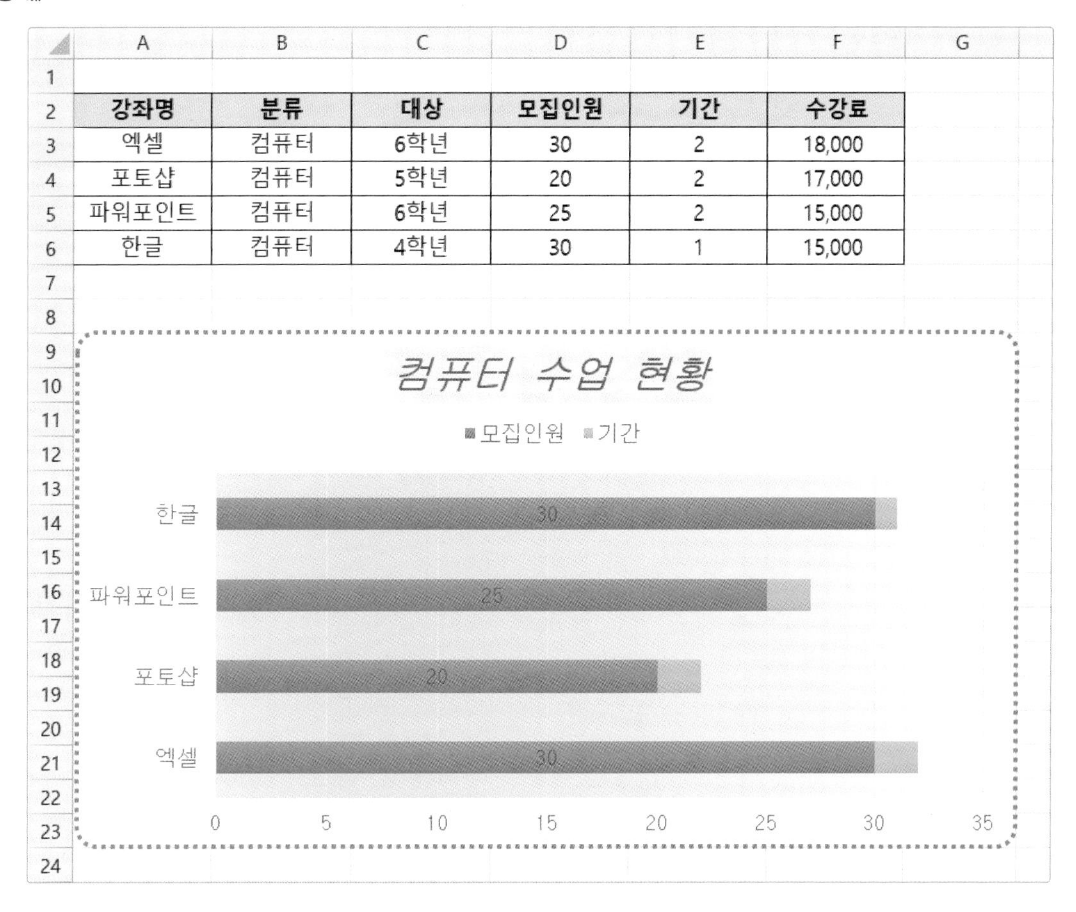

강좌명	분류	대상	모집인원	기간	수강료
엑셀	컴퓨터	6학년	30	2	18,000
포토샵	컴퓨터	5학년	20	2	17,000
파워포인트	컴퓨터	6학년	25	2	15,000
한글	컴퓨터	4학년	30	1	15,000

《처리조건》

▶ "차트" 시트에 주어진 표를 이용하여 '누적 가로 막대형' 차트를 작성하시오.
- 데이터 범위 : 현재 시트 [A2:A6], [D2:E6]의 데이터를 이용하여 작성하고, 행/열 전환은 '열'로 지정
- 차트 제목("컴퓨터 수업 현황")
- 범례 위치 : 위쪽
- 차트 스타일 : 색 변경(색상형 - 색 3, 스타일 6)
- 차트 위치 : 현재 시트에 [A9:G23] 크기에 정확하게 맞추시오.
- 차트 영역 서식 : 글꼴(돋움체, 11pt), 테두리 색(실선, 색 : 파랑), 테두리 스타일(너비 : 2.3pt, 겹선 종류 : 단순형, 대시 종류 : 둥근 점선, 둥근 모서리)
- 차트 제목 서식 : 글꼴(굴림체, 20pt, 기울임꼴), 채우기(그림 또는 질감 채우기, 질감 : 양피지)
- 그림 영역 서식 : 채우기(그라데이션 채우기, 그라데이션 미리 설정 : 밝은 그라데이션 - 강조 4, 종류 : 선형, 방향 : 선형 왼쪽)
- 데이터 레이블 추가 : '모집인원' 계열에 "값" 표시

▶ 지시사항이 없는 경우는 《출력형태》와 동일하게 작성하시오.

제02회 실전모의고사

▹ 시험과목 : 스프레드시트(엑셀)
▹ 시험일자 : 20XX. XX. XX.(X)
▹ 응시자 기재사항 및 감독위원 확인

수 검 번 호	DIS – XXXX –	감독위원 확인
성 명		

응시자 유의사항

1. 응시자는 신분증을 지참하여야 시험에 응시할 수 있으며, 시험이 종료될 때까지 신분증을 제시하지 못할 경우 해당 시험은 0점 처리됩니다.
2. 시스템(PC 작동 여부, 네트워크 상태 등)의 이상 여부를 반드시 확인하여야 하며, 시스템 이상이 있을시 감독위원에게 조치를 받으셔야 합니다.
3. 시험 중 부주의 또는 고의로 시스템을 파손한 경우는 응시자 부담으로 합니다.
4. 답안 전송 프로그램을 통해 다운로드 받은 파일을 이용하여 답안 파일을 작성하시기 바랍니다.
5. 작성한 답안 파일은 답안 전송 프로그램을 통하여 전송됩니다. 감독위원의 지시에 따라 주시기 바랍니다.
6. 다음 사항의 경우 실격(0점) 혹은 부정행위 처리됩니다.
   ❶ 답안 파일을 저장하지 않았거나, 저장한 파일이 손상되었을 경우
   ❷ 답안 파일을 지정된 폴더(바탕화면 "KAIT" 폴더)에 저장하지 않았을 경우
   ※ 답안 전송 프로그램 로그인 시 바탕화면에 자동 생성됨
   ❸ 답안 파일을 다른 보조기억장치(USB) 혹은 네트워크(메신저, 게시판 등)로 전송할 경우
   ❹ 휴대용 전화기 등 통신기기를 사용할 경우
7. 시험지에 제시된 글꼴이 응시 프로그램에 없는 경우, 반드시 감독위원에게 해당 내용을 통보한 뒤 조치를 받아야 합니다.
8. 시험의 완료는 작성이 완료된 답안을 저장하고, 답안 전송이 완료된 상태를 확인한 것으로 합니다. 답안 전송 확인 후 문제지는 감독위원에게 제출한 후 퇴실하여야 합니다.
9. 답안 전송이 완료된 경우에는 수정 또는 정정이 불가능합니다.
10. 시험시행 후 결과는 홈페이지(www.ihd.or.kr)에서 확인하시기 바랍니다.
   ❶ 문제 및 모범답안 공개 : 20XX. XX. XX.(X)
   ❷ 합격자 발표 : 20XX. XX. XX.(X)

• PART •

03

KAIT 공개 샘플 문제

【문제 5】 **"차트" 시트를 참조하여 다음 《처리조건》에 맞도록 작업하시오.(30점)**

《출력형태》

	A	B	C	D	E	F	G	H
1								
2	팀명	팀코드	기본급	보너스	세금	지급액		
3	홍보팀	HT-01	2,800,000	840,000	680,000	2,960,000		
4	마케팅팀	MT-01	3,400,000	1,020,000	503,000	3,917,000		
5	홍보팀	HT-02	3,800,000	1,140,000	445,000	4,495,000		
6	홍보팀	HT-03	4,200,000	1,630,000	720,000	5,110,000		
7	마케팅팀	MT-02	2,400,000	1,350,000	590,000	3,160,000		

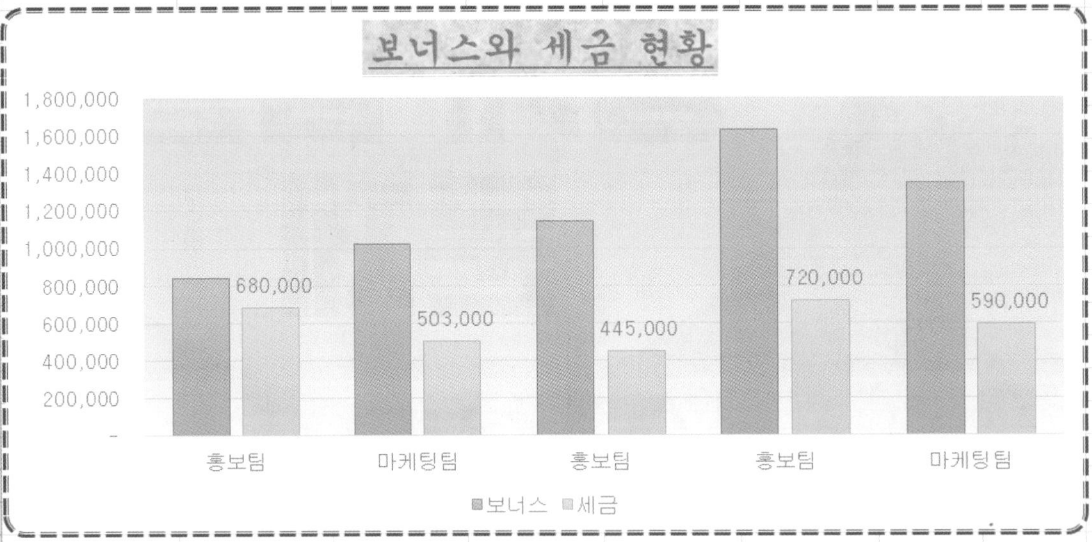

《처리조건》

▶ "차트" 시트에 주어진 표를 이용하여 '묶은 세로 막대형' 차트를 작성하시오.
- 데이터 범위 : 현재 시트 [A2:A7], [D2:E7]의 데이터를 이용하여 작성하고, 행/열 전환은 '열'로 지정
- 차트 제목("보너스와 세금 현황")
- 범례 위치 : 아래쪽
- 차트 스타일 : 색 변경(색상형 – 색 3, 스타일 5)
- 차트 위치 : 현재 시트에 [A10:H25] 크기에 정확하게 맞추시오.
- 차트 영역 서식 : 글꼴(굴림, 11pt), 테두리 색(실선, 색 : 자주), 테두리 스타일 (너비 : 2.75pt, 겹선 종류 : 굵고 얇음, 대시 종류 : 사각 점선, 둥근 모서리)
- 차트 제목 서식 : 글꼴(궁서체, 20pt, 밑줄), 채우기(그림 또는 질감 채우기, 질감 : 꽃다발)
- 그림 영역 서식 : 채우기(그라데이션 채우기, 그라데이션 미리 설정 : 밝은 그라데이션 – 강조 4, 종류 : 선형, 방향 : 선형 위쪽)
- 데이터 레이블 추가 : '세금' 계열에 "값" 표시

▶ 지시사항이 없는 경우는 《출력형태》와 동일하게 작성하시오.

제01회 KAIT 공개 샘플 문제

▹ 시험과목 : 스프레드시트(엑셀)
▹ 시험일자 : 20XX. XX. XX.(X)
▹ 응시자 기재사항 및 감독위원 확인

수 검 번 호	DIS – XXXX –	감독위원 확인
성 명		

응시자 유의사항

1. 응시자는 신분증을 지참하여야 시험에 응시할 수 있으며, 시험이 종료될 때까지 신분증을 제시하지 못할 경우 해당 시험은 0점 처리됩니다.
2. 시스템(PC 작동 여부, 네트워크 상태 등)의 이상 여부를 반드시 확인하여야 하며, 시스템 이상이 있을시 감독위원에게 조치를 받으셔야 합니다.
3. 시험 중 부주의 또는 고의로 시스템을 파손한 경우는 응시자 부담으로 합니다.
4. 답안 전송 프로그램을 통해 다운로드 받은 파일을 이용하여 답안 파일을 작성하시기 바랍니다.
5. 작성한 답안 파일은 답안 전송 프로그램을 통하여 전송됩니다. 감독위원의 지시에 따라 주시기 바랍니다.
6. 다음 사항의 경우 실격(0점) 혹은 부정행위 처리됩니다.
   ❶ 답안 파일을 저장하지 않았거나, 저장한 파일이 손상되었을 경우
   ❷ 답안 파일을 지정된 폴더(바탕화면 "KAIT" 폴더)에 저장하지 않았을 경우
   ※ 답안 전송 프로그램 로그인 시 바탕화면에 자동 생성됨
   ❸ 답안 파일을 다른 보조기억장치(USB) 혹은 네트워크(메신저, 게시판 등)로 전송할 경우
   ❹ 휴대용 전화기 등 통신기기를 사용할 경우
7. 시험지에 제시된 글꼴이 응시 프로그램에 없는 경우, 반드시 감독위원에게 해당 내용을 통보한 뒤 조치를 받아야 합니다.
8. 시험의 완료는 작성이 완료된 답안을 저장하고, 답안 전송이 완료된 상태를 확인한 것으로 합니다. 답안 전송 확인 후 문제지는 감독위원에게 제출한 후 퇴실하여야 합니다.
9. 답안 전송이 완료된 경우에는 수정 또는 정정이 불가능합니다.
10. 시험시행 후 결과는 홈페이지(www.ihd.or.kr)에서 확인하시기 바랍니다.
   ❶ 문제 및 모범답안 공개 : 20XX. XX. XX.(X)
   ❷ 합격자 발표 : 20XX. XX. XX.(X)

【문제 4】 "피벗테이블" 시트를 참조하여 다음 《처리조건》에 맞도록 작업하시오.(30점)

《출력형태》

	A	B	C	D	E
1					
2					
3			팀명		
4	팀코드	값	마케팅팀	물류팀	홍보팀
5	HT-01	평균 : 보너스	***	***	840,000
6		평균 : 세금	***	***	680,000
7	HT-02	평균 : 보너스	***	***	1,140,000
8		평균 : 세금	***	***	445,000
9	HT-03	평균 : 보너스	***	***	1,630,000
10		평균 : 세금	***	***	720,000
11	LT-01	평균 : 보너스	***	1,120,000	***
12		평균 : 세금	***	510,000	***
13	LT-02	평균 : 보너스	***	1,290,000	***
14		평균 : 세금	***	360,000	***
15	MT-01	평균 : 보너스	1,020,000	***	***
16		평균 : 세금	503,000	***	***
17	MT-02	평균 : 보너스	1,350,000	***	***
18		평균 : 세금	590,000	***	***
19	MT-03	평균 : 보너스	1,440,000	***	***
20		평균 : 세금	390,000	***	***
21	전체 평균 : 보너스		1,270,000	1,205,000	1,203,333
22	전체 평균 : 세금		494,333	435,000	615,000
23					

《처리조건》

- ▶ "피벗테이블" 시트의 [A2:G12]를 이용하여 새로운 시트에 《출력형태》와 같이 피벗 테이블을 작성 후 시트명을 "피벗테이블 정답"으로 수정하시오.
- ▶ 팀코드(행)와 팀명(열)을 기준으로 하여 출력형태와 같이 구하시오.
  - '보너스', '세금'의 평균을 구하시오.
  - 피벗 테이블 옵션을 이용하여 레이블이 있는 셀 병합 및 가운데 맞춤하고 빈 셀을 "***"로 표시한 후, 행의 총합계를 감추기 하시오.
  - 피벗 테이블 디자인에서 보고서 레이아웃은 '테이블 형식으로 표시', 피벗 테이블 스타일은 '피벗 스타일 어둡게 6'으로 표시하시오.
  - 팀명(열)은 "마케팅팀", "물류팀", "홍보팀"만 출력되도록 표시하시오.
  - [C5:E22] 데이터는 셀 서식의 표시 형식-숫자를 이용하여 1000 단위 구분 기호를 표시하고, 오른쪽 맞춤하시오.
- ▶ 팀코드의 순서는 《출력형태》와 다를 수 있음
- ▶ 지시사항이 없는 경우는 《출력형태》와 동일하게 작성하시오.

【문제 1】 **"수입현황" 시트를 참조하여 다음 《처리조건》에 맞도록 작업하시오.(50점)**

《출력형태》

	A	B	C	D	E	F	G	H	I
1		열대어 수입현황							
2	이름	종류	원산지	단가	2012년	2013년	2014년	순위	비고
3	옐로우 구피	구피	남아메리카	2,000원	1,264	1,321	1,378	2위	
4	*바나나*	*시클리드*	*말라위*	*3,000원*	*1,364*	*1,265*	*1,345*	*5위*	
5	안시롱핀	메기	북아메리카	4,500원	1,254	1,354	1,385	1위	고가
6	네온블루 구피	구피	동남아시아	2,500원	1,345	1,264	1,368	3위	
7	*블루제브라*	*시클리드*	*말라위*	*3,200원*	*1,387*	*1,267*	*1,298*	*7위*	
8	진주린	잉어	동남아시아	5,000원	1,389	1,312	1,347	4위	고가
9	코리하스타투스	메기	북아메리카	4,500원	1,345	1,298	1,301	6위	고가
10	플라밍고 구피	구피	남아메리카	3,800원	1,245	1,278	1,288	8위	
11	수마트라	잉어	동남아시아	2,900원	1,269	1,245	1,237	10위	
12	*화이트니그로*	*시클리드*	*말라위*	*3,800원*	*1,245*	*1,289*	*1,274*	*9위*	
13	'2013년' 중 두 번째로 큰 값				1321				
14	'원산지'가 "남아메리카"인 '단가'의 평균				2,900원				
15	'단가'의 최대값-최소값 차이				3,000원				
16									

《처리조건》

▶ 1행의 행 높이를 '80'으로 설정하고, 2행~15행의 행 높이를 '18'로 설정하시오.

▶ 제목("열대어 수입현황") : 기본 도형의 '원통'을 이용하여 입력하시오.

- 도형 : 위치([B1:H1]), 도형 스타일(테마 스타일 – 미세 효과 – '주황, 강조 2')
- 글꼴 : 궁서체, 24pt, 기울임꼴
- 도형 서식 : 도형 옵션 – 크기 및 속성(텍스트 상자(세로 맞춤 : 정가운데, 텍스트 방향 : 가로))

▶ 셀 서식을 아래 조건에 맞게 작성하시오.

- [A2:I15] : 테두리(안쪽, 윤곽선 모두 실선, '검정, 텍스트 1'), 전체 가운데 맞춤
- [A13:D13], [A14:D14], [A15:D15] : 각각 병합하고 가운데 맞춤
- [A2:I2], [A13:D15] : 채우기 색('파랑, 강조 1, 40% 더 밝게'), 글꼴(굵게)
- [E3:G12] : 셀 서식의 표시 형식-숫자를 이용하여 1000 단위 구분 기호 표시
- [H3:H12] : 셀 서식의 표시 형식-사용자 지정을 이용하여 #"위"자를 추가
- [D3:D12], [E14:G15] : 셀 서식의 표시 형식-사용자 지정을 이용하여 #,##0"원"자를 추가
- 조건부 서식[A3:I12] : '종류'가 "시클리드"인 경우 레코드 전체에 글꼴(빨강, 굵은 기울임꼴) 적용
- 지시사항이 없는 경우는 주어진 문제파일의 서식을 그대로 사용하시오.

▶ ① 순위[H3:H12] : '2014년'을 기준으로 큰 순으로 순위를 구하시오. (RANK.EQ 함수)

▶ ② 비고[I3:I12] : '단가'가 4000 이상이면 "고가", 그렇지 않으면 공백으로 구하시오. (IF 함수)

▶ ③ 순위[E13:G13] : '2013년' 중 두 번째로 큰 값을 구하시오. (LARGE 함수)

▶ ④ 평균[E14:G14] : '원산지'가 "남아메리카"인 '단가'의 평균을 구하시오. (DAVERAGE 함수)

▶ ⑤ 최대값-최소값[E15:G15] : '단가'의 최대값과 최소값의 차이를 구하시오. (MAX, MIN 함수)

(2) 시나리오

《출력형태 - 시나리오》

	A	B	C	D	E	F	G
1							
2		시나리오 요약					
3				현재 값:	보너스 50000 증가	보너스 47500 감소	
5		변경 셀:					
6			$E$3	840,000	890,000	792,500	
7			$E$5	1,140,000	1,190,000	1,092,500	
8			$E$6	1,630,000	1,680,000	1,582,500	
9		결과 셀:					
10			$G$3	2,960,000	3,010,000	2,912,500	
11			$G$5	4,495,000	4,545,000	4,447,500	
12			$G$6	5,110,000	5,160,000	5,062,500	
13		참고: 현재 값 열은 시나리오 요약 보고서가 작성될 때의					
14		변경 셀 값을 나타냅니다. 각 시나리오의 변경 셀들은					
15		회색으로 표시됩니다.					
16							

《처리조건》

▶ "시나리오" 시트의 [A2:G12]를 이용하여 '팀명'이 "홍보팀"인 경우, '보너스'가 변동할 때 '지급액'이 변동하는 가상 분석(시나리오)을 작성하시오.

- 시나리오1 : 시나리오 이름은 "보너스 50000 증가", '보너스'에 50000을 증가시킨 값 설정.
- 시나리오2 : 시나리오 이름은 "보너스 47500 감소", '보너스'에 47500을 감소시킨 값 설정.
- "시나리오 요약" 시트를 작성하시오.

▶ 지시사항이 없는 경우는 《출력형태 - 시나리오》와 동일하게 작성하시오.

【문제 2】 **"부분합" 시트를 참조하여 다음 《처리조건》에 맞도록 작업하시오.(30점)**

《출력형태》

	A	B	C	D	E	F	G
1							
2	이름	종류	원산지	단가	2012년	2013년	2014년
3	옐로우 구피	구피	남아메리카	2,000	1,264	1,321	1,378
4	플라밍고 구피	구피	남아메리카	3,800	1,245	1,278	1,288
5			남아메리카 최대값		1,264	1,321	1,378
6			남아메리카 평균	2,900			1,333
7	네온블루 구피	구피	동남아시아	2,500	1,345	1,264	1,368
8	진주린	잉어	동남아시아	5,000	1,389	1,312	1,347
9	수마트라	잉어	동남아시아	2,900	1,269	1,245	1,237
10			동남아시아 최대값		1,389	1,312	1,368
11			동남아시아 평균	3,467			1,317
12	바나나	시클리드	말라위	3,000	1,364	1,265	1,345
13	블루제브라	시클리드	말라위	3,200	1,387	1,267	1,298
14	화이트니그로	시클리드	말라위	3,800	1,245	1,289	1,274
15			말라위 최대값		1,387	1,289	1,345
16			말라위 평균	3,333			1,306
17	안시롱핀	메기	북아메리카	4,500	1,254	1,354	1,385
18	코리하스타투스	메기	북아메리카	4,500	1,345	1,298	1,301
19			북아메리카 최대값		1,345	1,354	1,385
20			북아메리카 평균	4,500			1,343
21			전체 최대값		1,389	1,354	1,385
22			전체 평균	3,520			1,322
23							

《처리조건》

▶ 데이터를 '원산지' 기준으로 오름차순 정렬하시오.

▶ 아래 조건에 맞는 부분합을 작성하시오.

- '원산지'로 그룹화하여 '단가', '2014년'의 평균을 구하는 부분합을 만드시오.
- '원산지'로 그룹화하여 '2012년', '2013년', '2014년'의 최대값을 구하는 부분합을 만드시오.
  (새로운 값으로 대치하지 말 것)
- [D3:G22] 영역에 셀 서식의 표시 형식-숫자를 이용하여 1000 단위 구분 기호를 표시하시오.

▶ E~F열을 선택하여 그룹을 설정하시오.

▶ 평균과 최대값의 부분합 순서는 《출력형태》와 다를 수 있음

▶ 지시사항이 없는 경우는 기본 값을 적용하시오

【문제 3】 "필터"와 "시나리오" 시트를 참조하여 다음 《처리조건》에 맞도록 작업하시오.(60점)

(1) 필터

《출력형태 – 필터》

	A	B	C	D	E	F	G
2	팀명	팀코드	직원명	기본급	보너스	세금	지급액
3	홍보팀	HT-01	권영수	2,800,000	840,000	680,000	2,960,000
4	마케팅팀	MT-01	허재두	3,400,000	1,020,000	503,000	3,917,000
5	홍보팀	HT-02	정성민	3,800,000	1,140,000	445,000	4,495,000
6	홍보팀	HT-03	박영아	4,200,000	1,630,000	720,000	5,110,000
7	마케팅팀	MT-02	박종홍	2,400,000	1,350,000	590,000	3,160,000
8	물류팀	LT-01	박봉기	4,500,000	1,120,000	510,000	5,110,000
9	전략팀	ST-01	변순용	4,300,000	1,260,000	480,000	5,080,000
10	전략팀	ST-02	송영미	5,200,000	1,020,000	620,000	5,600,000
11	마케팅팀	MT-03	강신실	3,900,000	1,440,000	390,000	4,950,000
12	물류팀	LT-02	장미향	2,700,000	1,290,000	360,000	3,630,000
13							
14	조건						
15	FALSE						
16							
17							
18	팀코드	직원명	보너스	지급액			
19	MT-01	허재두	1,020,000	3,917,000			
20	MT-02	박종홍	1,350,000	3,160,000			
21	ST-02	송영미	1,020,000	5,600,000			
22	MT-03	강신실	1,440,000	4,950,000			
23							

《처리조건》

▶ "필터" 시트의 [A2:G12]를 아래 조건에 맞게 고급 필터를 사용하여 작성하시오.

– '팀명'이 "마케팅팀"이거나 '지급액'이 5500000 이상인 데이터를 '팀코드', '직원명', '보너스', '지급액'의 데이터만 필터링하시오.

– 조건 위치 : 조건 함수는 [A15] 한 셀에 작성(OR 함수 이용)

– 결과 위치 : [A18]부터 출력

▶ 지시사항이 없는 경우는 《출력형태 – 필터》와 동일하게 작성하시오.

【문제 3】 "필터"와 "시나리오" 시트를 참조하여 다음 《처리조건》에 맞도록 작업하시오.(60점)

(1) 필터

《출력형태 – 필터》

	A	B	C	D	E	F	G
1							
2	이름	종류	원산지	단가	2012년	2013년	2014년
3	옐로우 구피	구피	남아메리카	2,000	1,264	1,321	1,378
4	바나나	시클리드	말라위	3,000	1,364	1,265	1,345
5	안시롱핀	메기	북아메리카	4,500	1,254	1,354	1,385
6	네온블루 구피	구피	동남아시아	2,500	1,345	1,264	1,368
7	블루제브라	시클리드	말라위	3,200	1,387	1,267	1,298
8	진주린	잉어	동남아시아	5,000	1,389	1,312	1,347
9	코리하스타투스	메기	북아메리카	4,500	1,345	1,298	1,301
10	플라밍고 구피	구피	남아메리카	3,800	1,245	1,278	1,288
11	수마트라	잉어	동남아시아	2,900	1,269	1,245	1,237
12	화이트니그로	시클리드	말라위	3,800	1,245	1,289	1,274
13							
14	조건						
15	TRUE						
16							
17							
18	이름	원산지	단가	2013년	2014년		
19	옐로우 구피	남아메리카	2,000	1,321	1,378		
20	바나나	말라위	3,000	1,265	1,345		
21	네온블루 구피	동남아시아	2,500	1,264	1,368		
22	플라밍고 구피	남아메리카	3,800	1,278	1,288		
23	수마트라	동남아시아	2,900	1,245	1,237		
24							

《처리조건》

▶ "필터" 시트의 [A2:G12]를 아래 조건에 맞게 고급 필터를 사용하여 작성하시오.

- '종류'가 "구피"이거나 '단가'가 3000 이하인 데이터를 '이름', '원산지', '단가', '2013년', '2014년'의 데이터만 필터링 하시오.
- 조건 위치 : 조건 함수는 [A15] 한 셀에 작성(OR 함수 이용)
- 결과 위치 : [A18]부터 출력

▶ 지시사항이 없는 경우는 《출력형태 – 필터》와 동일하게 작성하시오.

【문제 2】 **"부분합" 시트를 참조하여 다음 《처리조건》에 맞도록 작업하시오.(30점)**

《출력형태》

	A	B	C	D	E	F	G	H
1								
2	팀명	팀코드	직원명	기본급	보너스	세금	지급액	
3	마케팅팀	MT-01	허재두	3,400,000	1,020,000	503,000	3,917,000	
4	마케팅팀	MT-02	박종홍	2,400,000	1,350,000	590,000	3,160,000	
5	마케팅팀	MT-03	강신실	3,900,000	1,440,000	390,000	4,950,000	
6	마케팅팀 최대값					590,000	4,950,000	
7	마케팅팀 평균			3,233,333	1,270,000			
8	물류팀	LT-01	박봉기	4,500,000	1,120,000	510,000	5,110,000	
9	물류팀	LT-02	장미향	2,700,000	1,290,000	360,000	3,630,000	
10	물류팀 최대값					510,000	5,110,000	
11	물류팀 평균			3,600,000	1,205,000			
12	전략팀	ST-01	변순용	4,300,000	1,260,000	480,000	5,080,000	
13	전략팀	ST-02	송영미	5,200,000	1,020,000	620,000	5,600,000	
14	전략팀 최대값					620,000	5,600,000	
15	전략팀 평균			4,750,000	1,140,000			
16	홍보팀	HT-01	권영수	2,800,000	840,000	680,000	2,960,000	
17	홍보팀	HT-02	정성민	3,800,000	1,140,000	445,000	4,495,000	
18	홍보팀	HT-03	박영아	4,200,000	1,630,000	720,000	5,110,000	
19	홍보팀 최대값					720,000	5,110,000	
20	홍보팀 평균			3,600,000	1,203,333			
21	전체 최대값					720,000	5,600,000	
22	전체 평균			3,720,000	1,211,000			
23								

《처리조건》

▶ 데이터를 '팀명' 기준으로 오름차순 정렬하시오.

▶ 아래 조건에 맞는 부분합을 작성하시오.

- '팀명'으로 그룹화하여 '기본급', '보너스'의 평균을 구하는 부분합을 만드시오.
- '팀명'으로 그룹화하여 '세금', '지급액'의 최대값을 구하는 부분합을 만드시오.
  (새로운 값으로 대치하지 말 것)
- [D3:G22] 영역에 셀 서식의 표시 형식-숫자를 이용하여 1000 단위 구분 기호를 표시하시오.

▶ D~G열을 선택하여 그룹을 설정하시오.

▶ 평균과 최대값의 부분합 순서는 《출력형태》와 다를 수 있음

▶ 지시사항이 없는 경우는 기본 값을 적용하시오.

(2) 시나리오

《출력형태 – 시나리오》

	A	B	C	D	E	F	G
1							
2		시나리오 요약					
3				현재 값:	2014년 274 증가	2014년 318 감소	
5		변경 셀:					
6			$G$8	1,345	1,619	1,027	
7			$G$9	1,298	1,572	980	
8			$G$10	1,274	1,548	956	
9		결과 셀:					
10			$H$8	1,325	1,416	1,219	
11			$H$9	1,317	1,409	1,211	
12			$H$10	1,269	1,361	1,163	
13		참고: 현재 값 열은 시나리오 요약 보고서가 작성될 때의					
14		변경 셀 값을 나타냅니다. 각 시나리오의 변경 셀들은					
15		회색으로 표시됩니다.					
16							

《처리조건》

▶ "시나리오" 시트의 [A2:H12]를 이용하여 '종류'가 "시클리드"인 경우, '2014년'이 변동할 때 '수입량평균'이 변동하는 가상분석(시나리오)을 작성하시오.

- 시나리오1 : 시나리오 이름은 "2014년 274 증가", '2014년'에 274를 증가시킨 값 설정.
- 시나리오2 : 시나리오 이름은 "2014년 318 감소", '2014년'에 318을 감소시킨 값 설정.
- "시나리오 요약" 시트를 작성하시오.

▶ 지시사항이 없는 경우는 《출력형태 – 시나리오》와 동일하게 작성하시오.

【문제 1】 "급여 지급 현황" 시트를 참조하여 다음 《처리조건》에 맞도록 작업하시오.(50점)

《출력형태》

	A	B	C	D	E	F	G	H	I
1		팀별 급여 지급 현황							
2	팀명	팀코드	직원명	기본급	보너스	세금	지급액	순위	비고
3	홍보팀	HT-01	권영수	2,800,000	840,000	680,000	2,960,000	10위	
4	마케팅팀	MT-01	허재두	3,400,000	1,020,000	503,000	3,917,000	7위	
5	홍보팀	HT-02	정성민	3,800,000	1,140,000	445,000	4,495,000	6위	
6	홍보팀	HT-03	박영아	4,200,000	1,630,000	720,000	5,110,000	2위	우수 사원
7	마케팅팀	MT-02	박종홍	2,400,000	1,350,000	590,000	3,160,000	9위	우수 사원
8	물류팀	LT-01	박봉기	4,500,000	1,120,000	510,000	5,110,000	2위	
9	전략팀	ST-01	변순용	4,300,000	1,260,000	480,000	5,080,000	4위	
10	전략팀	ST-02	송영미	5,200,000	1,020,000	620,000	5,600,000	1위	
11	마케팅팀	MT-03	강신실	3,900,000	1,440,000	390,000	4,950,000	5위	우수 사원
12	물류팀	LT-02	장미향	2,700,000	1,290,000	360,000	3,630,000	8위	
13	'팀명'이 "홍보팀"인 '보너스'의 평균				1,203,333원				
14	'기본급'의 최대값-최소값 차이				2,800,000원				
15	'세금' 중 두 번째로 작은 값				390,000원				
16									

《처리조건》

▶ 1행의 행 높이를 '80'으로 설정하고, 2행~15행의 행 높이를 '18'로 설정하시오.

▶ 제목("팀별 급여 지급 현황") : 기본 도형의 '배지'를 이용하여 입력하시오.
- 도형 : 위치([B1:H1]), 도형 스타일(테마 스타일 – 미세 효과 – '파랑, 강조 1')
- 글꼴 : 굴림, 28pt, 기울임꼴
- 도형 서식 : 도형 옵션 – 크기 및 속성(텍스트 상자(세로 맞춤 : 정가운데, 텍스트 방향 : 가로))

▶ 셀 서식을 아래 조건에 맞게 작성하시오.
- [A2:I15] : 테두리(안쪽, 윤곽선 모두 실선, '검정, 텍스트 1'), 전체 가운데 맞춤
- [A13:D13], [A14:D14], [A15:D15] : 각각 병합하고 가운데 맞춤
- [A2:I2], [A13:D15] : 채우기 색('파랑, 강조 5, 40% 더 밝게'), 글꼴(굵게)
- [H3:H12] : 셀 서식의 표시 형식-사용자 지정을 이용하여 #"위"자를 추가
- [D3:G12] : 셀 서식의 표시 형식-숫자를 이용하여 1000 단위 구분 기호 표시
- [E13:G15] : 셀 서식의 표시 형식-사용자 지정을 이용하여 #,##0"원"자를 추가
- 조건부 서식[A3:I12] : '지급액'이 4000000 이하인 경우 레코드 전체에 글꼴(자주, 굵게) 적용
- 지시사항이 없는 경우는 주어진 문제파일의 서식을 그대로 사용하시오.

▶ ① 순위[H3:H12] : '지급액'을 기준으로 큰 순으로 '순위'를 구하시오. (RANK.EQ 함수)

▶ ② 비고[I3:I12] : '보너스'가 1300000 이상이면 "우수 사원", 그렇지 않으면 공백을 구하시오. (IF 함수)

▶ ③ 평균[E13:G13] : '팀명'이 "홍보팀"인 '보너스'의 평균을 구하시오. (DAVERAGE 함수)

▶ ④ 최대값-최소값[E14:G14] : '기본급'의 최대값과 최소값의 차이를 구하시오. (MAX, MIN 함수)

▶ ⑤ 순위[E15:G15] : '세금' 중 두 번째로 작은 값을 구하시오. (SMALL 함수)

【문제 4】 **"피벗테이블" 시트를 참조하여 다음 《처리조건》에 맞도록 작업하시오.(30점)**

《출력형태》

	A	B	C	D	E
1					
2					
3			원산지		
4	종류	값	남아메리카	동남아시아	말라위
5	구피	최대값 : 2012년	1,264	1,345	**
6		최대값 : 2013년	1,321	1,264	**
7		최대값 : 2014년	1,378	1,368	**
8	시클리드	최대값 : 2012년	**	**	1,387
9		최대값 : 2013년	**	**	1,289
10		최대값 : 2014년	**	**	1,345
11	잉어	최대값 : 2012년	**	1,389	**
12		최대값 : 2013년	**	1,312	**
13		최대값 : 2014년	**	1,347	**
14	**전체 최대값 : 2012년**		**1,264**	**1,389**	**1,387**
15	**전체 최대값 : 2013년**		**1,321**	**1,312**	**1,289**
16	**전체 최대값 : 2014년**		**1,378**	**1,368**	**1,345**
17					

《처리조건》

- ▶ "피벗테이블" 시트의 [A2:G12]를 이용하여 새로운 시트에 《출력형태》와 같이 피벗 테이블을 작성 후 시트명을 "피벗테이블 정답"으로 수정하시오.
- ▶ 종류(행)와 원산지(열)를 기준으로 하여 출력형태와 같이 구하시오.
  - '2012년', '2013년', '2014년'의 최대값을 구하시오.
  - 피벗 테이블 옵션을 이용하여 레이블이 있는 셀 병합 및 가운데 맞춤하고 빈 셀을 "**"로 표시한 후, 행의 총 합계를 감추기 하시오.
  - 피벗 테이블 디자인에서 보고서 레이아웃은 '테이블 형식으로 표시', 피벗 테이블 스타일은 '피벗 스타일 보통 6'으로 표시하시오.
  - 원산지(열)는 "남아메리카", "동남아시아", "말라위"만 출력되도록 표시하시오.
  - [C5:E16] 데이터는 셀 서식의 표시 형식-숫자를 이용하여 1000 단위 구분 기호를 표시하고, 가운데 맞춤하시오.
- ▶ 종류의 순서는 《출력형태》와 다를 수 있음
- ▶ 지시사항이 없는 경우는 《출력형태》와 동일하게 작성하시오.

제01회 실전모의고사

▸ 시험과목 : 스프레드시트(엑셀)
▸ 시험일자 : 20XX. XX. XX.(X)
▸ 응시자 기재사항 및 감독위원 확인

수 검 번 호	DIS – XXXX –	감독위원 확인
성 명		

응시자 유의사항

1. 응시자는 신분증을 지참하여야 시험에 응시할 수 있으며, 시험이 종료될 때까지 신분증을 제시하지 못할 경우 해당 시험은 0점 처리됩니다.
2. 시스템(PC 작동 여부, 네트워크 상태 등)의 이상 여부를 반드시 확인하여야 하며, 시스템 이상이 있을시 감독위원에게 조치를 받으셔야 합니다.
3. 시험 중 부주의 또는 고의로 시스템을 파손한 경우는 응시자 부담으로 합니다.
4. 답안 전송 프로그램을 통해 다운로드 받은 파일을 이용하여 답안 파일을 작성하시기 바랍니다.
5. 작성한 답안 파일은 답안 전송 프로그램을 통하여 전송됩니다. 감독위원의 지시에 따라 주시기 바랍니다.
6. 다음 사항의 경우 실격(0점) 혹은 부정행위 처리됩니다.
   ❶ 답안 파일을 저장하지 않았거나, 저장한 파일이 손상되었을 경우
   ❷ 답안 파일을 지정된 폴더(바탕화면 "KAIT" 폴더)에 저장하지 않았을 경우
   ※ 답안 전송 프로그램 로그인 시 바탕화면에 자동 생성됨
   ❸ 답안 파일을 다른 보조기억장치(USB) 혹은 네트워크(메신저, 게시판 등)로 전송할 경우
   ❹ 휴대용 전화기 등 통신기기를 사용할 경우
7. 시험지에 제시된 글꼴이 응시 프로그램에 없는 경우, 반드시 감독위원에게 해당 내용을 통보한 뒤 조치를 받아야 합니다.
8. 시험의 완료는 작성이 완료된 답안을 저장하고, 답안 전송이 완료된 상태를 확인한 것으로 합니다. 답안 전송 확인 후 문제지는 감독위원에게 제출한 후 퇴실하여야 합니다.
9. 답안 전송이 완료된 경우에는 수정 또는 정정이 불가능합니다.
10. 시험시행 후 결과는 홈페이지(www.ihd.or.kr)에서 확인하시기 바랍니다.
   ❶ 문제 및 모범답안 공개 : 20XX. XX. XX.(X)
   ❷ 합격자 발표 : 20XX. XX. XX.(X)

【문제 5】 **"차트" 시트를 참조하여 다음 《처리조건》에 맞도록 작업하시오.(30점)**

《출력형태》

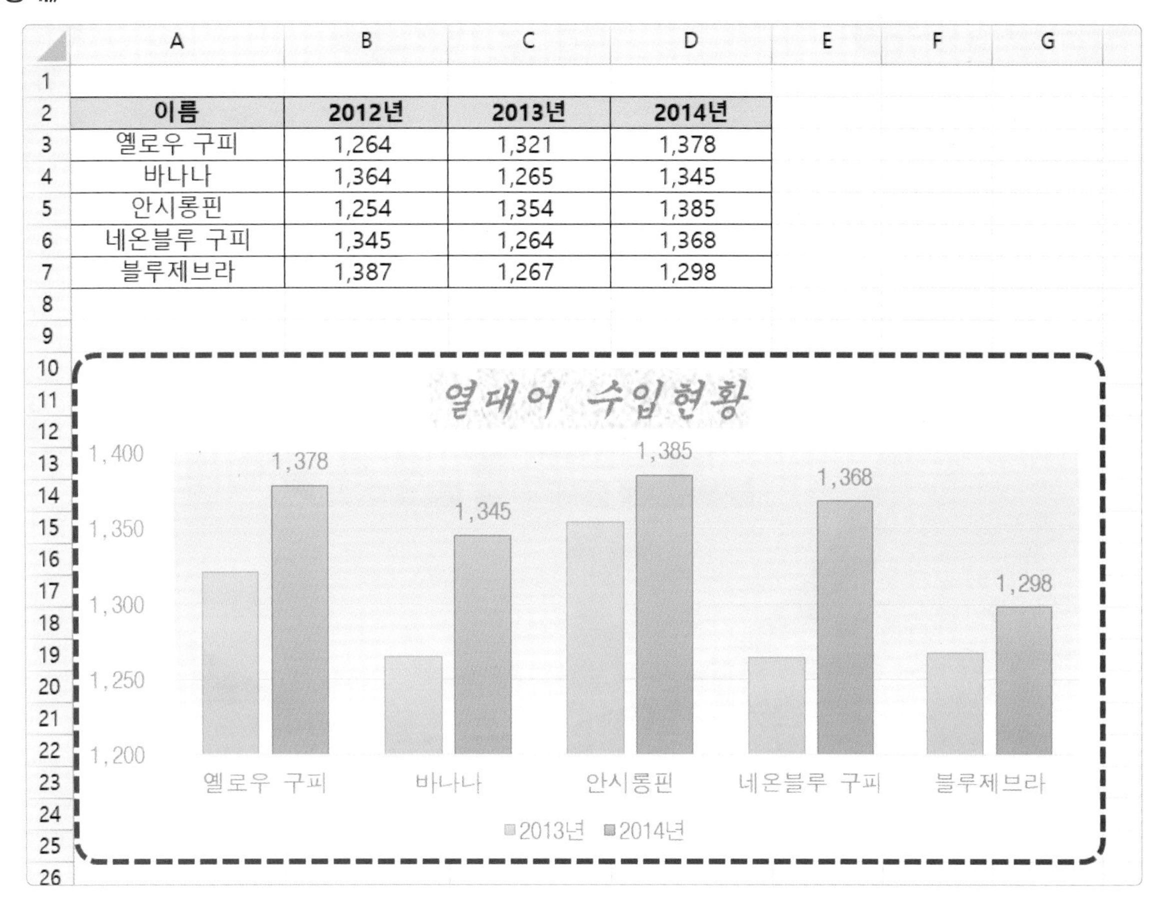

이름	2012년	2013년	2014년
옐로우 구피	1,264	1,321	1,378
바나나	1,364	1,265	1,345
안시롱핀	1,254	1,354	1,385
네온블루 구피	1,345	1,264	1,368
블루제브라	1,387	1,267	1,298

《처리조건》

▶ "차트" 시트에 주어진 표를 이용하여 '묶은 세로 막대형' 차트를 작성하시오.

- 데이터 범위 : 현재 시트 [A2:A7], [C2:D7]의 데이터를 이용하여 작성하고, 행/열 전환은 '열'로 지정
- 차트 제목("열대어 수입현황")
- 범례 위치 : 아래쪽
- 차트 스타일 : 색 변경(색상형 – 색 4, 스타일 5)
- 차트 위치 : 현재 시트에 [A10:G25] 크기에 정확하게 맞추시오.
- 차트 영역 서식 : 글꼴(돋움체, 11pt), 테두리 색(실선, 색 : 진한 파랑), 테두리 스타일(너비 : 2.5pt, 겹선 종류 : 단순형, 대시 종류 : 사각 점선, 둥근 모서리)
- 차트 제목 서식 : 글꼴(궁서체, 20pt, 기울임꼴), 채우기(그림 또는 질감 채우기, 질감 : 신문 용지)
- 그림 영역 서식 : 채우기(그라데이션 채우기, 그라데이션 미리 설정 : 밝은 그라데이션–강조 4, 종류 : 선형, 방향 : 선형 위쪽)
- 데이터 레이블 추가 : '2014년' 계열에 "값" 표시

▶ 지시사항이 없는 경우는 《출력형태》와 동일하게 작성하시오.

• PART • 04

실전 모의고사

제02회 KAIT 공개 샘플 문제

▹ 시험과목 : 스프레드시트(엑셀)
▹ 시험일자 : 20XX. XX. XX.(X)
▹ 응시자 기재사항 및 감독위원 확인

수 검 번 호	DIS – XXXX –	감독위원 확인
성 명		

응시자 유의사항

1. 응시자는 신분증을 지참하여야 시험에 응시할 수 있으며, 시험이 종료될 때까지 신분증을 제시하지 못할 경우 해당 시험은 0점 처리됩니다.
2. 시스템(PC 작동 여부, 네트워크 상태 등)의 이상 여부를 반드시 확인하여야 하며, 시스템 이상이 있을시 감독위원에게 조치를 받으셔야 합니다.
3. 시험 중 부주의 또는 고의로 시스템을 파손한 경우는 응시자 부담으로 합니다.
4. 답안 전송 프로그램을 통해 다운로드 받은 파일을 이용하여 답안 파일을 작성하시기 바랍니다.
5. 작성한 답안 파일은 답안 전송 프로그램을 통하여 전송됩니다. 감독위원의 지시에 따라 주시기 바랍니다.
6. 다음 사항의 경우 실격(0점) 혹은 부정행위 처리됩니다.
   ❶ 답안 파일을 저장하지 않았거나, 저장한 파일이 손상되었을 경우
   ❷ 답안 파일을 지정된 폴더(바탕화면 "KAIT" 폴더)에 저장하지 않았을 경우
   ※ 답안 전송 프로그램 로그인 시 바탕화면에 자동 생성됨
   ❸ 답안 파일을 다른 보조기억장치(USB) 혹은 네트워크(메신저, 게시판 등)로 전송할 경우
   ❹ 휴대용 전화기 등 통신기기를 사용할 경우
7. 시험지에 제시된 글꼴이 응시 프로그램에 없는 경우, 반드시 감독위원에게 해당 내용을 통보한 뒤 조치를 받아야 합니다.
8. 시험의 완료는 작성이 완료된 답안을 저장하고, 답안 전송이 완료된 상태를 확인한 것으로 합니다. 답안 전송 확인 후 문제지는 감독위원에게 제출한 후 퇴실하여야 합니다.
9. 답안 전송이 완료된 경우에는 수정 또는 정정이 불가능합니다.
10. 시험시행 후 결과는 홈페이지(www.ihd.or.kr)에서 확인하시기 바랍니다.
    ❶ 문제 및 모범답안 공개 : 20XX. XX. XX.(X)
    ❷ 합격자 발표 : 20XX. XX. XX.(X)

Memo

【문제 1】 "판매형황" 시트를 참조하여 다음 《처리조건》에 맞도록 작업하시오.(50점)

《출력형태》

	A	B	C	D	E	F	G	H	I
1	청소용품 판매현황								
2	이름	제조사	사용구분	판매점수	1월	2월	3월	순위	비고
3	스틱변기솔	쓰리엠	화장실	1,875점	1,123	1,054	1,211	3위	
4	윈도우 스퀴지	뉴홈	실내	1,796점	1,245	1,164	1,247	5위	
5	압축기	리빙홈	화장실	1,564점	1,023	1,054	1,168	10위	
6	빗자루	뉴홈	실외	1,870점	1,378	1,286	1,342	4위	인기
7	극세사 걸레	뉴홈	실내	1,754점	1,268	1,165	1,268	6위	인기
8	바닥솔	리빙홈	화장실	1,684점	1,387	1,268	1,298	9위	인기
9	컴팩트 분무기	쓰리엠	실내	1,697점	1,156	1,121	1,221	8위	
10	대형쓰레기통	뉴홈	실외	1,712점	1,221	1,178	1,236	7위	
11	유리닦기	쓰리엠	실내	1,894점	1,147	1,131	1,247	2위	
12	빗자루세트	리빙홈	실내	1,923점	1,321	1,264	1,298	1위	인기
13	'3월'의 최대값-최소값 차이				174				
14	'사용구분'이 "화장실"인 '판매점수'의 합계				5,123점				
15	'2월' 중 두 번째로 작은 값				1,054				
16									

《처리조건》

▶ 1행의 행 높이를 '80'으로 설정하고, 2행~15행의 행 높이를 '18'로 설정하시오.

▶ 제목("청소용품 판매현황") : 기본 도형의 '십자형'을 이용하여 입력하시오.
- 도형 : 위치([B1:H1]), 도형 스타일(테마 스타일 – 미세 효과 – '파랑, 강조 1')
- 글꼴 : 궁서체, 24pt, 기울임꼴
- 도형 서식 : 도형 옵션 – 크기 및 속성(텍스트 상자(세로 맞춤 : 정가운데, 텍스트 방향 : 가로))

▶ 셀 서식을 아래 조건에 맞게 작성하시오.
- [A2:I15] : 테두리(안쪽, 윤곽선 모두 실선, '검정, 텍스트 1'), 전체 가운데 맞춤
- [A13:D13], [A14:D14], [A15:D15] : 각각 병합하고 가운데 맞춤
- [A2:I2], [A13:D15] : 채우기 색('파랑, 강조 5, 40% 더 밝게'), 글꼴(굵게)
- [E3:G12], [E15:G15] : 셀 서식의 표시 형식–숫자를 이용하여 1000 단위 구분 기호 표시
- [H3:H12] : 셀 서식의 표시 형식–사용자 지정을 이용하여 #"위"자를 추가
- [D3:D12], [E14:G14] : 셀 서식의 표시 형식–사용자 지정을 이용하여 #,##0"점"자를 추가
- 조건부 서식[A3:I12] : '판매점수'가 1800 이상인 경우 레코드 전체에 글꼴(빨강, 굵게) 적용
- 지시사항이 없는 경우는 주어진 문제파일의 서식을 그대로 사용하시오.

▶ ① 순위[H3:H12] : '판매점수'를 기준으로 큰 순으로 순위를 구하시오. (RANK.EQ 함수)

▶ ② 비고[I3:I12] : '3월'이 1250 이상이면 "인기", 그렇지 않으면 공백으로 구하시오. (IF 함수)

▶ ③ 최대값–최소값[E13:G13] : '3월'의 최대값과 최소값의 차이를 구하시오. (MAX, MIN 함수)

▶ ④ 합계[E14:G14] : '사용구분'이 "화장실"인 '판매점수'의 합계를 구하시오. (DSUM 함수)

▶ ⑤ 순위[E15:G15] : '2월' 중 두 번째로 작은 값을 구하시오. (SMALL 함수)

【문제 5】 **"차트" 시트를 참조하여 다음 《처리조건》에 맞도록 작업하시오.(30점)**

《출력형태》

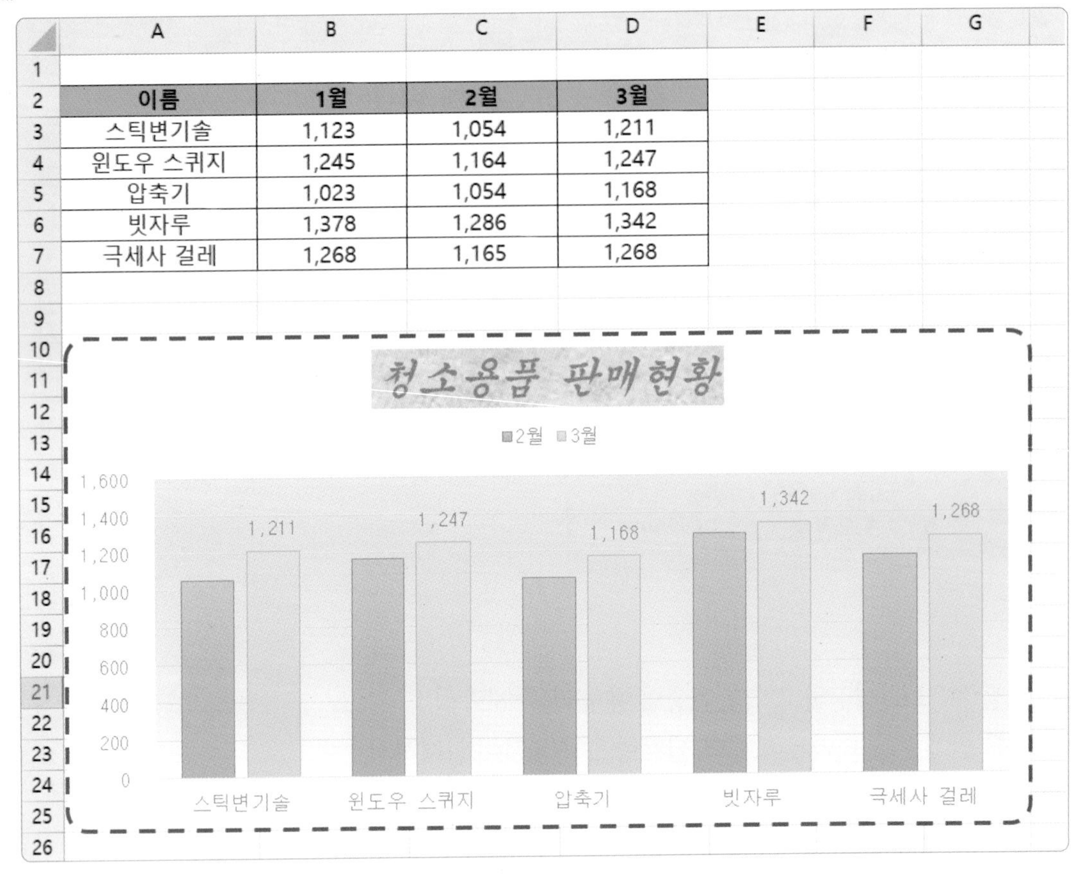

이름	1월	2월	3월
스틱변기솔	1,123	1,054	1,211
윈도우 스퀴지	1,245	1,164	1,247
압축기	1,023	1,054	1,168
빗자루	1,378	1,286	1,342
극세사 걸레	1,268	1,165	1,268

《처리조건》

▶ "차트" 시트에 주어진 표를 이용하여 '묶은 세로 막대형' 차트를 작성하시오.

- 데이터 범위 : 현재 시트 [A2:A7], [C2:D7]의 데이터를 이용하여 작성하고, 행/열 전환은 '열'로 지정
- 차트 제목("청소용품 판매현황")
- 범례 위치 : 위쪽
- 차트 스타일 : 색 변경(색상형 – 색 3, 스타일 5)
- 차트 위치 : 현재 시트에 [A10:G25] 크기에 정확하게 맞추시오.
- 차트 영역 서식 : 글꼴(돋움체, 10pt), 테두리 색(실선, 색 : 자주), 테두리 스타일(너비 : 2.25pt, 겹선 종류 : 단순형, 대시 종류 : 파선, 둥근 모서리)
- 차트 제목 서식 : 글꼴(궁서체, 20pt, 기울임꼴), 채우기(그림 또는 질감 채우기, 질감 : 편지지)
- 그림 영역 서식 : 채우기(그라데이션 채우기, 그라데이션 미리 설정 : 밝은 그라데이션–강조 4, 종류 : 선형, 방향 : 선형 위쪽)
- 데이터 레이블 추가 : '3월' 계열에 "값" 표시

▶ 지시사항이 없는 경우는 《출력형태》와 동일하게 작성하시오.

【문제 2】 "부분합" 시트를 참조하여 다음 《처리조건》에 맞도록 작업하시오.(30점)

《출력형태》

	A	B	C	D	E	F	G
1							
2	이름	제조사	사용구분	판매점수	1월	2월	3월
3	윈도우 스퀴지	뉴홈	실내	1,796	1,245	1,164	1,247
4	극세사 걸레	뉴홈	실내	1,754	1,268	1,165	1,268
5	컴팩트 분무기	쓰리엠	실내	1,697	1,156	1,121	1,221
6	유리닦기	쓰리엠	실내	1,894	1,147	1,131	1,247
7	빗자루세트	리빙홈	실내	1,923	1,321	1,264	1,298
8			실내 최대값		1,321	1,264	1,298
9			실내 평균	1,813			1,256
10	빗자루	뉴홈	실외	1,870	1,378	1,286	1,342
11	대형쓰레기통	뉴홈	실외	1,712	1,221	1,178	1,236
12			실외 최대값		1,378	1,286	1,342
13			실외 평균	1,791			1,289
14	스틱변기솔	쓰리엠	화장실	1,875	1,123	1,054	1,211
15	압축기	리빙홈	화장실	1,564	1,023	1,054	1,168
16	바닥솔	리빙홈	화장실	1,684	1,387	1,268	1,298
17			화장실 최대값		1,387	1,268	1,298
18			화장실 평균	1,708			1,226
19			전체 최대값		1,387	1,286	1,342
20			전체 평균	1,777			1,254
21							

《처리조건》

- ▶ 데이터를 '사용구분' 기준으로 오름차순 정렬하시오.
- ▶ 아래 조건에 맞는 부분합을 작성하시오.
  - '사용구분'으로 그룹화하여 '판매점수', '3월'의 평균을 구하는 부분합을 만드시오.
  - '사용구분'으로 그룹화하여 '1월', '2월', '3월'의 최대값을 구하는 부분합을 만드시오. (새로운 값으로 대치하지 말 것)
  - [D3:G20] 영역에 셀 서식의 표시 형식-숫자를 이용하여 1000 단위 구분 기호를 표시하시오.
- ▶ E~F열을 선택하여 그룹을 설정하시오.
- ▶ 평균과 최대값의 부분합 순서는 《출력형태》와 다를 수 있음
- ▶ 지시사항이 없는 경우는 기본 값을 적용하시오.

【문제 4】 **"피벗테이블" 시트를 참조하여 다음 《처리조건》에 맞도록 작업하시오.(30점)**

《출력형태》

	A	B	C	D	E
1					
2					
3			제조사		
4	사용구분	값	뉴홈	리빙홈	총합계
5	실내	평균 : 1월	1,257	1,321	1,278
6		평균 : 2월	1,165	1,264	1,198
7		평균 : 3월	1,258	1,298	1,271
8	실외	평균 : 1월	1,300	***	1,300
9		평균 : 2월	1,232	***	1,232
10		평균 : 3월	1,289	***	1,289
11	화장실	평균 : 1월	***	1,205	1,205
12		평균 : 2월	***	1,161	1,161
13		평균 : 3월	***	1,233	1,233
14					

《처리조건》

▶ "피벗테이블" 시트의 [A2:G12]를 이용하여 새로운 시트에 《출력형태》와 같이 피벗 테이블을 작성 후 시트명을 "피벗테이블 정답"으로 수정하시오.

▶ 사용구분(행)과 제조사(열)를 기준으로 하여 출력형태와 같이 구하시오.

- '1월', '2월', '3월'의 평균을 구하시오.
- 피벗 테이블 옵션을 이용하여 레이블이 있는 셀 병합 및 가운데 맞춤하고 빈 셀을 "***"로 표시한 후, 열의 총 합계를 감추기 하시오.
- 피벗 테이블 디자인에서 보고서 레이아웃은 '테이블 형식으로 표시', 피벗 테이블 스타일은 '피벗 스타일 어둡게 13'으로 표시하시오.
- 제조사(열)는 "뉴홈", "리빙홈"만 출력되도록 표시하시오.
- [C5:E13] 데이터는 셀 서식의 표시 형식-숫자를 이용하여 1000 단위 구분 기호 표시하고, 가운데 맞춤하시오.

▶ 사용구분의 순서는 《출력형태》와 다를 수 있음

▶ 지시사항이 없는 경우는 《출력형태》와 동일하게 작성하시오.

【문제 3】 **"필터"와 "시나리오" 시트를 참조하여 다음 《처리조건》에 맞도록 작업하시오.(60점)**

(1) 필터

《출력형태 – 필터》

	A	B	C	D	E	F	G
1							
2	이름	제조사	사용구분	판매점수	1월	2월	3월
3	스틱변기솔	쓰리엠	화장실	1,875	1,123	1,054	1,211
4	윈도우 스퀴지	뉴홈	실내	1,796	1,245	1,164	1,247
5	압축기	리빙홈	화장실	1,564	1,023	1,054	1,168
6	빗자루	뉴홈	실외	1,870	1,378	1,286	1,342
7	극세사 걸레	뉴홈	실내	1,754	1,268	1,165	1,268
8	바닥솔	리빙홈	화장실	1,684	1,387	1,268	1,298
9	컴팩트 분무기	쓰리엠	실내	1,697	1,156	1,121	1,221
10	대형쓰레기통	뉴홈	실외	1,712	1,221	1,178	1,236
11	유리닦기	쓰리엠	실내	1,894	1,147	1,131	1,247
12	빗자루세트	리빙홈	실내	1,923	1,321	1,264	1,298
13							
14	조건						
15	TRUE						
16							
17							
18	이름	제조사	판매점수	2월	3월		
19	스틱변기솔	쓰리엠	1,875	1,054	1,211		
20	유리닦기	쓰리엠	1,894	1,131	1,247		
21	빗자루세트	리빙홈	1,923	1,264	1,298		
22							

《처리조건》

▶ "필터" 시트의 [A2:G12]를 아래 조건에 맞게 고급 필터를 사용하여 작성하시오.

- '판매점수'가 1800 이상이고 '3월'이 1300 이하인 데이터를 '이름', '제조사', '판매점수', '2월', '3월'의 데이터만 필터링하시오.
- 조건 위치 : 조건 함수는 [A15] 한 셀에 작성(AND 함수 이용)
- 결과 위치 : [A18]부터 출력

▶ 지시사항이 없는 경우는 《출력형태 – 필터》와 동일하게 작성하시오.

(2) 시나리오

《출력형태 – 시나리오》

	A	B	C	D	E	F	G
2		시나리오 요약					
3				현재 값:	3월 216 증가	3월 186 감소	
5		변경 셀:					
6			$G$6	1,342	1,558	1,156	
7			$G$7	1,236	1,452	1,050	
8			$G$8	1,247	1,463	1,061	
9			$G$9	1,268	1,484	1,082	
10		결과 셀:					
11			$H$6	1,335	1,407	1,273	
12			$H$7	1,212	1,284	1,150	
13			$H$8	1,219	1,291	1,157	
14			$H$9	1,234	1,306	1,172	
15		참고: 현재 값 열은 시나리오 요약 보고서가 작성될 때의					
16		변경 셀 값을 나타냅니다. 각 시나리오의 변경 셀들은					
17		회색으로 표시됩니다.					

《처리조건》

▶ "시나리오" 시트의 [A2:H12]를 이용하여 '제조사'가 "뉴홈"인 경우, '3월'이 변동할 때 '평균'이 변동하는 가상분석(시나리오)을 작성하시오.

- 시나리오1 : 시나리오 이름은 "3월 216 증가", '3월'에 216을 증가시킨 값 설정.
- 시나리오2 : 시나리오 이름은 "3월 186 감소", '3월'에 186을 감소시킨 값 설정.
- "시나리오 요약" 시트를 작성하시오.

▶ 지시사항이 없는 경우는 《출력형태 – 시나리오》와 동일하게 작성하시오.